LAROUSSE

encyclopédique
universel

EN 16 VOLUMES

LAROUSSE

encyclopédique universel

EN 16 VOLUMES

magnan

M.T.S.

10

FRANCE LOISIRS

123, BOULEVARD DE GRENELLE, PARIS

direction de la publication

Bertrand ÉVENO

direction éditoriale

Yves GARNIER

édition

Michèle BEAUCOURT

conception graphique

Guy CALKA et Alain JOLY

lecture-correction

service Lecture-Correction Larousse

couverture

France Loisirs

fabrication

Lionel GAILLARD
Janine MILLE

impression

France Loisirs

Édition du Club France Loisirs, Paris
avec l'autorisation des éditions Larousse-Bordas
© **Larousse-Bordas 1998**
Nº Éditeur : 28263 - dépôt légal : mai 1998
ISBN : 2-7242-9392-4

Imprimé en Espagne par Printer Industria Gráfica, S.A.
et relié à la Nouvelle Reliure Industrielle à Auxerre

LES DOSSIERS
ET VOYAGES
DE CE VOLUME

MAGNAN [maɲɑ̃] n.m. -**1.** AFRIQUE. Fourmi noire, très vorace, qui migre en formant d'immenses colonnes dévastant tout sur leur passage. -**2.** MIDI. Ver à soie.

MAGNANERIE n.f. -**1.** Bâtiment destiné à l'élevage des vers à soie. -**2.** Sériciculture.

MAGNANI (Anna), actrice italienne (Alexandrie, Égypte, 1908 - Rome 1973). Elle débuta au théâtre vers 1930 et au cinéma en 1943. En 1945, *Rome ville ouverte,* de Rossellini, fit d'elle une vedette internationale. Elle tourna encore *Amore* (1948), *Bellissima* (1951), *le Carrosse d'or* (1953), *Mamma Roma* (1962).

MAGNANIER, ÈRE n. Personne qui s'occupe de l'élevage des vers à soie.

MAGNANIME adj. Dont la générosité se manifeste par la bienveillance et la clémence.
◆ **magnanimement** adv.

MAGNANIMITÉ n.f. Caractère de qqn, d'un comportement qui est magnanime.

MAGNARD (Albéric), compositeur français (Paris 1865 - manoir des Fontaines, Baron, Oise, 1914), auteur de quatre symphonies, de poèmes symphoniques et de tragédies lyriques (*Guercœur,* 1900 ; *Bérénice,* 1909).

MAGNASCO (Alessandro), peintre italien (Gênes 1667 - *id.* 1749). Influencé notamment par S. Rosa et Callot, il a campé, dans des ambiances sombres, d'une touche capricieuse et scintillante, des groupes de moines, de bohémiens, etc., qui composent autant de visions fantastiques ou macabres. Il fut aussi peintre religieux.

MAGNAT [magna] n.m. -**1.** En Hongrie et en Pologne, membre des grandes familles nobles dominantes. -**2.** Personnalité très importante du monde des affaires, de l'industrie, de la presse.

MAGNELLI (Alberto), peintre italien (Florence 1888 - Meudon 1971), maître d'un art très épuré, voire abstrait à diverses reprises, installé en France en 1931 (*Paysan au parapluie,* 1919, M. N. A. M., Paris).

MAGNÉSIE n.f. (lat. *magnes* [*lapis*], [pierre] d'aimant). Oxyde ou hydroxyde de magnésium. La magnésie anhydride MgO est une poudre blanche fondant vers 2 500 ºC, que l'eau transforme en magnésie hydratée $Mg(OH)_2$.

L'Embarquement des galériens dans le port de Gênes, par Alessandro **MAGNASCO.**
(Musée des Beaux-Arts, Bordeaux.)

MAGNÉSIE du Méandre, colonie thessalienne d'Ionie, au sud d'Éphèse, près du village turc de Tekke. Puissante ville hellénistique, dont la plupart des monuments, du début du IIᵉ s. av. J.-C., illustrent de nouvelles conceptions architecturales : dégagement de l'espace, allègement des formes, recherche de l'effet plastique.

MAGNÉSIE du Sipyle, v. de Lydie où Antiochos III fut battu par les Romains en 189 av. J.-C. (Auj. *Manisa,* en Turquie.)

MAGNÉSIEN, ENNE adj. Qui contient du magnésium. ◆ **magnésien** adj.m. et n.m. Organomagnésien.

MAGNÉSIOTHERMIE n.f. Procédé de préparation de métaux purs utilisant le pouvoir de réduction du magnésium.

MAGNÉSITE n.f. Giobertite.

MAGNÉSIUM [maɲezjɔm] n.m. Métal solide, blanc argenté, de densité 1,7 ; élément (Mg) de numéro atomique 12, de masse atomique 24,30.

MAGNÉTIQUE adj. (bas lat. *magneticus,* de *magnes,* aimant minéral). -**1.** Doué des propriétés de l'aimant : *Corps magnétique.* -**2.** Qui concerne le magnétisme : *Champ magnétique.* -**3.** Qui a une influence puissante et mystérieuse : *Regard magnétique.*

MAGNÉTISABLE adj. Qui peut être magnétisé.

MAGNÉTISANT, E adj. Qui provoque l'aimantation.

MAGNÉTISATION n.f. Action, manière de magnétiser.

MAGNÉTISER v.t. -**1.** Communiquer une aimantation à un matériau, à un corps. -**2.** LITT. Exercer une attraction puissante et mystérieuse sur qqn : *Tribun qui magnétise les foules.*

MAGNÉTISEUR, EUSE n. Personne censée posséder un fluide particulier (se manifestant notamm. dans l'imposition des mains, les passes à distance, etc.).

MAGNÉTISME n.m. -**1.** Ensemble des phénomènes que présentent les matériaux aimantés. -**2.** Attrait puissant et mystérieux exercé par qqn sur son entourage. -**3.** *Magnétisme animal,* pour les occultistes, propriété du corps animal qui le rendrait réceptif à l'influence des corps célestes et à celles des corps qui l'environnent, de même qu'il exercerait la sienne sur ces derniers. ‖ *Magnétisme terrestre,* ensemble des phénomènes magnétiques liés au globe terrestre. SYN. : géomagnétisme.
→ ● DOSSIER LE MAGNÉTISME *page 3336.*

MAGNÉTITE n.f. Oxyde naturel de fer, doué de magnétisme, bon minerai de fer.

MAGNÉTO n.f. Génératrice électrique où le champ inducteur est produit par un aimant permanent.

MAGNÉTOCASSETTE n.m. Magnétophone utilisant des cassettes.

MAGNÉTOCHIMIE n.f. Étude des propriétés magnétiques des combinaisons chimiques et de leurs applications en chimie.

MAGNÉTODYNAMIQUE adj. Se dit d'un appareil dans lequel l'excitation magnétique est produite par un aimant permanent.

MAGNÉTOÉLECTRIQUE adj. Qui tient à la fois des phénomènes magnétiques et électriques.

MAGNÉTOHYDRODYNAMIQUE n.f. Science qui traite de la dynamique des fluides conducteurs (par ex. un gaz ionisé) en présence d'un champ magnétique. Abrév. : *M. H. D.* ◆ adj. Relatif à la magnétohydrodynamique.

MAGNÉTOMÈTRE n.m. Appareil destiné à la mesure d'un champ magnétique.

MAGNÉTOMÉTRIE n.f. Mesure des champs magnétiques et des propriétés magnétiques des corps.

MAGNÉTOMOTEUR, TRICE adj. *Force magnétomotrice,* grandeur scalaire égale à la circulation du vecteur champ magnétique le long d'un contour fermé. Abrév. : *f. m. m.*

MAGNÉTON n.m. Unité élémentaire de moment magnétique propre aux domaines atomiques et subatomiques. (La valeur du magnéton de Bohr est : $\mu = e\hbar/2m$ [e = charge de l'électron ; $\hbar$ = constante de Planck réduite ; m = masse de l'électron].)

MAGNÉTO-OPTIQUE n.f. (pl. magnéto-optiques). Étude des propriétés optiques des substances soumises à des champs magnétiques.

MAGNÉTOPAUSE n.f. Limite externe de la magnétosphère d'une planète.

MAGNÉTOPHONE n.m. Appareil d'enregistrement et de lecture des sons, par aimantation rémanente d'une bande magnétique.

MAGNÉTOSCOPE n.m. Appareil d'enregistrement et de lecture des images et du son sur bande magnétique.

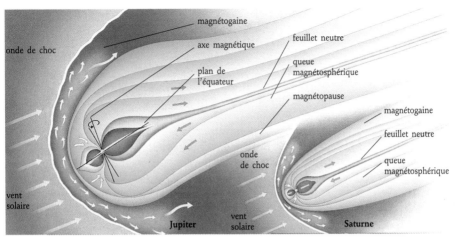

la **MAGNÉTOSPHÈRE** de Jupiter et celle de Saturne vues en coupe, à la même échelle, avec l'axe et les lignes de force du champ magnétique

MAGNÉTOSPHÈRE n.f. Zone dans laquelle le champ magnétique d'une planète se trouve confiné par le vent solaire.

ENCYCL. Les magnétosphères sont comprimées du côté du Soleil par une onde de choc due à la pression du vent solaire (dans le cas de la Terre, cette onde se forme à 90 000 km environ de la planète) et très étirées dans la direction opposée en une longue queue magnétique. Leur frontière avec le vent solaire est appelée « magnétopause ». Les particules chargées de haute énergie issues du vent solaire ou du rayonnement cosmique s'accumulent le long des lignes de force du champ magnétique, donnant naissance à des ceintures de rayonnement. Autour de la Terre, deux ceintures ont été mises en évidence par les premiers satellites artificiels : l'une, dite « interne », entre 1 000 et 5 000 km d'altitude ; l'autre, dite « externe », entre 15 000 et 25 000 km environ. On les appelle aussi « ceintures de Van Allen ».

Mercure possède une magnétosphère plus réduite que celle de la Terre et dépourvue de ceintures de rayonnement. Vénus et Mars, sans champ magnétique intrinsèque, n'ont pas de magnétosphère. Jupiter, Saturne, Uranus et Neptune, en revanche, possèdent des champs magnétiques intenses et des magnétosphères très étendues dont les sondes américaines Voyager ont révélé les principales caractéristiques. (→ ATMOSPHÈRE.)

MAGNÉTOSTATIQUE adj. Se dit des phénomènes concernant des aimants ou des masses magnétiques au repos. ◆ n.f. Science qui étudie ces phénomènes.

MAGNÉTOSTRICTION n.f. Déformation mécanique d'un matériau ferromagnétique, qui accompagne son aimantation.

MAGNÉTRON n.m. Tube à vide de forte puissance, générateur ou amplificateur de courants de très haute fréquence, dont le flux d'électrons est commandé à la fois par un champ électrique et par un champ magnétique.

MAGNIFICAT [magnifikat] n.m. inv. -1. Cantique de la Vierge Marie chanté aux vêpres. -2. Musique composée sur ce cantique.

MAGNIFICENCE n.f. -1. Qualité de ce qui est magnifique ; splendeur, éclat : *La magnificence d'un palais.* -2. LITT. Générosité, prodigalité.

MAGNIFIER v.t. Exalter la grandeur de qqn, de qqch ; glorifier, vanter : *Magnifier un exploit.*

MAGNIFIQUE adj. -1. Qui a une beauté pleine de grandeur ; somptueux, grandiose : *Un magnifique spectacle.* -2. Qui est extrêmement beau ; superbe : *Un temps magnifique. Athlète magnifique.* -3. Qui est d'une qualité exceptionnelle : *De la viande magnifique.* ◆ **magnifiquement** adv.

MAGNITOGORSK, v. de Russie, au pied de l'Oural méridional ; 440 000 hab. Gisement de fer. Sidérurgie.

MAGNITUDE n.f. (lat. *magnitudo,* grandeur). -1. Quantité qui sert à caractériser l'éclat apparent (magnitude *apparente*) ou réel (magnitude *absolue*) d'un astre. (La magnitude s'exprime par un nombre qui diminue quand l'éclat augmente.) SYN. (anc.) : **grandeur**. -2. Représentation numérique, sur une échelle donnée, de l'importance d'un séisme.

LE MAGNÉTISME

Si la pierre d'aimant (en latin *magnes*) a aidé les navigateurs à découvrir de nouveaux mondes, elle a longtemps dissimulé ses secrets. Bien que l'expérience de P. Pèlerin de Maricourt, dite « de l'aimant brisé », montrant que celui-ci est fait d'aimants plus petits, date de 1269, le premier indice sur la nature du magnétisme est venu en 1820 avec l'observation, par Œrsted, qu'un courant électrique est capable de dévier une aiguille aimantée. Ainsi, le magnétisme peut être décrit en termes de courants : à l'échelle des astres, les champs magnétiques ont pour origine des courants. Mais, dans un aimant, ces courants sont inobservables ; de fait, les particules elles-mêmes se comportent comme de minuscules aimants.

■ PHYSIQUE
La découverte des phénomènes.

Pèlerin de Maricourt définit les pôles et donne les lois qualitatives des attractions. Ces expériences sont complétées par W. Gilbert qui, dans *De magnete* (1600), introduit la notion de lignes de force, remarque que le fer, porté au rouge, se désaimante et décrit plusieurs méthodes d'aimantation. Abordant le magnétisme terrestre, il suppose le premier que la Terre est un gros aimant. Avec Coulomb commence l'étude quantitative du magnétisme. À l'aide de la balance de torsion, il établit les lois d'attraction et de répulsion, et introduit la notion de moment magnétique. Poisson donne, en 1824, les lois de la *magnétostatique* : aimantation par influence, théorie du potentiel magnétique. Œrsted établit un lien entre les phénomènes électriques et magnétiques, suivi par Ampère, Arago, Biot et Savart, qui créent les bases de l'*électromagnétisme*. Faraday découvre, en 1845, le *diamagnétisme,* propriété qu'a une substance, placée dans un champ magnétique, de prendre une aimantation de sens inverse. Il distingue aussi *paramagnétisme* – aimantation très faible et de même sens d'un corps placé dans un champ magnétique – et *ferromagnétisme* – propriété de certaines substances (fer, cobalt...) de prendre une forte aimantation.

La théorie du magnétisme.

P. Curie, entre 1892 et 1895, expérimente les variations des propriétés magnétiques avec la température, entre autres la transformation des corps ferromagnétiques en corps paramagnétiques au-dessus d'une certaine température (appelée *point de Curie*). S'appuyant sur ces travaux, P. Langevin, en 1905, édifie la première théorie quantitative des propriétés magnétiques de la matière : il part du modèle atomique de l'époque pour élaborer une théorie cinétique du diamagnétisme et du paramagnétisme, avec laquelle il retrouve la loi de Curie. P. Weiss donne une explication du ferromagnétisme. Les théories quantiques permettent d'approfondir les schémas précédents et de résoudre certaines difficultés. En 1925, S.A. Goudsmit et G.E. Uhlenbeck montrent qu'en dehors de son moment orbital l'électron possède un moment propre : le *spin*. En 1928, W. Heisenberg montre que les interactions ferromagnétiques sont dues à des échanges électroniques entre les atomes. Enfin, L. Néel établit et explique les notions nouvelles d'*antiferromagnétisme* et de *ferrimagnétisme*.

Voir aussi : PHYSIQUE.

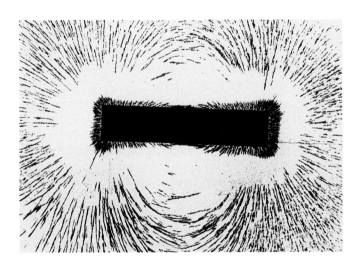

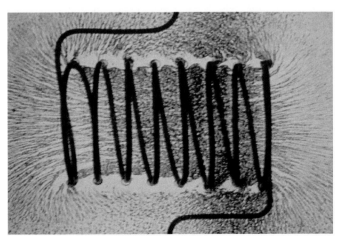

DES CHAMPS ANALOGUES

Les lignes de champ magnétique d'un aimant ❶, matérialisées sur la photo par de la limaille de fer qui s'oriente selon ces lignes, sont semblables à celles d'une bobine (ou solénoïde) ❷. La différence tient à l'origine de ce champ. Dans la bobine, le champ est produit, selon les lois de l'électromagnétisme, par des spires macroscopiques où circule un courant électrique (les lignes sont parallèles dans la bobine et divergent au-delà). Dans le cas de l'aimant, à l'intérieur de la matière (au niveau atomique), les électrons, les protons et même les neutrons sont autant d'aimants microscopiques dont les effets se conjuguent pour donner le champ global.

❶ Champ magnétique d'un aimant.

❷ Champ magnétique d'un solénoïde.

■ SCIENCES DE LA TERRE
Les caractéristiques du champ magnétique terrestre.

La Terre se comporte, vis-à-vis d'une boussole, comme un barreau aimanté, orienté à peu près parallèlement à son axe de rotation. On attribue l'origine de ce champ magnétique à l'existence de courants électriques dus à des mouvements de convection dans le noyau externe, composé pour l'essentiel de fer en fusion. Ces courants, à la façon de ceux qui parcourent un solénoïde, engendreraient le champ magnétique.

En tout point du globe, le champ magnétique terrestre est caractérisé par son inclinaison, c'est-à-dire l'angle qu'il fait avec l'horizontale, par sa déclinaison, ou angle qu'il fait avec le Nord géographique, et par son intensité. Une cartographie établie en continu des composantes de ce champ montre que celui-ci n'est pas constant. Il présente des variations régulières, séculaires, saisonnières ou diurnes, ainsi que des variations brutales et inattendues, les *orages magnétiques,* attribués à l'action de l'activité solaire sur la magnétosphère.

La comparaison entre le champ mesuré et le champ calculé en supposant une aimantation régulière de la Terre montre l'existence d'anomalies. Celles-ci résultent de la présence de masses rocheuses aux propriétés magnétiques particulières. L'étude de ces anomalies apporte des renseignements sur la structure et l'évolution de la Terre et sont aussi un guide pour la prospection de certaines substances.

Les conséquences géophysiques.

Certains minéraux constituant des roches sont magnétiques. C'est en particulier le cas de la *magnétite,* un oxyde de fer. Quand une lave refroidit, de tels minéraux s'orientent selon le champ magnétique existant alors. La mesure des « enregistrements » fossilisés par la lave permet alors de reconstituer les caractéristiques du champ qui régnait au moment de l'émission volcanique *(paléomagnétisme).* Ces mesures d'aimantation montrent que le champ magnétique a vu son orientation s'inverser de nombreuses fois au cours des temps géologiques. On reconstitue ainsi une échelle des inversions magnétiques, que l'on relie à l'échelle stratigraphique. Les reconstitutions paléomagnétiques permettent également de retracer les mouvements des continents. Elles conduisent à repositionner ceux-ci de manière que les roches d'un même âge soient aimantées dans une direction unique, qui représente le pôle magnétique de l'époque. On peut ainsi dresser des cartes paléogéographiques.

Voir aussi : GÉOLOGIE, GÉOPHYSIQUE, TERRE.

MAGNOL (Pierre), médecin et botaniste français (Montpellier 1638 - *id.* 1715). Il conçut l'idée du classement des plantes par familles.

MAGNOLIA [maɲɔlja] n.m. (du botaniste *Magnol*). Arbre originaire d'Asie et d'Amérique, à port élégant, à feuilles alternes, luisantes, à grandes fleurs d'odeur suave, recherché pour l'ornement des parcs et des jardins.

MAGNOLIALE n.f. *Magnoliales,* ordre de plantes à fleurs d'un type primitif, comme le tulipier, le magnolia, la badiane. (Certains auteurs y incluent aussi le laurier, le camphrier et le théier.)

MAGNUM [magnɔm] n.m. -**1.** Grosse bouteille contenant l'équivalent de deux bouteilles ordinaires (1,5 litre). -**2.** Bouteille de 1,5 ou de 2 litres d'eau minérale, de jus de fruits, etc.

MAGNUS, nom de plusieurs rois de Suède, de Danemark et de Norvège du XIᵉ au XIVᵉ siècle. Le plus célèbre est **Magnus VII Eriksson** (1316-1374), roi de Norvège (1319-1355) et de Suède (1319-1363), qui réalisa l'union de la péninsule.

MAGNY (Olivier de), poète lyrique français (Cahors v. 1529 - v. 1561). Il imita le pétrarquisme et l'épicurisme de Ronsard (*les Gayetez,* 1554) et la nostalgie de Du Bellay (*les Soupirs,* 1557).

MAGNY-COURS, comm. de la Nièvre ; 1 774 hab. Circuit automobile.

1. MAGOT n.m. -**1.** Singe sans queue, du genre macaque, vivant en Afrique du Nord et à Gibraltar. (Long. 75 cm.) -**2.** Figurine représentant un personnage obèse, hilare ou grimaçant, nonchalamment assis.

2. MAGOT n.m. FAM. Masse d'argent plus ou moins importante amassée peu à peu et mise en réserve.

MAGOUILLE n.f. ou **MAGOUILLAGE** n.m. FAM. Lutte d'influence douteuse entre des groupes ou entre des personnes à l'intérieur d'un groupe.

MAGOUILLER v.t. et i. FAM. Se livrer à des magouilles.

MAGOUILLEUR, EUSE adj. et n. FAM. Qui magouille.

MAGRET n.m. Filet de canard.

MAGRITTE (René), peintre belge (Lessines 1898 - Bruxelles 1967). Exécutées avec une précision impersonnelle, les œuvres de ce surréaliste sont d'étranges « collages » visuels, des rébus poétiques qui scrutent les multiples rapports existant entre les images, la réalité, les concepts, le langage. Ainsi, la phrase « Ceci n'est pas une pipe. » est calligraphiée, au-dessous de la représentation de l'objet en question, sur la toile *la Trahison des images* (1929) du musée d'Art de Los Angeles. L'artiste est bien représenté au M. A. M. de Bruxelles et, surtout, dans la collection Ménil à Houston.

René **MAGRITTE** : *le Double Secret* (1927). [M. N. A. M., C. N. A. C. G.-P., Paris.]

MAHABALIPURAM : « Descente du Gange »,
haut-relief rupestre. Art pallava, VIIᵉ-VIIIᵉ siècle.

MAGYAR, E [magjar] adj. et n. Hongrois.
MAHABALIPURAM, MAVALIPURAM ou
MAMALLAPURAM, ancienne Seven Pagodas,
site archéologique de l'Inde (Tamil-Nadu), sur
la côte de Coromandel, à environ 50 km au
S. de Madras. Ensemble brahmanique d'art
pallava (VIIᵉ-VIIIᵉ s.) comprenant des sanctuaires excavés et monolithiques (les cinq
ratha), des sculptures rupestres et trois temples
construits (à l'E., le « Temple du rivage »).
Mahabharata, épopée sanskrite anonyme
dont la composition s'étend du VIᵉ s. av. J.-C.
au IVᵉ s. apr. J.-C. environ. Ses 18 chants
retracent, en plus de 200 000 vers, la lutte des
Kaurava contre les Pandava. Y sont mis en
scène notamment le dieu Krishna et son
compagnon Arjuna. Elle comprend l'épisode
de la *Bhagavad-Gita*. C'est une somme de
concepts religieux et philosophiques, de légendes et traditions historiques, de règles
morales et juridiques. Elle a exercé et exerce
encore une influence considérable sur l'hindouisme et la civilisation indienne.
MAHALEB n.m. Cerisier des régions montagneuses de l'Europe, à fruits amers, de la taille
des pois.
MAHAN (Alfred Thayer), amiral américain
(West Point 1840 - Quogue, État de New York,
1914). Il prit part à la guerre de Sécession et
commanda l'École de guerre navale à Newport
(1866-1889 et 1892-93). Ses théories ont marqué l'évolution et la doctrine de la marine
américaine à la veille de la Première Guerre
mondiale. Considérant que l'introduction de
la machine à vapeur réduit considérablement

le caractère aléatoire des opérations sur mer,
il dégage les principes fondamentaux d'une
stratégie navale, où mers et océans sont
découpés en théâtres d'opérations traversés de
lignes stratégiques où les lignes de communication occupent la place principale. La puissance
navale dépend donc du contrôle qui s'exerce
sur elles.
MAHARAJA ou **MAHARADJAH** n.m. Titre
signifiant *grand roi,* et que l'on donne aux
princes feudataires de l'Inde.
MAHARANI n.f. Femme de maharaja.
MAHARASHTRA, État de l'Inde, dans l'ouest
du Deccan ; 307 500 km² ; 78 706 719 hab.
(Marathes). Cap. *Bombay.*
MAHATMA n.m. (mot sanskr., *grande âme*).
Titre donné en Inde à des personnalités
spirituelles de premier plan : *Le mahatma
Gandhi.*
MAHAUT → MATHILDE.
MAHAYANA adj. (mot sanskr., *grand véhicule*).
Bouddhisme mahayana, bouddhisme spécula-
tif, par opp. au *bouddhisme hinayana,* qui s'est
surtout développé dans le nord de l'Inde (d'où
il a gagné la Corée, la Chine et le Japon).
MAHDI n.m. Dans l'islam, envoyé de Dieu,
qui doit venir à la fin des temps pour rétablir
la foi corrompue et la justice sur la Terre.
MAHDI (Muhammad Ahmad ibn Abd Allah,
dit al-) [près de Khartoum 1844 - Omdurman
1885]. S'étant proclamé mahdi (1881), il
déclara la guerre sainte aux Britanniques et
s'empara de Khartoum (1885). Le pouvoir
anglo-égyptien ne fut rétabli au Soudan qu'en
1898.

MAHDISME n.m. Manifestation religieuse de l'islam, caractérisée par l'attente ou la proclamation d'un mahdi.

MAHÉ, principale île des Seychelles, dans l'océan Indien.

MAHÉ, v. du sud de l'Inde, sur la côte de Malabar ; 33 425 hab. Établissement français des Indes de 1721-1727 à 1954-1956.

MAHFUZ ou **MAHFOUZ** (Nadjib ou Naguib), romancier égyptien (Le Caire 1911). Les évocations de sa ville natale (*Rue du Pilon,* 1947 ; *le Voleur et les Chiens,* 1961 ; *les Fils de la médina,* 1967) forment une ample parabole de l'histoire des hommes. (Prix Nobel 1988.)

MAH-JONG [maʒɔ̃] ou [maʒɔ̃g] n.m. (pl. mahjongs). Jeu chinois qui s'apparente aux dominos et à certains jeux de cartes.

Gustav **MAHLER,** compositeur et chef d'orchestre autrichien. Détail d'un portrait (1902) par E. Orlik. (Musée historique de la ville, Vienne.)

MAHLER (Gustav), compositeur et chef d'orchestre autrichien (Kalischt, Bohême, 1860 - Vienne 1911). Après de brillantes études à Vienne, où il est le disciple de Bruckner, il entreprend une longue carrière de chef d'orchestre qui culmine avec sa nomination à la tête de l'Opéra de la cour de Vienne (1897-1907). De 1907 à 1911, il séjourne quatre fois aux États-Unis. Son esthétique témoigne d'un lyrisme postromantique où se mêlent des styles variés. On lui doit dix symphonies (1884-1910) de vastes proportions, auxquelles s'ajoute pour certaines la voix d'un soliste ou d'un chœur, et portant parfois des titres évocateurs (n° 1 « Titan », n° 2 « Résurrection »...), et des lieder avec orchestre dont *Lieder aus des Knaben Wunderhorn* (*le Cor merveilleux de l'enfant,* 1888-1899), *Kindertotenlieder* (*Chants pour des enfants morts,* 1901-1904), d'un lyrisme intense, et *Das Lied von der Erde* (*le Chant de la terre,* 1908).

MAHMUD II (Istanbul 1784 - *id.* 1839), sultan ottoman (1808-1839). Il massacra les janissaires (1826), dut faire face à la révolution grecque (1821-1830). Attaqué par Méhémet-Ali, il fut secouru par le tsar Nicolas Ier (1833).

MAHMUD de Ghazni (971-1030), souverain ghaznévide (999-1030). Investi par le calife de Bagdad, il entreprit 17 expéditions en Inde et régna sur la majeure partie de l'Iran, de l'Afghanistan et du Pendjab.

MAHOMET ou **MUHAMMAD,** en ar. Muḥammad, prophète et fondateur de la religion musulmane (La Mecque v. 570/571 ou 580 - Médine 632). Orphelin pauvre de la tribu des Quraychites, il devient caravanier d'une riche veuve, Khadidja, qu'il épouse. Vers l'an 610, alors qu'il médite dans une caverne du mont Hira, l'ange Gabriel lui transmet la parole de Dieu. Sa prédication, recueillie dans le Coran, lui gagne quelques compagnons, dont Ali et Abu Bakr, mais lui attire bientôt l'hostilité des riches Quraychites. Passant un accord secret avec les représentants de l'oasis de Yathrib, aujourd'hui Médine, à 350 km environ de La Mecque, il émigre avec ses adeptes dans cette ville. On est en 622 : c'est *l'hégire,* l'événement qui sera le point de départ du calendrier musulman. À Médine, Mahomet, messager d'Allah, acquiert la stature d'un grand chef politique et militaire. Il organise un État et une société dans lesquels il substitue aux anciennes coutumes tribales de l'Arabie la loi de l'islam, la *charia,* et l'autorité du Coran, qui sert de guide à la communauté *(umma)* des croyants. La religion nouvelle, constitutive-

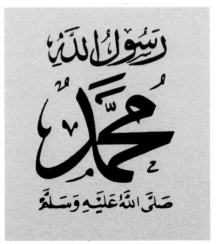

Calligraphie arabe du nom de **MAHOMET** (la tradition musulmane veut que l'on ne représente pas la personne du Prophète).

ment arabe, se sépare des monothéismes du temps (judaïsme et christianisme) et se présente comme étant la seule religion, son fondateur étant le dernier des prophètes, celui qui a reçu la plénitude de la révélation divine. En 624, Mahomet change l'orientation de la prière : on ne se tournera plus vers Jérusalem, mais vers La Mecque. Il institue le principe de la guerre sainte *(djihad)*, qui oblige à combattre tous ceux qui n'adhèrent pas à l'islam. Mahomet revient à La Mecque en 630, deux ans avant sa mort. (→ ISLAM.)

MAHOMET, sultans ottomans → MEHMED.

MAHOMÉTAN, E adj. et n. vx. Musulman.

MAHONIA n.m. (de *Mahón*, port des Baléares). Arbrisseau à feuilles épineuses, à fleurs jaunes et à baies bleues, originaire de l'Amérique du Nord, souvent cultivé dans les parcs. (Haut. 1 à 2 m ; famille des berbéridacées.)

MAHONNE n.f. Chaland de port, sans moyens propres de propulsion.

MAHRATTE n.m. → MARATHE.

MAI n.m. -1. Cinquième mois de l'année. -2. Arbre vert et enrubanné que l'on plantait le 1er mai en l'honneur de qqn. -3. *Premier mai,* journée de revendication des syndicats américains dès 1884, adoptée en France par l'Internationale socialiste en 1889 et devenue fête légale et jour férié en 1947.

mai 1877 *(crise du 16),* crise politique qui menaça les débuts de la IIIe République et naquit de la volonté du président de la République, Mac-Mahon, de donner à sa charge une place prépondérante dans le pouvoir exécutif, afin de préserver la possibilité d'une restauration monarchique. Amorcée par la démission forcée du chef du gouvernement, Jules Simon (16 mai) et par la dissolution de la Chambre (25 juin), elle se termina par un nouveau succès des républicains aux élections d'octobre.

mai 1958 *(crise du 13),* insurrection déclenchée à Alger par les partisans de l'Algérie française ; elle provoqua le retour au pouvoir du général de Gaulle.

mai 1968 *(événements de),* vaste mouvement de contestation politique, sociale et culturelle parti des universités et qui se développa en France, en mai-juin 1968.

MAÏA n.m. Grand crabe comestible, épineux, aux pattes très longues. (Nom usuel : *araignée de mer.*)

MAÏAKOVSKI. Peinture de A. Deïneka.

MAÏAKOVSKI (Vladimir Vladimirovitch), écrivain soviétique (Bagdadi, auj. Maïakovski, Géorgie, 1893 - Moscou 1930). Après avoir participé au mouvement futuriste (*le Nuage en pantalon,* 1915), il se rallia à la révolution d'Octobre dont il célébra le triomphe (*150 000 000,* 1920 ; *Octobre,* 1927), tenta de réunir autour de sa revue *Lef* l'avant-garde artistique, avant de dresser dans son théâtre (*la Punaise,* 1929 ; *les Bains,* 1930) un tableau satirique du nouveau régime. Il se suicida.

MAICHE n.m. LOUISIANE. Marécage sans arbres, le long de la mer.

MAÏDANEK → MAJDANEK.

MAIDSTONE, v. de Grande-Bretagne, ch.-l. du comté de Kent ; 72 000 hab. — Église de style gothique perpendiculaire.

MAIDUGURI, v. du nord-est du Nigeria ; 168 000 hab.

MAIE [mε] n.f. -1. Coffre sur pieds qu'on utilisait autref. pour pétrir et conserver le pain. -2. Table de pressoir.

MAÏEUR ou **MAYEUR** n.m. (lat. *major,* plus grand). BELGIQUE. Bourgmestre.

MAÏEUTIQUE n.f. (gr. *maieutikê,* art de faire accoucher). Dans la philosophie socratique, art de faire découvrir à l'interlocuteur, par une série de questions, les vérités qu'il a en lui.

MAIGRE adj. et n. Qui a très peu de graisse : *Il est très maigre.* ◆ adj. -1. Peu important ; médiocre : *Un maigre salaire.* -2. Peu fourni ; peu abondant : *Un maigre repas.* **IMPR.** Se dit d'un caractère dont la graisse est la plus faible par comparaison au caractère normal. **MIN.** Se dit d'un charbon à faible teneur en matières volatiles, excellent combustible industriel. **RELIG.** Se dit des jours pendant lesquels les catholiques ne doivent pas manger de viande. ◆ n.m. -1. Partie maigre d'une viande, d'un jambon, etc. -2. Scène. -3. *Faire maigre,* ne pas manger de viande aux jours prescrits par l'Église. ◆ pl. Étiage. ◆ **maigrement** adv.

MAIGRELET, ETTE ou **MAIGRICHON, ONNE** adj. Un peu maigre.

Maigret, personnage de commissaire bonhomme mais perspicace, créé en 1929 par G. Simenon.

MAIGREUR n.f. -1. État de qqn, d'un animal qui est maigre : *Être d'une maigreur effrayante.* -2. Manque d'ampleur, de richesse : *La maigreur d'un sujet.*

MAIGRIR v.i. Devenir maigre. ◆ v.t. Faire paraître maigre, mince.

MAÏKOP, v. de Russie, dans le Caucase ; 149 000 hab. — Une riche sépulture sous kourgane témoigne de la brillante civilisation, en relation avec les mines bulgares et les centres d'Anatolie et d'Our, qui s'épanouit dans la région dès le IIIᵉ millénaire.

MAIL [maj] n. m. (lat. *malleus,* marteau). -1. Petit maillet muni d'un long manche dont on se servait pour pousser une boule de bois au jeu du mail ; ce jeu lui-même. -2. Promenade publique où l'on jouait au mail.

MAIL-COACH [mɛlkotʃ] n.m. (pl. mail-coachs ou mail-coaches). **ANC.** Berline anglaise attelée à quatre chevaux, avec plusieurs rangs de banquettes sur le dessus de la voiture.

MAILER (Norman Kingsley), écrivain américain (Long Branch, New Jersey, 1923). Ses romans analysent avec humour la « névrose sociale de l'Amérique » (*les Nus et les Morts,* 1948 ; *Un rêve américain,* 1965 ; *le Prisonnier du sexe,* 1971).

MAILING [meliŋ] n.m. (Anglic. déconseillé). Publipostage.

MAILLAGE n.m. -1. Disposition en réseau. -2. Interconnexion d'un réseau électrique.

MAILLART (Robert), ingénieur suisse (Berne 1872 - Genève 1940). Novateur dans le domaine des ouvrages de génie civil en béton armé (ponts, entrepôts, etc.), il a mis au point l'arc-caisson à trois articulations (1901) et la dalle champignon (1908).

1. **MAILLE** n.f. -1. Boucle de fil reliée à d'autres boucles pour former un tricot ou un filet. -2. Tissu tricoté : *L'industrie de la maille.* -3. *Maille à l'endroit, à l'envers,* maille dont la courbe supérieure est en avant ou en arrière du tricot. **ARM.** Petit annelet de fer dont on faisait les armures au Moyen Âge. **CHASSE, ZOOL.** Tache apparaissant sur le plumage des jeunes perdreaux et des jeunes faucons. **SYN. :** maillure. **ÉLECTR.** Ensemble des conducteurs reliant les nœuds d'un réseau et formant un circuit fermé. **GÉOL.** Parallélépipède qui, répété périodiquement dans les trois directions de l'espace, engendre un réseau cristallin. **MAR.** Élément d'une chaîne d'ancre. ‖ Intervalle entre deux membrures ou entre deux varangues. **MÉD.** Taie ronde qui se forme sur la prunelle des yeux. **TECHN.** Chacune des ouvertures d'un tamis, d'un grillage.

2. **MAILLE** n.f. Ancienne monnaie de cuivre de très petite valeur.

MAILLÉ, E adj. Qui a le plumage, le pelage marqué de mailles, en parlant d'un animal.

MAILLECHORT [majʃɔr] n.m. (des n. des inventeurs, *Maillot* et *Chorier*). Alliage de cuivre, de nickel et de zinc, imitant l'argent.

MAILLER v.t. -1. Former des mailles. -2. **SUISSE.** Tordre, fausser. -3. *Mailler une chaîne,* fixer une chaîne sur une autre ou sur une boucle au moyen d'une manille. ◆ v.i. Commencer à avoir des mailles, en parlant des perdreaux.

MAILLET n. m. -1. Gros marteau à deux têtes, en bois dur, en cuir parcheminé, en plastique, en caoutchouc, utilisé par les menuisiers, les sculpteurs sur pierre, etc. -2. Outil analogue constitué d'une masse tronconique de bois dur munie d'un manche et utilisé par les sculpteurs sur bois.

MAILLET (Antonine), romancière canadienne d'expression française (Bouctouche, Nouveau-Brunswick, 1929), chantre de l'Acadie (*Pélagie la Charrette,* 1979).

MAILLOCHE n.f. -1. Gros maillet à une seule tête, cylindrique et située dans l'axe du manche, utilisé en tonnellerie, en maroquinerie, en cordonnerie, etc. -2. Outil en bois pour façonner le verre fondu. -3. Baguette terminée par une boule garnie de matière souple, pour battre certains instruments à percussion (grosse caisse, xylophone, vibraphone, etc.).

MAILLOL (Aristide), peintre puis sculpteur français (Banyuls-sur-Mer 1861 - *id.* 1944). Son œuvre sculpté, presque entièrement fondé sur l'étude du corps féminin depuis *la Méditerranée* (1902-1905), allie la fermeté synthétique à la grâce. Ses statues et monuments sont érigés à Perpignan, Banyuls, Port-Vendres, Céret, Puget-Théniers, ainsi que dans le jardin des Tuileries à Paris. Musée à la fondation Dina Vierny (Paris, VIIᵉ arr.).

Aristide **MAILLOL**
photographié par Brassaï dans son atelier, à côté du plâtre de *la Montagne* (v. 1937).

MAILLON n.m. -1. Anneau d'une chaîne ; chaînon. -2. Partie d'une chaîne d'ancre entre deux manilles d'assemblage.

MAILLOT n.m. -1. Vêtement souple qui couvre le corps en totalité ou jusqu'à la taille, et qui se porte sur la peau. -2. Vêtement collant ne couvrant que le haut du corps : *Maillot d'un coureur cycliste.* -3. Vêtement de bain. -4. *Maillot académique,* maillot de danse d'une seule pièce qui enserre le corps des pieds jusqu'au cou ainsi que les bras. ‖ *Maillot de corps,* sous-vêtement en tissu à mailles, couvrant le torse.

MAILLOTIN n.m. Nom donné à des insurgés parisiens armés de maillets (mars 1382).

MAILLURE n.f. -1. Aspect donné par les rayons ligneux sur une section radiale d'une pièce de bois. -2. Maille.

MAILLY-LE-CAMP, comm. de l'Aube, dans la Champagne crayeuse ; 2 662 hab. — Camp militaire de 12 000 ha.

MAIMONIDE (Moïse), médecin, théologien et philosophe juif (Cordoue 1138 - Fustat 1204). Obligé de quitter l'Espagne à la suite des persécutions des Almohades, il s'exile à Fès, puis en Palestine et s'installe enfin comme médecin des Ayyubides en Égypte. Son œuvre encyclopédique, rédigée en hébreu ou en arabe, comporte trois ouvrages principaux : le *Luminaire,* commentaire monumental de la Mishna (1168), qui contient notamment les *Treize Articles,* devenus ensuite partie intégrante de la liturgie synagogale ; le *Mishne Torah* (1180), traité de philosophie religieuse inspiré d'Aristote ; le *Guide des égarés* (ou « des indécis »), écrit en arabe (1190) à l'intention des intellectuels que leurs spéculations mettent en conflit avec la foi. Maimonide a eu une grande influence sur la philosophie juive jusqu'au XIXᵉ siècle et sur les philosophes latins du Moyen Âge.

MAIN n.f. -1. Organe de la préhension et de la sensibilité, muni de cinq doigts, qui constitue l'extrémité des membres supérieurs de l'homme. -2. Cet organe, considéré comme un instrument : *Travailler de ses mains.* -3. Image de la force, de la vigueur d'une action : *Mener ses affaires d'une main de fer.* -4. Image, symbole d'un acte, de celui qui le fait : *Chercher une main secourable.* -5. Unité de longueur égale à la largeur d'une main. -6. AFRIQUE. Portion d'un régime de bananes. -7. *Main à main,* exercice d'équilibre au cours duquel deux acrobates (un porteur et un voltigeur) multiplient les élévations en se tenant par les mains. ‖ *Voter à main levée,* exprimer son suffrage par ce geste de la main. AUTOM. *Main de ressort,* pièce sur laquelle s'articule l'extrémité d'un ressort (camions). BÂT., MAR. *Main courante,* partie supérieure d'une rampe d'escalier, d'une barre d'appui, etc., sur laquelle s'appuie la main. COMPTAB. *Main courante,* brouillard. COUT. *Première main,* première ouvrière d'une maison de couture, capable d'exécuter tous les modèles. HIST. *Main de justice,* main d'ivoire à trois doigts levés, placée à l'extrémité du bâton royal, symbole de la justice royale. JEUX. *Avoir la main,* être le premier à jouer, aux cartes. PAPET. Ensemble de 25 feuilles de papier ou vingtième de rame. ‖ Rapport de la force d'un papier à son épaisseur. ‖ *Avoir de la main,* pour un papier, donner au toucher une impression d'épaisseur. ZOOL. Extrémité des membres antérieurs des vertébrés tétrapodes.

Main (le), riv. d'Allemagne (Bavière et Hesse), qui rejoint le Rhin (r. dr.) en face de Mayence ; 524 km. Né dans les Fichtelgebirge, le Main traverse Bayreuth, Schweinfurt, Würzburg, Francfort. Sa vallée s'encaisse dans les plateaux du bassin de Souabe et de Franconie, et décrit de très grandes sinuosités. Élément de la voie d'eau Rhin-Main-Danube, il est utilisé par la navigation.

MAINARD (François) → MAYNARD.

MAINATE n.m. Passereau originaire de Malaisie, apte à imiter la voix humaine. (Famille des sturnidés.)

MAIN-D'ŒUVRE n.f. (pl. mains-d'œuvre). -1. Façon, travail de l'ouvrier dans la confection d'un ouvrage. -2. Ensemble des salariés, partic. des ouvriers, d'un établissement, d'une région, d'un pays.

MAINE, un des États unis d'Amérique (Nouvelle-Angleterre) ; 1 227 928 hab. Cap. *Augusta.* Il occupe un plateau des Appalaches qui culmine à 1 604 m. La forêt couvre les trois quarts de l'État.

MAINE (le), ancienne prov. de France, érigée en comté en 955. Duché, le Maine fut réuni à la Couronne en 1481 ; cap. *Le Mans.* — Le Maine s'étend sur les dép. de la Sarthe *(haut Maine)* et de la Mayenne *(bas Maine).*

MAINE (Louis Auguste de Bourbon, *duc* du), fils légitimé de Louis XIV et de Mme de Montespan (Saint-Germain-en-Laye 1670 - Sceaux 1736). En 1714, il reçut rang immédiatement après les princes légitimes et fut reconnu apte à succéder au roi à défaut de ceux-ci ; mais le testament royal fut cassé après la mort de Louis XIV. Le duc participa alors à la conspiration dite « de Cellamare », qui s'acheva par son internement (1718-1720). Sa femme, **Louise de Bourbon-Condé** (Paris 1676 - *id.* 1753), petite-fille du Grand Condé, tint à Sceaux une cour brillante.

MAINE DE BIRAN (Marie François Pierre Gontier de Biran, dit), philosophe français (Bergerac 1766 - Paris 1824), de tendance spiritualiste. Maine de Biran fait de l'effort et de la volonté l'axe fondateur de sa philosophie.

MAINE-ET-LOIRE [49], dép. de la Région Pays de la Loire, formé presque exclusivement de l'Anjou ; ch.-l. de dép. *Angers ;* ch.-l. d'arr. *Cholet, Saumur, Segré ;* 4 arr., 41 cant., 364 comm. ; 7 166 km² ; 705 882 hab. Il est rattaché à l'académie de Nantes, à la cour d'appel d'Angers et à la région militaire Atlantique.

MAIN-FORTE n.f. sing. *Prêter main-forte à qqn,* lui venir en aide.

Mainichi Shimbun, le plus ancien quotidien japonais, créé en 1872.

MAINLAND, nom des principales îles des Shetland et des Orcades.

MAINLEVÉE n.f. Acte amiable ou judiciaire qui arrête les effets d'une saisie, d'une opposition, d'une hypothèque.

MAINMISE n.f. -1. Action de s'emparer de qqch. -2. Action de s'assurer une domination exclusive et souvent abusive sur qqch.

MAINMORTE n.f. -1. Droit de succession perçu par le seigneur sur les biens de ses serfs. -2. État des biens appartenant à des personnes morales (associations, communautés, hospices, etc.).

MAINT, E adj. (du germ.). LITT. Un grand nombre (indéterminé) : *Maintes fois.*

MAINTENANCE n.f. -1. Ensemble des opérations permettant de maintenir ou de rétablir un système, un matériel, un appareil, etc., dans un état donné ou de lui restituer des caractéristiques de fonctionnement spécifiées. -2. Action ayant pour but de maintenir en condition et en nombre suffisant les effectifs et le matériel des unités d'une armée en opération.

MAINTENANT adv. À présent ; à partir de l'instant présent.

MAINTENEUR n.m. *Mainteneur des jeux Floraux,* dignitaire d'une académie littéraire de Toulouse.

MAINTENIR v.t. [40]. -1. Tenir qqch fixe, stable : *Poutre qui maintient la charpente.* -2. Empêcher qqn, un animal de remuer, d'avancer : *Maintenir les gens à distance.* -3. Conserver qqch dans le même état : *Maintenir les lois existantes.* -4. Affirmer qqch avec force ; soutenir : *Je maintiens que cela est vrai.* ◆ **se maintenir** v.pr. Rester dans le même état, dans la même situation.

MAINTENON (Françoise d'Aubigné, *marquise* de), seconde épouse de Louis XIV (Niort 1635 - Saint-Cyr 1719). Petite-fille d'Agrippa d'Aubigné, élevée dans la religion calviniste, elle se convertit au catholicisme et épouse le poète Scarron (1652). Veuve, elle est chargée de l'éducation des enfants de Louis XIV et de Mme de Montespan et, après la mort de Marie-Thérèse, épouse le roi secrètement (1683). Exerçant sur lui une influence notable, elle encourage la lutte contre le protestantisme et impose à la cour une étiquette austère. Après la mort du roi (1715), elle se retire dans la maison de Saint-Cyr, qu'elle a fondée pour l'éducation des jeunes filles nobles et pauvres.

MAINTIEN n.m. -**1.** Action de faire durer, de conserver : *Le maintien des traditions.* -**2.** Manière de se tenir ; attitude. **DR.** *Maintien dans les lieux,* mesure qui permet à l'occupant de bonne foi d'un logement de rester dans les lieux malgré la volonté du propriétaire. ‖ *Maintien de l'ordre,* ensemble des mesures de sécurité prises par l'autorité compétente pour prévenir ou réprimer les actions de nature à troubler l'ordre public. ‖ *Maintien sous les drapeaux,* mesure par laquelle le gouvernement décide de conserver temporairement sous les drapeaux les hommes ayant achevé leur service actif.

MAINZ → MAYENCE.

MAÏOLIQUE n.f. → MAJOLIQUE.

MAÏORAL, E, AUX ou **MAYORAL, E, AUX** adj. BELGIQUE. Relatif au bourgmestre.

MAÏORAT ou **MAYORAT** n.m. BELGIQUE. Fonction de bourgmestre.

MAIRE n.m. (du lat. *major,* plus grand). -**1.** Premier magistrat municipal, qui est l'organe exécutif de la commune. -**2.** *Maire d'arrondissement,* maire élu dans chaque arrondissement de Paris, Lyon et Marseille. ‖ *Maire du palais,* dignitaire de la cour mérovingienne qui se substitua peu à peu au roi.

MAIRET (Jean), poète dramatique français (Besançon 1604 - *id.* 1686). Il donna avec *Sophonisbe* (1634) une des premières tragédies classiques régulières.

MAIRIE n.f. -**1.** Fonction de maire. -**2.** Administration municipale : *Employé de mairie.* -**3.** Édifice où se trouvent les services de l'administration municipale, appelé aussi *hôtel de ville.*

MAIS conj. -**1.** Indique une opposition, une précision : *Il est intelligent mais paresseux.* -**2.** Marque le renforcement d'une réponse, d'une exclamation : *Mais naturellement !*

MAÏS n.m. -**1.** Céréale de grande dimension, à tige unique et à gros épi portant des graines en rangs serrés, très largement cultivée dans le monde pour l'alimentation humaine et, surtout, animale. (Famille des graminées.) [v. ENCYCL.] -**2.** *Maïs d'eau,* victoria (plante).

ENCYCL. Ressource alimentaire principale dans les Empires aztèque et inca, le maïs fut introduit en Europe après la découverte de l'Amérique. C'est une plante monoïque portant au sommet une panicule lâche de fleurs mâles et un ou plusieurs épis de fleurs femelles à mi-hauteur de la tige ; elle est exigeante en chaleur et en humidité. L'épi est enfermé dans de grandes bractées appelées « spathes ».

Servant à l'alimentation humaine dans diverses régions du monde, le maïs est surtout la principale céréale fourragère, qu'il soit récolté en grain (qui constitue une des bases essentielles des aliments composés, fabriqués industriellement pour le bétail) ou qu'il soit cultivé comme maïs-fourrage, le plus souvent consommé après ensilage de la plante entière hachée (ou de l'épi). Le maïs est aussi une plante industrielle servant à l'extraction de l'amidon, du gluten et de l'huile de germe de maïs, riche en acide linoléique, et servant également à la production de l'isoglucose (largement utilisé pour sucrer les boissons) et d'alcool. Un sous-produit du traitement industriel du maïs, le *corn gluten feed* a pris une grande importance dans l'alimentation du bétail, notamment des vaches laitières et des porcs. Les cultivars actuels de maïs sont des hybrides obtenus par croisement de lignées homogénéisées par autofécondations répétées et sélectionnées. Les hybrides sont plus vigoureux et plus productifs que les anciennes populations de pays.

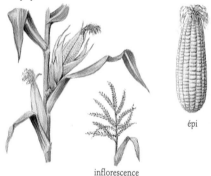

épi

inflorescence

MAÏS

MAÏSERIE n.f. -**1.** Usine où l'on traite le maïs pour en extraire fécule, glucose, etc. -**2.** Activité industrielle liée à la transformation du maïs.

MAISON n.f. -**1.** Bâtiment construit pour servir d'habitation aux personnes : *Rue bordée de maisons.* -**2.** Bâtiment construit pour abriter une famille, par opp. à *appartement* : *Acheter une maison.* -**3.** Logement où l'on habite : *Rester à la maison.* -**4.** Membres d'une même famille : *Le fils, la fille de la maison.* -**5.** Entreprise commerciale ou industrielle : *Maison de vins en gros.* -**6.** Famille noble. **ASTROL.** Chacune des douze divisions égales du ciel, qui concernent les conjonctures formant la trame de l'existence. **DR.** *Maison des jeunes et de la culture (M. J. C.),* établissement destiné à favoriser la diffusion et la pratique des activités culturelles les plus diverses dans un milieu jeune et populaire. **HIST.** *Maison du roi, de l'empereur,* ensemble des personnes civiles *(maison civile)* et militaires *(maison militaire)* attachées à la personne du souverain. ◆ adj. inv. **-1.** FAM. Fabriqué à la maison, sur place : *Tarte maison.* **-2.** Particulier à une entreprise, à un établissement d'enseignement, etc. : *Ingénieurs maison.*

MAISON (Nicolas Joseph), maréchal de France (Épinay-sur-Seine 1771 - Paris 1840). Il commanda en 1828 l'expédition de Grèce et devint ministre des Affaires étrangères (1830), puis de la Guerre (1835-36).

Maison-Blanche (la), nom donné depuis 1902 à la résidence des présidents des États-Unis à Washington, édifiée à partir de 1792.

MAISONNÉE n.f. Ensemble des personnes d'une famille vivant dans la même maison.

MAISONNEUVE (Paul de Chomedey de), gentilhomme français (Neuville-sur-Vannes, Aube, 1612 - Paris 1676). En 1642, il fonda, au Canada, Ville-Marie, qui allait devenir Montréal.

MAISONS-ALFORT, ch.-l. de c. du Val-de-Marne, sur la Marne ; 54 065 hab. École vétérinaire. Biscuiterie.

MAISONS-LAFFITTE, ch.-l. de c. des Yvelines, sur la Seine ; 22 553 hab. *(Mansonniens).* Hippodrome. — Château de Maisons, chef-d'œuvre de Mansart (1642) ; musée du Cheval de course.

MAISTRANCE [mɛstrãs] n.f. Cadre des sous-officiers de carrière de la Marine nationale.

MAISTRE (Joseph, *comte* de), homme politique et philosophe savoyard (Chambéry 1753 - Turin 1821). Il fut le théoricien de la contre-révolution et fit l'apologie de l'Église romaine. Ministre plénipotentiaire de Sardaigne en Russie de 1802 à 1817, il a notamment écrit :

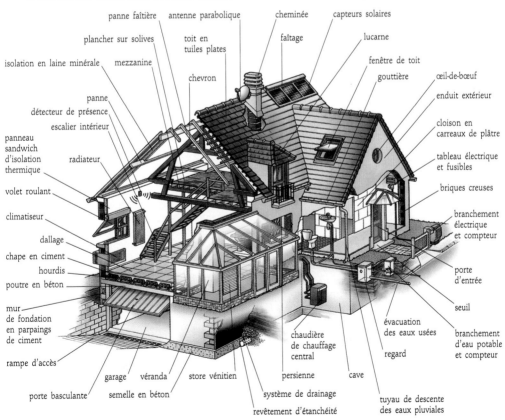

nomenclature des éléments, parties ou espaces pouvant constituer une **MAISON** individuelle

Considérations sur la France, 1796 ; *Du pape,* 1819 ; *les Soirées de Saint-Pétersbourg,* 1821). Son frère **Xavier** (Chambéry 1763 - Saint-Pétersbourg 1852) est l'auteur du *Voyage autour de ma chambre* (1795).

MAÎTRE, MAÎTRESSE n. -1. Personne qui enseigne ; professeur, instituteur. -2. Personne qui commande, gouverne, exerce une autorité. -3. Personne qui possède un animal domestique et s'en occupe : *Le maître a rappelé son chien.* -4. *Maître auxiliaire,* professeur assurant l'intérim d'un emploi vacant de professeur titulaire. ◆ adj. -1. Qui est essentiel ; qui joue un rôle capital : *L'idée maîtresse d'un ouvrage.* -2. Se dit de la plus forte carte à jouer dans la couleur et de celui qui la détient : *Valet maître. Être maître à cœur.* -3. *Maître couple,* section droite du cylindre engendré par un solide en mouvement ; couple situé à l'endroit où un navire est le plus large. ◆ **maître** n.m. -1. Personne qui enseigne qqch : *Maître nageur.* -2. Personne qui dirige l'exécution de qqch : *Maître d'équipage.* -3. Personne dont on est le disciple ; artiste, écrivain éminent qui est pris comme modèle. -4. *Maître d'œuvre,* responsable de l'organisation et de la réalisation d'un vaste ouvrage. ‖ *Maître à penser,* philosophe, personnalité qui ont une importante influence idéologique. **BÂT.** *Maître d'état,* en Suisse, artisan responsable d'un secteur de la construction d'une maison. ‖ *Maître d'œuvre,* personne ou organisme qui dirigent un chantier du bâtiment après avoir exécuté les plans de l'ouvrage. ‖ *Maître de l'ouvrage,* personne physique ou morale pour le compte de laquelle une construction est réalisée. **BX-ARTS. VX.** Artiste qui dirigeait un atelier. ‖ Artiste du passé dont on ignore le nom et dont on a reconstitué une partie de l'œuvre. **CHORÉGR. VX.** *Maître à danser,* professeur de danse. **DR.** Titre donné aux avocats et à certains officiers ministériels. ‖ *Maître des requêtes,* membre du Conseil d'État chargé de présenter un rapport sur les affaires qui lui sont soumises. **ENSEIGN.** *Maître de conférences,* membre de l'enseignement supérieur qui organise les travaux dirigés et contribue aux travaux de recherche. (Ce titre a remplacé celui de *maître-assistant.*) **IMPR.** *Maître imprimeur,* chef d'entreprise dirigeant une imprimerie. **MAR.** *Second maître, maître, premier maître, maître principal,* grades des officiers mariniers de la Marine nationale. **MÉTALL.** *Maître de forges,* propriétaire d'un établissement sidérurgique dont il assume personnellement l'administration. **SPORTS.** *Maître d'armes,* personne qui enseigne l'escrime. **TRAD. POP.** Titre d'un artisan qui a été admis à la maîtrise, dans un métier où subsistent des traditions de corporation. ◆ **maîtresse** n.f. Femme avec laquelle un homme a des relations sexuelles en dehors du mariage.

MAÎTRE-À-DANSER n.m. (pl. maîtres-à-danser). Compas d'épaisseur à branches croisées, pour la mesure ou le report d'une dimension intérieure.

MAÎTRE-AUTEL n.m. (pl. maîtres-autels). Autel principal d'une église.

MAÎTRE-CHIEN n.m. (pl. maîtres-chiens). Responsable du dressage et de l'emploi d'un chien, dans les corps spécialisés de la police et de l'armée, les sociétés de gardiennage, etc.

MAÎTRE-CYLINDRE n.m. (pl. maîtres-cylindres). Piston commandé par le conducteur d'une automobile, qui envoie du liquide sous pression dans le système de freinage.

Maître Jacques, personnage de *l'Avare,* de Molière, cocher et cuisinier d'Harpagon. Son nom a passé dans la langue pour désigner un homme à tout faire.

MAÎTRE-PENSEUR n.m. (pl. *maîtres-penseurs*). Philosophe ou personnalité qui a eu une importante influence idéologique.

MAÎTRISABLE adj. Que l'on peut maîtriser.

MAÎTRISE n.f. -1. Domination incontestée : *La maîtrise de l'énergie nucléaire.* -2. Perfection, sûreté dans la technique. -3. Domination de soi ; sang-froid : *Conserver sa maîtrise devant un danger.* -4. Ensemble des contremaîtres et des chefs d'équipe. **DR.** *Maîtrise fédérale,* en Suisse, brevet supérieur qui autorise un artisan à s'installer à son compte et à former des apprentis. **ENSEIGN.** Grade universitaire sanctionnant le second cycle de l'enseignement supérieur. ‖ *Maîtrise de conférences,* emploi de maître de conférences. **MIL.** *Maîtrise de l'air, de la mer,* supériorité militaire, aérienne ou navale, acquise sur un adversaire dans un espace déterminé. **MUS.** École de chant et ensemble des chantres d'une église. **SYN. : psallette.**

MAÎTRISER v.t. -1. Réduire qqn par la force ; dompter un animal : *Maîtriser un forcené.* -2. Se rendre maître de forces difficilement contrôlables : *Maîtriser un incendie.* -3. Dominer un sentiment, une passion. ◆ **se maîtriser** v.pr. Rester, redevenir maître de soi.

MAÏZENA [maizena] n.f. (nom déposé). Farine de maïs spécialement préparée pour être utilisée en cuisine.

Majdanek ou **Maïdanek,** camp de concentration et d'extermination allemand (1941-1944) [près de Lublin, Pologne].

MAJE adj.m. → 2. MAGE.

MAJESTÉ n.f. -1. Caractère de grandeur, de dignité, de noblesse. -2. Air extérieur de grandeur, de noblesse : *Une allure pleine de majesté.* -3. (Avec une majusc.). Titre des empereurs, des rois : *Sa Majesté l'Impératrice.* -4. *Christ, Vierge, saint en majesté,* représentés assis sur un trône dans une attitude hiératique. ‖ *Sa Majesté Catholique,* le roi d'Espagne. ‖ *Sa Majesté très Chrétienne,* le roi de France.

MAJESTUEUX, EUSE adj. Qui a de la majesté. ◆ **majestueusement** adv. Avec majesté.

MAJEUR, E adj. -1. Plus grand ; plus considérable ; plus important : *La majeure partie.* -2. Très important : *Raison majeure.* -3. Qui a atteint l'âge de la majorité. **JEUX.** *Tierce majeure,* l'as, le roi, la dame d'une même couleur, aux cartes. **MUS.** Se dit des intervalles de 2e, 3e, 6e et 7e formés entre la tonique et les autres notes d'une gamme majeure. ‖ *Accord parfait majeur,* accord dont la tierce est majeure et la quinte juste. ‖ *Gamme majeure,* gamme diatonique du mode majeur. ‖ *Mode majeur* ou *majeur,* n.m., mode caractérisé par la succession, dans la gamme, de deux tons, un demi-ton, trois tons et un demi-ton. ◆ **majeur** n.m. Doigt du milieu de la main ; médius. ◆ **majeure** n.f. Première proposition d'un syllogisme.

MAJEUR *(lac),* en ital. **lago Maggiore,** lac de la bordure sud des Alpes entre l'Italie et la Suisse ; 216 km². Il renferme les îles Borromées. Tourisme.

MAJOLIQUE ou **MAÏOLIQUE** n.f. (it. *maiolica,* de l'île de Majorque). Faïence italienne de la Renaissance, initialement inspirée de la céramique hispano-mauresque.

MA-JONG n.m. → MAH-JONG.

MAJOR n.m. (mot lat., *plus grand).* -1. Officier d'un grade égal à celui de commandant, en France sous l'Ancien Régime et auj. encore dans de nombreuses armées étrangères. -2. Grade le plus élevé des sous-officiers des armées. -3. Officier supérieur chargé de l'administration d'un corps de troupes, appelé depuis 1975 *chef des services administratifs.* -4. VX. Médecin militaire. -5. SUISSE. Officier commandant un bataillon. -6. Premier d'une promotion. -7. *Major général,* officier général chargé de hautes fonctions d'état-major aux échelons élevés du commandement.

MAJOR (John), homme politique britannique (Merton, banlieue de Londres, 1943). Chancelier de l'Échiquier en 1989, il a été leader du Parti conservateur et Premier ministre de 1990 à 1997.

John **MAJOR,**
homme politique
britannique.

MAJORAL n.m. (pl. majoraux). Chacun des cinquante membres du comité directeur (dit *consistoire*) du félibrige.

MAJORANT n.m. *Majorant d'un sous-ensemble A d'un ensemble ordonné E,* élément *a* de E tel que tout élément *x* de A est inférieur à *a.*

MAJORAT n.m. Bien inaliénable attaché à un titre de noblesse et transmis avec le titre à l'héritier du titulaire.

MAJORATION n.f. Action de majorer.

MAJORDOME n.m. Maître d'hôtel de grande maison.

MAJORELLE (Louis), décorateur et ébéniste français (Toul 1859 - Nancy 1926). Il est, au sein de l'Art nouveau, un des représentants de l'école de Nancy. Ses meubles, à base de bois précieux, s'inspirent des formes de la nature.

MAJORER v.t. -1. Augmenter la valeur du montant d'une facture, d'un impôt, etc. ; relever : *Majorer des salaires.* -2. Trouver un majorant à un ensemble.

MAJORETTE n.f. Jeune fille en uniforme de fantaisie qui parade dans les fêtes et les défilés.

MAJORITAIRE adj. et n. -1. Qui appartient à la majorité ; qui s'appuie sur une majorité. -2. *Scrutin majoritaire,* scrutin dans lequel est proclamé élu le candidat ayant obtenu le plus grand nombre de suffrages. ◆ **majoritairement** adv. En majorité.

MAJORITÉ n.f. -1. Âge auquel, selon la loi, une personne acquiert la pleine capacité d'exercer ses droits *(majorité civile)* ou est reconnue responsable de ses actes *(majorité pénale).* [En France, la majorité est fixée à 18 ans.] -2. Le plus grand nombre ; la plus grande partie : *Il y a une majorité de filles dans cette classe.* -3. Le plus grand nombre des voix ou des suffrages dans une assemblée. -4. *Majorité absolue,* celle exigeant la moitié des suffrages exprimés plus un. ‖ *Majorité qualifiée* ou *renforcée,* celle calculée sur le nombre d'inscrits (et non pas de suffrages exprimés) ou devant réunir plus que la majorité absolue. ‖*Majorité relative* ou *simple,* celle obtenue par un candidat qui recueille plus de suffrages que ses concurrents. ‖ *Majorité silencieuse,* partie majoritaire d'une population qui n'exprime pas publiquement ses opinions.

MAJORQUE, en esp. Mallorca, la plus vaste des îles de l'archipel espagnol des Baléares ; 3 640 km² ; 530 000 hab. *(Majorquins).* Cap. *Palma.* **GÉOGR.** L'île est encadrée, au N. -O. et au S. -E., par deux chaînons montagneux. La plaine centrale, irriguée, produit des céréales, des primeurs et des fruits. Le tourisme est de loin la principale ressource de l'île. **HIST.** Le royaume de Majorque, détaché de la Couronne d'Aragon, ne dura que de 1276 à 1343 : il comprenait les Baléares, les comtés de Roussillon et de Cerdagne, la seigneurie de Montpellier ; sa capitale était Perpignan.

MAJUSCULE adj. et n.f. *Lettre majuscule* ou *majuscule,* n.f., lettre plus grande que les autres et de forme différente. SYN. : **capitale.**

MAKAL (Mahmut), écrivain turc (Demirci 1930), peintre réaliste des paysans anatoliens (*Notre village,* 1960).

MAKALU (le), sommet de l'Himalaya central ; 8 515 m. Gravi par l'expédition française de J. Franco (1955).

MAKARENKO (Anton Semenovitch), pédagogue soviétique (Bielopolie, Ukraine, 1888 - Moscou 1939). Engagé dans la nouvelle société qui s'élabore après la révolution de 1917, il fut chargé en 1920 d'organiser une colonie pour mineurs grands délinquants.

MAKÁRIOS III, prélat et homme d'État cypriote (Anó Panaghiá 1913 - Nicosie 1977). Archevêque et ethnarque (chef de la communauté grecque de Chypre) à partir de 1950, il se fit le défenseur de l'*Enôsis* (union avec la Grèce) puis le champion de l'indépendance de l'île. Président de la République de Chypre de 1959 à 1977, il fut temporairement écarté du pouvoir en 1974.

MAKAVEJEV (Dušan), cinéaste serbe (Belgrade 1932). Il est l'auteur de films résolument non conformistes : *L'homme n'est pas un oiseau* (1966), *Innocence sans protection* (1968), *Sweet Movie* (1974), *Coca Cola Kid* (1985).

MAKEÏEVKA ou **MAKEEVKA,** v. d'Ukraine ; 430 000 hab. Métallurgie.

MAKHATCHKALA, v. de Russie, cap. de la République du Daguestan, sur la Caspienne ; 315 000 hab.

MAKHZEN ou **MAGHZEN** n.m. Gouvernement du sultan, au Maroc.

MAKI n.m. Mammifère primate à museau allongé et à longue queue, propre à Madagascar. (Sous-ordre des lémuriens.)

MAKILA n.m. Canne ferrée, plombée à l'extrémité inférieure, et dont la poignée recouvre une pointe.

MAKIMONO n.m. Peinture japonaise, composée et déroulée horizontalement.

MAKONDÉ ou **MAKONDA,** peuple bantou, réparti de part et d'autre de la frontière séparant la Tanzanie du Mozambique.

1. **MAL** n.m. (pl. maux). -1. Ce qui est contraire au bien, à la vertu : *Faire le mal pour le mal.* -2. Ce qui est susceptible de nuire ; ce qui n'est pas adapté : *Le mal est fait.* -3. Mauvais côté de qqch ; inconvénient. -4. Maladie : *Le mal a progressé.* -5. Souffrance physique : *Maux de dents, d'estomac.* -6. Souffrance morale : *Le mal du pays.* -7. Peine ; effort : *Se donner du mal.* -8. LITT. *Haut mal,* épilepsie. ‖ *Mal de cœur,* nausée d'origine gastrique. ‖ *Mal de mer, mal de l'air,* malaises particuliers éprouvés en bateau, en avion. ‖ *Mal des montagnes, de l'altitude, des aviateurs,* malaises causés par la raréfaction de l'oxygène en altitude. ‖ *Mal de tête,* migraine, céphalée. ‖ *Petit mal,* épilepsie dont la forme la plus typique est représentée par des absences.

2. **MAL** adv. -1. D'une manière mauvaise : *Écrire, parler mal.* -2. *Être bien mal, au plus mal,* être très malade.

MALABAR *(côte de),* région littorale de l'Inde, sur la façade occidentale du Deccan.

MAKÁRIOS III,
prélat
et homme
d'État cypriote.

MALABO, anc. Santa Isabel, cap. de la Guinée équatoriale, sur la côte nord de l'île Bioko ; 37 000 hab.

MALABSORPTION n.f. Trouble du processus d'absorption des aliments à travers la muqueuse intestinale.

MALACCA → MELAKA.

MALACCA *(presqu'île de)* ou **PRESQU'ÎLE MALAISE,** presqu'île au sud de l'Indochine, entre la mer de Chine méridionale et l'océan Indien, unie au continent par l'isthme de Kra, et séparée de Sumatra par le *détroit de Malacca.*

Malachie *(livre de),* livre prophétique de l'Ancien Testament, en fait anonyme (v. 460 av. J.-C.). Il dénonce les négligences apportées au culte de Yahvé.

MALACHITE [-kit] n.f. (du gr. *malakhê,* mauve). Carbonate basique naturel de cuivre, pierre d'un beau vert vif utilisée en joaillerie et en tabletterie.

MALACOLOGIE n.f. (du gr. *malakos,* mou, et *logos,* science). Étude des mollusques.

MALACOPTÉRYGIEN n.m. *Malacoptérygiens,* groupe de poissons osseux à nageoires molles ou flexibles, comprenant le saumon, la carpe, la morue, etc.

MALACOSTRACÉ n.m. (du gr. *malakos,* mou, et *ostrakon,* coquille). *Malacostracés,* sous-classe de crustacés comprenant les ordres les plus élevés en organisation (décapodes, amphipodes, isopodes).

MALADE adj. et n. Dont la santé est altérée. ◆ adj. -1. Dans un état général de malaise : *J'étais malade de voir ça.* -2. Qui est en mauvais état : *Une industrie malade.*

MALADETA *(massif de la),* massif des Pyrénées espagnoles ; 3 404 m au pic d'Aneto (point culminant des Pyrénées). Le *pic de la Maladeta* a 3 312 m.

MALADIE n.f. -1. Altération dans la santé, dans l'équilibre des êtres vivants (animaux et végétaux). -2. Altération, dégradation de qqch : *Les maladies du vin.* -3. FAM. Comportement excessif, obsessionnel : *La maladie de la vitesse.* - 4. *Assurance maladie,* une des assurances sociales qui permet au salarié de percevoir en cas d'arrêt de travail des indemnités journalières et de bénéficier du remboursement partiel ou total des frais occasionnés par sa maladie.

MALADIF, IVE adj. -1. Sujet à être malade. -2. Dont les manifestations ressemblent à celles des troubles mentaux ; morbide. ◆ **maladivement** adv.

MALADRERIE n.f. Hôpital de lépreux, au Moyen Âge.

MALADRESSE n.f. -1. Caractère d'une personne maladroite, de ses gestes, de ses réalisations : *Remarquer la maladresse d'un dessin.* -2. Défaut de savoir-faire dans la conduite, dans les actions : *Sa maladresse a fait échouer les négociations.* -3. Acte maladroit : *Accumuler les maladresses.*

MALADROIT, E adj. et n. -1. Qui manque d'adresse, d'aisance dans ses mouvements, ses gestes. -2. Qui manque d'expérience, de sûreté pour l'exécution de qqch : *Un jeune cinéaste encore maladroit.* -3. Qui manque de diplomatie, de sens de l'opportunité : *Tu as été maladroit, tu n'aurais pas dû lui dire cela.* - 4. Qui n'est pas approprié au but recherché : *Une intervention maladroite.* ◆ **maladroitement** adv.

MALAGA n.m. -1. Vin liquoreux produit aux environs de Málaga. -2. Raisin muscat, à gros grains, que l'on fait sécher.

MÁLAGA, port d'Espagne (Andalousie), ch.-l. de prov., sur la Méditerranée ; 522 108 hab. Vins. Raisins secs. — Double forteresse mauresque avec patios et jardins (musée archéologique). Cathédrale des XVIᵉ-XVIIIᵉ siècles. Musée des Beaux-Arts dans un palais Renaissance.

MAL-AIMÉ, E n. (pl. mal-aimés, es). Personne qui souffre du rejet des autres.

MALAIRE adj. (du lat. *mala,* joue). -1. Relatif à la joue. -2. *Os malaire,* os qui forme la saillie de la pommette.

MALAIS, E adj. et n. De Malaisie. ◆ **malais** n.m. Langue du groupe indonésien, parlée dans la péninsule malaise et sur les côtes de l'Insulinde, auj. langue officielle de la Malaisie et de l'Indonésie (sous le nom d'*indonésien*).

MALAIS, ensemble de peuples établis en Malaisie, en Indonésie, dans l'Insulinde et les îles de la Sonde. Les Malais forment l'une des plus anciennes populations d'Asie. Les Deutéro-Malais parlent des dialectes malais et sont généralement sunnites ou chafiites, tandis que les Proto-Malais, qui sont les plus anciens occupants du sol, ont une filiation linguistique non exclusivement malaise.

MALAISE n.m. -1. Sensation pénible d'un trouble de l'organisme : *Éprouver un malaise.* -2. État d'inquiétude, de trouble mal défini ; début de crise : *Le malaise social.*

MALAISÉ, E adj. Qui n'est pas facile à faire. ◆ **malaisément** adv. Avec difficulté.

Malaise dans la civilisation → FREUD.

MALAISIE, en angl. Malaysia, État de l'Asie du Sud-Est. La Malaisie comprend la *Malaisie occidentale* (concentrant la majeure partie de la population et de l'activité économique) et la *Malaisie orientale,* dans l'île de Bornéo, formée par les territoires de Sabah et de Sarawak.

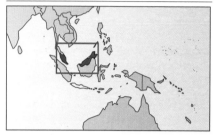

NOM : Malaisie.
CAPITALE : Kuala Lumpur.
SUPERFICIE : 330 000 km².
POPULATION : 20 600 000 hab. *(Malaisiens).*
LANGUE : malais.
RELIGION : islam.
MONNAIE : dollar de la Malaisie.
RÉGIME : monarchie constitutionnelle.
CHEF DE L'ÉTAT : souverain élu par les sultans malais en leur sein, pour une durée de 5 ans.

GÉOGRAPHIE

Le milieu naturel et la population. À une latitude équatoriale, possédant un climat constamment chaud et souvent humide, le pays est recouvert en majeure partie par la forêt. Hommes et activités se sont concentrés dans les plaines alluviales et les vallées bordant ou entaillant la montagne intérieure. La population s'accroît à un rythme annuel encore rapide. Elle est composée d'une faible majorité de Malais (islamisés et détenant le pouvoir politique) et des minorités indienne et surtout

chinoise. Celle-ci représente le tiers de la population totale et possède un poids économique sectoriellement plus grand encore.

L'économie. Grand pays agricole, la Malaisie juxtapose cultures vivrières (riz) et plantations commerciales, et est le premier producteur mondial d'huile de palme et, surtout, de caoutchouc naturel. Le sous-sol fournit de la bauxite, de l'étain (premier rang mondial), du pétrole et du gaz naturel. L'industrie, stimulée par l'abondance de main-d'œuvre à bon mar-

Culture du thé dans les Cameron Highlands, région montagneuse du centre de la **MALAISIE** occidentale (État de Pahang).

ché et de capitaux étrangers, est en pleine expansion : à la valorisation des produits du sol et du sous-sol se sont ajoutées notamment les constructions mécaniques et électriques. Le commerce extérieur, effectué pour une part notable avec le Japon, les États-Unis et Singapour, est excédentaire.

HISTOIRE

La péninsule malaise subit très tôt l'influence de l'Inde. Puis l'islam y pénètre au xive-xve siècle.

1511 : les Portugais s'emparent de Malacca.

Premiers Européens à atteindre la péninsule, ils sont supplantés par les Hollandais à partir de 1641.

1795 : les Britanniques remplacent les Hollandais à Malacca.

1819 : Malacca forme avec Singapour et Penang le gouvernement des Détroits, érigé en colonie en 1867.

Tous les sultanats malais sont progressivement placés sous protectorat britannique.

1946 : une première fédération de Malaisie est créée dans la Malaisie péninsulaire.

1957 : elle obtient son indépendance sous la conduite d'Abdul Rahman.

1963 : les colonies britanniques du nord de Bornéo, en accédant à l'indépendance sous les noms de Sarawak et de Sabah, de même que Singapour optent pour leur rattachement à la Malaisie. La nouvelle fédération est membre du Commonwealth.

1965 : Singapour quitte la fédération.

1981 : Mahathir bin Mohamad devient Premier ministre.

MALAISIE OCCIDENTALE, partie occidentale de l'État de la Malaisie, constituée par le sud de la péninsule de Malacca ; 131 000 km² ; 11 426 000 hab.

MALAKOFF, ch.-l. de c. des Hauts-de-Seine, au sud de Paris ; 31 135 hab. *(Malakoffiots).*

Malakoff *(ouvrage de),* point central de la défense de Sébastopol, enlevé par Mac-Mahon (8 sept. 1855).

MALAMUD (Bernard), écrivain américain (New York 1914 - *id.* 1986), l'un des romanciers les plus originaux de l'école juive nord-américaine *(le Tonneau magique,* 1958 ; *l'Homme de Kiev,* 1966).

MALANDRE n.f. **-1.** Gerçure située au pli du jarret des chevaux. **-2.** Nœud pourri dans les bois de construction, qui empêche leur emploi.

MALANG, v. d'Indonésie (Java) ; 560 000 hab.

MALAPARTE (Kurt Suckert, dit Curzio), écrivain italien (Prato 1898 - Rome 1957). Il doit à sa vie aventureuse d'engagé volontaire (1914) et de correspondant de guerre le cynisme brutal et le réalisme qui animent ses récits *(Kaputt,* 1944 ; *la Peau,* 1949 ; *Ces sacrés Toscans,* 1956) et son théâtre *(Das Kapital,* 1949).

MALAPPRIS, E adj. et n. Qui est mal éduqué.

MÄLAREN *(lac),* lac de Suède, au débouché duquel est bâtie Stockholm ; 1 140 km².

MALARIA n.f. VIEILLI. Paludisme.

MALATESTA, famille de condottieri italiens, originaire de Rimini, qui contrôla du xiie au xive siècle, outre cette ville, une grande partie de la marche d'Ancône et de la Romagne.

MALATYA, v. de Turquie, près de l'Euphrate ; 281 776 hab. Malatya est l'ancienne *Mélitène,* au N. du site d'Arslan Tepe. Vestiges d'un palais hittite de la seconde moitié du IIe millénaire (porte monumentale dite « porte des Lions », reliefs à Istanbul et au Louvre). À 9 km de la ville actuelle, l'*Eski Malatya* (« Vieux Malatya ») conserve une partie de son enceinte et surtout sa Grande Mosquée (1247-1273).

MALAWI, État d'Afrique orientale.

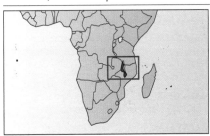

NOM OFFICIEL : République du Malawi.
CAPITALE : Lilongwe.
SUPERFICIE : 118 000 km².
POPULATION : 11 400 000 hab. *(Malawites).*
LANGUE OFFICIELLE : anglais.
RELIGIONS : protestantisme, catholicisme, animisme.
MONNAIE : kwacha.
RÉGIME : parlementaire.

GÉOGRAPHIE

Formé de hauts plateaux dans le Nord et le Centre, plus contrasté dans le Sud, le pays s'étend sur 900 km du N. au S., surtout sur la rive ouest du *lac Malawi.* Le climat est tropical avec une saison sèche de mai à octobre. La population, en majeure partie bantoue, a un fort taux d'accroissement et se concentre surtout dans le Sud. Essentiellement rural, le pays juxtapose cultures vivières (le maïs est la base de l'alimentation) et plantations commerciales (tabac et thé surtout), qui fournissent l'essentiel des exportations. L'industrie est modeste. L'enclavement du pays pénalise l'économie, freine notamment les échanges, retarde l'exploitation du sous-sol. *(V. carte Zambie.)*

HISTOIRE

Le pays est occupé par des populations bantoues, qui subissent à partir de 1840 les razzias des négriers de Zanzibar.
1859 : Livingstone découvre le lac Malawi.
1907 : le protectorat britannique de l'Afrique centrale, créé en 1889, prend le nom de « Nyassaland ».
1953-1962 : le Nyassaland forme une fédération avec la Rhodésie.
1964 : le pays devient indépendant et prend le nom de « Malawi ».
1966 : la république est proclamée.
De 1966 à 1994, le Malawi est dirigé par Hastings Banda, qui s'appuie sur un système de parti unique jusqu'en 1993.

MALAWI *(lac),* anc. **lac Nyassa,** grand lac de l'Afrique orientale, à l'ouest du Mozambique ; 30 800 km².

MALAXAGE n.m. Action de malaxer.

MALAXER v.t. **-1.** Pétrir une substance pour la ramollir, pour la rendre plus homogène : *Malaxer du beurre.* **-2.** Masser du bout des doigts une partie du corps.

MALAXEUR n.m. et adj.m. Appareil muni d'une cuve et servant à malaxer.

MALAYALAM n.m. Langue dravidienne parlée au Kerala.

MALAYO-POLYNÉSIEN, ENNE adj. et n.m. (pl. malayo-polynésiens, ennes). Austronésien.

MALAYSIA → MALAISIE.

MALBEC n.m. Cépage rouge, très répandu en France.

MALCHANCE n.f. **-1.** Mauvaise chance ; déveine : *Il est poursuivi par la malchance.* **-2.** Hasard malheureux ; situation défavorable.

MALCHANCEUX, EUSE adj. et n. En butte à la malchance.

MALCOLM III (m. près d'Alnwick en 1093), roi d'Écosse (1058-1093). Sa victoire sur Macbeth lui restitua la Couronne. Il échoua dans ses campagnes contre l'Angleterre.

MALCOMMODE adj. Qui n'est pas pratique.

MALDIVES, État insulaire de l'océan Indien.

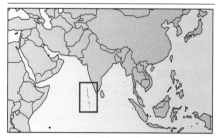

NOM OFFICIEL : République des Maldives.
CAPITALE : Malé.
SUPERFICIE : 300 km².
POPULATION : 260 000 hab. *(Maldiviens).*
LANGUE : divehi.
RELIGION : islam.
MONNAIE : roupie maldive.
RÉGIME : parlementaire.

GÉOGRAPHIE

Situées à 650 km environ à l'O. et au S. -O. de Colombo, émiettées en latitude, de 7⁰ 10′ N. à 0⁰ 40′ S., les Maldives, ou Maldvipa (« îles de Mal »), sont constituées par 19 atolls comprenant plus de 1 000 petites îles coralliennes, dont 200 environ sont habitées. C'est le pays le plus bas du monde (alt. moyenne de 2 m). 60 % de la population a moins de 25 ans. Le tourisme est la première source de revenus du pays. La pêche et l'agriculture (cocotiers, taro, millet) sont les deux grandes autres activités. *(V. carte Inde.)*

HISTOIRE

Protectorat britannique à partir de 1887, indépendantes depuis 1965, les Maldives constituent une république depuis 1968.

MALDONNE n.f. Erreur dans la distribution des cartes ; fausse donne.

MÂLE adj. **-1.** Qui appartient au sexe fécondant, porteur de cellules reproductrices plus nombreuses, plus petites et plus mobiles que celles du sexe femelle. **-2.** Qui est du sexe masculin. **-3.** Qui annonce de la force, de l'énergie : *Une voix mâle.* **- 4.** Se dit de la partie d'un instrument, d'un organe qui entre dans un autre : *Prise mâle.* **-5.** *Fleur mâle,* fleur qui ne porte que des étamines. ◆ n.m. **-1.** Être vivant organisé pour féconder, dans l'acte de la génération. **-2.** Individu du sexe masculin, par opp. à la femme.

MÂLE (Émile), historien de l'art français (Commentry, Allier, 1862 - Chaalis, Oise, 1954), grand spécialiste de l'iconographie du Moyen Âge.

MALÉ [-le], île et cap. des Maldives ; 55 000 hab. Aéroport.

MALEBO POOL, anc. **Stanley Pool,** lac formé par un élargissement du fleuve Congo (ou Zaïre). Sur ses rives sont établies les villes de Brazzaville et de Kinshasa.

MALEBRANCHE (Nicolas), oratorien et philosophe français (Paris 1638 - *id.* 1715). Il soutient que nous ne distinguons des causes que celles que Dieu veut bien nous laisser entrevoir, les « causes occasionnelles » (*De la recherche de la vérité,* 1674-75 ; *Entretiens sur la métaphysique et la religion,* 1688). Il s'est également consacré à des études de géométrie et de physique (optique ; nature de la lumière).

MALEC (Ivo), compositeur français d'origine croate (Zagreb 1925). Élève de O. Messiaen et de P. Schaeffer, il a notamment composé *Cantate pour elle* (1966), *Triola* (1978), *Ottava alta* (1981), *Doppio coro* (1993).

MALÉDICTION n.f. -**1.** LITT. Action de maudire. -**2.** Malheur, fatalité : *La malédiction est sur moi.*

MALÉFICE n.m. Pratique magique visant à nuire.

MALÉFIQUE adj. Qui a une influence surnaturelle et maligne.

MALEGAON, v. de l'Inde (Maharashtra) ; 342 431 hab.

MALÉKISME ou **MALIKISME** n.m. École théologique, morale et juridique de l'islam sunnite, issue de Malik ibn Anas (715-795), caractérisée par son rigorisme et qui prédomine au Maghreb.

MALENCONTREUX, EUSE adj. Qui cause de l'ennui en survenant mal à propos : *Circonstance malencontreuse.* ◆ **malencontreusement** adv.

MALENKOV (Gueorgui Maksimilianovitch), homme politique soviétique (Orenbourg 1902 - Moscou 1988). Il succéda à Staline comme président du Conseil (1953-1955).

MAL-EN-POINT adj. inv. En mauvais état de santé, de fortune, de situation.

MALENTENDANT, E adj. et n. Se dit de qqn dont l'acuité auditive est diminuée.

MALENTENDU n.m. Fait de se méprendre sur qqch, notamm. sur le sens d'un mot.

MALESHERBES (Chrétien Guillaume de Lamoignon de), magistrat et homme d'État français (Paris 1721 - *id.* 1794). Secrétaire de la Maison du roi (1775), il tenta quelques réformes mais dut démissionner dès 1776. Il défendit Louis XVI devant la Convention et fut exécuté sous la Terreur.

MALET (Claude François **de**), général français (Dole 1754 - Paris 1812). En octobre 1812, il tenta à Paris un coup d'État en annonçant la mort de Napoléon, alors en Russie. Il fut fusillé.

MAL-ÊTRE n.m. inv. Sentiment de profond malaise.

MALEVILLE (Jacques, *marquis* **de**), juriste français (Domme, Dordogne, 1741 - *id.* 1824). Membre du Conseil des Anciens (1795-1799), il fut l'un des rédacteurs du Code civil.

MALEVITCH (Kazimir), peintre et théoricien russe d'origine polonaise (près de Kiev 1878 - Leningrad 1935). Une tendance primitive caractérise ses toiles de 1909-10, comme les figures aux volumes géométrisés qui ouvrent, en 1911, sa période « cubo-futuriste » (*le Bûcheron,* Stedelijk Mus., Amsterdam). En 1913-14, sa propension spiritualiste le conduit au « suprématisme », expression la plus radicale de la démarche abstraite, consacrant la négation de l'objet (*Carré blanc sur fond blanc,* 1918, M. A. M., New York). Il passe vers 1923 à un stade d'études architectoniques visant à la transformation de l'environnement puis revient à la peinture après 1927 (sorte de synthèse de ses périodes figuratives antérieures). Son œuvre a exercé une grande influence sur l'art occidental du XXᵉ siècle.

(Voir illustration p. suivante.)

MALFAÇON n.f. Défectuosité dans un ouvrage, un travail.

MALFAISANT, E adj. Qui fait, qui cause du mal ; nuisible : *Influence malfaisante.*

MALFAITEUR n.m. Individu qui commet des vols, des crimes.

MALFAMÉ, E adj. Qui est fréquenté par des individus de mauvaise réputation.

MALFORMATION n.f. Altération morphologique congénitale d'un tissu, d'un organe du corps humain : *Malformation cardiaque.*

MALGACHE adj. et n. De Madagascar. ◆ n.m. Langue du groupe indonésien.

MALGRÉ prép. -**1.** Contre le gré, la volonté de qqn ; en dépit d'un ordre, d'un règlement : *Faire qqch malgré soi.* -**2.** En ne se laissant pas arrêter par tel obstacle : *Sortir malgré la pluie.*

MALHABILE adj. Qui manque d'habileté, de capacité. ◆ **malhabilement** adv.

MALHERBE (François **de**), poète français (Caen 1555 - Paris 1628). D'abord poète baroque (*les Larmes de saint Pierre,* 1587), il rompit avec la poésie savante de la Pléiade et imposa,

La Moisson de seigle (1912), par Kazimir **MALEVITCH**. (Stedelijk Museum, Amsterdam.)

comme poète de cour et chef d'école, un idéal de clarté et de rigueur qui est à l'origine du goût classique (*Consolation à Du Périer,* v. 1599).

MALHEUR n.m. -1. Situation pénible qui affecte douloureusement qqn : *C'est dans le malheur qu'on connaît ses vrais amis.* -2. Événement fâcheux, funeste : *Un malheur n'arrive jamais seul.* -3. Sort hostile ; malchance.

MALHEUREUX, EUSE adj. et n. -1. Qui est dans une situation pénible, douloureuse : *Un homme malheureux.* -2. Qui suscite la commisération, la pitié : *Le malheureux a succombé à ses blessures.* ◆ adj. -1. Qui exprime le malheur, la douleur : *Un air malheureux.* -2. Qui manque de chance : *Un amour malheureux.* -3. Qui a pour conséquence le malheur ; désastreux : *Faire une rencontre malheureuse.* ◆**malheureusement** adv.

MALHONNÊTE adj. et n. -1. Qui enfreint les règles de la probité : *Une transaction malhonnête.* -2. Qui choque la décence ; inconvenant : *Faire des propositions malhonnêtes à une femme.* ◆ **malhonnêtement** adv.

MALHONNÊTETÉ n.f. -1. Caractère malhonnête de qqn, de son comportement : *Malhonnêteté d'un joueur.* -2. Action contraire à l'honnêteté : *Commettre une malhonnêteté.*

MALI n.m. BELGIQUE. Déficit.

MALI, État d'Afrique occidentale.

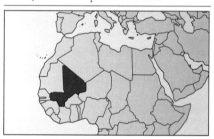

NOM OFFICIEL : République du Mali.
CAPITALE : Bamako.
SUPERFICIE : 1 240 000 km².
POPULATION : 11 130 000 hab. *(Maliens).*
LANGUE OFFICIELLE : français.
RELIGIONS : islam, animisme.
MONNAIE : franc C. F. A.
RÉGIME : parlementaire.

GÉOGRAPHIE

Vaste pays (plus du double de la superficie de la France), mais enclavé et, en majeure partie, dans la zone sèche sahélienne ou même saharienne, c'est l'un des plus pauvres du monde. Les terres cultivées couvrent moins de

2 % de la superficie totale et se concentrent dans le Sud. Celui-ci, peuplé de sédentaires, est plus humide et parcouru par les fleuves, qui ont fixé les villes et permis l'irrigation. Les cultures vivrières (riz, millet, etc.) et commerciales (coton et arachide) ont souffert des récentes sécheresses. Malgré les aléas climatiques, le cheptel, grande richesse des populations pastorales du Nord (Touareg et Maures), a pu être reconstitué. Sous-industrialisé, avec un accroissement démographique annuel élevé, une balance commerciale toujours déficitaire, un fort endettement extérieur, le pays dépend largement de l'aide internationale.

HISTOIRE

Lieu de rencontre des peuples du nord de l'Afrique et de ceux de l'Afrique noire, le Mali est le berceau des grands empires médiévaux du Sahel.

VIIᵉ s. : formation de l'empire du Ghana.

XIᵉ s. : les Almoravides imposent l'islam et détruisent l'empire du Ghana.

XIIIᵉ-XIVᵉ s. : apogée de l'empire du Mali.

XVIᵉ s. : apogée de l'empire Songhaï, dont les principales cités sont Gao et Tombouctou.

Ensuite, le pouvoir passe successivement aux Marocains, aux Touareg puis aux Peul.

1857 : les Français amorcent l'occupation du pays. Ils empêchent ainsi la constitution dans le Sud d'un nouvel État à l'initiative de Samory Touré, fait prisonnier en 1898.

1904 : création de la colonie du Haut-Sénégal-Niger dans le cadre de l'Afrique-Occidentale française.

1920 : amputée de la Haute-Volta, la colonie devient le Soudan français.

1960 : pleinement indépendant, le pays prend le nom de République du Mali.

1968 : Moussa Traoré prend le pouvoir. L'économie du pays est libéralisée.

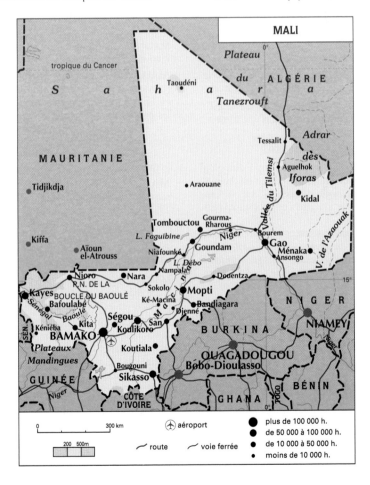

1991 : Moussa Traoré est renversé.

1992 : le multipartisme est instauré. Alpha Oumar Konaré est élu président de la République. Il est réélu en 1997.

MALI *(empire du)*, empire de l'Afrique noire (XIᵉ-XVIIᵉ s.) dans la vallée du Niger. Sa puissance reposait sur le contrôle des mines d'or et du commerce transsaharien. À son apogée (XIIIᵉ-XIVᵉ s.), cet empire musulman s'étendait de l'embouchure du Sénégal à la ville de Gao. Il fut affaibli au XVᵉ siècle par l'empire des Songhaï.

MALIA, site archéologique crétois de la côte nord, à l'est de Cnossos. Vestiges d'un complexe palatial des alentours de 1700-1600 av. J.-C. et d'une nécropole royale au riche mobilier funéraire (musée d'Héraklion).

MALIBRAN (María de la Felicidad García, dite la), soprano dramatique d'origine espagnole (Paris 1808 - Manchester 1836). Célébrée par Musset, elle brilla dans l'interprétation des œuvres de Rossini.

MALICE n.f. Penchant à dire ou à faire des taquineries ; moquerie.

MALICIEUX, EUSE adj. et n. Qui a de la malice ; malin, taquin. ◆ **malicieusement** adv.

MALIGNITÉ n.f. **-1.** Tendance à faire le mal. **-2.** Caractère dangereux, mortel d'une tumeur, d'un mal.

MALIKISME n.m. → MALÉKISME.

MALIN, IGNE adj. et n. **-1.** Enclin à dire ou à faire des choses malicieuses ; fin, rusé, habile. **-2.** LITT. *Le Malin,* le démon. ◆ adj. **-1.** Qui témoigne d'une intelligence malicieuse, plus ou moins rusée : *Un sourire malin.* **-2.** Qui montre de la méchanceté : *Il éprouve un malin plaisir à relever les erreurs.* **-3.** LITT. *Esprit malin,* diable, démon. ‖ *Tumeur maligne,* tumeur cancéreuse. ◆ **malignement** adv. Avec malignité.

MALINES n.f. (de *Malines,* v. de Belgique). Dentelle belge très fine, exécutée aux fuseaux et dont les motifs sont cernés d'un fil plat qui leur donne un léger relief.

MALINES, en néerl. Mechelen, v. de Belgique, ch.-l. d'arr. de la prov. d'Anvers, sur la Dyle ; 75 313 hab. Archevêché créé en 1559, Malines partage ce titre avec Bruxelles depuis 1962. Dentelles renommées. Industries mécaniques et chimiques. — Belle cathédrale des XIIIᵉ-XVᵉ siècles (mobilier baroque, œuvres d'art) et autres monuments, du gothique au baroque. Maisons anciennes. Musées.

MALINGRE adj. Qui est d'une constitution délicate, fragile.

MALINKÉ n.m. Langue du groupe mandingue parlée par les Malinké.

MALINKÉ, peuple mandé habitant le Mali, occupant une partie de la plaine du Niger et le nord-ouest de la Côte d'Ivoire.

MALINOIS n.m. (de *Malines,* n.pr.). Chien de berger belge à poil court fauve.

MALINOVSKI (Rodion Iakovlevitch), maréchal soviétique (Odessa 1898 - Moscou 1967). Commandant le second front d'Ukraine (1933-44), il signa l'armistice avec les Roumains (1944) puis entra à Budapest et à Vienne (1945). Il fut ministre de la Défense de 1957 à sa mort.

MALINOWSKI (Bronisław), anthropologue britannique d'origine polonaise (Cracovie 1884 - New Haven, Connecticut, 1942). Il est le principal représentant du fonctionnalisme (*la Sexualité et sa répression dans les sociétés primitives,* 1927).

MALINTENTIONNÉ, E adj. et n. Qui a de mauvaises intentions.

MALINVAUD (Edmond), économiste français (Limoges 1923). Directeur (1974-1987) de l'I. N. S. E. E., il fait porter ses recherches sur les procédures décentralisées de planification, sur les modèles de l'analyse macroéconomique, sur la croissance dans une perspective historique et sur les croissances optimales et le taux d'intérêt.

MALIPIERO (Gian Francesco), compositeur et musicologue italien (Venise 1882 - Trévise 1973), auteur de symphonies, de musique de chambre et d'œuvres religieuses, dont les oratorios *Saint François d'Assise* (1920) et *l'Énéide de Virgile* (1944). Il a édité Vivaldi et Monteverdi.

MALIQUE adj. (du lat. *malum,* pomme). Se dit d'un diacide-alcool qui se trouve dans les pommes et les fruits acides.

MALLARMÉ (Stéphane), poète français (Paris 1842 - Valvins, Seine-et-Marne, 1898). Professeur d'anglais par nécessité, il écrit, enthousiasmé par Baudelaire et Edgar Poe, *l'Azur* (1864) et *Brise marine* (1865). Dix de ses poèmes, publiés dans *le Parnasse contemporain* (1866), passent inaperçus ainsi qu'*Hérodiade* (1871), dans laquelle le poète livre la définition de sa poétique : « peindre non la chose, mais l'effet qu'elle produit ». Le même insuccès frappe son églogue *l'Après-Midi d'un faune* (1876), qu'avait précédé *Igitur ou la Folie*

Stéphane **MALLARMÉ**, poète français. Détail d'un portrait par É. Manet. (Musée d'Orsay, Paris.)

d'Elbehnon, conte allégorique commencé en 1867. Il lui faudra attendre les jugements de Verlaine, en 1880, dans ses *Poètes maudits,* et de Huysmans, en 1884, dans *À rebours,* pour accéder d'emblée à la notoriété. Son salon devient célèbre, fréquenté par les « espoirs » : J. Laforgue, L. Tailhade, G. Kahn, P. Louÿs, Gide, Valéry, Claudel, etc. Tous se passionnent pour son Grand Œuvre, qui ne verra pas le jour et que Mallarmé appelle « le Livre » (le premier mouvement de celui-ci, *Un coup de dés jamais n'abolira le hasard,* parut en 1897 dans la revue *Cosmopolis*). L'inconnu d'hier devient l'une des têtes du symbolisme naissant, le prophète de la poésie nouvelle, avant d'être élu prince des poètes à la mort de Verlaine. Son œuvre, malgré sa brièveté et son inachèvement, a été déterminante pour l'évolution de la littérature au cours du XXe siècle.

MALLE n.f. Coffre de bois, de cuir, etc., de grandes dimensions, où l'on enferme les objets que l'on emporte en voyage.

MALLE (Louis), cinéaste français (Thumeries, Nord, 1932 - Los Angeles 1995). Il s'est voulu le témoin multiple de son temps : *Ascenseur pour l'échafaud* (1958), *Zazie dans le métro* (1960), *le Souffle au cœur* (1971), *Lacombe Lucien* (1974), *Atlantic City* (1980), *Au revoir les enfants* (1987), *Milou en mai* (1990).

MALLÉABILISATION n.f. Action de rendre malléable un métal.

MALLÉABILITÉ n.f. -1. Caractère de qqn, de son esprit, qui est docile, influençable. -2. Qualité d'un métal malléable.

MALLÉABLE adj. (lat. *malleatus,* battu au marteau). -1. Qui se laisse influencer ou former : *Un enfant encore malléable.* -2. *Métal malléable,* métal que l'on peut façonner et réduire facilement en feuilles.

MALLÉOLE n.f. (du lat. *malleolus,* petit marteau). Chacune des apophyses de la région

inférieure du tibia et du péroné formant la cheville. (*Malléole externe,* péroné ; *malléole interne,* tibia.)

MALLET-JORIS (Françoise), romancière française d'origine belge (Anvers 1930). Son œuvre fait de la famille le laboratoire de l'analyse des bouleversements sociaux et culturels modernes (*le Rempart des Béguines,* 1951 ; *la Maison de papier,* 1970 ; *le Rire de Laura,* 1985 ; *Divine,* 1991 ; *les Dangers de l'innocence,* 1997).

MALLET-STEVENS (Robert), architecte français (Paris 1886 - *id.* 1945). Il est l'un de ceux qui luttèrent contre l'éclectisme dans les années 1925-1930, maniant de façon mouvementée les formes géométriques du style international (hôtels de la rue Mallet-Stevens, à Paris, XVIe arrond.).

MALLETTE n.f. -1. Petite valise. -2. BELGIQUE. Cartable d'écolier.

MAL-LOGÉ, E n. (pl. mal-logés, es). Personne dont les conditions d'habitation ne sont pas satisfaisantes.

MALLOPHAGE n.m. *Mallophages,* ordre d'insectes parasites usuellement nommés *poux d'oiseaux.*

MALMAISON → RUEIL-MALMAISON.

MALMENER v.t. [19]. -1. Battre, rudoyer qqn : *La foule malmena le voleur.* -2. Mettre un adversaire dans une situation difficile au cours d'un combat : *Son adversaire l'a malmené au premier round.*

MALMIGNATTE n.f. Araignée des régions méditerranéennes, à abdomen noir tacheté de rouge et dont la morsure est dangereuse. (Long. 15 mm.)

MALMÖ, port de la Suède méridionale, sur le Sund ; 233 887 hab. Chantiers navals. — Musée dans la vieille forteresse.

MALNUTRITION n.f. Défaut d'adaptation de l'alimentation aux conditions de vie d'une population ; déséquilibre alimentaire.

MALODORANT, E adj. Qui a une mauvaise odeur ; puant, fétide.

MALONIQUE adj. Se dit d'un diacide provenant de l'oxydation de l'acide malique.

MALORY (*sir* Thomas), écrivain anglais (Newbold Revell 1408 - Newgate 1471), auteur de *la Mort d'Arthur* (1469), première épopée en prose anglaise.

MALOT (Hector), écrivain français (La Bouille, Seine-Maritime, 1830 - Fontenay-sous-Bois 1907), auteur du roman *Sans famille* (1878).

MALOTRU, E n. Personne grossière, mal élevée.

MALOUEL (Jean), peintre néerlandais (Nimègue av. 1370 - Dijon 1415). Après un séjour à Paris, il passa en 1397 au service du duc de Bourgogne, travaillant pour la chartreuse de Champmol (œuvres perdues). On lui attribue la *Grande Pietà* ronde du Louvre (v. 1400 ?).

MALOUINES *(îles)* → FALKLAND.

MALPIGHI (Marcello), médecin et anatomiste italien (Crevalcore 1628 - Rome 1694). Pionnier de l'histologie, il découvrit notamment les capillaires pulmonaires (1661), ce qui confirmait les nouvelles connaissances sur la circulation (W. Harvey). Par ailleurs, il réalisa d'importants travaux sur l'anatomie des plantes et des animaux, dont la première description complète d'un arthropode.

MALPIGHIE n.f. (de *Malpighi,* n.pr.). Plante d'Amérique tropicale, dont une espèce à fruits comestibles est appelée *cerisier des Antilles.*

Malplaquet *(bataille de)* [11 sept. 1709], bataille indécise qui se déroula au hameau de ce nom, près de Bavay, pendant la guerre de la Succession d'Espagne, entre les Français, commandés par le maréchal de Villars, et les forces du duc de Marlborough et du Prince Eugène.

MALPOLI, E adj. et n. FAM. Qui fait preuve d'un manque d'éducation.

MALPOSITION n.f. Position défectueuse d'une dent sur l'arcade dentaire.

MALPROPRE adj. et n. Qui manque de propreté ; sale : *Des mains malpropres.* ➡ **malproprement** adv.

MALPROPRETÉ n.f. Défaut de propreté.

MALRAUX (André), écrivain et homme politique français (Paris 1901 - Créteil 1976). Son œuvre romanesque (*la Voie royale,* 1930 ; la

André **MALRAUX,** écrivain et homme politique français.

Condition humaine, 1933 [→ CONDITION] ; *l'Espoir,* 1937), critique (*les Voix du silence,* 1951 ; *l'Homme précaire et la littérature,* 1977) et autobiographique (*le Miroir des limbes,* 1967-1975) cherche dans l'art le moyen de lutter contre la corruption du temps et l'instinct de mort de l'homme. Écrivain engagé, il combattit aux côtés des républicains lors de la guerre d'Espagne et fut ministre des Affaires culturelles de 1959 à 1969. En 1996, ses cendres ont été transférées au Panthéon.

MALSAIN, E adj. Qui nuit à la santé physique ou morale ; dangereux.

MALSÉANT, E adj. LITT. Qui n'est pas convenable ; déplacé, grossier, inconvenant.

MALSTROM n.m. → MAELSTRÖM.

MALT n.m. Orge germée artificiellement, séchée et réduite en farine, utilisée pour fabriquer de la bière.

MALTAGE n.m. Opération de conversion de l'orge en malt.

MALTAIS, E adj. et n. De Malte. ➡ **maltaise** n.f. Orange d'une variété sucrée.

MALTASE n.f. Enzyme du suc intestinal, qui hydrolyse le maltose.

Malte *(fièvre de),* brucellose.

MALTE, île principale d'un petit archipel de la Méditerranée, au S. de la Sicile, qui comprend, en outre, Gozo, Comino et Filfola.

NOM OFFICIEL : République de Malte.
CAPITALE : La Valette.
SUPERFICIE : 316 km².
POPULATION : 370 000 hab. *(Maltais).*
LANGUES : anglais, maltais.
RELIGION : catholicisme.
MONNAIE : livre maltaise.
RÉGIME : parlementaire.
CHEF DE L'ÉTAT : président de la République.
CHEF DU GOUVERNEMENT : Premier ministre.
LÉGISLATIF : Chambre des représentants comprenant 65 représentants, élus pour une durée maximale de 5 ans.

GÉOGRAPHIE

L'île, calcaire, a un climat doux, favorable à l'agriculture (pommes de terre, oignons) et au tourisme (500 000 visiteurs par an env.). *[V. carte Italie.]*

PRÉHISTOIRE ET HISTOIRE

Du IVe au IIe millénaire (du néolithique à l'âge du bronze), Malte est le centre d'une civilisation mégalithique (Mnajdra, Ggantija, Tarxien et l'île de Gozo) aux temples de plan complexe et aux décors sculptés évoquant la déesse mère.

Position stratégique en Méditerranée, l'île est d'abord occupée, dans l'Antiquité, par les Phéniciens, les Grecs et les Carthaginois.

218 av. J.-C. : conquête de Malte par les Romains.

870 apr. J.-C. : l'île est occupée par les Arabes, qui y diffusent l'islam.

1090 : annexion de l'île par les Normands de Sicile.

1530 : l'île est cédée par Charles Quint à l'ordre de Saint-Jean de Jérusalem afin qu'il lutte contre l'avance ottomane.

1798 : Bonaparte occupe Malte.

1800 : la Grande-Bretagne s'y installe et en fait une base stratégique.

Pendant la Seconde Guerre mondiale, Malte joue ainsi un rôle déterminant en Méditerranée.

1964 : Malte obtient son indépendance dans le cadre du Commonwealth.

1974 : l'État devient une république.

1979 : les forces britanniques quittent l'île.

MALTE *(ordre de)* → SAINT-JEAN DE JÉRUSALEM (ordre souverain militaire et hospitalier de).

MALTE-BRUN (Konrad), géographe danois (Thisted 1775 - Paris 1826). Il vécut en France. Auteur d'une Géographie universelle, et l'un des fondateurs de la Société de géographie en 1821.

MALTERIE n.f. -1. Usine où l'on réalise le maltage. -2. Ensemble des activités industrielles liées à la fabrication du malt.

MALTEUR n.m. -1. Personne travaillant dans une malterie. -2. Industriel de la malterie.

MALTHUS (Thomas Robert), économiste britannique (près de Dorking, Surrey, 1766 - Claverton, près de Bath, 1834). Fils d'un gentilhomme ami de Jean-Jacques Rousseau et de Hume, il est ordonné pasteur anglican en 1788. Préoccupé par le nombre important de pauvres dans la société anglaise de la fin du

Ruines du temple mégalithique de Mnajdra (milieu du IIIe millénaire), sur la côte sud de l'île de **MALTE**.

XVIIIᵉ siècle, il estime que la cause essentielle de cette situation réside dans le fait que la population croît plus vite que la production. Dans cet esprit, il publie anonymement, en 1798, un *Essai sur le principe de population,* qui a immédiatement un grand retentissement. En 1805, il est nommé professeur d'histoire et d'économie politique au collège d'Haileybury, près de Hertford. Il a publié également *De la nature et du progrès du revenu* (1815), *Principes d'économie politique* (1820), *Définitions en économie politique* (1827).

Thomas Robert **MALTHUS,** économiste britannique. Détail d'une gravure de Fournier d'après Linnel. (B. N., Paris.)

MALTHUSIANISME n.m. (du n. de *Malthus*). -1. Doctrine de Malthus préconisant une restriction volontaire de la procréation. -2. Ralentissement volontaire de la production, de l'expansion économique.

ENCYCL. Dans son *Essai sur le principe de population,* Mathus recommande que les familles pauvres limitent le nombre de leurs enfants dans leur propre intérêt. Il présente l'augmentation de la population comme un danger pour la subsistance du monde et recommande la restriction volontaire des naissances. Il se montre aussi réticent à la pratique de l'assistance, qui ne peut qu'encourager la natalité. Pour lui, la seule forme utile de solidarité sociale réside dans le développement de l'instruction, qui permet aux hommes de mieux se rendre compte que l'augmentation de la population est source de misère.

Le malthusianisme évolua grâce à ceux qui préconisèrent l'emploi des méthodes contraceptives, conduisant au *néomalthusianisme,* apparu vers 1880. C'est surtout en Angleterre (F. Place, R. Carlile, J. S. Mill), puis aux États-Unis et dans les pays scandinaves, que s'est propagée la doctrine.

MALTHUSIEN, ENNE adj. et n. -1. Qui appartient aux doctrines de Malthus. -2. Opposé à l'expansion économique ou démographique.

MALTOSE n.m. Sucre donnant par hydrolyse deux molécules de glucose et qu'on obtient par hydrolyse de l'amidon.

MALTÔTE n.f. (de *mal* et anc. fr. *tolte,* imposition). Taxe extraordinaire levée en France à partir de 1291, durant quelques décennies, sur toutes les marchandises.

MALTRAITANCE n.f. Mauvais traitements envers une catégorie de personnes (enfants, personnes âgées, etc.).

MALTRAITER v.t. Traiter durement qqn, un animal : *Maltraiter des prisonniers.*

MALUS [malys] n.m. (mot lat., *mauvais*). Majoration d'une prime d'assurance automobile en fonction du nombre d'accidents survenus annuellement aux assurés et dans lesquels leur responsabilité se trouve engagée. CONTR. bonus.

MALUS (Étienne Louis), physicien français (Paris 1775 - *id.* 1812). Il a découvert la polarisation de la lumière et établi les lois de propagation des faisceaux lumineux.

MALVACÉE n.f. (du lat. *malva,* mauve). *Malvacées,* famille de plantes dialypétales aux nombreuses étamines, telles que le fromager, le cotonnier et la mauve.

MALVEILLANCE n.f. -1. Mauvaise disposition d'esprit à l'égard de qqn. -2. Intention de nuire : *Incendie attribué à la malveillance.*

MALVEILLANT, E adj. et n. Porté à vouloir du mal à autrui : *Un esprit malveillant.*

MALVENU, E adj. Hors de propos ; déplacé : *Une réflexion malvenue.*

MALVERSATION n.f. Détournement de fonds dans l'exercice d'une charge : *Un caissier coupable de malversations.*

MALVOISIE n.m. -1. Vin grec doux et liquoreux. -2. Cépage donnant des vins liquoreux.

MALVOYANT, E adj. et n. -1. Se dit d'une personne aveugle ou d'une personne dont l'acuité visuelle est très diminuée. -2. Amblyope.

MÄLZEL (Johann) → MAELZEL.

MAMAIA, station balnéaire de Roumanie, sur la mer Noire, au nord de Constanţa.

MAMAN n.f. Mère, dans le langage affectif, surtout celui des enfants.

MAMBA n.m. Gros serpent d'Afrique noire, très venimeux.

MAMBO n.m. Danse d'origine cubaine, proche de la rumba.

MAMELLE n.f. Glande placée sur la face ventrale du tronc des femelles des mammifères, sécrétant après la gestation le lait dont se nourrissent les jeunes.

MAMELON n.m. -1. Éminence charnue qui s'élève vers le centre de la mamelle, du sein. -2. Sommet, colline de forme arrondie.

MAMELONNÉ, E adj. Qui porte des proéminences en forme de mamelons.

MAMELOUK ou **MAMELUK** n.m. -1. Soldat esclave faisant partie d'une milice qui joua un rôle considérable dans l'histoire de l'Égypte et, épisodiquement, en Inde. -2. Cavalier d'un escadron de la Garde de Napoléon Ier.

MAMELOUKS, dynastie qui régna sur l'Égypte et la Syrie (1250-1517) et dont les sultans étaient choisis parmi les milices de soldats esclaves (mamelouks). Ils arrêtèrent l'expansion mongole en Syrie (1260) et chassèrent les croisés du Levant (1250-1291). Après 1517, ils se rallièrent aux Ottomans.

MAMER, comm. du Luxembourg dont une section (Capellen) a donné son nom à un canton du grand-duché ; 6 268 hab.

MAMERS, ch.-l. d'arr. de la Sarthe ; 6 424 hab. *(Mamertins)*. Appareils ménagers. — Deux églises médiévales.

MAMMAIRE adj. (du lat. *mamma,* mamelle). Relatif aux mamelles, aux seins.

MAMMALIEN, ENNE adj. Relatif aux mammifères.

MAMMALOGIE n.f. Partie de la zoologie qui traite des mammifères.

MAMMECTOMIE ou **MASTECTOMIE** n.f. Ablation du sein.

MAMMIFÈRE n.m. Animal vertébré caractérisé par la présence de mamelles, d'une peau génér. couverte de poils, d'un cœur à quatre cavités, d'un encéphale relativement développé, par une température constante et une reproduction presque toujours vivipare.
→ • **DOSSIER** LES MAMMIFÈRES *page suivante.*

MAMMITE n.f. Mastite.

MAMMOGRAPHIE n.f. Radiographie de la glande mammaire.

MAMMON, mot araméen qui, dans la littérature judéo-chrétienne, personnifie les biens matériels dont l'homme se fait l'esclave.

MAMMOPLASTIE n.f. Intervention de chirurgie esthétique sur le sein.

MAMMOUTH n.m. Éléphant fossile du quaternaire, dont on a retrouvé des cadavres entiers dans les glaces de Sibérie. (Couvert d'une toison laineuse, il possédait d'énormes défenses recourbées et mesurait 3,50 m de haut.)

MAMORÉ (le), l'une des branches mères du río Madeira ; 1 800 km.

MAMOULIAN (Rouben), cinéaste américain d'origine arménienne (Tiflis, auj. Tbilissi, Géorgie, 1897 - Los Angeles 1987). L'esthétique de ses plans-séquences est le moteur de ses films : Dr *Jekyll and Mr Hyde* (1932), *la Reine Christine* (1934), *le Signe de Zorro* (1940), *la Belle de Moscou* (1957).

MAMOURS n.m. pl. FAM. Grandes démonstrations de tendresse : *Faire des mamours à qqn.*

MAN [mã] n.m. Larve du hanneton, appelée aussi *ver blanc.*

MAN *(île de),* île de la mer d'Irlande, dépendance de la Couronne britannique ; 570 km^2 ; 64 000 hab. V. princ. *Douglas.* Place financière.

MANA n.m. (mot polynésien, *force*). Force surnaturelle, impersonnelle et indifférente, dans les religions animistes.

MANADE n.f. Troupeau de taureaux, de chevaux, en Camargue.

MANADO ou **MENADO**, port d'Indonésie (Célèbes) ; 170 000 hab.

MANAGEMENT [manedʒmɛnt] ou [manaʒmã] n.m. (mot angl., de *to manage,* diriger). -1. Ensemble des techniques de direction, d'organisation et de gestion de l'entreprise. -2. Ensemble des dirigeants d'une entreprise.

1. **MANAGER** [manadʒœr] ou [manadʒɛr] n.m. -1. Spécialiste du management, dirigeant d'entreprise. -2. Personne qui gère les intérêts d'un sportif, qui entraîne une équipe.

2. **MANAGER** [manadʒe] v.t. [17]. -1. Faire du management ; diriger une affaire, un service, etc. -2. Entraîner des sportifs, être leur manager.

MANAGUA, cap. du Nicaragua, sur le lac de Managua (1 234 km^2), détruite par un tremblement de terre en 1972 puis reconstruite ; 682 000 hab.

MANAMA, cap. de l'État de Bahreïn, dans l'île de Bahreïn ; 152 000 hab.

MANANT n.m. (du lat. *manere,* rester). -1. Paysan, vilain ou habitant d'un village, sous l'Ancien Régime. -2. LITT. Homme grossier ; rustre.

MANASLU, sommet de l'Himalaya du Népal ; 8 156 m.

MANAUS, anc. Manáos, port du Brésil, cap. de l'État d'Amazonas, sur le río Negro, près du confluent avec l'Amazone ; 1 010 558 hab.

LES MAMMIFÈRES

Les mammifères constituent, avec les oiseaux, la classe de vertébrés la plus évoluée. Ces deux groupes sont composés d'animaux maintenant leur température à un niveau constant (homéothermie). L'homme et de nombreuses espèces domestiques étant des mammifères, c'est l'ensemble le plus étudié et le mieux connu du règne animal.

L'évolution des mammifères.

Les mammifères occupent une place importante dans le règne animal. Bien qu'ils se rencontrent dans tous les milieux, ils prédominent en milieu terrestre. Leurs multiples adaptations sont liées, notamment, à l'acquisition de l'homéothermie. Ils sont issus, il y a environ 200 millions d'années, à la fin du trias terminal, des thériodontes, une lignée de reptiles carnivores présentant des caractères mammaliens. Leur évolution s'est déroulée en trois phases. La première commence au début du mésozoïque avec une timide apparition, à côté de grands sauriens comme les dinosaures. La deuxième phase a lieu au cours du paléocène, période pendant laquelle se développent des mammifères aujourd'hui pour la plupart disparus (multituber-

❶ Anatomie générale d'un mammifère (loup).

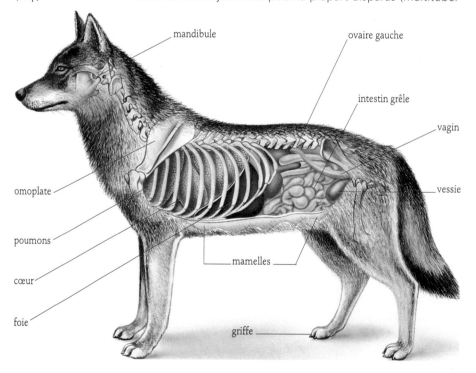

mandibule

ovaire gauche

intestin grêle

vagin

vessie

omoplate

poumons

cœur

foie

mamelles

griffe

culés et condylarthres). La dernière phase est celle de l'apparition des ancêtres directs de la faune mammalienne actuelle. Le miocène voit leur apogée avant un lent déclin qui s'amorce au cours du pliocène pour s'accentuer ensuite au cours du quaternaire.

Leur diversification se produit parallèlement au développement très important des angiospermes, ou plantes à fleurs, qui forment le groupe végétal le plus important. La fragmentation des blocs continentaux, qui s'isolent avec l'ouverture des océans Indien et Atlantique, a été également un facteur important de leur évolution. Ces changements ont favorisé l'expansion des mammifères et la séparation, vers 130 millions d'années, de deux groupes issus de la même souche commune : les *marsupiaux* et les *placentaires*. Les marsupiaux (kangourou, koala, opossum) sont actuellement très abondants en Australie et en Nouvelle-Guinée tandis que les placentaires dominent la faune mammalienne sur tous les autres continents.

La classification.

On dénombre environ 5 000 espèces de mammifères, dont près des deux tiers sont des rongeurs. Certains mammifères ont conquis les airs (chauve-souris), d'autres le milieu aquatique (quelques fissipèdes et insectivores, les pinnipèdes, les cétacés et les siréniens). Les autres espèces vivent dans tous les milieux terrestres, du milieu souterrain aux arbres, des déserts aux forêts équatoriales, des régions polaires aux zones tropicales. L'homéothermie et la viviparité, mais aussi et surtout la plasticité des comportements due à la richesse des circuits nerveux permettant les apprentissages, ont permis cette diversité et cette prépondérance des mammifères actuels parmi les animaux qui peuplent la Terre.

On subdivise les mammifères en trois sous-classes qui sont numériquement très inégales. Les *protothériens,* dits encore *monotrèmes* ou *ornithodelphes,* ont un cloaque, un bec corné et

L'ORIGINE DES MAMMIFÈRES

Les mammifères sont issus du groupe des reptiles. Ils s'en distinguent nettement par plusieurs caractères anatomiques mais le plus fondamental réside dans la structure et dans l'articulation de la mandibule. Chez les mammifères, une partie des os mandibulaires ont migré et ont été réutilisés dans l'organe acoustique (l'oreille moyenne) pour former les osselets. La diversité des premiers vrais mammifères suggère fortement que le passage entre les deux groupes se serait réalisé à plusieurs reprises indépendamment, quatre en tout si l'on en croit les données actuelles. Les thériodontes (des reptiles carnivores) constituent probablement le groupe dont est partie la différenciation. Le diadémodon, vivant en Afrique du Sud au cours du trias, possède déjà quelques caractères mammaliens comme le système pileux et peut-être l'homéothermie. Un des plus anciens mammifères connus, aujourd'hui disparu, est le mégazostrodon. L'ornithorynque ❷ est un véritable « fossile vivant » qui a conservé, notamment dans son squelette, un certain nombre de caractères reptiliens.

❷ Ornithorynque
(*Ornithorhynchus
anatinus*).

LES MAMMIFÈRES

Les mammifères ont colonisé tous les milieux (terrestre, aquatique et aérien), ce qui a permis le développement d'espèces de morphologies très différentes. Certains mammifères comme les otaries ❸ étaient primitivement terrestres mais se sont réfugiés dans le milieu marin. Leur corps est devenu plus aérodynamique et leurs pattes se sont adaptées à la nage. Les roussettes (chauves-souris) ❺ ont conquis le milieu aérien et leurs pattes antérieures ont développé une membrane qui permet la sustentation dans l'air et le vol. La diversité apparaît également dans le régime alimentaire. Des espèces comme le zèbre ❼ sont herbivores tandis le lynx ❹ est un carnivore.

sont ovipares comme les oiseaux mais sont couverts de poils, portent des glandes lactéales et leur mandibule n'est faite que du seul os dentaire. Chez les *métathériens, marsupiaux* ou *didelphes,* les femelles possèdent deux utérus et une poche ventrale où la larve, née précocement, achève son développement, fixée à une tétine. Enfin, les *euthériens, placentaires* ou *monodelphes,* ont un utérus impair et nourrissent leur fœtus grâce à un allantoplacenta.

Les caractères mammaliens.

La présence de poils et de mamelles constitue deux caractéristiques fondamentales de la classe des mammifères.

Poils et productions cornées. Le pelage peut avoir la forme de poils épars ou denses, de bourre ou de duvet, de jarre ou de crins, de piquants, de poils sensoriels comme les vibrisses. La présence de la fourrure, formée par les poils, favorise l'homéothermie et joue le rôle d'isolant thermique. Les productions cornées peuvent être très variées : écailles (pangolin, queue du rat), griffes (chat), ongles (singes), sabots (cheval), cornes pleines (rhinocéros), cornes creuses (vache).

Glandes cutanées et mamelles. Il faut également citer, d'une part, l'abondance de glandes cutanées, dont il existe trois types : les *glandes sébacées,* lubrifiant les poils, les *glandes sudoripares,* sécrétant la sueur et intervenant à la fois dans l'excrétion et dans la régulation thermique, et les *glandes hédoniques,* qui interviennent dans les relations entre partenaires sexuels. D'autre part, les *glandes mammaires,* spécifiques aux mammifères, produisent le lait pour l'alimentation des jeunes.

Le squelette. La mâchoire inférieure, formée d'un seul os, s'articule directement sur le crâne en libérant les deux autres os qui assurent normalement l'articulation chez les autres vertébrés. Ces os constituent les trois os (avec l'hyomandibulaire) de

❸ Otarie à fourrure
(Callorhinus ursinus).

LES MAMMIFÈRES

l'oreille moyenne. Les deux premières vertèbres du cou sont modifiées. L'atlas s'articule sur le crâne par deux condyles alors qu'il n'y en a qu'un seul chez les reptiles et les oiseaux. L'axis sert de pivot pour permettre l'orientation de la tête.

La dentition. La plupart des mammifères sont hétérodontes, possédant trois sortes de dents, toutes alvéolées : incisives, canines et dents jugales (prémolaires et molaires). On considère comme formule dentaire fondamentale celle du porc, qui possède 44 dents : 3 incisives, 1 canine, 4 prémolaires et 3 molaires par demi-mâchoire inférieure ou supérieure. Les mammifères ont, le plus souvent, deux dentitions successives, la première, dite *lactéale,* et la définitive. Leur dentition s'est généralement spécialisée dans un mode alimentaire et on distingue de ce point de vue les *omnivores* (régime alimentaire varié), les *carnivores* (régime carné), les *insectivores,* les *rongeurs* et les *herbivores.* Dans la bouche, un palais secondaire sépare les voies digestives et respiratoires.

Les membres. Ils sont *parasagittaux,* c'est-à-dire parallèles au plan de symétrie du corps et fondamentalement pentadactyles (cinq doigts par patte), même si l'évolution a parfois conduit à une régression importante de certains d'entre eux.

La cavité générale et l'appareil circulatoire. Le thorax et l'abdomen sont séparés par un diaphragme musculeux. Comme chez les oiseaux, le cœur, formé de deux oreillettes et de deux ventricules, isole totalement la circulation générale de la circulation pulmonaire, qui oxygène le sang.

❹ Lynx.

❺ Campagnol
(Microtus arvalis).

LES MAMMIFÈRES

Le cerveau. Chez les mammifères, la région antérieure de l'encéphale se développe considérablement pour former un néocortex qui s'ajoute aux structures cérébrales déjà présentes chez les autres vertébrés. Rudimentaire chez les monotrèmes et les marsupiaux, il acquiert chez les placentaires une importance croissante et représente, chez les primates, l'essentiel du cortex cérébral. Il se plisse en de nombreuses circonvolutions chez les mammifères les plus évolués.

La reproduction.

Le mode de reproduction n'est pas typique. Les monotrèmes sont ovipares comme les sauropsidés ou les oiseaux. De même, il existe des espèces vivipares dans toutes les classes de vertébrés, exception faite des oiseaux. Les mammifères vivipares, toutefois, sont tous gestants et développent des formations placentaires qui permettent aux embryons de vivre et de

❻ Roussette
(Pteropus giganteus).

se développer dans l'utérus maternel. Il y a de grandes différences de maturité entre les nouveau-nés de différentes espèces. Le jeune cobaye, par exemple, est immédiatement apte à quitter sa mère et à chercher sa nourriture. Mais, chez la plupart des autres mammifères, les petits sont, au contraire, relativement dépendants de leur mère. Elle doit les nourrir, les protéger des prédateurs et même du froid car ils sont encore incapables de réguler correctement leur température.

❼ Zèbre de Grant
(Equus quagga granti).

MANCELLE n.f. Chacune des deux courroies fixées sur les côtés du mantelet et qui servent à supporter les traits dans les attelages à deux chevaux.

MANCENILLE n.f. (esp. *manzanilla,* petite pomme). Fruit du mancenillier, qui ressemble à une petite pomme d'api.

MANCENILLIER n.m. Arbre originaire des Antilles et d'Amérique équatoriale, dit *arbre-poison, arbre de mort,* car son suc, caustique, est très vénéneux. (Famille des euphorbiacées.)

1. **MANCHE** n.m. (lat. *manicum,* de *manus,* main). -1. Partie par laquelle on tient un instrument, un outil. -2. Os apparent des côtelettes et des gigots. -3. Partie d'un instrument à cordes fixée à la caisse et supportant la touche et le chevillier.

2. **MANCHE** n.f. (lat. *manica,* de *manus,* main). -1. Partie du vêtement qui entoure le bras. -2. Chacune des parties d'un jeu que l'on est convenu de jouer : *Deux manches et la belle.* -3. *Manche à air,* tube en toile placé au sommet d'un mât pour indiquer la direction du vent ; conduit métallique servant à aérer l'intérieur d'un navire.

MANCHE, mer peu profonde du nord-ouest de l'Europe, entre la France et l'Angleterre, aux caractères hydrologiques proches de ceux de l'Atlantique voisin (salinité de l'ordre de 35‰ ; températures moyennes vers 7-8 ⁰C en hiver, 16-17 ⁰C en été), marquée aussi par de fortes marées (baie du Mont-Saint-Michel). La pêche y est peu active ; en revanche, le trafic maritime (parfois de passage, vers Anvers et Rotterdam) est intense (marchandises et passagers). Southampton et surtout Le Havre sont les deux grands ports riverains. Le pas de Calais, à l'extrémité nord de la Manche, est franchi par un tunnel ferroviaire.

MANCHE (la), région dénudée et aride d'Espagne (→ CASTILLE-LA MANCHE).

MANCHE [50], dép. de la Région Basse-Normandie ; ch.-l. de dép. *Saint-Lô* ; ch.-l. d'arr. *Avranches, Cherbourg, Coutances* ; 4 arr., 52 cant., 602 comm. ; 5 938 km² ; 479 636 hab. Il est rattaché à l'académie et à la cour d'appel de Caen, à la région militaire Atlantique.

MANCHERON n.m. -1. Chacune des deux poignées d'une charrue. -2. Manche très courte couvrant le haut du bras.

MANCHESTER, v. de Grande-Bretagne, sur l'Irwell, à l'O. des Pennines ; 397 400 hab. Le *comté métropolitain du Grand Manchester,* comprenant la ville de Manchester et 9 autres districts, a 1 287 km² et 2 445 200 hab. Deuxième centre commercial et financier de Grande-Bretagne, la ville a presque perdu son industrie cotonnière, partiellement remplacée par les constructions mécaniques et électriques (matériel ferroviaire), l'électronique, la chimie. Université. — Cathédrale en partie du xvᵉ siècle. Musées, dont la Galerie d'art de la Ville (peintures des préraphaélites).

MANCHETTE n.f. -1. Poignet à revers d'une chemise ou d'un chemisier, à quatre boutonnières que l'on réunit avec des boutons de manchette. SYN. : **poignet mousquetaire.** -2. Coup porté avec l'avant-bras. -3. Titre en gros caractères en tête de la première page d'un journal. -4. Note ou addition marginale dans un texte à composer.

MANCHON n.m. -1. Rouleau de fourrure dans lequel on met les mains pour les préserver du froid. -2. Pièce cylindrique servant à protéger, à assembler. MÉCAN. Fourreau à parois épaisses pour opérer la liaison de deux tuyaux ou de deux arbres de transmission. PAPET. Rouleau de feutre sur lequel se fait le papier.

MANCHOT, E adj. et n. (lat. *mancus,* estropié). Estropié ou privé d'une main ou d'un bras.
◆ **manchot** n.m. Oiseau des régions antarctiques, dont les membres antérieurs, impropres au vol, servent de nageoires. (18 espèces dont le *manchot royal* et le *manchot empereur ;* famille des sphéniscidés.)

empereurs   Adélie

MANCHOTS

MANCIE n.f. Divination obtenue par quelque procédé que ce soit.

MANCINI, famille italienne. Les plus célèbres de ses représentants furent les nièces de Mazarin, qui avaient suivi celui-ci en France, parmi lesquelles : **Laure** (Rome 1636 - Paris 1657), épouse de Louis de Vendôme, duc de Mercœur ; **Marie,** *princesse* **Colonna** (Rome v.

1640 - Pise 1715), sœur de la première, qui inspira une vive passion à Louis XIV ; **Hortense,** *duchesse* de Mazarin (Rome 1646 - Chelsea 1699), sœur des deux premières, célèbre pour sa beauté à la cour de Charles II d'Angleterre.

MANDALA n.m. (mot sanskr., *cercle*). Dans le bouddhisme du Grand Véhicule et dans le tantrisme, diagramme géométrique dont les couleurs symboliques, les enceintes concentriques, etc., figurent l'univers et servent de support à la méditation.

MANDALAY, v. de la Birmanie centrale, sur l'Irrawaddy ; 533 000 hab. Aéroport. Centre commercial. Fondée en 1857, la ville fut, de 1860 à 1885, la capitale des derniers rois birmans. Monastères bouddhiques remarquables par le raffinement de leur architecture de bois.

MANDANT, E n. Personne qui, par un mandat, donne à une autre pouvoir de la représenter dans un acte juridique.

MANDARIN n.m. -1. Titre donné autref. aux fonctionnaires de l'Empire chinois, choisis par concours parmi les lettrés. (V. ENCYCL.) -2. PÉJOR. Personnage important et influent dans son milieu (spécial., professeur d'université). -3. Forme dialectale du chinois, parlée par plus de 70 % de la population et qui sert de base à la langue commune officielle actuelle.

ENCYCL. Indépendants, rémunérés par le gouvernement, ils étaient répartis selon une hiérarchie très élaborée et voyaient leur carrière réglée en fonction de leurs titres, des résultats des inspections périodiques auxquelles ils étaient soumis et de leurs relations. Le mandarinat fut supprimé après la révolution de 1911.

MANDARINAT n.m. -1. Dignité, fonction de mandarin ; le corps des mandarins chinois. -2. PÉJOR. Pouvoir arbitraire détenu dans certains milieux par des intellectuels influents.

MANDARINE n.f. (esp. *mandarina,* [orange] des mandarins). Fruit du mandarinier, sorte de petite orange douce et parfumée, dont l'écorce est facile à décoller.

MANDARINIER n.m. Arbre du genre *Citrus,* très proche de l'oranger, dont le fruit est la mandarine. (Famille des rutacées.)

MANDAT n.m. -1. Pouvoir qu'une personne donne à une autre d'agir en son nom. -2. Mission, que les citoyens confient à certains d'entre eux par voie élective, d'exercer en leur nom le pouvoir politique : *Mandat parlemen-*

taire. -3. Titre remis par le service des postes pour faire parvenir une somme à un correspondant : *Envoyer un mandat.* -4. Effet négociable par lequel une personne doit payer à une autre personne une somme d'argent. -5. Pièce délivrée par une administration publique et en vertu de laquelle un créancier se fait payer par le Trésor public. -6. *Mandat d'amener, de comparution,* ordre de faire comparaître qqn devant un juge. ||*Mandat d'arrêt, de dépôt,* ordre d'arrêter, de conduire qqn en prison. ||*Mandat impératif,* mandat tel que l'élu est tenu de se conformer au programme qu'il a exposé à ses mandants, par opp. au *mandat représentatif.* || *Mandat légal,* mandat conféré par la loi, qui désigne la personne recevant pouvoir de représentation. || *Territoire sous mandat,* territoire dont l'administration était confiée à une puissance étrangère.

MANDATAIRE n. -1. Personne qui a reçu mandat ou procuration pour représenter son mandant dans un acte juridique. -2.*Mandataire aux Halles,* commerçant ayant obtenu de l'autorité administrative la concession d'un emplacement dans un marché d'intérêt national. || *Mandataire(-)liquidateur,* mandataire chargé, par décision de justice, de représenter les créanciers et de procéder le cas échéant à la liquidation judiciaire d'une entreprise.

MANDAT-CARTE n.m. (pl. mandats-cartes). Mandat postal payable en espèces, établi sur une formule remplie par l'expéditeur.

MANDAT-CONTRIBUTIONS n.m. (pl. mandats-contributions). Mandat-carte spécial pour le paiement des contributions.

MANDATEMENT n.m. -1. Action de mandater. -2. Ordonnancement.

MANDATER v.t. -1. Donner à qqn le pouvoir d'agir en son nom, l'investir d'un mandat. -2. Payer qqch sous la forme d'un mandat ou d'un virement.

MANDAT-LETTRE n.m. (pl. mandats-lettres). Titre, encaissable dans un bureau de poste, adressé par l'émetteur au bénéficiaire.

MANDATURE n.f. Durée d'un mandat politique électif.

MANDCHOUKOUO (le), nom de la Mandchourie sous domination japonaise (1932-1945).

MANDCHOURIE, ancien nom d'une partie de la Chine, formant aujourd'hui la majeure partie de la « Chine du Nord-Est ». (Hab. *Mandchous.*) V. princ. *Shenyang (Moukden), Harbin.* HIST. Les Mandchous, peuple de race toungouse, envahissent la Chine au XVIIᵉ siècle et y fondent la dynastie des Qing, qui règne jusqu'en 1912. À cette même époque, de nombreux immigrés chinois s'établissent en Mandchourie. À la fin du XIXᵉ siècle, la Mandchourie est convoitée à la fois par la Russie et par le Japon. La victoire du Japon dans la guerre russo-japonaise lui assure une influence prépondérante dans la région, qu'il occupe en 1931. La Chine récupère la région en 1945 (à l'exception de Port-Arthur et de Dairen, que l'U. R. S. S. lui rétrocède en 1954).

MANDÉ ou **MANDINGUES,** groupe de peuples comprenant notamment les Malinké, les Sarakolé, les Bambara, les Soninké, les Dioula et parlant des langues de la famille nigéro-congolaise.

MANDÉEN, ENNE adj. et n. Relatif au mandéisme ; adepte du mandéisme.

MANDÉISME n.m. Doctrine religieuse à caractère gnostique, née vers le IIᵉ s. de notre ère et dont il reste quelques milliers d'adeptes en Iraq.

MANDEL (Georges), homme politique français (Chatou 1885 - Fontainebleau 1944). Chef de cabinet de Clemenceau (1917), ministre des P. T. T. (1934-1936) puis des Colonies (1938-1940), il fut assassiné par la Milice de Vichy.

MANDELA (Nelson), homme d'État sud-africain (Mvezo, district d'Umtata, 1918). Chef historique de l'A. N. C. (African National Congress), organisateur de la lutte armée contre l'apartheid après l'interdiction de son mouvement en 1960, il est arrêté en 1962 et condamné à la détention à perpétuité en 1964. Libéré en 1990, il est nommé vice-président puis président (1991) de l'A. N. C. Il est élu en 1994 président de la République. (Prix Nobel de la paix 1993.)

MANDELBROT (Benoît), mathématicien français d'origine polonaise (Varsovie 1924). À partir de travaux d'analyse datant du début du siècle, il a développé, en 1975, la théorie des objets fractals. Il a construit sur ordinateur les ensembles qui portent son nom, qui trouvent des applications tant dans l'étude du « chaos déterministe » que dans le domaine des arts plastiques.

MANDELSTAM (Ossip Emilievitch), poète soviétique (Varsovie 1891- ? 1938). L'un des animateurs du mouvement acméiste (*Pierre,* 1913 ; *le Sceau égyptien,* 1928), il fut déporté dans l'Oural (*Cahiers de Voronej,* 1935-1937).

MANDEMENT n.m. Écrit d'un évêque à ses diocésains ou à son clergé pour éclairer un point de doctrine ou donner des instructions. SYN. : **lettre pastorale.**

MANDIBULAIRE adj. Relatif à la mandibule.

MANDIBULATE n.m. Antennate.

MANDIBULE n.f. (du lat. *mandere,* mâcher). -1. Mâchoire inférieure de l'homme et des vertébrés (par opp. au *maxillaire*). -2. (Souvent au pl.). FAM. Mâchoire. -3. Pièce buccale paire des crustacés, des myriapodes et des insectes, située antérieurement aux mâchoires.

MANDINGUE adj. Relatif aux Mandingues. ◆ n.m. Groupe de langues de la famille nigéro-congolaise parlées en Afrique de l'Ouest.

MANDINGUES → MANDÉ.

MANDOLINE n.f. Instrument de musique à cordes doubles pincées et à caisse de résonance le plus souvent bombée.

MANDOLINISTE n. Joueur de mandoline.

MANDORE n.f. ANC. Petit luth à chevillier en forme de crosse monté de 4 à 6 cordes doubles.

MANDORLE n.f. Gloire en forme d'amande qui entoure la figure du Christ triomphant dans certaines représentations.

MANDRAGORE n.f. Plante des régions chaudes dont la racine, tubérisée et bifurquée, rappelle la forme d'un corps humain. (Famille des solanacées.) [Autref., on attribuait une valeur magique à la mandragore et on l'utilisait en sorcellerie.]

MANDRILL [-dril] n.m. Singe d'Afrique au museau rouge bordé de sillons faciaux bleus. (Long. 80 cm ; famille des cynocéphalidés.)

MANDRIN n.m. -1. Appareil qui se fixe sur une machine-outil ou sur un outil portatif et qui permet de serrer l'élément tournant et d'assurer son entraînement en rotation. -2. Outil, instrument de forme génér. cylindrique pour agrandir ou égaliser un trou. -3. Tube creux servant au bobinage du papier.

MANDRIN (Louis), bandit français (Saint-Étienne-de-Saint-Geoirs 1724 - Valence 1755). Marchand ruiné, il devint chef de contre-bandiers et s'attaqua aux fermiers de l'impôt. Arrêté et roué vif en 1755, il devint un héros populaire.

MANDRINER v.t. Mettre en forme une pièce à l'aide d'un mandrin ; agrandir un trou au mandrin.

MANDUCATION n.f. (du lat. *manducare,* manger). Ensemble des actions mécaniques qui constituent l'acte de manger et préparent la digestion.

MANÉCANTERIE n.f. (du lat. *mane,* le matin, et *cantare,* chanter). ANC. École de chant attachée à une paroisse pour y former les enfants de chœur.

MANÈGE n.m. -1. Ensemble des exercices destinés à apprendre à un cavalier à monter, à dresser correctement son cheval : *Faire du manège.* -2. Lieu où se pratiquent ces exercices d'équitation. -3. Manière habile ou étrange de se conduire, d'agir : *J'ai compris son petit manège.* -4. Attraction foraine où des véhicules miniatures, des figures d'animaux, servant de montures aux enfants, sont ancrés sur un plancher circulaire que l'on fait tourner autour d'un axe vertical. -5. Machine actionnée par des animaux, utilisée autref. pour communiquer un mouvement rotatif continu à un arbre moteur. -6. Parcours circulaire effectué par le danseur autour de la scène en une suite de pas rapides sur pointes ou demi-pointes ou en sautant. -7. Piste d'un cirque ; spectacle qui s'y déroule.

MÂNES n.m. pl. -1. Chez les Romains, âmes des morts, considérées comme des divinités. -2. LITT. Aïeux considérés comme vivant dans l'au-delà.

MANÈS → MANI.

MANESSIER (Alfred), peintre français (Saint-Ouen, Somme, 1911 - Orléans 1993). Élève de Bissière, coloriste intense, il a abandonné la figuration afin de mieux traduire son sentiment intérieur du sacré ou de la nature.

MANET (Édouard), peintre français (Paris 1832 - *id.* 1883).
→ ● DOSSIER ÉDOUARD MANET *page suivante.*

MANÉTHON, prêtre et historien égyptien (Sébennytos IIIᵉ s. av. J.-C.). Il a écrit en grec une histoire d'Égypte, dont il reste des fragments. Les historiens ont adopté sa division en dynasties.

MANETON n.m. Partie d'un vilebrequin ou d'une manivelle sur laquelle est articulée la tête de bielle.

MANETTE n.f. Levier de commande manuelle de certains organes de machines.

MANFRED (1232 - Bénévent 1266), roi de Sicile (1258-1266), fils naturel légitimé de l'empereur Frédéric II. Il fut tué en défendant son royaume contre Charles d'Anjou.

MANGA n.m. (mot jap.). Bande dessinée japonaise.

MANGALORE ou **MANGALUR,** v. de l'Inde (Karnataka) ; 425 785 hab.

MANGANATE n.m. Sel M_2MnO_4, où M est un métal monovalent.

MANGANÈSE n.m. Métal de densité 7,2 ; élément (Mn) de numéro atomique 25, de masse atomique 54,93.

MANGANEUX adj.m. Se dit de l'oxyde et des sels du manganèse divalent.

MANGANINE n.f. (nom déposé). Alliage de cuivre, de manganèse et de nickel utilisé dans la fabrication des résistances électriques.

MANGANIQUE adj.m. Se dit de l'oxyde et des sels du manganèse trivalent.

MANGANITE n.m. Sel dérivant de l'anhydride manganeux MnO_2.

MANGEABLE adj. -1. Que l'on peut manger ; comestible. -2. Qui est tout juste bon à manger.

MANGE-MIL n.m. inv. AFRIQUE. Petit oiseau vivant en bande et causant des dégâts importants aux récoltes de céréales.

MANGEOIRE n.f. Auge où mangent le bétail, les animaux de basse-cour.

1. **MANGER** v.t. [17]. -1. Absorber, avaler un aliment afin de se nourrir : *Manger du poisson.* -2. Entamer qqch, le ronger : *La rouille mange le fer.* -3. Abîmer qqch, le détruire en le rongeant : *Pull mangé par les mites.* -4. Consommer pour son fonctionnement : *Une voiture qui mange trop d'huile.* -5. Dépenser de l'argent, le dilapider : *Manger tout son héritage.* ◆ v.i. -1. Absorber des aliments : *Manger trop vite.* -2. Prendre un repas : *Manger au restaurant.*

2. **MANGER** n.m. Ce qu'on mange : *On peut apporter son manger.*

MANGE-TOUT n.m. inv. Haricot ou pois dont on mange la cosse aussi bien que les grains.

MANGEUR, EUSE n. Personne qui mange (beaucoup ou peu), qui aime manger (tel ou tel aliment) : *Un gros mangeur.*

MANGIN (Charles), général français (Sarrebourg 1866 - Paris 1925). Membre de la mission Congo-Nil en 1898, il prit une part décisive à la victoire de Verdun (1916) et aux offensives de 1918.

MANGIN (Louis), botaniste français (Paris 1852 - Orly 1937). Il étudia les cryptogames.

MANGLE n.f. (mot esp., du malais). Fruit du manglier.

MANGLIER n.m. Palétuvier appelé également *rhizophore,* constituant principal de la mangrove.

MANGONNEAU n.m. Machine de guerre qui lançait des pierres, utilisée au Moyen Âge.

MANGOUSTAN n.m. Fruit du mangoustanier, au goût délicat.

ÉDOUARD MANET

Dans la société bourgeoise de son temps, et dans un milieu artistique dominé par la férule de l'Académie des beaux-arts, il fut, sans l'avoir cherché, un révolutionnaire, un libérateur de la vision que la plupart de ses contemporains n'étaient pas en mesure de suivre.

La formation, les premières réussites.

Fils d'un magistrat, né à Paris en 1832, Manet n'obtient qu'après deux échecs au concours de l'École navale l'autorisation paternelle pour suivre sa vocation de peintre. Mais si les siens acceptent qu'il soit peintre, encore veulent-ils qu'il acquière un bagage technique sérieux. Aussi lui choisit-on comme professeur Thomas Couture, qui connaît un extraordinaire succès depuis la présentation des *Romains de la décadence* au Salon de 1847. De 1850 à 1856, Manet travaille chez Couture, dont il rejette bientôt les préceptes. Mais il visite aussi les musées italiens en 1853 et en 1856, année où il voyage également en Allemagne, en Autriche et en Hollande. Il s'enthousiasme pour Delacroix, copie Titien et Velázquez au Louvre, où, dans les années 1860, il fera la connaissance de Degas.

En 1859, son premier envoi au Salon, *le Buveur d'absinthe* (Ny Carlsberg Glyptotek, Copenhague), a été refusé malgré le suffrage de Delacroix. Dans *la Musique aux Tuileries* (1860, National Gallery de Londres) apparaissent les familiers qu'il rencontre dans le salon parisien de ses amis Lejosne : Baudelaire, Offenbach, l'écrivain Champfleury, Fantin-Latour, T. Gautier. Déjà, cependant, la spontanéité manifestée dans la manière de rendre un spectacle directement observé attire sur cette œuvre les quolibets de la critique et du public. Depuis le mariage de Napoléon III avec Eugénie de Montijo, l'Espagne est follement à la mode. Cette inspiration (*le Guitarrero,* 1860, Metropolitan Museum, New York ; *Lola de Valence,* 1862, musée d'Orsay) se reflète dans la plupart des quatorze toiles exposées à Paris, à la galerie Martinet, en 1863. On y voit aussi *la Chanteuse aux cerises* (1862, Boston), première représentation du modèle favori de l'artiste, Victorine Meurent.

Des chefs-d'œuvre contestés.

L'exposition de l'artiste chez Martinet attire sur lui l'attention de ses jeunes confrères, que confirme dans leur admiration *le Déjeuner sur l'herbe* (1862, Orsay), objet de scandale au « Salon des refusés ». La présence d'une femme nue parmi des hommes habillés – nudité réaliste, dont le costume des

ÉDOUARD MANET

hommes précise qu'elle est contemporaine – cristallise sur ce tableau (où Manet se souvient de Giorgione) les sarcasmes du public. Après le scandale encore plus grand d'*Olympia* (1863, *ibid.*) au Salon de 1865, Manet apparaît comme le chef de file des artistes indépendants qui se réunissent au café Guerbois, dans le quartier des Batignolles (Degas, Pissarro, Renoir, Bazille et Monet). Il se veut le témoin des événements contemporains (*Combat du « Kerseage » et de l'« Alabama »*, 1864, Philadelphie ; *l'Exécution de Maximilien*, 1867, Mannheim) et de la vie moderne (*le Déjeuner à l'atelier*, 1868, Munich ; *le Balcon*, 1868, Orsay, où apparaît pour la première fois Berthe Morisot). Exclu de l'Exposition universelle de 1867, Manet a montré cinquante toiles dans un pavillon personnel monté, à côté de celui de Courbet, au pont de l'Alma. Au Salon de 1868, on remarque son portrait de *Zola* (Orsay), qui a chaleureusement pris en 1866 la défense de ses tableaux refusés : *le Fifre* (ibid.), *l'Acteur tragique* (National Gallery de Washington).

Peu après la guerre de 1870, la manière de Manet devient plus claire : *la Partie de croquet à Boulogne* (1871, coll. priv.), *les Hirondelles* (1873, Fondation Bührle, Zurich), *Monet sur son bateau-atelier* (1874, Neue Pinakothek, Munich). Durand-Ruel patronne désormais sa production comme celle de ses camarades Degas, Monet, Renoir, etc. Lorsque, à partir de 1874, ces derniers décident d'organiser des expositions collectives, Manet préfère continuer à montrer ses œuvres au Salon, laissant à Monet la place de chef de file des impressionnistes, qu'il avait tenue pendant longtemps. Pourtant, exception faite du *Bon Bock* (1872, Orsay), concession évidente au goût des jurys,

❶ *Un bar aux Folies-
Bergère,* 1881-82.
(Institut Courtauld,
Londres.)

ÉDOUARD MANET

ses œuvres y sont généralement très critiquées et souvent refusées (en 1874, *le Bal masqué à l'Opéra* [coll. priv.] ; en 1876, *le Linge* [fondation Barnes, Merion]).

Une consécration tardive.

La vigueur avec laquelle Manet transcrit les effets de plein air, balaie la toile de touches fiévreuses, très différentes des virgules impressionnistes de Sisley ou de Pissarro, apparaît dans *Argenteuil* (1874, Tournai) et *En bateau* (1874, Metropolitan Museum). Ses personnages, leur cadre semblent illustrer le naturalisme de Zola ou de Maupassant : *Nana* (1877, Hambourg), *Dans la serre* (1879, Galerie Nationale, Berlin), *Chez le père Lathuile* (1879, musée de Tournai). Ses portraits recherchent moins la fidélité que l'impression psychologique, ainsi celui de *Mallarmé* (v. 1875, Orsay), qui fut l'un de ses intimes. Refusé à l'Exposition universelle de 1878, Manet reçoit enfin, en 1881, une médaille au Salon et la Légion d'honneur. Mais cela vient bien tard. Depuis deux ans, sa santé se dégrade. Il utilise de plus en plus, pour les portraits et les natures mortes, le pastel, procédé où il excelle et qui est moins fatigant que l'huile. *Un bar aux Folies-Bergère* (1881-82, institut Courtauld, Londres) est le dernier grand témoignage de sa puissance créatrice. Manet meurt à Paris, de la gangrène, en 1883. L'année suivante, une exposition à l'École nationale supérieure des beaux-arts commémore son œuvre.

❷ *Olympia,* 1863.
(Musée d'Orsay, Paris.)

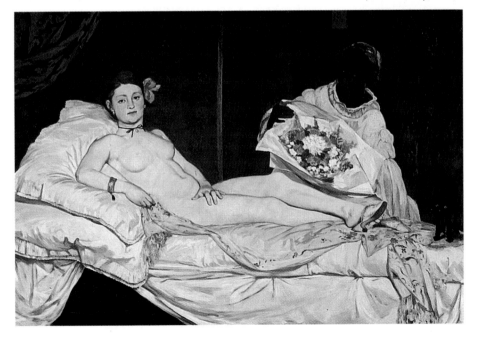

MANGOUSTANIER n.m. Arbre fruitier originaire de Malaisie, surtout cultivé en Extrême-Orient dans les zones tropicales humides. (Ordre des guttifères.)

MANGOUSTE n.f. Petit mammifère carnivore d'Afrique et d'Asie (plus une espèce d'Europe, l'ichneumon) ayant l'aspect d'une belette, prédateur des serpents, contre le venin desquels il est naturellement immunisé. (Long. 50 cm env. ; famille des viverridés.)

MANGROVE n.f. Formation végétale caractéristique des régions côtières intertropicales, constituée de forêts impénétrables de palétuviers, qui fixent leurs fortes racines dans les baies aux eaux calmes, où se déposent boues et limons.

MANGUE n.f. Fruit charnu du manguier, dont la pulpe jaune est savoureuse et très parfumée.

MANGUIER n.m. Arbre des régions tropicales produisant les mangues. (Famille des térébinthacées.)

MANGUYCHLAK *(presqu'île de),* plateau désertique du Kazakhstan, à l'est de la Caspienne. Pétrole.

MANHATTAN, quartier de New York délimité par l'Hudson à l'O., la rivière de Harlem au N., l'East River à l'E. et se terminant face à l'Upper Bay au S. Partiellement dépeuplé (moins de 1,4 million d'habitants), Manhattan demeure cependant le cœur de New York.

MANI ou **MANÈS,** prophète, fondateur du manichéisme (216-274 ou 277). Venant d'une secte baptiste de Mésopotamie, il se présenta comme le missionnaire d'une religion universelle de salut, le *manichéisme* (→ MANICHÉISME). Lié au roi sassanide d'Iran Châhpuhr Ier, qu'il suivait dans ses expéditions, il fit lui-même de multiples voyages, jusqu'en Inde, pour y fonder des communautés. Il tomba en disgrâce sous le nouveau roi, Barhâm Ier, qui le fit mettre à mort.

MANIABILITÉ n.f. Qualité de ce qui est maniable.

MANIABLE adj. -1. Qui est facile à manier ou à manœuvrer : *Un appareil photo très maniable.* -2. Docile, souple : *Un caractère maniable.*

MANIACO-DÉPRESSIF, IVE adj. et n. (pl. maniaco-dépressifs, ives). Se dit d'une psychose caractérisée par la succession plus ou moins régulière d'accès maniaques et mélancoliques chez un même sujet ; se dit des malades ainsi atteints.

MANIAQUE adj. et n. -1. Qui a un goût et un soin excessifs pour des détails : *Il est très maniaque dans le choix de ses cravates.* -2. Qui est extrêmement préoccupé d'ordre et de propreté. -3. Qui est obsédé par qqch : *Un maniaque de l'exactitude.* -4. Qui a des habitudes bizarres, un peu ridicules : *Un vieux garçon maniaque.* -5. Qui est atteint de manie. ◆ adj. Propre à la manie : *Euphorie maniaque.*

MANICHÉEN, ENNE [keɛ̃, ɛn] adj. et n. -1. Relatif au manichéisme ; qui en est adepte. -2. Qui apprécie les choses selon les principes du bien et du mal, sans nuances : *Conception manichéenne du monde.*

MANICHÉISME [-ke-] n.m. -1. Religion de Mani, fondée sur un strict dualisme opposant les principes du bien et du mal. (V. ENCYCL.) -2. Conception qui divise toute chose en deux parties, dont l'une est considérée tout entière avec faveur et l'autre rejetée sans nuance.

ENCYCL.

La doctrine. La doctrine de Mani est présentée par son fondateur comme étant essentiellement un Évangile dont ce missionnaire de l'époque sassanide (né en 216) disait être le Paraclet annoncé par le Christ. Elle était fondée sur une gnose, ou connaissance supérieure, qui apportait par elle-même le salut. Mani a voulu donner aux religions du Bouddha, de Jésus et de Zarathushtra leur formulation parfaite. L'un de ses enseignements majeurs concerne une lutte entre deux principes ou deux royaumes, celui du bien et celui du mal. Le premier est dominé par le Père de la grandeur, douze éons formant sa cour céleste. Le royaume du mal est celui de la matière ; il comprend cinq mondes, dont le plus puissant, celui des ténèbres, a pour roi Satan ou Ahriman.

La postérité du manichéisme. Cette religion, à laquelle adhéra pendant quelque temps saint Augustin lui-même, se répandit dans diverses régions des empires romain et sassanide ; elle devint en 763 le culte officiel de l'empire ouïgour au Turkestan, d'où elle gagna la Chine. On a souvent désigné du nom de « manichéisme » d'autres dualismes, même quand ils ne s'étaient nullement inspirés de Mani. On dit, par exemple, que les cathares étaient des « manichéens ».

MANICLE ou **MANIQUE** n.f. (lat. *manicula,* petite main). Protège-main en cuir, utilisé par certains ouvriers (relieurs, cordonniers, bourreliers, etc.). SYN. : **gantelet.**

MANIÉRISME : *Jupiter foudroie les Géants* (v. 1530), fresque de Perin del Vaga au palais Doria à Gênes

MANICOUAGAN (la), riv. du Canada (Québec), qui rejoint l'estuaire du Saint-Laurent (r. g.) ; 500 km. Importants aménagements hydroélectriques.

MANIE n.f. -1. Habitude, goût bizarres qui provoquent la moquerie ou l'irritation : *Avoir la manie de se regarder dans la glace.* -2. Goût excessif pour qqch ; idée fixe : *La manie de la persécution.* -3. État de surexcitation psychique caractérisé par l'exaltation ludique de l'humeur, l'accélération désordonnée de la pensée et les débordements instinctuels. SYN. : **état maniaque.**

MANIEMENT n.m. -1. Action ou manière de manier, d'utiliser un instrument, un outil, de se servir d'un moyen quelconque : *Le maniement de cette machine est simple.* -2. Gestion, administration de qqch : *Le maniement des affaires.* -3. Dépôt graisseux qui se forme en différents points du corps d'un animal de boucherie, que l'on palpe à la main pour déterminer l'état d'engraissement du sujet vivant. -4. *Maniement d'armes,* suite de mouvements réglementaires effectués par les militaires avec leurs armes pour défiler, rendre les honneurs, etc.

MANIER v.t. -1. Tenir qqch entre ses mains, le manipuler : *Manier un objet fragile avec précaution.* -2. Se servir d'un appareil, d'un instrument, l'utiliser ; manœuvrer un véhicule, une machine : *Apprendre à manier le pinceau.* -3. Employer, combiner avec habileté des idées, des

mots, des sentiments : *Manier l'ironie.* -4. Pétrir à la main du beurre et de la farine pour les mêler intimement.

MANIÈRE n.f. -1. Façon particulière d'être ou d'agir : *Parler d'une manière brutale.* -2. Façon de peindre, de composer particulière à un artiste : *La manière de Raphaël.* -3.*Manière noire,* procédé de gravure à l'eau-forte dans lequel le graveur fait apparaître le motif désiré en clair, avec toute la gamme possible des demi-teintes, sur un fond noir obtenu par grenage au berceau. SYN. : **mezzotinto.** ◆ pl. -1. Façons habituelles de parler ou d'agir en société : *Avoir des manières désinvoltes.* -2. Attitude pleine d'affectation.

MANIÉRÉ, E adj. Qui manque de naturel, de simplicité ; précieux.

MANIÉRISME n.m. -1. Manque de naturel, affectation, en partic. en matière artistique et littéraire. -2. Forme d'art qui s'est développée en Italie puis en Europe au XVIᵉ s. (V. ENCYCL.) -3. Caractère des moyens d'expression (langage, gestes, mimiques) empreints d'affectation et de surcharges qui les rendent discordants.

ENCYCL. ARTS

Dégagée tardivement en histoire de l'art, la notion de « maniérisme » désigne un style original et complet qui exacerbe la « manière » des artistes de la grande génération de la Renaissance, Raphaël, Bramante, Corrège, Michel-Ange. Né en Italie vers 1520, en des temps

MANIÉRISME : *le Christ chassant les marchands du temple* (1556), par J. S. Van Hemessen (musée des Bx.-A., Nancy)

d'inquiétude et de doute, il se répand en Europe, pratiqué diversement selon les centres jusqu'au début du XVIIᵉ siècle. Irréalisme, raffinement, sophistication en sont les traits dominants : le corps humain s'étire, les sujets confinent au fantastique, voire à l'ésotérisme, les couleurs deviennent acides. En Italie, ses plus illustres représentants sont Pontormo, le Parmesan, J. Romain (peinture et architecture), Bronzino, Cellini, Giambologna, Vasari, etc. Le maniérisme se développe en France avec l'école de Fontainebleau (→ FONTAINEBLEAU), animée par les Italiens, aux Pays-Bas du Sud et en Hollande avec J. Metsys, F. Floris, Jan Sanders Van Hemessen, J. Van Scorel, fleurit à Prague avec B. Spranger, atteint l'Espagne, où il s'exprime au premier chef dans l'œuvre du Greco.

MANIÉRISTE adj. et n. -1. Qui verse dans le maniérisme. -2. Qui se rattache au maniérisme artistique.

MANIEUR, EUSE n. Personne qui manie telle chose, qui a affaire à tel genre de personnes.

MANIFESTANT, E n. Personne qui prend part à une manifestation sur la voie publique.

MANIFESTATION n.f. -1. Action de manifester ; témoignage, marque : *Des manifestations de tendresse.* -2. Événement organisé dans un but commercial, culturel, etc. : *Manifestation culturelle.* -3. Rassemblement collectif, défilé de personnes organisé sur la voie publique et destiné à exprimer publiquement une opinion

politique, une revendication. Abrév. (fam.) : *manif.*

1. **MANIFESTE** adj. Dont la nature, la réalité, l'authenticité s'imposent avec évidence. *Son erreur est manifeste.* ◆ **manifestement** adv. De façon manifeste, patente.

2. **MANIFESTE** n.m. -1. Écrit public par lequel un chef d'État, un gouvernement, un parti, etc., expose son programme, son point de vue politique ou rend compte de son action. -2. Exposé théorique par lequel des artistes, des écrivains lancent un mouvement artistique, littéraire : *Le manifeste des surréalistes.* -3. Document de bord d'un avion comportant l'itinéraire du vol, le nombre de passagers et la quantité de fret emportée. -4. Tableau descriptif des marchandises formant la cargaison d'un navire, à l'usage des douanes.

Manifeste du parti communiste → MARX.

Manifeste du surréalisme (1924), écrit d'A. Breton qui compose une théorie et une justification du surréalisme. Ce manifeste a été complété en 1929, 1930, 1942, 1962.

MANIFESTER v.t. Exprimer, faire connaître un sentiment, une opinion, un désir : *Manifester sa volonté, son courage.* ◆ v.i. Faire une démonstration collective publique, y participer : *Manifester pour la paix.* ◆ **se manifester** v.pr. -1. Apparaître au grand jour ; se faire reconnaître à tel signe : *La maladie se manifeste d'abord par des boutons.* -2. Se faire connaître : *Un seul candidat s'est manifesté.*

MANIFOLD [-fɔld] n.m. Carnet de notes, de factures, etc., permettant d'établir, au moyen de papier carbone, des copies de documents.

MANIGANCE n.f. (Souvent au pl.). FAM. Petite manœuvre secrète qui a pour but de tromper.

MANIGANCER v.t. [16]. Préparer qqch secrètement et avec des moyens plus ou moins honnêtes : *Manigancer un mauvais coup.*

MANIGUETTE n.f. Graine de l'amome, de goût poivré. SYN. : **graine de paradis**.

1. **MANILLE** n.f. -1. Jeu de cartes qui se joue génér. à quatre, deux contre deux, et où le dix et l'as sont les cartes maîtresses. -2. Le dix de chaque couleur au jeu de manille.

2. **MANILLE** n.f. Étrier métallique en forme d'U ou de lyre, fermé par un axe fileté et servant à relier deux longueurs de chaîne, des câbles, des voilures, etc.

3. **MANILLE** n.m. -1. Cigare estimé provenant des Philippines. -2. *Chanvre de Manille* ou *manille,* abaca.

MANILLE, en esp. Manila, cap. et principale ville des Philippines, dans l'île de Luçon ; 1 598 918 hab., centre d'une agglomération de plus de 4 millions d'hab. (*Metro Manila,* ou *Greater Manila,* qui inclut Quezon City, capitale du pays de 1948 à 1979 et deuxième ville par sa population). Sur la *baie de Manille,* bordée de bidonvilles, l'agglomération a des fonctions commerciales, universitaires et d'accueil (congrès) qui s'ajoutent au trafic portuaire et aux activités industrielles.

MANILLON n.m. L'as de chaque couleur, au jeu de la manille.

MANIN (Daniele), avocat et patriote italien (Venise 1804 - Paris 1857). Président de la République de Venise en 1848, il dut capituler devant les Autrichiens l'année suivante.

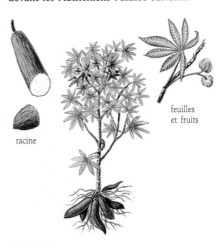

feuilles
et fruits

racine

MANIOC

MANIOC n.m. (du tupi). Plante des régions tropicales dont la racine, tubérisée, est comestible et fournit une fécule dont on tire le tapioca. (Famille des euphorbiacées.)

ENCYCL. L'une des nombreuses espèces de manioc, *Manihot utilissima,* est cultivée dans les

Vue de **MANILLE.**

pays tropicaux, notamment au Brésil, en Indonésie, à Madagascar, en Afrique. La racine, riche en amidon, est d'une grande importance dans l'alimentation de ces pays. Après la récolte, elle peut être employée immédiatement *(manioc frais)* ou conservée après dessiccation *(manioc sec)*. À partir de ces deux types de manioc, on prépare des produits divers : couac, cassave, gari, fécule pure et surtout tapioca. Ce dernier est obtenu par cuisson de la fécule verte humide. Le manioc, utilisé sous forme de rondelles séchées ou de farine, a pris une grande importance dans l'alimentation des animaux des élevages industriels des pays développés (vaches laitières, porcs) comme composant remplaçant les céréales.

MANIPULATEUR, TRICE n. Personne qui manipule. ◆ **manipulateur** n.m. Appareil employé dans la télégraphie électrique pour transmettre les dépêches en alphabet Morse par l'établissement et la rupture du courant.

MANIPULATION n.f. -1. Action ou manière de manipuler un objet, un appareil : *La manipulation des explosifs est dangereuse.* -2. Spécialité du prestidigitateur, qui, par sa seule dextérité, fait apparaître et disparaître des objets. -3. Manœuvre destinée à tromper : *Manipulation électorale.* -4. Exercice au cours duquel des élèves, des chercheurs, etc., réalisent une expérience ; cette expérience même. -5. *Manipulation vertébrale,* mobilisation forcée, brève et mesurée, des articulations d'un segment de la colonne vertébrale à des fins thérapeutiques. ‖ *Manipulations génétiques,* ensemble des opérations faisant appel à la culture *in vitro* de cellules et à la modification, notamm., par fragmentation, de la structure de l'A. D. N. pour obtenir des organismes présentant des combinaisons nouvelles de propriétés héréditaires.

1. **MANIPULE** n.m. (lat. *manipulus,* poignée). Unité tactique de base de la légion romaine, composée de deux centuries.

2. **MANIPULE** n.m. (lat. médiév. *manipulus,* ornement liturgique). Bande d'étoffe que portaient au bras gauche le prêtre, le diacre et le sous-diacre pour la messe.

MANIPULER v.t. -1. Tenir un objet dans ses mains lors d'une utilisation quelconque. -2. Manœuvrer un appareil, le faire fonctionner avec la main : *Apprendre à manipuler une caméra.* -3. Soumettre qqch, une substance chimique ou pharmaceutique à certaines opérations : *Manipuler des produits toxiques avec des gants.* -4. Transformer qqch par des opérations plus ou moins honnêtes : *Manipuler les statistiques.* -5. Amener insidieusement qqn à tel ou tel comportement, le diriger à sa guise : *Ils ont manipulé les témoins.*

MANIPUR, État du nord-est de l'Inde ; 1 826 714 hab. Cap. *Imphal.*

MANIQUE n.f. → MANICLE.

MANITOBA, une des provinces des Prairies, au Canada ; 650 100 km² ; 1 091 942 hab. Cap. *Winnipeg.* Le Bouclier canadien occupe le Nord et l'Est, et une plaine sédimentaire, parsemée de grands lacs, le Sud-Ouest. Le climat continental est rigoureux et la forêt couvre près de la moitié du territoire. L'agriculture domine dans le Sud (céréales et élevage bovin), plus clément, tandis que, plus au nord, sont extraits le nickel, le zinc et le cuivre. La population est concentrée pour plus de la moitié à Winnipeg.

MANITOBA *(lac),* lac du Canada, donnant son nom à la *province du Manitoba ;* 4 700 km². Il se déverse dans le lac Winnipeg.

MANITOU n.m. -1. Chez les Indiens Dakota et les Sioux, pouvoir surnaturel pouvant s'incarner dans différentes personnes étrangères ou dans des objets mystérieux, inhabituels. -2. FAM. Personnage puissant dans un certain domaine d'activité : *Un grand manitou de la presse.*

MANITOULIN, île canadienne (Ontario) du lac Huron ; 2 766 km².

MANIVELLE n.f. -1. Levier coudé deux fois à angle droit et à l'aide duquel on imprime un mouvement de rotation à l'arbre au bout duquel il est placé. -2. Bielle reliée à l'axe du pédalier d'une bicyclette et portant la pédale. -3. Organe de machine transformant un mouvement rectiligne alternatif en un mouvement circulaire continu.

MANIZALES, v. de Colombie, sur le Cauca ; 237 000 hab.

MANKIEWICZ (Joseph Leo), cinéaste américain (Wilkes Barre, Pennsylvanie, 1909 - Mount Kisco, près de Bedford, État de New York, 1993). Il débute dans la mise en scène, en remplaçant Lubitsch à la dernière minute, avec *le Château du dragon* (1946). Tout en abordant les genres les plus divers, il reste fidèle à certains thèmes (le goût des « portraits de femmes », la tendance aux paradoxes satiriques) et à l'utilisation du dialogue comme moteur de l'action. Il s'efforce de saisir la vérité de la vie sous un angle pirandellien : *Chaînes conjugales* (1949), *Eve* (1950), *Jules César* (1953),

Ava Gardner dans une scène du film
de Joseph **MANKIEWICZ**
la Comtesse aux pieds nus (1954).

la Comtesse aux pieds nus (1954), *Cléopâtre*
(1963), *le Reptile* (1970), *le Limier* (1972).

MANN (Emil Anton **Bundmann**, dit An-
thony), cinéaste américain (San Diego 1906 -
Berlin 1967). Il fut l'un des grands réalisateurs
de westerns : *l'Appât* (1953), *Du sang dans le
désert* (1957), *l'Homme de l'Ouest* (1958).

Thomas
MANN,
romancier
allemand.

MANN (Thomas), romancier allemand (Lübeck 1875 - Zurich 1955). Ses premières œuvres : *les Buddenbrook* (1901), *Tonio Kröger*
(1903), *la Mort à Venise* (1912), mettent en
lumière deux conceptions opposées de l'existence : l'une consacrée à la vie de l'esprit,
l'autre à l'action. Ainsi en 1914, opposé aux
idées de son frère Heinrich, il approuve le
nationalisme allemand et la guerre. Après la
Première Guerre mondiale, il change d'attitude, se réconcilie avec son frère et publie *la
Montagne magique* (1924). À l'avènement de
Hitler (1933), il s'exile et prend la nationalité

américaine. Il se consacre alors à la défense des
valeurs spirituelles et morales dans sa tétralo-
gie *Joseph et ses frères* (1933-1942) et dans *le
Docteur Faustus* (1947), donnant par l'étude de
ses conflits intérieurs l'image même de l'ambi-
guïté et du déchirement de l'Allemagne moderne (Prix Nobel 1929). Son frère **Heinrich**
(Lübeck 1871 - Santa Monica 1950) est l'auteur du roman *le Professeur Unrat* (1905), qui
fournira le thème du film de J. Sternberg *l'Ange
bleu*.

MANNAR *(golfe de),* golfe de l'océan Indien,
entre l'Inde et Sri Lanka.

1. **MANNE** n.f. -1. Nourriture providentielle et
miraculeuse envoyée aux Hébreux dans leur
traversée du désert du Sinaï après leur sortie
d'Égypte. -2. LITT. Aubaine ; chose providentielle. -3. Exsudation sucrée provenant de différents végétaux. -4. Éphémère qui abonde près
des rivières l'été, dont les poissons se nourrissent et qui peut servir d'appât.

2. **MANNE** n.f. Grand panier d'osier.

1. **MANNEQUIN** n.m. (moyen néerl. *manne-
kijn,* petit panier). Panier à claire-voie, dont se
servent en partic. les horticulteurs.

2. **MANNEQUIN** n.m. (moyen néerl. *manne-
kijn,* petit homme). -1. Forme humaine sur
laquelle les couturières essaient et composent
en partie les modèles ou qui sert à exposer
ceux-ci dans les étalages. -2. Dans une maison
de couture, personne sur laquelle le couturier
essaie ses modèles et qui présente sur elle-
même les nouveaux modèles de collection au
public. -3. Figure en ronde bosse d'homme ou
d'animal (cheval en partic.), articulée, destinée
aux peintres, aux sculpteurs pour l'étude des
attitudes du corps.

MANNERHEIM (Carl Gustaf, *baron*), maréchal
et homme d'État finlandais (Villnäs 1867 -
Lausanne 1951). Après sa victoire sur les

Carl Gustaf,
baron
MANNERHEIM,
maréchal
et homme d'État
finlandais.

bolcheviks, il fut élu régent en 1918. Commandant en chef de l'armée finlandaise, il dirigea en 1939-40 la résistance de la Finlande à l'U. R. S. S., qu'il combattit aux côtés des Allemands (1941-1944). Il fut président de la République de 1944 à 1946.

MANNHEIM, v. d'Allemagne (Bade-Wurtemberg), au confluent du Rhin et du Neckar ; 305 974 hab. Port fluvial, centre industriel (matériel ferroviaire et électrique, chimie) et culturel (université). — Vaste château des princes électeurs du XVIIIe siècle. Musées de beaux-arts.

MANNITE n.f. ou **MANNITOL** n.m. Substance organique comportant six fonctions alcool, à goût sucré, existant dans la manne du frêne.

MANNONI (Maud), psychanalyste française d'origine néerlandaise (Courtrai 1923 - Paris 1998). Disciple de Jacques Lacan, elle s'est intéressée aux enfants psychotiques, pour lesquels elle a créé, en 1969, l'École expérimentale de Bonneuil.

MANNOSE n.m. Glucide dérivant de la mannite.

MANODÉTENDEUR n.m. Dispositif permettant d'abaisser la pression d'un fluide comprimé en vue de l'utilisation de celui-ci.

MANŒUVRABILITÉ n.f. Qualité d'un véhicule, d'un bateau, d'un aéronef manœuvrables ; maniabilité.

MANŒUVRABLE adj. Facile à manœuvrer, maniable, en parlant d'un véhicule, d'un bateau, d'un aéronef.

1. **MANŒUVRE** n.f. -1. Ensemble d'opérations permettant de mettre en marche, de faire fonctionner une machine, un véhicule, etc. -2. Action de diriger un véhicule, un appareil de transport : *La manœuvre d'un avion, d'une automobile.* -3. Ensemble de moyens employés pour obtenir un résultat : *Il a tenté une ultime manœuvre pour faire passer son projet.* **MAR.** Action exercée sur la marche d'un navire par le jeu de la voilure, de la machine ou du gouvernail ; évolution, mouvement particuliers que détermine cette action. ‖ Cordage appartenant au gréement d'un navire. **MIL.** Mouvement d'ensemble d'une troupe ; action ou manière de combiner les mouvements de formations militaires dans un dessein déterminé. ‖ (Surtout au pl.). Exercice d'instruction militaire destiné à enseigner les mouvements des troupes et l'usage des armes.

2. **MANŒUVRE** n.m. Salarié affecté à des travaux ne nécessitant pas de connaissances professionnelles spéciales et qui est à la base de la hiérarchie des salaires.

MANŒUVRER v.t. (du lat. *manu operare,* travailler avec la main). -1. Mettre en action un appareil, une machine ; faire fonctionner : *Manœuvrer une pompe.* -2. Faire exécuter une manœuvre à un véhicule, le diriger, le conduire. -3. Amener une personne à agir dans le sens que l'on souhaite ; manipuler. ◆ v.i. -1. Exécuter une manœuvre, un exercice d'instruction militaire : *Troupe qui manœuvre.* -2. Combiner et employer certains moyens, plus ou moins détournés, pour atteindre un objectif.

MANŒUVRIER, ÈRE adj. et n. Qui sait obtenir ce qu'il veut par des moyens habiles. ◆ adj. -1. LITT. Qui use de manœuvres pour parvenir à ses fins. -2. Qui est habile à faire manœuvrer des troupes, un navire.

MANOGRAPHE n.m. Manomètre enregistreur.

MANOIR n.m. Habitation ancienne et de caractère, d'une certaine importance, entourée de terres.

MANOMÈTRE n.m. (du gr. *manos,* rare, et *metron,* mesure). Instrument servant à mesurer la pression d'un fluide.

MANOMÉTRIE n.f. Mesure des pressions des fluides.

Manon Lescaut, roman de l'abbé Prévost (1731). L'amour de la séduisante mais amorale Manon amènera le chevalier Des Grieux à une déchéance lucide.

MANOQUE n.f. Petite botte de feuilles de tabac.

MANOSQUE, ch.-l. de c. des Alpes-de-Haute-Provence ; 19 537 hab. *(Manosquins).* — Deux portes fortifiées et deux églises du Moyen Âge.

MANOSTAT n.m. Appareil servant à maintenir constante la pression d'un fluide dans une enceinte.

MANOUCHE n. (tsigane *manuš,* homme). Personne qui appartient à l'un des trois groupes dont l'ensemble forme les Tsiganes (→ ROM). ◆ adj. Tsigane : *Coutumes manouches.*

MANOURY (Philippe), compositeur français (Tulle 1952). Librement issu du postsérialisme, il a réalisé à l'I. R. C. A. M. *Zeitlauf* (1982), *Jupiter* (1987), *Pluton* (1989). Il est aussi l'auteur d'un opéra, *60e Parallèle* (1997), sur un livret de M. Deutsch.

MANQUANT, E adj. Qui manque : *Les pièces manquantes d'un dossier.* ◆ adj. et n. Absent.

MANQUE n.m. -1. Insuffisance ou absence de ce qui serait nécessaire : *Manque de main-d'œuvre compétente.* -2. À la roulette, l'une des six chances simples, comprenant tous les numéros de 1 à 18 inclus, par opp. à *passe.* -3. *État de manque,* pour un toxicomane, état d'anxiété et de malaise physique lié à l'impossibilité de se procurer sa drogue. ‖ *Manque à gagner,* perte portant sur un bénéfice escompté et non réalisé.

MANQUÉ, E adj. -1. Défectueux : *Ouvrage manqué.* -2. Qui n'est pas devenu ce qu'il devait ou prétendait être : *Avocat manqué.* ◆ **manqué** n.m. -1. Gâteau en pâte à biscuit contenant une forte proportion de beurre fondu et recouvert de pralin ou de fondant. -2. *Moule à manqué,* moule à pâtisserie à bord haut et roulé.

MANQUEMENT n.m. Action de manquer à un devoir, à une loi, à une règle : *De graves manquements à la discipline.*

MANQUER v.i. -1. Échouer : *L'attentat a manqué.* -2. Être en quantité insuffisante : *L'argent manque.* -3. Être absent de son lieu de travail, d'études. ◆ v.t. ind. **(à, de).** -1. Ne pas disposer de choses ou d'êtres en quantité suffisante ou ne pas les avoir du tout : *Manquer du nécessaire.* -2. Faire défaut à qqn : *Les forces lui manquent.* -3. Se soustraire, se dérober à une obligation morale : *Manquer à son devoir.* -4. LITT. Se conduire de manière irrespectueuse à l'égard de qqn : *Manquer à un supérieur.* -5. Être sur le point de se produire, mais ne s'être pas produit ; faillir : *Il a manqué de se faire écraser* (ou, sans prép., *il a manqué se faire écraser*). ◆ v.t. -1. Ne pas réussir à atteindre qqch, qqn, un animal : *La balle l'a manqué.* -2. Ne pas rencontrer qqn comme prévu : *Manquer un ami à qui l'on avait donné rendez-vous.* -3. Arriver trop tard pour prendre un moyen de transport : *Manquer son train.* -4. Ne pas réussir qqch, une action : *Manquer une photo.* -5. Laisser échapper qqch de profitable : *Manquer une belle occasion.*

MAN RAY (Emmanuel Rudnitsky, dit), peintre et photographe américain (Philadelphie 1890 - Paris 1976). Il participe à l'activité dada à New York puis s'installe à Paris (1921). Ses *rayogrammes* (silhouettes d'objets, à partir de 1922) comptent parmi les premières photographies « abstraites ». L'influence du surréalisme marque ses quelques films de court métrage (*l'Étoile de mer,* sur un poème de Desnos, 1928), de même que ses peintures et ses assemblages, d'une libre fantaisie caustique ou poétique.

MANRIQUE (Jorge), poète espagnol (Paredes de Nava 1440 - près du château de Garci-Muñoz 1479), l'un des premiers poètes lyriques des cancioneros du XVe siècle.

MANS (Le), ch.-l. du dép. de la Sarthe, anc. cap. du Maine, à 211 km à l'O.-S.-O. de Paris ; 148 465 hab. *(Manceaux).* [L'agglomération compte environ 200 000 hab.] Carrefour entre la Normandie, la vallée de la Loire, Paris et la Bretagne, Le Mans juxtapose fonctions industrielles (constructions mécaniques) et tertiaires. — À proximité immédiate, circuit de la course automobile des Vingt-Quatre Heures du Mans. — Enceinte gallo-romaine du Vieux Mans. Cathédrale romane et gothique (chœur du XIIIe s., vitraux) et autres églises. Musée de Tessé (beaux-arts surtout) et musée « de la Reine Bérangère » (histoire, ethnographie, arts appliqués).

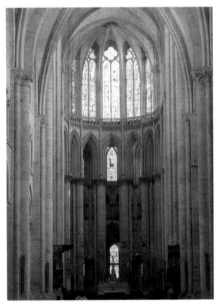

Le **MANS** : chœur (XIIIe s.) de la cathédrale Saint-Julien.

MANSARDE n.f. (de Fr. *Mansart*). Pièce de comble, en principe sous toit brisé, avec un mur incliné.

MANSARDÉ, E adj. Qui est disposé en mansarde : *Chambre mansardée.*

MANSART (François), architecte français (Paris 1598 - *id.* 1666). Chez lui s'ordonnent toutes les qualités d'un classicisme affranchi de la tutelle des modèles antiques et italiens.

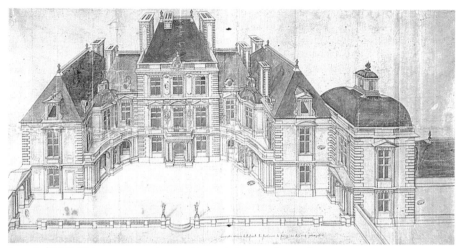

François **MANSART** : vue perspective du château de Berny à Fresnes (commencé en 1623, auj. disparu). Encre grise, lavis de couleur avec rehauts d'or et de craie blanche. (Archives nationales, Paris.)

Jules Hardouin-**MANSART** : la chapelle Saint-Louis de l'hôtel des Invalides, à Paris, dite « le dôme des Invalides ».

Il travaille à Paris pour les congrégations (église devenue le temple Ste-Marie, 1632) et les particuliers (nombreuses demeures, dont peu subsistent, tel l'hôtel Guénégaud-des-Brosses, dans le Marais), élève l'aile Gaston-d'Orléans de Blois (1635), le château de Maisons (1642). Il entreprend en 1645 la chapelle du Val-de-Grâce, à Paris mais, trop lent par perfectionnisme, est remplacé par Lemercier, qui suivra ses plans. Son petit-neveu **Jules Hardouin**, dit **Hardouin-Mansart** (Paris 1646 - Marly 1708), premier architecte de Louis XIV, agrandit le château de Versailles à partir de 1678 (galerie des Glaces, chapelle, etc.). On lui doit encore la chapelle des Invalides, avec son dôme à deux coupoles emboîtées (d'après une idée de F. Mansart ; 1676-1706), les places Vendôme et des Victoires à Paris, le Grand Trianon, divers châteaux, des travaux pour Arles, pour Dijon. D'une grande diversité, son œuvre connaîtra pendant plus d'un siècle un rayonnement dépassant les frontières de la France.

MANSE n.m. ou f. Habitation rurale avec jardin et champs, constituant une unité d'exploitation agricole dans les domaines du haut Moyen Âge.

MANSFIELD (Kathleen Mansfield Beauchamp, dite **Katherine**), femme de lettres britannique (Wellington, Nouvelle-Zélande, 1888 - Fontainebleau 1923). Célèbre pour ses nouvelles (*la Garden Party,* 1922), instants de vie poignants révélateurs de sa fragilité, elle a également laissé un *Journal* et des *Lettres*.

MANSHOLT (Sicco Leendert), homme politique néerlandais (Ulrum 1908 - Wapserveen, prov. de Drenthe, 1995). Vice-président (1967-1972) puis président (1972-73) de la Commission exécutive de la C.E.E., il a préconisé la modernisation des agricultures européennes.

MANSION n.f. Chacune des parties indépendantes du décor, fortement individualisée et servant de cadre à un épisode de l'action, dans le théâtre médiéval (représentation des mystères, partic.).

MANSOURAH, v. d'Égypte, près de la Méditerranée ; 259 000 hab. — Saint Louis y fut fait prisonnier en 1250.

MANSTEIN (Erich von Lewinski, dit **Erich von**), maréchal allemand (Berlin 1887 - Irschenhausen, Bavière, 1973). Chef d'état-major du groupe d'armées de Rundstedt, il est l'auteur du plan d'opérations contre la France en 1940. Il conquit la Crimée en 1942 puis commanda un groupe d'armées sur le front russe jusqu'en 1944.

MANSUÉTUDE n.f. LITT. Disposition d'esprit qui incline à une bonté indulgente.

MANSUR (Abu Djafar al-) [m. en 775], deuxième calife abbasside (754-775), fondateur de Bagdad en 762.

MANSUR (Muhammad ibn Abi Amir, surnommé al-), en esp. **Almanzor**, homme d'État et chef militaire du califat de Cordoue (Torrox, prov. de Málaga, v. 938 - Medinaceli 1002). Il combattit avec succès les royaumes chrétiens du nord de l'Espagne.

1. **MANTE** n.f. (provenç. *manta*). ANC. Ample cape à capuchon froncé, portée autref. par les femmes.

2. **MANTE** n.f. (gr. *mantis,* prophète). -**1**. Insecte carnassier à la petite tête triangulaire très mobile, aux pattes antérieures ravisseuses, qui chasse à l'affût. (Long. 5 cm ; ordre des orthoptères ; noms usuels : *mante religieuse, mante prie-Dieu.*) -**2**. Grande raie cornue de l'océan Atlantique, inoffensive, vivipare (jusqu'à 5 m de long et 1 000 kg).

MANTEAU n.m. Vêtement à manches longues, boutonné devant, que l'on porte à l'extérieur pour se protéger du froid. **BÂT.** Construction qui délimite le foyer d'une cheminée et fait saillie dans la pièce, composée de deux piédroits qui supportent un linteau ou un arc. **GÉOL.** Partie d'une planète tellurique, partic. de la Terre, intermédiaire entre la croûte et le noyau. **HÉRALD.** Ornement extérieur de l'écu, formé d'une draperie doublée d'hermine. **THÉÂTRE.** *Manteau d'Arlequin,* encadrement intérieur de la scène, simulant une draperie, formé de deux châssis latéraux supportant un châssis horizontal. **ZOOL.** Chez les oiseaux et les mammifères, région dorsale, quand elle est d'une autre couleur que celle du reste du corps. ‖ Chez les mollusques, repli de peau qui recouvre la masse viscérale et dont la face externe sécrète souvent une coquille qui n'y reste pas adhérente.

MANTEGNA (Andrea), peintre et graveur italien (Isola di Carturo, Padoue, 1431 - Mantoue 1506). Formé à Padoue (au moment où Donatello y travaille), il fait l'essentiel de sa

Andrea **MANTEGNA** : famille et cour de Ludovic III Gonzague. Détail d'une des fresques (1474) de la Camera degli Sposi au palais ducal de Mantoue.

carrière à Mantoue (fresques de la *Camera degli Sposi* [Chambre des Époux] au palais ducal, achevées en 1474). Son puissant langage plastique (relief sculptural, effets de perspective, netteté d'articulation) et son répertoire décoratif antiquisant lui vaudront une grande influence dans toute l'Italie du Nord.

MANTELET n.m. -1. Cape de femme en tissu léger, à capuchon, à pans longs devant et écourtée derrière. -2. Volet plein qui servait à fermer un hublot ou un sabord.

MANTES-LA-JOLIE, ch.-l. d'arr. des Yvelines, sur la Seine ; 45 254 hab. *(Mantais)*. Constructions mécaniques. Chimie. — Importante collégiale gothique (1170-XIVe s.). Église romane de Gassicourt. Musée consacré au peintre Maximilien Luce (1858-1941).

MANTEUFFEL (Edwin, *baron* von), maréchal prussien (Dresde 1809 - Karlsbad 1885), gouverneur de l'Alsace-Lorraine de 1879 à 1885.

MANTILLE n.f. Longue écharpe de dentelle que les femmes portent sur la tête ou sur les épaules.

Mantinée *(bataille de)* [362 av. J.-C.], victoire, en Arcadie, du Thébain Épaminondas sur les Spartiates, au cours de laquelle il trouva la mort.

MANTIQUE n.f. Art, pratique de la divination.

MANTISSE n.f. (lat. *mantissa,* addition). -1. Partie décimale, toujours positive, d'un logarithme décimal. -2. Dans la représentation en virgule flottante, nombre formé des chiffres les plus significatifs du nombre à représenter.

MANTOUE, en ital. *Mantova,* v. d'Italie (Lombardie), ch.-l. de prov., entourée de trois lacs formés par le Mincio ; 52 948 hab. — La ville fut gouvernée de 1328 à 1708 par les Gonzague. — Vaste palais ducal des XIIIe-XVIIe siècles, rempli d'œuvres d'art (célèbres fresques de la Chambre des Époux par Mantegna). Deux églises sur plans de L. B. Alberti. Palais du Te, chef-d'œuvre de J. Romain.

MANTRA n.m. (mot sanskr., *instrument de pensée*). Syllabe ou phrase sacrée à laquelle est attribué un pouvoir spirituel, dans l'hindouisme et le bouddhisme.

MANU, premier homme, père de la race humaine de chaque âge de l'univers, dans la mythologie hindoue. Il est considéré comme l'auteur du code juridique hindou *(lois de Manu)*.

MANUBRIUM [brijɔm] n.m. -1. Partie supérieure du sternum, sur laquelle s'insèrent les clavicules. -2. Chez les méduses, tube axial, garni ou non de tentacules, à l'extrémité duquel s'ouvre la bouche.

MANUCE, en ital. *Manuzio*, famille d'imprimeurs italiens, plus connus sous le nom de *Aldes.* **Tebaldo Manuzio,** dit Alde l'Ancien (Bassiano v. 1449 - Venise 1515), fonda à Venise une imprimerie que rendirent célèbre ses éditions princeps des chefs-d'œuvre grecs et latins. On lui doit le caractère italique (1500) et le format in-octavo. Son petit-fils, **Alde le Jeune** (Venise 1547 - Rome 1597), dirigea l'imprimerie vaticane.

MANUCURE n. Personne chargée des soins esthétiques des mains et, partic., des ongles.

MANUCURER v.t. Donner des soins aux mains de qqn, lui faire les ongles.

1. **MANUEL, ELLE** adj. -1. Qui se fait princ. avec la main ; où l'activité de la main est importante, par opp. à *intellectuel* : *Métier manuel.* -2. Qui requiert l'intervention active de l'homme, et de sa main, par opp. à *automatique* : *Commande manuelle.* -3. *Médecine manuelle,* méthodes de soins par manipulation des articulations, notamm. celles de la colonne vertébrale : *La chiropractie et l'ostéopathie sont des médecines manuelles.* ◆ adj. et n. -1. Qui est plus à l'aise dans l'activité manuelle que dans l'activité intellectuelle : *Il est surtout manuel.* -2. Qui exerce un métier manuel. ◆ **manuellement** adv. -1. En se servant de la main. -2. Par une opération manuelle.

2. **MANUEL** n.m. Ouvrage didactique ou scolaire qui expose les notions essentielles d'un art, d'une science, d'une technique, etc.

MANUEL Ier COMNÈNE (v. 1118-1180), empereur byzantin (1143-1180). Il combattit les Normands de Sicile et lutta avec succès contre les Serbes mais se heurta aux Vénitiens et fut battu par les Turcs (1176).

MANUEL II PALÉOLOGUE (1348-1425), empereur byzantin (1391-1425). Il lutta vainement contre le sultan ottoman, dont il dut reconnaître la suzeraineté (1424).

MANUEL Ier le Grand et le Fortuné (Alcochete 1469 - Lisbonne 1521), roi de Portugal (1495-1521), de la dynastie d'Aviz. À son règne correspondent le début de l'essor colonial en Amérique du Sud et dans l'océan Indien et l'essor de l'architecture manuéline.

MANUEL DEUTSCH (Niklaus), peintre, graveur, poète et homme d'État suisse (Berne 1484 - *id.* 1530). Son œuvre peint participe à la fois de l'héritage gothique et de l'italianisme

Le Jugement de Pâris (v. 1520), par Niklaus
MANUEL DEUTSCH. (Kunstmuseum, Bâle.)

(*Décollation de saint Jean-Baptiste,* v. 1520, musée
des Bx-A. de Bâle).

MANUÉLIN, E adj. (de *Manuel Iᵉʳ,* n. pr.). Se
dit du style décoratif abondant et complexe
qui caractérise l'architecture gothique portugaise à la fin du xvᵉ s. et au début du xviᵉ.

MANUFACTURE n.f. (lat. médiév. *manufactura,*
travail à la main). -1. Vaste établissement
industriel réalisant des produits manufacturés
(ne se dit plus que pour certains établissements) : *Manufacture d'armes.* -2. *Manufacture
royale,* en France, sous l'Ancien Régime, établissement industriel appartenant à des particuliers et bénéficiant de privilèges royaux
accordés par lettres patentes. ‖ *Manufacture
royale d'État,* établissement appartenant à
l'État et travaillant essentiellement pour lui.

MANUFACTURER v.t. -1. Transformer industriellement en produits finis des matières
premières. -2. *Produit manufacturé,* produit issu
de la transformation en usine de matières
premières.

MANUFACTURIER, ÈRE adj. Relatif aux manu-
factures, à leur production.

MANU MILITARI [many-] loc. adv. -1. Par
l'emploi de la force publique, de la troupe.
-2. En usant de la force physique.

MANUSCRIT, E adj. Qui est écrit à la main :
Une page manuscrite. ◆ **manuscrit** n.m. -1. Ouvrage écrit à la main. -2. Original (ou copie)
d'un texte destiné à la composition, qu'il soit
écrit à la main ou dactylographié. — REM.
L'usage du mot *tapuscrit* se répand pour
désigner le manuscrit dactylographié.

ENCYCL. La première forme du manuscrit,
sur papyrus ou sur parchemin, est le rouleau
(volumen, rotulus) fixé sur deux baguettes. À
partir des iiiᵉ et ivᵉ siècles de notre ère, cette
forme est peu à peu supplantée par le *codex,*
réunissant une série de cahiers à la façon de
nos livres modernes. Si, durant le haut Moyen
Âge, ce sont les moines qui écrivent les
manuscrits, à partir du xiiiᵉ siècle, les ateliers
de copistes laïques l'emportent sur les ateliers
monastiques. Tout au long du Moyen Âge, en
Orient comme en Occident, le manuscrit est
décoré avec soin, au moyen d'enluminures.
Écrit principalement sur des parchemins, il
voit son support concurrencé par le papier,
venu de Chine, dont l'usage se répand en
Occident du xiᵉ au xiiiᵉ siècle. L'imprimerie,
qui s'efforce d'abord de copier les apparences
du manuscrit, lui porte un coup mortel.

MANUTENTION n.f. -1. Manipulation, déplacement de marchandises en vue de l'emmaga-

art **MANUÉLIN :**
portail de la chapelle de l'université de Coimbra,
aménagée par Marcos Pires de 1517 à 1522

sinage, de l'expédition, de la vente. -2. Local réservé à ces opérations.

MANUTENTIONNAIRE n. Personne effectuant des travaux de manutention.

MANUTENTIONNER v.t. Soumettre des marchandises à des opérations de manutention.

MANUTERGE n.m. (du lat. *manus,* main, et *tergere,* essuyer). Petit linge avec lequel le prêtre s'essuie les doigts au moment du *Lavabo* de la messe.

Manyo-shu, premier recueil officiel de poésies japonaises (808), qui rassemble des poèmes composés aux VIIe et VIIIe siècles.

MANYTCH (le), riv. de Russie, au nord du Caucase, à écoulement intermittent vers la mer d'Azov (par le Don) et vers la Caspienne (par la Koura).

MANZANILLA [mãzanilja] n.m. Vin liquoreux d'Espagne, aromatique et légèrement amer.

MANZONI (Alessandro), écrivain italien (Milan 1785 - *id.* 1873). Auteur de poèmes d'inspiration religieuse et de drames patriotiques, il est célèbre pour un roman historique (*les Fiancés,* 1825-1827) qui fut un modèle pour le romantisme italien.

MAO DUN ou **MAO TOUEN,** écrivain et homme politique chinois (Wu, Zhejiang, 1896 - Pékin 1981). L'un des fondateurs de la Ligue des écrivains de gauche (1930), il fut ministre de la Culture de 1949 à 1965.

MAOÏSME n.m. Théorie et philosophie politique de Mao Zedong.

MAOÏSTE adj. et n. Relatif au maoïsme ; partisan du maoïsme.

MAORIS, population polynésienne de Nouvelle-Zélande, relativement bien intégrée dans la société néo-zélandaise mais qui a conservé une vigoureuse conscience de son identité culturelle.

MAO ZEDONG ou **MAO TSÖ-TONG,** homme d'État chinois (Shaoshan, Hunan, 1893 - Pékin 1976).

→ ● **DOSSIER** MAO ZEDONG *page suivante.*

MAPPEMONDE n.f. -1. Carte représentant le globe terrestre divisé en deux hémisphères. -2. COUR. (abusif en géogr.). Sphère représentant le globe terrestre.

MAPUTO, anc. Lourenço Marques, cap. du Mozambique, sur l'océan Indien ; 1 007 000 hab. Relié par voie ferrée à l'Afrique du Sud, au Swaziland et au Zimbabwe, premier centre industriel du pays, port, ville universitaire et touristique.

MAQUE n.f. → MACQUE.

MAQUÉE n.f. BELGIQUE. Fromage blanc du genre caillebotte.

MAQUERAISON n.f. Saison de la pêche du maquereau (l'été, en Bretagne).

MAQUEREAU n.m. Poisson de mer à chair estimée, à dos bleu-vert zébré de noir, s'approchant des côtes au printemps et en été, objet d'une pêche industrielle en vue de la conserverie. (Long. jusqu'à 40 cm ; famille des scombridés.)

MAQUETTE n.f. -1. Représentation en trois dimensions, à échelle réduite mais fidèle dans ses proportions et son aspect, d'un bâtiment, d'un décor de théâtre, etc. -2. Modèle réduit d'un véhicule, d'un bateau, d'un avion, etc. -3. Modèle réduit vendu en pièces détachées prêtes à monter. -4. Projet destiné à définir la structure d'un organisme, d'une entreprise, etc. : *Une nouvelle maquette de l'armée de terre.* -5. Projet plus ou moins poussé pour la conception graphique d'un imprimé. -6. Petit modèle en cire, en terre glaise, etc., d'une sculpture.

MAQUETTISTE n. -1. Professionnel capable d'exécuter une maquette d'après des plans, des dessins. -2. Graphiste spécialisé dans l'établissement de projets de typographie, d'illustration, de mise en pages.

MAQUIGNON n.m. -1. Marchand de chevaux et, par ext., marchand de bétail, notamm. de bovins. -2. Personne qui use en affaires de moyens frauduleux, de procédés indélicats. — REM. Le fém. *maquignonne* est rare.

MAQUIGNONNAGE n.m. -1. Métier de maquignon. -2. Manœuvres frauduleuses employées dans les affaires et les négociations. -3. Marchandage honteux.

MAQUIGNONNER v.t. Maquiller un animal pour tromper sur son âge, pour dissimuler ses défauts.

MAQUILLAGE n.m. -1. Action, manière de maquiller ou de se maquiller. -2. Ensemble de produits servant à se maquiller. -3. Action de maquiller qqch pour falsifier, tromper.

MAQUILLER v.t. -1. Mettre en valeur le visage, les traits au moyen de produits cosmétiques, notamm. de produits colorés qui dissimulent les imperfections et soulignent les qualités esthétiques ; farder. -2. Modifier qqch pour lui donner une apparence trompeuse.

MAQUILLEUR, EUSE n. -1. Spécialiste du maquillage. -2. Personne dont le métier consiste à maquiller les acteurs au théâtre, au cinéma, à la télévision.

MAO ZEDONG

Symbole de la nouvelle Chine, Mao a incarné la révolution chinoise par ses origines paysannes. Politique et stratège, théoricien et praticien, il a formulé les principes fondamentaux de la guerre révolutionnaire.

Les débuts de l'engagement communiste.

Né à Shaoshan (Hunan), en 1893, dans une famille de paysans aisés, Mao entre en 1913 à l'école normale d'instituteurs du Hunan.

En 1919, il obtient un poste de bibliothécaire à l'université de Pékin, où il rencontre des leaders du mouvement révolutionnaire. Il découvre le marxisme et participe en 1921 à la fondation du Parti communiste chinois. À l'époque de l'alliance avec le Guomindang (1923-1926), il est membre du bureau exécutif de ce parti. Durant cette période, Mao est un des rares dirigeants à percevoir le potentiel révolutionnaire des masses paysannes, ce en quoi il s'oppose à la stratégie du P. C. C., tout entière tournée vers le prolétariat des villes. Après la rupture du Guomindang avec les communistes, Mao tente en 1927 d'organiser un soulèvement dans le Hunan, espérant entraîner des millions de paysans. Mais il subit un échec qui lui vaut d'être exclu du Bureau politique.

L'accession au pouvoir.

Pour échapper à la répression engagée par Jiang Jieshi (Tchang Kaï-chek) contre le Parti communiste chinois, Mao entraîne les rescapés du Hunan dans une zone proche de la frontière du Jiangxi, où ils fondent la première « base rouge ». Progressivement, les instances dirigeantes reconnaissent l'efficacité de ce repli paysan et Mao devient, en 1931, président de la République soviétique chinoise. Mais il doit battre en retraite devant les armées du Guomindang et entreprend la Longue Marche (10 000 km) vers le nord-ouest (oct. 1934-1935). Il s'impose alors comme le chef du mouvement communiste et, en janvier 1935, il rentre définitivement au Bureau politique. Installé dans les grottes de Yan'an, Mao formule à cette époque l'essentiel de sa pensée dans le domaine militaire, dans le domaine philosophique (*De la contradiction ; De la pratique,* 1937), dans le domaine politique (*la Démocratie nouvelle,* 1940). Dans le même temps, il s'allie à Jiang Jieshi pour lutter contre les Japonais (1937-1945). Élu président du Comité central en juin 1945, il reprend la lutte contre le Guomindang après la défaite du Japon. Au terme d'une guerre civile (1946-1949), qui

MAO ZEDONG

D'octobre 1934 à octobre 1935, Mao Zedong conduit la Longue Marche ❶. Parvenu au pouvoir en 1949, il veut édifier rapidement le communisme. Il relance en 1958 la collectivisation. La propagande appelle à la mécanisation des campagnes ❷.

❶ Mao Zedong pendant la Longue Marche.

s'achève par la victoire des communistes, il proclame l'avènement de la République populaire, le 1ᵉʳ octobre 1949, sur la place Tian'anmen de Pékin.

La guerre révolutionnaire.

Donnant le primat au but politique et prenant pour principe directeur que la guerre n'a, en elle-même, d'autre but que de conserver ses forces et d'anéantir celles de l'ennemi, il a énoncé, notamment dans *Problèmes stratégiques de la guerre révolutionnaire en Chine* (1936) et *Problèmes stratégiques de la guerre de partisans contre le Japon* (1938), les conditions dans lesquelles, en position d'infériorité matérielle et numérique, un groupe politique armé, bien organisé, peut espérer l'emporter sur un adversaire plus puissant, que celui-ci soit intérieur (le Guomindang de Jiang Jieshi) ou extérieur (les armées d'invasion japonaises). La guerre révolutionnaire postule une liaison intime avec la population, qui constitue à la fois l'enjeu à conquérir politiquement et le soutien et la protection des armées révolutionnaires, lesquelles doivent vivre avec elle

MAO ZEDONG

comme « le poisson dans l'eau » et permettre la création de « bases rouges », portions de territoires « libérées » qui servent de zone de départ ou de repli pour les opérations de l'armée révolutionnaire. Mao insiste sur la complémentarité des différents types d'opérations militaires. En guerre révolutionnaire, l'armée régulière a un besoin absolu de l'action de partisans qui la renseignent et mènent la guérilla sur les arrières de l'ennemi. C'est la combinaison des différentes formes de guerre qui permet de réaliser la concentration des forces en un point où, localement supérieur à l'ennemi, on peut livrer une bataille d'anéantissement.

La direction de la République populaire de Chine.

Mao est moins à l'aise dans la gestion de l'immense Chine, qu'il assume en tant que président du Conseil (à partir de 1949), président de la République (1954-1959) et président du Parti. À deux reprises, en 1958 lors du Grand Bond en avant et en 1966 avec la Révolution culturelle, il cherche à imprimer au pays sa marque en le lançant dans une voie originale de développement et de construction du socialisme (rééquilibrage des villes et des campagnes, rééducation des intellectuels, nécessité de la révolution permanente). Ce seront deux échecs très coûteux en hommes et en capacités de production. Soudaineté de la rupture avec la période antérieure, accélération de l'évolution, volontarisme, manque de sens des réalités, brutalités et violences envers les individus sont les caractéristiques de ces périodes très « maoïstes » de l'histoire contemporaine du pays. Mais le prestige du chef de la révolution et l'influence politique de sa femme, Jiang Qing, sont tels que ce n'est qu'après sa mort, le 9 septembre 1976, qu'on osera formuler publiquement des critiques à son encontre.

❷ Propagande pour la mobilisation générale des campagnes.

MAQUIS n.m. -**1.** Dans les régions méditerranéennes, association végétale touffue et dense qui caractérise les sols siliceux des massifs anciens et qui est composée d'arbustes (chênes verts, chênes-lièges), de myrtes, de bruyères, d'arbousiers et de lauriers-roses. -**2.** Lieu retiré où se réunissaient les résistants à l'occupation allemande au cours de la Seconde Guerre mondiale ; groupe de ces résistants : *Les maquis du Vercors.* -**3.** Complication inextricable : *Le maquis de la procédure.* - **4.** AFRIQUE. Bar, dancing.

MAQUISARD n.m. Résistant d'un maquis, sous l'Occupation.

MAR *(serra do),* extrémité méridionale du Plateau brésilien.

MARABOUT n.m. -**1.** Dans les pays musulmans, saint personnage, objet de la vénération populaire durant sa vie et après sa mort. (V. ENCYCL.) -**2.** AFRIQUE. Musulman réputé pour ses pouvoirs magiques ; devin, guérisseur. -**3.** Tombeau d'un marabout. → KOUBBA. - **4.** Tente ronde à toit conique. -**5.** Bouilloire de métal à gros ventre, à couvercle en dôme. - **6.** Grande cigogne des régions chaudes de l'Ancien Monde, à la tête et au cou dépourvus de plumes, au bec fort et épais.

ENCYCL. La dévotion populaire vis-à-vis des marabouts et de leurs tombeaux fleurit souvent dans des mouvements tels que le soufisme, le mahdisme et certaines autres confréries initiatiques. Le fidèle espère pouvoir bénéficier des qualités miraculeuses et des grâces du marabout s'il sait le prier comme il convient.

MARABOUTER v.t. AFRIQUE. Jeter, en recourant à un marabout, un sort à qqn.

MARACA n.f. Instrument à percussion d'origine sud-américaine, constitué par une coque contenant des grains durs, avec lequel on scande le rythme des danses : *Une paire de maracas.*

MARACAIBO, v. du Venezuela, sur le goulet qui relie la mer des Antilles au *lac de Maracaibo.* 1 249 670 hab. Deuxième ville du pays et centre pétrolier.

MARACAY, v. du Venezuela, à l'ouest de Caracas ; 354 196 hab.

MARAÎCHAGE n.m. Culture maraîchère.

MARAÎCHER, ÈRE n. Producteur de légumes selon les méthodes intensives de culture. ◆ adj. Relatif à la production intensive des légumes : *Culture maraîchère.*

MARAIS n.m. -**1.** Région basse où sont accumulées, sur une faible épaisseur, des eaux stagnantes et qui est caractérisée par une végétation particulière (aunes, roseaux, plantes aquatiques, etc.). -**2.** Activité, situation, lieu, etc., où des difficultés sans fin retardent l'action ; bourbier. -**3.** Ancien marécage assaini consacré à la culture maraîchère. - **4.** *Marais salant,* ensemble de bassins et de canaux pour la production du sel par évaporation des eaux de mer sous l'action du soleil et du vent.

Marais (le), ancien quartier de Paris (IIIe et IVe arr.). Hôtels particuliers des XVIe-XVIIIe siècles (Lamoignon, Carnavalet, Sully, Guénégaud, Saint-Aignan, des Ambassadeurs de Hollande, Salé, Soubise, etc.), certains convertis en musées, bibliothèques, centres culturels.

Marais (le), terme péjoratif désignant, à la Convention, le Tiers Parti (ou la Plaine), entre les Girondins et les Montagnards.

MARAIS (Jean Villain-Marais, dit Jean), acteur français (Cherbourg 1913). Lancé au théâtre par Jean Cocteau, il devint après *l'Éternel Retour* (J. Delannoy, 1943) l'une des vedettes les plus populaires du cinéma français : *la Belle et la Bête* (J. Cocteau, 1946), *le Bossu* (A. Hunebelle, 1959), la série des *Fantômas* (1964-1966).

MARAIS (Marin), violiste et compositeur français (Paris 1656 - *id.* 1728), auteur de pièces pour viole et d'ouvrages lyriques (*Alcyone,* 1706).

MARAIS BRETON ou **MARAIS VENDÉEN,** région côtière de l'ouest de la France, sur l'Atlantique, couvrant environ 25 000 ha, comprise entre le pays de Retz (Loire-Atlantique) et la Vie (Vendée). Il est ouvert sur la baie de Bourgneuf. Élevage (bovins, canards) dans l'intérieur. Tourisme sur le littoral.

MARAIS DU COTENTIN ET DU BESSIN *(parc naturel régional des),* parc régional couvrant environ 120 000 ha, sur les dép. du Calvados et de la Manche.

MARAIS POITEVIN, région de l'ouest de la France, sur l'Atlantique, couvrant environ 70 000 ha (Vendée, Charente-Maritime et Deux-Sèvres). À l'E. s'étend le marais mouillé (25 000 ha), la « Venise verte » ; au centre et à l'O., le marais desséché (plus étendu). L'élevage laitier est la ressource essentielle de l'ensemble. — Un *parc naturel régional du Marais poitevin-Val de Sèvre-Vendée* (couvrant environ 200 000 ha) a été créé en 1979.

MARAJÓ, grande île du Brésil, située à l'embouchure de l'Amazone ; 40 000 km². — Riche région archéologique ayant livré les vestiges de communautés d'agriculteurs en activité de 500 av. J.-C. à 1500 apr. J.-C.

MARAMUREŞ, massif montagneux boisé des Carpates, en Roumanie ; 2 305 m.

MARANHÃO, État du nord-est du Brésil ; 4 922 339 hab. Cap. *São Luís do Maranhão.*

MARAÑÓN (le), riv. du Pérou, l'une des branches mères de l'Amazone ; 1 800 km.

MARAÑÓN Y POSADILLO (Gregorio), médecin et écrivain espagnol (Madrid 1887 - *id.* 1960). Il fut l'un des pionniers de l'endocrinologie. Par ailleurs, il effectua des études, notamment, sur Philippe II et sur Tolède.

Marans *(race de),* race française de poules réputée pour la production de gros œufs, de couleur roux foncé, à la coquille épaisse.

MARANTA n.m. (de *Maranta,* n. d'un botaniste). Plante des régions tropicales, cultivée pour ses rhizomes, dont on tire l'*arrow-root.* (Classe des monocotylédones.)

1. **MARASME** n.m. -1. Affaiblissement des forces morales ; découragement, dépression. -2. Ralentissement important ou arrêt de l'activité économique ou commerciale.

2. **MARASME** n.m. Champignon à pied coriace, dont une espèce, le mousseron, est commune. (Famille des agaricacées.)

MARASQUE n.f. Cerise d'une variété acide et amère, dite aussi *griotte de Marasca,* avec laquelle on fabrique le marasquin.

MARASQUIN n.m. Liqueur ou eau-de-vie tirée de la marasque.

MARAT (Jean-Paul), homme politique français (Boudry, canton de Neuchâtel, 1743 - Paris 1793). Médecin, rédacteur de *l'Ami du peuple,* le journal des sans-culottes, membre

Jean-Paul
MARAT,
homme politique
français.
Détail
d'un portrait
par J. Boze.
(Musée Carnavalet,
Paris.)

actif du club des Cordeliers, il se fait l'avocat virulent des intérêts populaires. Deux fois exilé, son journal supprimé, il rentre en France en 1792 et joue un rôle déterminant dans la chute de la monarchie. Député de Paris à la Convention, où il est un des Montagnards les plus radicaux, il entre en conflit avec les Girondins, qu'il parvient à éliminer (2 juin 1793). Il est assassiné le mois suivant dans sa baignoire par Charlotte Corday.

MARATHE, MAHRATTE ou **MARATHI** n.m. Langue indo-aryenne parlée au Maharashtra.

MARATHES, population du Maharashtra. Les Marathes créèrent un royaume hindou puissant (1674) et résistèrent aux Britanniques de 1779 à 1812.

MARATHON n.m. (de *Marathon,* v. grecque). -1. Course à pied de grand fond (42,195 km), qui est une discipline olympique. -2. Négociation longue et difficile, débat laborieux, mettant à rude épreuve la résistance des participants : *Le marathon de Bruxelles sur les prix agricoles.*

(Voir illustration p. suivante.)

Marathon *(bataille de)* [490 av. J.-C.], victoire remportée par le général athénien Miltiade sur les Perses de Darios Ier près du village de Marathon, à 40 km d'Athènes. Une légende affirme qu'un coureur, dépêché à Athènes pour annoncer la victoire, mourut d'épuisement à son arrivée.

MARATHONIEN, ENNE n. Coureur, coureuse de marathon.

MARÂTRE n.f. (bas lat. *matrastra,* seconde femme du père). -1. VX. Seconde épouse du père, par rapport aux enfants qui sont nés d'un premier mariage. -2. LITT. Mère dénaturée ; mauvaise mère.

MARAUDAGE n.m. -1. Autref., vol de denrées commis par des gens de guerre en campagne. -2. Vol de récoltes, de fruits, de légumes encore sur pied. SYN. : maraude.

MARAUDE n.f. -1. Maraudage. -2. *Taxi en maraude,* taxi qui circule à vide en quête de clients au lieu de stationner.

MARAUDER v.i. -1. Commettre des vols de fruits, de légumes sur pied, dans les jardins, les vergers, etc. -2. Être en maraude, en parlant d'un taxi.

MARAUDEUR, EUSE n. Celui, celle qui se livre à la maraude.

MARAVÉDIS [maravedi] n.m. Monnaie de billon frappée en Espagne à partir de la fin du Moyen Âge et qui circula jusqu'en 1848.

MARATHON de Paris (1988)

MARBELLA, station balnéaire d'Espagne, sur la Costa del Sol ; 80 599 hab.

MARBORÉ *(pic du),* sommet des Pyrénées centrales, à la frontière espagnole ; 3 253 m.

MARBRE n.m. -1. Roche métamorphique résultant de la transformation d'un calcaire, dure, souvent veinée de couleurs variées. -2. Toute pierre capable de recevoir un beau poli et qui est très employée en sculpture et en marbrerie. -3. Objet, statue en marbre. -4. Plateau, tablette de marbre : *Le marbre d'une cheminée.* ARTS GRAPH. Table sur laquelle on place les pages pour les imposer, les formes pour les corriger. || Table de presse sur laquelle on place la forme dont on doit tirer l'épreuve. IMPR. Texte composé en attente de mise en pages, pour un journal ou un périodique. TECHN. Surface en fonte dure, parfaitement plane, servant à vérifier la planéité d'une surface ou utilisée comme plan de référence dans le traçage.

MARBRÉ, E adj. Marqué de veines ou de taches évoquant le marbre.

MARBRER v.t. -1. Décorer qqch, un objet de dessins, de couleurs évoquant les veines du marbre. -2. Marquer la peau, le corps de marbrures.

MARBRERIE n.f. -1. Travail, industrie de transformation et de mise en œuvre des marbres et des roches dures. -2. Atelier dans lequel se pratique ce travail.

MARBREUR, EUSE n. Artisan confectionnant des papiers de luxe à effets de marbrure ou d'irisation.

MARBRIER, ÈRE adj. Relatif au marbre, à l'industrie du marbre. ◆ **marbrier** n.m. -1. Spécialiste procédant au sciage, à la taille, au polissage de blocs, de plaques ou d'objets en marbre ou en granite. -2. Propriétaire d'une marbrerie ; marchand de marbre. ◆ **marbrière** n.f. Carrière de marbre.

MARBRURE n.f. -1. Marque semblable à une veine ou à une tache du marbre, qui se voit sur la peau. -2. Décor imitant les veines, les taches du marbre : *Marbrure d'une tranche de livre.*

MARBURG, v. d'Allemagne (Hesse), sur la Lahn ; 72 656 hab. Université. – Château des landgraves, surtout des XIIIe-XVIe siècles. Église Ste-Élisabeth (XIIIe s.), prototype de l'église-halle gothique à trois vaisseaux ; vitraux.

Marburg *(école de),* groupe de philosophes néokantiens (H. Cohen, P. G. Natorp, E. Cassirer) [v. 1875-1933] qui se sont intéressés à la connaissance, au langage et à la logique.

1. **MARC** [mar] n.m. -1. Ancienne unité de mesure française de masse, valant huit onces, soit 244,75 g. -2. Monnaie d'or ou d'argent usitée autref. en différents pays avec des valeurs variables. -3. ***Au marc le franc,*** se dit d'un partage fait entre les intéressés au prorata de leurs créances ou de leurs intérêts dans une affaire.

2. **MARC** [mar] n.m. -1. Résidu des fruits, partic. du raisin, que l'on a pressés pour en extraire le jus. -2. Eau-de-vie obtenue en distillant du marc de raisin. -3. Résidu de certaines substances que l'on a fait infuser, bouillir, etc. : *Marc de café.*

MARC *(saint)*, un des quatre évangélistes. L'Évangile qu'on lui attribue est en réalité le plus ancien des quatre. Rédigé en grec vers 70 à l'intention de chrétiens convertis du paganisme (peut-être des chrétiens de la communauté de Rome), il a été utilisé par Luc et Matthieu. Le dénommé Marc, dont la tradition fait l'auteur de cet écrit, est un compagnon d'apostolat de Paul et serait devenu plus tard un proche de Pierre.

MARC (Franz), peintre allemand (Munich 1880 - près de Verdun 1916). Inspirée par la nature et les animaux, catalysée par l'esprit du Blaue Reiter, sa peinture évolue vers une simplification formelle assortie d'un chromatisme intense et symbolique (*Grands chevaux bleus,* 1911, Minneapolis), puis vers une fragmentation et interpénétration des formes (*Chevreuils dans la forêt,* 1914, Karlsruhe), pour aboutir à l'abstraction.

MARCASSIN n.m. Petit du sanglier âgé de moins de six mois, au pelage rayé horizontalement de noir et de blanc.

MARCASSITE n.f. Sulfure naturel de fer, cristallisant dans le système orthorhombique.

Statue équestre en bronze de l'empereur **MARC AURÈLE,** anciennement place du Capitole, à Rome.

MARC AURÈLE, en lat. Marcus Aurelius Antoninus (Rome 121 - Vindobona 180), empereur romain (161-180). Adopté par Antonin, il lui succéda. Son règne, durant lequel il renforça la centralisation administrative, fut dominé par les guerres : campagnes contre les Parthes (161-166) et contre les Germains qui avaient franchi le Danube et atteint l'Italie (168-175) puis à nouveau en 178-180. Il associa au pouvoir son fils Commode en 177. Empereur philosophe, il a laissé des *Pensées,* écrites en grec, où s'exprime son adhésion au stoïcisme.

MARCEAU (François Séverin Marceau-Desgraviers, dit), général français (Chartres 1769 - Altenkirchen 1796). Il commanda l'armée de l'Ouest contre les vendéens (1793), se distingua à Fleurus (1794) et battit les Autrichiens sur le Rhin, à Neuwied (oct. 1795).

MARCEAU, général français. Détail d'un portrait par Bouchot. (Musée de l'Armée, Paris.)

MARCEAU (Marcel Mangel, dit Marcel), mime français (Strasbourg 1923). Créateur du personnage de *Bip,* bouffon lunaire, il a renouvelé l'art de la pantomime en exprimant la poésie des situations quotidiennes.

MARCEL (Étienne), marchand drapier français (v. 1316 - Paris 1358). Prévôt des marchands de Paris à partir de 1355, il fut, aux états généraux de 1356 et 1357, le porte-parole de la riche bourgeoisie contre l'autorité monarchique. S'opposant au Dauphin Charles (Charles V), il organisa en février 1358 l'émeute de Paris et fit assassiner sous les yeux du Dauphin deux de ses conseillers. Il fut lui-même assassiné par un partisan du Dauphin (juill.).

MARCEL (Gabriel), philosophe et écrivain français (Paris 1889 - *id.* 1973). Il se rattache au groupe de l'existentialisme chrétien (*Journal métaphysique,* 1914-1923). Il a aussi écrit des pièces de théâtre.

MARCELLO (Benedetto), compositeur italien (Venise 1686 - Brescia 1739), auteur de concertos, de sonates, d'opéras, de paraphrases de psaumes (*l'Estro Poetico-Armonico,* 8 vol., 1724-1726) et d'un écrit satirique, *le Théâtre à la mode* (1720).

MARCELLUS (Marcus Claudius), général romain (v. 268-208 av. J.-C.). Pendant la deuxième guerre punique, il prit Syracuse (212 av. J.-C.), où fut tué Archimède.

MARCESCENCE [marsesɑ̃s] n.f. Caractère d'un organe marcescent.

MARCESCENT, E [marsesɑ̃, ɑ̃t] adj. (du lat. *marcescere,* flétrir). Se dit d'un organe (feuille, calice ou corolle) qui se flétrit sur la plante sans se détacher.

MARCHAIS (Georges), homme politique français (La Hoguette, Calvados, 1920 - Paris 1997), secrétaire général du Parti communiste français (1972-1994).

MARCHAND, E adj. -1. Qui a rapport au commerce. -2. Qui est à vendre ou qui se vend facilement : *Denrée marchande.* -3. Où il se fait beaucoup de commerce : *Ville marchande.* -4. *Marine marchande,* celle qui assure le transport des voyageurs et des marchandises, par opp. à la *marine de guerre : Navire, bâtiment marchand.* ‖ *Prix marchand,* prix auquel les marchands vendent entre eux. ‖ *Qualité marchande,* qualité normale dans le commerce, par rapport aux qualités supérieures (extra, surfine, etc.). ‖ *Valeur marchande d'un objet,* sa valeur dans le commerce. ◆ n. -1. Personne qui fait du négoce, qui est habile dans l'art du négoce. -2. Commerçant qui vend un certain type de marchandises, de produits : *Marchand de légumes, de meubles, de journaux.* -3. *Marchand de biens,* commerçant qui achète des immeubles, des fonds pour les revendre ou qui sert d'intermédiaire dans ces transactions.

MARCHAND (Jean-Baptiste), général et explorateur français (Thoissey 1863 - Paris 1934). Parti du Congo en 1897, il atteignit Fachoda, sur le Nil, mais dut l'évacuer peu après, sur ordre (7 nov. 1898), à la suite de l'arrivée des Britanniques de Kitchener.

MARCHANDAGE n.m. -1. Action de marchander pour obtenir qqch à meilleur prix. -2. Tractation laborieuse à des fins plus ou moins honorables : *Marchandages électoraux.* -3. Contrat par lequel un sous-entrepreneur fournit à l'entrepreneur de la main-d'œuvre qu'il rétribue lui-même. (Si l'opération a un but lucratif, le marchandage, ou trafic de main-d'œuvre, est réprimé par la loi.)

MARCHANDER v.t. -1. Discuter le prix d'une marchandise pour l'obtenir à meilleur compte. -2. LITT. Accorder qqch à regret, avec parcimonie ou en exigeant certains avantages : *Ne pas marchander les éloges.* ◆ v.i. -1. Discuter pour obtenir qqch à meilleur prix. -2. Conclure un contrat de marchandage.

MARCHANDISAGE n.m. Ensemble des techniques assurant, grâce à une stratégie adaptée, la meilleure diffusion commerciale des produits. SYN. (anglic. déconseillé) : merchandising.

MARCHANDISE n.f. -1. Objet, produit qui se vend et s'achète. -2. Ce que qqn cherche à faire accepter en le présentant sous son jour le plus favorable : *Faire valoir sa marchandise.*

MARCHANTIA [marʃɑ̃tja] n.f. (de *Marchant,* n.pr.). Plante de la classe des hépatiques, commune dans les lieux humides.

1. **MARCHE** n.f. (de *marcher*). -1. Action, fait de marcher ; mode de locomotion de l'homme : *La marche et la course.* -2. Action de marcher considérée comme une activité physique, un exercice sportif : *Aimer la marche.* -3. Manière de marcher : *Marche rapide, lente.* -4. Distance parcourue en marchant : *Une longue marche en forêt.* -5. Déplacement à pied d'un groupe constituant une manifestation publique d'opinion, notamm. politique : *Marche pour la paix.* -6. Déplacement d'un véhicule : *Être assis dans le sens de la marche.* -7. Fonctionnement d'un organisme, d'une institution, d'une affaire : *La bonne marche du service.* -8. Fonctionnement d'un mécanisme : *La marche d'une horloge.* -9. Progression, déroulement dans le temps. -10. Pièce de musique destinée à régler les pas d'un groupe, d'une troupe : *Une marche militaire.* -11. Chacune des surfaces planes sur lesquelles on pose le pied pour monter ou pour descendre un escalier. ASTRON. Mouvement d'un astre. MIL. Mouvement qu'exécute une troupe pour se porter à pied d'un point à un autre. MUS. *Marche harmonique,* groupe d'accords se reproduisant symétriquement à des intervalles égaux, en montant ou en descendant. TEXT. Pédale du métier à tisser à bras sur laquelle l'ouvrier appuie le pied pour faire lever ou descendre les fils de chaîne.

2. **MARCHE** n.f. (frq. *marka,* frontière). -1. Sous les Carolingiens, territoire jouant le rôle de zone de protection militaire à proximité d'une frontière ou dans une région mal pacifiée. (Dirigées par des *marquis* ou des *margraves,* les marches se multiplièrent au IXe s.) -2. Zone périphérique d'un État, non entièrement soumise à l'autorité centrale.

MARCHE (la), ancienne province de France, réunie à la Couronne en 1527. Son territoire correspond au département de la Creuse et à une partie de la Haute-Vienne.

MARCHÉ n.m. -**1**. Lieu public, en plein air ou couvert, où l'on vend et où l'on achète des marchandises. -**2**. Réunion de commerçants ambulants qui, à jours fixes, vendent dans un lieu dépendant du domaine public des produits comestibles ainsi que des articles ménagers, vestimentaires, etc. -**3**. Toute convention arrêtée entre deux personnes. -**4**. Tractation, accord impliquant un échange à titre onéreux de biens ou de services : *Marché avantageux.* -**5**. Lieu théorique où se rencontrent l'offre et la demande ; état de l'offre et de la demande : *Le marché de la voiture d'occasion.* -**6**. Ville, pays où se fait principalement le commerce d'un produit déterminé ou de plusieurs : *Anvers est l'un des marchés mondiaux de pierres précieuses.* -**7**. Débouché économique ; ensemble de clients qui achètent ou peuvent acheter une production : *Il n'y a pas de marché pour ce type de produit.* **BANQUE, BOURSE.** *Marché au comptant,* marché sur lequel la livraison et le règlement des capitaux suivent immédiatement la négociation. ‖ *Marché financier,* celui sur lequel s'effectuent les négociations de valeurs à revenu fixe et variable, les émissions de titres et, d'une manière générale, les opérations sur capitaux à long terme ; marché des capitaux. ‖ *Marché gris,* lieu fictif de cotation et d'échange anticipé d'une valeur avant son admission officielle à la cote. ‖ *Marché monétaire,* marché sur lequel se rencontrent offres et demandes de capitaux à court terme, notamm. entre les institutions financières. ‖ *Marché à option,* marché dans lequel existe, pour l'acheteur de l'option, une possibilité d'opter à terme entre l'exécution ou l'abandon du contrat. ‖ *Marché à prime,* marché sur lequel l'acheteur de titres se réserve la faculté, vis-à-vis du vendeur, soit d'exécuter le contrat passé, soit de l'annuler contre paiement d'un dédit, ou *prime.* ‖ *Marché à règlement mensuel,* marché où se pratiquent les négociations sur des valeurs qui ne sont payées et livrées qu'à des échéances mensuelles, et qui a remplacé l'ancien marché à terme. ‖ *Marché à terme international de France (M. A. T. I. F.),* marché où se concluent des contrats portant sur des taux d'intérêt, des devises, des indices boursiers et essentiellement destiné à protéger les détenteurs d'actifs financiers contre les fluctuations des cours de ceux-ci. ‖ *Second marché,* marché où des valeurs mobilières sont admises à des conditions moins exigeantes que celles qu'implique la cote officielle. **DR.** *Marché de gré à gré,* contrat administratif impliquant la liberté de choix du cocontractant par l'Administration.

‖ *Marché d'intérêt national (M. I. N.),* marché de produits agricoles ou alimentaires institué par décret après consultation des collectivités locales, des chambres de commerce et d'industrie et des branches d'agriculture intéressées. ‖ *Marché public,* contrat par lequel un entrepreneur s'engage, moyennant un paiement convenu, à fournir une prestation à l'Administration. (En principe, la passation des marchés publics a lieu par adjudication ou appel d'offres ; le régime des contrats administratifs leur est applicable.) **ÉCON.** *Économie de marché,* système économique dans lequel les mécanismes naturels tendent à assurer seuls, à l'exclusion de toute intervention des monopoles ou de l'État, l'équilibre de l'offre et de la demande. ‖ *Étude de marché,* étude prévisionnelle des débouchés d'un produit donné ou des produits d'une branche d'activité, d'un pays, etc. ‖ *Marché du travail,* situation de l'offre et de la demande d'emploi dans une région, un pays ou par rapport à un type d'activité. ‖ *Segment de marché,* groupe homogène et distinct de personnes possédant en commun un certain nombre de caractéristiques qui permettent d'ajuster la politique de produits d'une entreprise et sa stratégie publicitaire.

MARCHÉAGE n.m. Branche du marketing, coordination de l'ensemble des actions commerciales en termes de dosage et de cohérence. **SYN.** (anglic. déconseillé) : **marketing mix.**

Marché commun, terme couramment employé pour désigner la Communauté économique européenne (devenue Communauté européenne en 1993).

MARCHEPIED n.m. -**1**. Marche ou série de marches qui servent à monter dans une voiture, dans un train ou à en descendre. -**2**. Escabeau à deux ou trois marches. -**3**. Moyen de progresser, de réaliser ses ambitions, de s'élever socialement : *Se faire un marchepied de qqn, de qqch.*

MARCHER v.i. -**1**. Se déplacer, se mouvoir en mettant un pied devant l'autre. -**2**. Mettre le pied sur, dans qqch, lors de son déplacement : *Marcher dans une flaque d'eau.* -**3**. En parlant d'un véhicule, d'un mobile, se mouvoir, se déplacer : *Navire qui marche à vingt nœuds.* -**4**. **FAM.** Accepter une affaire : *C'est entendu, je marche avec vous.* -**5**. **FAM.** Faire preuve de crédulité : *Tu peux lui raconter n'importe quoi, il marche.* -**6**. Être en état de marche, fonctionner, en parlant d'un appareil, d'un organe, etc. :

Cette montre marche. -7. Être en activité, en parlant d'organismes, de services, etc. : *Les banques ne marchent pas le dimanche.* -8. Se dérouler correctement ; faire des progrès, prospérer : *Une affaire qui marche.*

MARCHES (les), en ital. Marche, région de l'Italie péninsulaire, sur l'Adriatique ; 9 692 km² ; 1 427 666 hab. V. princ. *Ancône.* Elles comprennent les provinces d'Ancône, de Ascoli Piceno, de Macerata, de Pesaro et d'Urbino. Région de transition entre l'Italie du Nord et le Mezzogiorno, encore largement rurale.

MARCHEUR, EUSE n. Personne qui marche, qui aime à marcher. ◆ **marcheuse** n.f. Figurante muette incarnant une passante ou animant une silhouette dans un opéra, au music-hall, etc.

MARCIANO (Rocco Francis **Marche**giano, dit **Rocky**), boxeur américain (Brockton, Massachusetts, 1923 - près de Des Moines 1969), champion du monde des poids lourds (1952 à 1956), invaincu dans les rangs professionnels.

MARCION, docteur hétérodoxe chrétien (Sinope v. 85 - v. 160). Il vint à Rome vers 140 mais son enseignement provoqua son excommunication en 144.

MARCIONISME [marsjɔnism] n.m. Hérésie de Marcion (IIe s. de notre ère), prônant un dualisme analogue à celui des gnostiques et opposant le Dieu de justice de l'Ancien Testament au Dieu d'amour du Nouveau Testament. Le marcionisme, combattu par Tertullien, laissa des traces en Syrie jusqu'au Ve siècle.

MARCO (Tomás), compositeur espagnol (Madrid 1942). Collaborateur de K. Stockhausen, P. Boulez et G. Ligeti, il a notamment composé *Anna Blume* (1967), *Quasi un Requiem* (1971), un cycle de symphonies inauguré en 1976 (*Symphonie n° 5 « Modelos de Universo »,* 1990).

MARCOMANS, ancien peuple germain apparenté aux Suèves. Installés d'abord en Bohême, ils envahirent l'Empire romain sous le règne de Marc Aurèle.

MARCONI adj. inv. (de *Marconi,* n.pr., à cause du haubanage évoquant une antenne de T. S. F.). Se dit d'un type de gréement très utilisé en yachting, caractérisé par un mât à pible et une grand-voile triangulaire hissée avec une seule drisse.

MARCONI (Guglielmo), physicien et inventeur italien (Bologne 1874 - Rome 1937). Utilisant l'éclateur de Hertz, l'antenne de Popov et le cohéreur de Branly, il réussit à Bologne une transmission de télégraphie sans fil sur quelques centaines de mètres et déposa un brevet en 1896. N'ayant pas trouvé d'appuis en Italie, il continua ses expériences en Angleterre. Dès 1897, il réalisa une liaison sur 9 milles à travers le canal de Bristol et, en 1901, une liaison à travers l'Atlantique entre Poldhu (Cornwall) et Terre-Neuve. (Prix Nobel 1909.)

MARCOPHILIE n.f. Collection des marques, flammes et oblitérations apposées sur les objets postaux.

MARCOS (Ferdinand), homme d'État philippin (Sarrat 1917 - Honolulu 1989). Président de la République (1965-1986), il combattit la guérilla communiste et musulmane. Il dut abandonner le pouvoir en 1986 et s'exila à Honolulu.

MARCOTTAGE n.m. Procédé de multiplication végétative des plantes par lequel une tige aérienne est mise en contact avec le sol et s'y enracine avant d'être isolée de la plante mère.

MARCOTTE n.f. Branche tenant encore à la plante mère, que l'on couche en terre pour qu'elle y prenne racine.

MARCOTTER v.t. Effectuer le marcottage.

MARCQ-EN-BAROEUL, ch.-l. de c. du Nord ; 36 898 hab. Industries textiles et alimentaires.

MARCUSE (Herbert), philosophe américain d'origine allemande (Berlin 1898 - Starnberg, près de Munich, 1979), l'un des principaux représentants du freudo-marxisme. Marcuse fait de la répression le fondement de la civilisation. On lui doit *Raison et Révolution* (1941), *Éros et la Civilisation* (1955), *l'Homme unidimensionnel* (1964).

MAR DEL PLATA, port d'Argentine, sur l'Atlantique ; 407 000 hab.

MARDI n.m. -1. Deuxième jour de la semaine. -2. *Mardi gras,* dernier jour avant le début du carême.

MARDOUK, dieu de la mythologie babylonienne qui, au temps d'Hammourabi, devint le dieu principal du panthéon. Il avait la forme d'un dragon à tête de serpent. Dans le poème babylonien de la création, il apparaît comme victorieux du chaos. Dans la Bible, il est souvent appelé **Bel.**

MARE n.f. -1. Petite étendue d'eau dormante. -2. Grande quantité de liquide répandu, flaque : *Une mare de sang.*

MARÉCAGE n.m. -1. Terrain humide et bourbeux. -2. LITT. Lieu, situation où l'on risque les compromissions, l'abaissement moral.

MARÉCAGEUX, EUSE adj. Relatif aux marécages.

MARÉCHAL n.m. (pl. maréchaux). -1. Dans de nombreux pays, dignité ou grade le plus élevé de la hiérarchie militaire. -2. Maréchal-ferrant. -3. *Maréchal de camp,* officier général des armées de l'Ancien Régime et de la Restauration. ‖ *Maréchal de France,* officier général titulaire d'une dignité d'État, conférée à certains commandants en chef victorieux devant l'ennemi. (Son insigne est un bâton de commandement.) ‖ *Maréchal des logis, maréchal des logis-chef,* sous-officier des armes anciennement montées (gendarmerie, cavalerie, artillerie et train), d'un grade correspondant à ceux de sergent et de sergent-chef dans les autres armes de l'armée de terre. ◆ **maréchale** n.f. Femme d'un maréchal.

MARÉCHALAT n.m. Dignité de maréchal.

MARÉCHALERIE n.f. Atelier, métier du maréchal-ferrant.

MARÉCHAL-FERRANT n.m. (pl. maréchaux-ferrants). Artisan dont le métier est de ferrer les chevaux ; maréchal.

MARÉCHAUSSÉE n.f. -1. Ancienne juridiction des maréchaux de France. -2. Ancien corps de troupes à cheval chargé d'assurer la sécurité publique et qui a pris en 1791 le nom de *gendarmerie nationale.*

MARÉE n.f. -1. Mouvement oscillatoire du niveau de la mer, dû à l'attraction de la Lune et du Soleil sur la masse d'eau des océans. (V. ENCYCL.) -2. Foule considérable en mouvement : *Une marée humaine.* -3. Phénomène de masse évoquant le flux par son caractère irrésistible, inéluctable : *La marée montante du chômage.* -4. Déformation d'un astre sous l'action gravitationnelle d'un ou de plusieurs autres. -5. Ensemble des produits frais de la mer destinés à la consommation (poissons, crustacés, coquillages). -6. *Échelle de marée,* planche verticale placée à poste fixe et portant des graduations sur lesquelles on lit la hauteur d'eau. ‖ *Marée basse,* fin du jusant. ‖ *Marée descendante,* reflux ou jusant. ‖ *Marée haute,* maximum du flot. ‖ *Marée montante,* flot ou flux. ‖ *Marée noire,* arrivée sur un rivage de nappes de pétrole provenant d'un navire qui a été accidenté ou qui a purgé ses réservoirs, ou de l'éruption accidentelle d'une tête de puits sous-marine.

ENCYCL. L'allure et l'amplitude des marées sont liées à la position relative de la Terre, du Soleil et de la Lune, qui se modifie chaque jour,

mais aussi aux irrégularités du contour et de la profondeur des bassins océaniques. D'une façon générale, le phénomène — auquel la rotation de la Terre, conjuguée au mouvement orbital de la Lune, confère, en un lieu donné, son caractère périodique — peut être considéré comme la superposition d'un grand nombre d'ondes et présente, selon les endroits, un

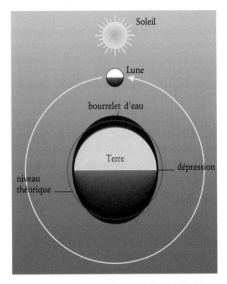

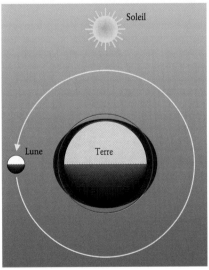

le phénomène des **MARÉES** : dans les marées de vive-eau (à la pleine lune ou à la nouvelle lune), les attractions de la Lune et du Soleil s'ajoutent (dessin du haut), alors que dans les marées de morte-eau (lorsque la Lune est en quadrature) elles se contrarient (dessin du bas)

caractère *diurne* (une haute et une basse mer toutes les 24 h 50 min), *semi-diurne* (deux hautes mers et deux basses mers en 24 h 50 min) ou *mixte* (inégalités dans la durée des hautes et des basses mers).

L'amplitude des marées. Dans les mers fermées, comme la Méditerranée, les amplitudes sont le plus souvent nulles ou presque nulles. Au contraire, sur les rivages précédés d'une vaste plate-forme continentale, elles sont très élevées : 19,6 m dans la baie de Fundy (Canada) ; jusqu'à 16,1 m dans la baie du Mont-Saint-Michel. Compte tenu des masses relatives de la Lune et du Soleil et de leurs distances à la Terre, l'action de la Lune est 2,17 fois plus forte que celle du Soleil.

La force génératrice de la marée varie en intensité selon que les attractions de la Lune et du Soleil s'ajoutent (à la nouvelle lune et à la pleine lune, marée de vive-eau) ou se contrarient (aux quartiers, marée de morte-eau). L'amplitude varie ainsi dans le temps : elle est forte en vive-eau, mais faible en morte-eau. La montée ou la baisse maximale de la mer par rapport au niveau moyen, pour chaque marée, en un lieu donné, s'exprime par un nombre compris entre 20 (morte-eau la plus faible) et 120 (vive-eau la plus forte), appelé *coefficient de marée.*

Les courants de marée. Les *courants de marée* (courant de flot, courant de jusant) résultent de la dénivellation produite à la surface de la mer par le passage de l'onde de marée. Leur vitesse, proportionnelle au coefficient de marée, est aussi influencée par le relief sous-marin (accélération dans les zones peu profondes et les goulets côtiers). Leur énergie, jadis captée dans les moulins à marée, peut l'être aujourd'hui dans des usines marémotrices comme celle de la Rance.

MARÉGRAPHE n.m. Instrument, installation enregistrant la hauteur des marées.

MARELLE n.f. Jeu d'enfant qui consiste à pousser à cloche-pied un palet dans des cases tracées sur le sol.

MAREMME (la), région de l'Italie centrale, le long de la mer Tyrrhénienne.

MARÉMOTEUR, TRICE adj. Relatif à la force motrice des marées ou qui l'utilise : *Usine marémotrice.*

MARENGO [marẽgo] n.m. (de *Marengo,* n.pr.). Drap d'une texture très serrée, à fond noir, parsemé de petits effets blancs à peine apparents. ◆ adj. inv. -**1.** D'une couleur brun-rouge foncé, piqueté de blanc. -**2.** *Poulet, veau Ma-*

rengo ou *à la Marengo,* poulet ou veau détaillés en morceaux et cuits dans une sauce à base de vin blanc avec des tomates et des champignons.

Marengo *(bataille de)* [14 juin 1800], victoire de Bonaparte sur les Autrichiens grâce à l'intervention de Desaix près de cette localité piémontaise.

MARENNES n.f. Huître creuse élevée dans la région de Marennes.

MARENNES, ch.-l. de c. de la Charente-Maritime, près de la Seudre ; 4 664 hab. Parcs à huîtres. – Église à haut clocher gothique.

MARÉOTIS *(lac)* → MARIOUT.

MAREY (Étienne Jules), physiologiste et inventeur français (Beaune 1830 - Paris 1904). Il a perfectionné l'emploi des appareils graphiques pour l'étude des phénomènes physiologiques : il a ainsi étudié les mouvements du cœur, la contraction musculaire, la marche, le vol des oiseaux et créé, en 1882, la *chronophotographie,* d'où dérive le cinématographe. Il a attaché son nom à des lois régissant l'excitabilité du myocarde, en particulier la *loi de l'inexcitabilité périodique du cœur.*

MAREYAGE n.m. Travail, commerce du mareyeur.

MAREYEUR, EUSE n. Commerçant en gros vendant aux poissonniers et aux écaillers les produits frais de la mer.

MARGAILLE n.f. BELGIQUE. FAM. -**1.** Rixe. -**2.** Désordre, bruit, tapage.

MARGARINE n.f. Substance grasse comestible, de consistance molle, faite avec diverses huiles et graisses le plus souvent végétales (arachide, soja, noix de coco).

MARGATE, v. de Grande-Bretagne (Kent) ; 49 000 hab. Station balnéaire.

MARGAUX n.m. Vin de Médoc rouge très réputé produit sur la commune de Margaux (Gironde).

MARGAY [margɛ] n.m. Chat sauvage de l'Amérique du Sud.

MARGE n.f. -**1.** Espace blanc latéral d'une page imprimée ou écrite. -**2.** Intervalle de temps ou liberté d'action dont on dispose, entre certaines limites, pour l'exécution de quelque chose, le choix d'une décision : *Se donner une marge de réflexion.* -**3.** Écart possible admis dans une évaluation : *Prévoir une marge d'erreur.* BANQUE. Différence entre le montant d'un crédit accordé et la valeur des biens remis en gage pour obtenir le remboursement de ce crédit. **ÉCON.** *Marge bénéficiaire,* différence entre le prix de vente et le prix de revient d'un bien, génér. exprimée en pourcentage du prix de vente. ‖ *Marge brute d'autofinancement (M. B. A.),* cash-flow. **OCÉANOGR.** *Marge continentale,* ensemble formé par la plate-forme continentale et la pente continentale qui la limite.

MARGELLE n.f. Pierre ou assise de pierres qui forme le rebord d'un puits, d'une fontaine, etc.

MARGER v.t. [17]. -1. Placer les margeurs d'une machine à écrire de manière à laisser une marge à droite et à gauche du texte tapé. -2. Placer la feuille à imprimer sur la machine de façon que le blanc des marges soit régulièrement réservé.

MARGERIDE *(monts de la),* massif granitique du sud-est de l'Auvergne ; 1 551 m au signal de Randon.

MARGEUR, EUSE n. Ouvrier chargé de marger. ◆ **margeur** n.m. Appareil, dispositif qui permet de marger, sur une machine à écrire, une presse d'imprimerie.

MARGGRAF (Andreas), chimiste allemand (Berlin 1709 - *id.* 1782). Il obtint le sucre de betterave à l'état solide et découvrit les acides formique et phosphorique.

MARGINAL, E, AUX adj. -1. Qui est écrit dans la marge. -2. Qui a une valeur, un rôle accessoires, secondaires : *Occupations marginales.* -3. *Entreprise marginale,* celle dont le prix de revient est sensiblement égal au prix de vente le plus élevé pratiqué sur le marché. ‖ *Prix marginal,* valeur au-dessous de laquelle il n'est plus possible, pour une entreprise, de vendre sans perdre d'argent. ◆ adj. et n. Se dit de qqn qui se situe en marge de la société, qui n'est pas bien intégré au groupe social ni soumis à ses normes. ◆ **marginalement** adv. De façon marginale, annexe ; accessoirement.

MARGINALISATION n.f. Fait de devenir marginal, d'être marginalisé.

MARGINALISER v.t. -1. Tendre à exclure qqn de la société, à lui faire perdre son intégration sociale : *Marginaliser certains groupes sociaux.* -2. Placer qqch en marge, le mettre à l'écart, le situer en dehors de ce qui est essentiel, principal, central : *Marginaliser une formation politique.*

MARGINALISME n.m. Théorie économique selon laquelle la valeur d'échange d'un produit donné est déterminée par l'utilité de sa dernière unité disponible.

ENCYCL. Ce courant de pensée économique néoclassique, qui succède aux classiques et donne une nouvelle définition de la valeur, domine la pensée économique à partir de 1871 avec la parution d'un ouvrage de Carl Menger sur la théorie de l'utilité marginale. Ce principe a été découvert simultanément par Stanley Jevons et Léon Walras. Très vite, des tendances se manifestent. On distingue l'*école de Lausanne,* ou *école mathématique,* avec Walras puis V. Pareto ; l'*école de Vienne,* ou *école autrichienne,* dont les premiers représentants (Wieser et Böhm-Bawerk) forment l'ancienne école de Vienne, ou *école psychologique,* et les nouveaux (Mayer, Mises, Strigl, Hayek, Morgenstern, Haberler et Schumpeter), l'*école néomarginaliste ;* l'*école de Cambridge,* dominée par A. Marshall et d'où sortira J. M. Keynes. L'ensemble des divers courants marginalistes se caractérise par le recours à la méthode déductive et par l'utilisation de l'analyse dite « à la marge », selon laquelle la valeur des biens ne dépend pas de la quantité de travail incorporée (conception objective des classiques) mais de l'utilité de la dernière unité disponible de ces biens (notion de marge), utilité nécessairement la plus faible en raison du jeu de la décroissance des utilités (conception subjective). L'analyse marginaliste élabore une véritable théorie de la valeur et vise à une explication économique générale, qu'il y ait ou non échange.

MARGINALITÉ n.f. -1. Caractère de ce qui est marginal. -2. Position marginale par rapport à une forme sociale.

MARGINER v.t. Annoter dans la marge un texte, un livre.

MARGOTER, MARGOTTER ou **MARGAUDER** v.i. Pousser son cri, en parlant de la caille.

MARGOUILLAT n.m. Lézard des savanes africaines au sud du Sahara, insectivore, actif et diurne. (Famille des agamidés.)

MARGOULIN n.m. **FAM.** Commerçant, homme d'affaires peu scrupuleux.

MARGRAVE n.m. (all. *Markgraf,* comte de la frontière). Titre donné aux chefs militaires des marches, dans l'Empire carolingien, puis à certains princes du Saint Empire.

MARGRAVIAT n.m. -1. État, dignité de margrave. -2. Seigneurie, juridiction d'un margrave.

MARGUERITE n.f. -1. Plante de la famille des composées, à fleurs centrales jaunes et à fleurs périphériques blanches (nom commun à plusieurs espèces). -2. Roue portant à sa périphérie

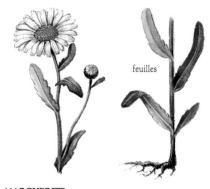

feuilles

MARGUERITE

les caractères d'impression de certaines machines à écrire et de certaines imprimantes d'ordinateurs.

SAINTE

MARGUERITE BOURGEOYS *(sainte),* religieuse française (Troyes 1620 - Montréal 1700). Elle créa la première école à Montréal et fonda au Canada la congrégation de Notre-Dame, destinée à l'enseignement. Elle a été canonisée en 1982.

ANGLETERRE ET GRANDE-BRETAGNE

MARGUERITE D'ANJOU, reine d'Angleterre (Pont-à-Mousson 1430 - château de Dampierre, Anjou, 1482). Fille de René le Bon, roi de Sicile, elle épousa (1445) Henri VI. Elle défendit avec énergie le parti des Lancastres pendant la guerre des Deux-Roses.

DANEMARK

MARGUERITE Iʳᵉ Valdemarsdotter, reine de Danemark, de Norvège et de Suède (Søborg 1353 - Flensburg 1412). Fille de Valdemar IV de Danemark, elle épousa (1363) le roi de Norvège Haakon VI et devint reine à la mort de son fils Olav (1387). Elle imposa l'Union de Kalmar aux États de Danemark, de Norvège et de Suède (1397) au profit de son neveu Erik de Poméranie.

FRANCE

MARGUERITE DE PROVENCE, reine de France (1221 - Saint-Marcel, près de Paris, 1295). Elle épousa (1234) Louis IX, à qui elle donna 11 enfants. Elle chercha à jouer un rôle politique sous le règne de son fils Philippe III.

MARGUERITE STUART (v. 1424 - Châlons, Champagne, 1445). Fille de Jacques Iᵉʳ, roi d'Écosse, elle épousa en 1436 le Dauphin Louis, futur Louis XI.

NAVARRE

MARGUERITE D'ANGOULÊME, reine de Navarre (Angoulême 1492 - Odos, Bigorre, 1549). Fille de Louise de Savoie et de Charles d'Orléans, sœur aînée de François Iᵉʳ, veuve en 1525 de Charles IV, duc d'Alençon, elle épousa en 1527 Henri d'Albret, roi de Navarre. Elle protégea les protestants et fit de sa cour un foyer d'humanisme, où trouva refuge Clément Marot. Ses écrits les plus célèbres sont *les Marguerites de la Marguerite des princesses* (1547) et *l'Heptaméron* (publié en 1559). [→ HEPTAMÉRON.]

MARGUERITE DE VALOIS, dite la Reine Margot, reine de Navarre, puis de France (Saint-Germain-en-Laye 1553 - Paris 1615). Fille d'Henri II, elle épousa Henri de Navarre (Henri IV) puis se sépara de son époux, qui la répudia en 1599. Elle a laissé des *Mémoires* et des *Poésies.*

PARME

MARGUERITE DE PARME (Oudenaarde 1522 - Ortona, Abruzzes, 1586). Fille naturelle de Charles Quint, elle épousa le duc de Parme Octave Farnèse et fut gouvernante des Pays-Bas de 1559 à 1567.

SAVOIE

MARGUERITE D'AUTRICHE, duchesse de Savoie (Bruxelles 1480 - Malines 1530). Fille de l'empereur Maximilien et de Marie de Bourgogne, elle épousa Philibert II le Beau, en l'honneur de qui elle fit élever l'église de Brou. Gouvernante des Pays-Bas (1507-1515, 1519-1530), elle joua un grand rôle diplomatique.

MARGUERITE-MARIE ALACOQUE *(sainte),* religieuse française (Lautecourt, près de Verosvres, Saône-et-Loire, 1647 - Paray-le-Monial 1690). Visitandine à Paray-le-Monial, elle fut favorisée d'apparitions du Sacré-Cœur de Jésus (1673-1675), dont elle répandit le culte.

MARGUILLIER n.m. (du lat. *matricularis,* qui tient un registre). ANC. Membre du conseil de fabrique d'une paroisse. SYN. (vx.) : **fabricien.**

MARI n.m. Homme uni à une femme par le mariage.

MARI, auj. **Tell Hariri** (Syrie), cité antique de la Mésopotamie sur le moyen Euphrate. Ce fut une des grandes villes de l'Orient ancien du IVᵉ millénaire au XVIIIᵉ s. av. J.-C. ; elle fut détruite par Hammourabi. Les fouilles ont confirmé l'importance de Mari entre le IVᵉ millénaire et le IIIᵉ s. av. J.-C. avec certains vestiges conservés sur une hauteur de 4 m et une résidence royale qui occupait 2,5 ha au début du IIe millénaire. Des milliers de tablettes inscrites en cunéiforme constituant les archives royales ont été recueillies ainsi que des statues (Louvre et musée d'Alep).

Maria Chapdelaine, roman de Louis Hémon (1916), qui décrit la rude existence d'une famille de défricheurs canadiens.

MARIACHI [marjatʃi] n.m. Au Mexique, musicien ambulant qui joue lors des mariages, des festivités.

MARIAGE n.m. -1. Acte solennel par lequel un homme et une femme établissent entre eux une union dont les conditions, les effets et la dissolution sont régis par les dispositions juridiques en vigueur dans leur pays (en France, par le Code civil), par les lois religieuses ou par la coutume ; union ainsi établie. -2. Cérémonie, réception organisée à l'occasion de la célébration de cette union. -3. Un des sept sacrements de l'Église catholique. -4. Combinaison, réunion de plusieurs choses, organismes, etc. : *Mariage de deux firmes industrielles.* -5. Jeu de cartes dans lequel l'un des buts est de réunir dans sa main un roi et une dame de même couleur. SYN. : brisque.

Mariage de Figaro (le) *ou la Folle Journée,* comédie en cinq actes et en prose de Beaumarchais (1784). Elle fait suite au *Barbier de Séville* et montre les vains efforts du comte Almaviva pour empêcher Figaro d'épouser Suzanne. Malgré les incartades de Chérubin, Figaro l'emportera sur le comte.

MARIAL, E, ALS ou **AUX** adj. Relatif à la Vierge Marie.

MARIANA DE LA REINA (Juan de), jésuite espagnol (Talavera de la Reina 1536 - Tolède 1624), auteur d'une *Histoire générale d'Espagne* (1592) et du traité *Du roi et de la royauté* (1599).

MARIANISTE n.m. Membre de la Société de Marie, institut clérical voué à l'éducation, fondé en 1817, à Bordeaux, par l'abbé Guillaume Chaminade.

Marianne, surnom de la République française, représentée par un buste de femme coiffée d'un bonnet phrygien. Elle apparut pour la première fois en 1792.

MARIANNES *(fosse des),* fosse très profonde (- 11 034 m) du Pacifique, en bordure de l'*archipel des Mariannes.*

MARIANNES *(îles),* archipel de la Micronésie, dans l'océan Pacifique, découvert par Magellan en 1521 et comprenant 15 îles volcaniques

et montagneuses entre 14 et 20° de lat. N. Élevage bovin. Cultures de fruits et légumes.

MARIANNES DU NORD *(Commonwealth des),* partie de l'archipel des Mariannes qui, à l'exception de Guam, forme, depuis 1977, un État associé aux États-Unis ; 477 km² ; 45 200 hab. Cap. *Saipan.*

MARIÁNSKÉ LÁZNĚ, en all. Marienbad, v. de la République tchèque (Bohême) ; 15 378 hab. Station thermale.

MARIB, localité du Yémen, à l'E. de Sanaa, ancienne capitale du royaume de Saba (IVe s. av. J.-C. - IVe s. apr. J.-C.). Un barrage en terre, long de 600 m, y fonctionna du Ve s. av. J.-C. au VIe s. apr. J.-C. Un nouveau barrage, construit à quelques kilomètres de l'ancien, a été inauguré en 1986.

MARIBOR, v. de Slovénie, sur la Drave ; 105 000 hab. Construction automobile. — Château des XVe et XVIIIe siècles (musée).

MARICA ou **MARITZA** (la), en gr. Evros, fl. né en Bulgarie, tributaire de la mer Égée et dont le cours inférieur sépare la Grèce et la Turquie ; 490 km. C'est l'*Hèbre* des Anciens.

MARIE, SAINTES mère de Jésus et épouse de Joseph. Cette Marie de Nazareth nous est connue

MARIE. Peinture d'Alessio Baldovinetti *(Vierge adorant l'Enfant) ;* XVe siècle. (Musée du Louvre, Paris.)

principalement par les deux premiers chapitres des Évangiles de Matthieu et surtout de Luc, qu'on appelle « Évangiles de l'enfance ». Le point de vue de la foi l'a emporté très tôt sur les données historiques. Dès les premiers temps de l'Église, on croit à la conception virginale de Jésus en Marie par l'action du Saint-Esprit. Au cours des siècles suivants, on met en relief, d'abord peut-être en Orient, l'importance, dans l'œuvre du salut, de la Vierge Marie, que le concile d'Éphèse, en 431, proclame *Theotokos*, ou « Mère de Dieu ». Au XIᵉ siècle se fait jour la croyance en l'Immaculée Conception tandis que va se développer la piété mariale, notamment avec Bernard de Clairvaux. La Réforme protestante s'en prend non seulement aux excès de celle-ci mais aussi à la théologie même qui la sous-tend. Dans l'Église catholique seront érigées en dogmes la doctrine de l'Immaculée Conception par Pie IX en 1854 et celle de l'Assomption par Pie XII en 1950.

MARIE L'ÉGYPTIENNE *(sainte)* [Égypte v. 345 - Palestine v. 422], courtisane repentie après une vision, elle passa le reste de sa vie retirée dans le désert.

ANGLETERRE, ÉCOSSE

MARIE Iʳᵉ STUART (Linlithgow 1542 - Fotheringay 1587), reine d'Écosse (1542-1567). Fille de Jacques V, reine à sept jours, elle épouse (1558) le futur roi de France François II. Veuve en 1560, elle revient en Écosse, où elle a à lutter à la fois contre la Réforme et contre les agissements secrets de la reine d'Angleterre Élisabeth Iʳᵉ. Elle épouse en 1565 Henri Stuart, lord Darnley, père du futur Jacques Iᵉʳ d'Angleterre. Son mariage avec Bothwell, assassin de lord Darnley, son autoritarisme et son catholicisme provoquent une insurrection et son abdication (1567). Réfugiée en Angleterre, elle se laisse impliquer dans plusieurs complots contre Élisabeth, qui la fait emprisonner et exécuter.

MARIE Iʳᵉ
STUART,
reine d'Écosse.
(Museum of Art,
Glasgow.)

MARIE Iʳᵉ TUDOR (Greenwich 1516 - Londres 1558), reine d'Angleterre et d'Irlande (1553-1558). Fille d'Henri VIII et de Catherine d'Aragon, elle chercha à rétablir le catholicisme, persécuta les protestants et fut surnommée Marie la Sanglante. Son mariage avec Philippe II d'Espagne (1554) provoqua une guerre avec la France, à l'issue de laquelle l'Angleterre perdit Calais.

MARIE Iʳᵉ
TUDOR,
reine
d'Angleterre
et d'Irlande.
Détail
d'un portrait
par A. Moro.
(Musée du Prado,
Madrid.)

MARIE II STUART (Londres 1662 - *id.* 1694), reine d'Angleterre, d'Irlande et d'Écosse (1689-1694). Fille de Jacques II, elle épousa Guillaume III de Nassau, qui lui fut associé comme roi corégnant.

BOURGOGNE

MARIE DE BOURGOGNE (Bruxelles 1457 - Bruges 1482), duchesse titulaire de Bourgogne. Fille unique de Charles le Téméraire, elle épousa Maximilien d'Autriche (1477), ce qui fit des Pays-Bas et de la Franche-Comté des possessions des Habsbourg.

FRANCE

MARIE DE MÉDICIS, reine de France (Florence 1573 - Cologne 1642). Fille du grand-duc de Toscane, elle épouse en 1600 le roi de France Henri IV. Au décès de celui-ci (1610), elle est reconnue régente par le Parlement. Elle renvoie les ministres du roi et accorde sa confiance à Concini. Elle mène une politique catholique et pro-espagnole et fait épouser à son fils Louis XIII l'infante Anne d'Autriche. Se heurtant à l'opposition des nobles, elle doit réunir les états généraux (1614-15). Privée du pouvoir après l'assassinat de Concini (1617), elle prend les armes contre son fils en 1619-20. Revenue à la cour grâce à la médiation de son conseiller, Richelieu, elle parvient à convaincre le roi de faire de ce dernier son principal ministre (1624). Elle cherche ensuite vaine-

MARIE
DE MÉDICIS,
reine de France.
Détail
d'un portrait
par Rubens.
(Musée du Prado,
Madrid.)

ment à faire disgracier le cardinal (journée des Dupes, 1630) et doit finalement s'exiler.

MARIE LESZCZYŃSKA, reine de France (Breslau 1703 - Versailles 1768). Fille du roi de Pologne Stanislas Leszczyński, elle épousa en 1725 le roi de France Louis XV et lui donna dix enfants.

MARIE DE FRANCE, poétesse française (1154-1189). Le premier écrivain femme de la littérature en langue vulgaire, elle est l'auteur de *Lais* et vraisemblablement d'un *Espurgatoire Saint Patrice*, récit d'un voyage visionnaire dans l'au-delà, et d'un *Ysopet,* recueil de fables antiques.

MARIE DE L'INCARNATION *(bienheureuse)* [Barbe Avrillot, Mᵐᵉ Acarie], religieuse française (Paris 1566 - Pontoise 1618). Veuve de Pierre Acarie, elle entra dans l'ordre des Carmélites, qu'elle avait introduit en France en 1604.

MARIE DE L'INCARNATION (Marie Guyard, en religion Mère), religieuse française (Tours 1599 - Québec 1672). Elle implanta l'ordre des Ursulines au Canada (1639). Ses *Relations* et ses *Lettres* constituent un document important sur l'histoire de la Nouvelle-France.

MARIE (Pierre), neurologue français (Paris 1853 - Cannes 1940). Élève de Charcot, il entreprit notamment des travaux sur des troubles du langage et de la motricité, des tumeurs du cerveau, des anomalies du squelette et des muscles.

MARIÉ, E n. Personne qui est sur le point de se marier ou qui vient de se marier : *Un marié en habit.*

MARIE-AMÉLIE DE BOURBON, reine des Français (Caserte 1782 - Claremont 1866). Fille de Ferdinand Iᵉʳ de Bourbon-Sicile, elle épousa, en 1809, le duc d'Orléans, futur Louis-Philippe.

MARIE-ANTOINETTE, reine de France (Vienne 1755 - Paris 1793). Fille de François Iᵉʳ, empereur germanique, et de Marie-Thérèse, elle épouse en 1770 le Dauphin Louis, qui devient Louis XVI en 1774. Elle se rend impopulaire du fait de ses dépenses, de l'avidité de ses familiers et de la calomnie qui l'atteint injustement lors de l'affaire du Collier. Ennemie des réformes, elle pousse Louis XVI à résister aux révolutionnaires. Instigatrice de la fuite à Varennes (1791), elle communique des plans militaires à la cour de Vienne et s'attire la haine des patriotes. Incarcérée au Temple après le 10 août 1792, puis à la Conciergerie en 1793, elle est guillotinée le 16 octobre.

MARIE-
ANTOINETTE,
reine de France.
Détail
d'un portrait par
A. U. Wertmüller.
(Château
de Versailles.)

MARIE-CHRISTINE DE BOURBON, reine d'Espagne (Naples 1806 - Sainte-Adresse 1878). Fille de François Iᵉʳ des Deux-Siciles, elle épousa en 1829 Ferdinand VII. Régente pour sa fille Isabelle II en 1833, elle dut faire face à la première guerre carliste (1833-1839).

MARIE-CHRISTINE DE HABSBOURG-LORRAINE, reine d'Espagne (Gross-Seelowitz 1858 - Madrid 1929). Seconde femme d'Alphonse XII, elle fut régente de 1885 à 1902.

MARIE-GALANTE, île des Antilles françaises, au sud-est de la Guadeloupe, dont elle dépend ; 157 km² ; 13 757 hab. Canne à sucre.

MARIE-LOUISE n.f. (pl. maries-louises). Bordure cartonnée, biseautée ou à gorge, fixée au bord intérieur d'un cadre.

Marie-Louise (les), nom familier donné aux conscrits appelés en 1813 sous la régence de l'impératrice Marie-Louise.

MARIE-LOUISE DE HABSBOURG-LORRAINE, impératrice des Français (Vienne 1791 - Parme 1847). Fille de François II, empereur germanique, elle épousa en 1810 Napoléon Iᵉʳ et donna naissance au roi de Rome

(1811). Régente en 1813, elle quitta Paris en mars 1814 avec son fils. Duchesse de Parme (1815), elle épousa successivement les Autrichiens Neipperg et Bombelles.

MARIE-MADELEINE ou **MARIE DE MAGDALA** *(sainte),* femme mentionnée dans l'Évangile comme étant de Magdala et ayant été « délivrée de sept démons » par Jésus. On l'a identifiée avec une pécheresse anonyme que Luc (VII, 36-50) nous montre arrosant de parfum les pieds de Jésus, ce qui explique que, dans la tradition, Marie-Madeleine soit vénérée et amplement représentée comme une pénitente. Aussi s'attache-t-on à distinguer trois Marie : la pécheresse évoquée par Luc, dont on ne peut être sûr qu'elle se soit appelée Marie ; Marie de Magdala, qui fut la première à voir Jésus ressuscité ; Marie de Béthanie, la sœur de Lazare et de Marthe.

MARIENBAD → MARIÁNSKÉ LÁZNĚ.

MARIER v.t. -1. Unir deux personnes par le lien conjugal. -2. Donner en mariage : *Marier sa fille.* -3. Associer des choses qui peuvent se combiner : *Marier des couleurs entre elles.* ◆ **se marier** v.pr. S'unir à qqn par les liens du mariage.

MARIE-SALOPE n.f. (pl. maries-salopes). [NON VULGAIRE]. Chaland à fond mobile destiné à recevoir les vases extraites par une drague et à les transporter en haute mer.

MARIE-THÉRÈSE (Vienne 1717 - id. 1780), archiduchesse d'Autriche (1740-1780), reine de Hongrie (1741-1780), de Bohême (1743-1780).

→ ● DOSSIER L'IMPÉRATRICE MARIE-THÉRÈSE *page 3408.*

MARIE-THÉRÈSE D'AUTRICHE, reine de France (Madrid 1638 - Versailles 1683). Fille de Philippe IV, roi d'Espagne, elle épousa Louis XIV en 1660 et lui donna six enfants, parmi lesquels survécut seulement Louis de France, dit le Grand Dauphin.

MARIETTE (Auguste), égyptologue français (Boulogne-sur-Mer 1821 - Le Caire 1881). Fondateur du Service des antiquités de l'Égypte, il découvrit notamment les tombeaux des taureaux Apis dans le serapeum de Memphis. Il créa le Musée égyptien du Caire.

MARIEUR, EUSE n. Personne qui aime à s'entremettre pour faciliter des mariages.

MARIE-VICTORIN (Conrad Kirouac, en religion frère), religieux et naturaliste canadien (Kingsey Falls, Québec, 1885 - près de Sainte-Hyacinthe 1944), fondateur du jardin botanique de Montréal.

Marignan *(bataille de)* [13-14 sept. 1515], victoire de François Ier (à Marignan, Lombardie) sur les Suisses pendant les guerres d'Italie. Le roi de France se fit armer chevalier par Bayard sur le lieu de la bataille, qui ouvrit aux Français la voie de la reconquête du Milanais.

MARIGNANE, ch.-l. de c. des Bouches-du-Rhône, près de l'étang de Berre ; 32 542 hab. Aéroport de Marseille (Marseille-Provence). Construction aéronautique.

MARIGNY (Enguerrand de), homme d'État français (Lyons-la-Forêt v. 1260 - Paris 1315). Conseiller de Philippe IV le Bel, il tenta une réforme des finances. Après la mort du roi, il fut pendu à Montfaucon pour prévarication.

MARIGOT n.m. Dans les pays tropicaux, bras mort d'un fleuve, d'une rivière, ou mare d'eau stagnante.

MARIJUANA [mariʒyana] ou **MARIHUANA** [marirwana] n.f. (mot hispano-amér.). Substance que forment les feuilles et les sommités fleuries des pieds femelles du chanvre indien *(Cannabis sativa),* utilisée comme drogue.

MARILLAC (Michel de), homme d'État français (Paris 1563 - Châteaudun 1632). Garde des Sceaux en 1629, il rédigea le *code Michau,* visant à abolir les vestiges de la féodalité, que le parlement ne voulut pas enregistrer. L'un des chefs du parti dévot, il conspira contre Richelieu et dut s'exiler après la journée des Dupes (1630).

MARIMBA n.m. Xylophone africain dont chaque lame est munie d'un résonateur en bambou, en bois ou fait d'une calebasse.

MARIN, E adj. -1. Qui relève de la mer, qui y vit, qui en provient : *Courants marins.* -2. Qui sert à la navigation sur mer ou qui en relève : *Carte marine.* -3. Qui tient bien la mer : *Bateau marin.* ◆ **marin** n.m. -1. Homme habile dans l'art de la navigation : *Les Phéniciens, peuple de marins.* -2. Personne employée professionnellement à la conduite et à l'entretien des navires de mer. -3. Vent du sud-est qui souffle de la Méditerranée vers le Languedoc, la Montagne Noire et les Cévennes et apporte d'importantes précipitations.

MARINA n.f. Ensemble immobilier construit en bord de mer et comprenant à la fois habitations et installations portuaires pour les bateaux de plaisance.

MARINADE n.f. -1. Mélange liquide aromatique composé de vinaigre, de sel, d'épices, etc., qui sert à conserver viandes et poissons et à leur donner un arôme particulier. -2. Viande, poisson marinés.

MARISQUE

1. **MARINE** n.f. -**1.** Ensemble de ce qui relève de l'art de la navigation sur mer, du service de mer. -**2.** Ensemble des gens de mer, des navires et des activités qui s'y rapportent. -**3.** (Avec une majusc.). Administration maritime : *Ministère de la Marine.* -**4.** Puissance navale, marine militaire d'un État. -**5.** Tableau représentant une vue de mer, de port, etc. -**6.** Le plus allongé des formats de châssis pour tableaux, utilisé notamm. pour la peinture des marines. -**7.** *Artillerie, infanterie, troupes de marine,* formations de l'armée de terre chargées de la sécurité des territoires français d'outre-mer et constituant une part importante des forces terrestres d'intervention (appelées *troupes coloniales* de 1900 à 1958). ‖ *Marine de guerre* ou *marine militaire,* ensemble des forces navales et aéronavales d'un État, destinées à la guerre sur mer. ‖ (Avec une majusc.). *Marine nationale,* nom de la marine militaire, en France.
→ ● **DOSSIER** LA MARINE *page 3411.*

2. **MARINE** n.m. Fusilier marin dans les forces navales britanniques et américaines.

Marine *(musée de la),* musée d'histoire maritime créé à Paris et installé au Louvre en 1827 puis transféré au palais de Chaillot en 1943. Il renferme de nombreuses maquettes de bateaux.

MARINER v.t. -**1.** Mettre un aliment en marinade, le faire tremper dans une marinade. -**2.** Enlever les produits d'abattage après un tir de mine. ◆ v.i. -**1.** Tremper dans une marinade, en parlant d'un aliment. -**2.** FAM. Attendre longtemps et, souvent, dans une situation inconfortable ou peu agréable.

MARINETTI (Filippo Tommaso), écrivain italien (Alexandrie, Égypte, 1876 - Bellagio 1944). Il fut l'initiateur du futurisme, dont il lança les premiers manifestes (1909-1912) et qu'il illustra dans ses drames satiriques et ses récits (*Mafarka le Futuriste,* 1909).

MARINGOUIN n.m. CANADA, LOUISIANE. Moustique ou insecte piqueur voisin (cousin, etc.).

MARINIDES ou **MÉRINIDES,** dynastie berbère qui régna au Maroc de 1269 à 1465.

MARINIER, ÈRE adj. -**1.** Qui appartient à la marine. -**2.** *Arche marinière,* arche d'un pont, plus large que les autres, sous laquelle passent les bateaux. ‖ *Officier marinier,* sous-officier de la Marine nationale appartenant au cadre de maistrance. ◆ **marinier** n.m. Batelier. ◆ **marinière** n.f. -**1.** Blouse très ample, qui se passe par la tête, souvent ornée d'un col carré dans le dos. -**2.** *Moules (à la) marinière,* moules cuites dans leur jus additionné de vin blanc et aromatisé aux fines herbes.

MARINISME n.m. Préciosité stylistique rappelant la manière de l'écrivain italien G. *Marino.*

MARIN LA MESLÉE (Edmond), officier aviateur français (Valenciennes 1912 - près de Dessenheim, Haut-Rhin, 1945). Premier chasseur français avec 20 victoires en 1940, il fut abattu en combat aérien lors de sa 105e mission.

MARINO ou **MARINI** (Giambattista), poète italien (Naples 1569 - *id.* 1625), connu en France sous le nom de **Cavalier Marin.** Premier poète de son temps, il est l'auteur d'une œuvre surchargée de métaphores et d'antithèses (*La Lira,* 1616 ; *Adonis,* 1623) qui influença profondément la littérature précieuse.

MARIOLOGIE n.f. Partie de la théologie catholique concernant la Vierge Marie.

MARIONNETTE n.f. -**1.** Petite figure de bois ou de carton qu'une personne cachée fait mouvoir avec la main ou grâce à des fils. -**2.** Personne frivole, sans caractère, que l'on fait mouvoir à sa guise.

MARIONNETTISTE n. Montreur, manipulateur de marionnettes.

MARIOTTE (Edme), physicien français (? v. 1620 - Paris 1684). Il fut l'un des fondateurs de la physique expérimentale en France. Il étudia la déformation élastique des solides, découvrit le point aveugle de l'œil humain et énonça en 1676, peu après Boyle en Angleterre, la loi de compressibilité des gaz qui porte leur nom : « À température constante, le volume d'une masse gazeuse varie en raison inverse de sa pression. » Il s'intéressa également à l'optique et à l'hydrodynamique.

MARIOUPOL, de 1948 à 1989 Jdanov, port d'Ukraine, sur la mer d'Azov ; 517 000 hab. Sidérurgie.

MARIOUT *(lac),* anc. Maréotis, lagune du littoral égyptien, séparée de la mer par une langue de terre sur laquelle s'élève Alexandrie.

MARIS ou **TCHÉRÉMISSES,** peuple finno-ougrien habitant, au N. de la Volga, la *République des Maris* (Russie) [750 000 hab. Cap. *Iochkar-Ola*].

MARISQUE n.f. (lat. *marisca,* figue sauvage). Tuméfaction fibreuse du pourtour de l'anus, reliquat d'une hémorroïde résorbée.

L'IMPÉRATRICE
MARIE-THÉRÈSE

C'est à Marie-Thérèse que revient en grande partie le mérite de la transformation de l'Empire autrichien en État moderne, sinon dans le domaine culturel, où l'emporte son esprit religieux, du moins dans le domaine économique, où l'Autriche s'ouvre aux premières réalisations de la révolution industrielle. Malgré la fermeté dont elle a fait preuve, elle n'a pu cependant empêcher l'ascension de la Prusse.

Née à Vienne en 1717, fille aînée de Charles VI, Marie-Thérèse devient à la mort de son père, en 1740, archiduchesse d'Autriche, reine de Hongrie et de Bohême. Ayant épousé en 1736 François de Lorraine, qui devient en 1745 empereur (du Saint Empire), elle porte dès lors le titre d'impératrice. Elle aura de nombreux enfants, parmi lesquels les futurs Joseph II, Léopold II et Marie-Antoinette.

LE THALER

Sur cette monnaie, Marie-Thérèse porte les titres d'impératrice et reine de Hongrie et de Bohême par la grâce de Dieu ❶. Il s'agit d'un thaler (ou taler), pièce d'argent qui doit son nom au fait qu'elle était fabriquée avec l'argent des mines de Sankt Joachimsthal, en Bohême. Le thaler était si prisé qu'il resta en circulation en Autriche jusqu'à la seconde moitié du XIXᵉ siècle et fut à l'origine du mot « dollar ».

❶ Thaler
de Marie-Thérèse.
(B. N., Paris.)

❷ Marie-Thérèse,
François Iᵉʳ et leurs
enfants. Peinture
de M. Mytens.
(Château de Versailles.)

La défense de l'héritage des Habsbourg.

Dès son avènement, Marie-Thérèse doit défendre son héritage. Ses droits reposent sur la pragmatique sanction, rédigée sur ordre de son père en 1713. Selon cet acte, tous les royaumes et provinces dont le souverain Habsbourg a hérité doivent être transmis en bloc, à son héritier mâle et, à défaut, aux héritiers du sexe féminin dans l'ordre de primogéniture. La pragmatique sanction prescrit donc l'indivisibilité des possessions des Habsbourg, qui comprennent, à l'époque, l'Autriche, la Bohême, la Hongrie, la Valachie occidentale, les Pays-Bas et une grande partie de l'Italie. Elle est reconnue par les différentes diètes des États et, à l'origine, par les puissances européennes. Malgré ces promesses, les cousins de Marie-Thérèse n'en manifestent pas moins des prétentions sur tout ou partie de l'héritage, appuyés par la France et l'Espagne. Désireux d'abattre la maison d'Autriche, ces États s'engagent dans la guerre de la Succession d'Autriche (1740-1748). Frédéric II conquiert la Silésie (1740-41), et Charles-Albert de Bavière s'installe à Linz et à Prague et se fait élire à la tête du Saint Empire en 1742. Marie-

LA FAMILLE IMPÉRIALE
La postérité a aussi retenu de Marie-Thérèse l'image d'un profond attachement à son époux, François de Lorraine (l'empereur François Ier, corégent des États des Habsbourg jusqu'à sa mort en 1765), et à ses nombreux enfants : cinq fils et dix filles ❷.

MARIE-THÉRÈSE D'AUTRICHE

Thérèse s'allie à l'Angleterre, gagne la confiance des Hongrois, sauve ses États et parvient à faire élire son mari empereur (1745). À l'instigation de son chancelier, Kaunitz, elle accepte un renversement d'alliances : c'est aux côtés de la France qu'elle s'engage dans la guerre de Sept Ans (1756-1763), dirigée contre Frédéric II, guerre qui affaiblit le Saint Empire et ne permet pas à Marie-Thérèse de récupérer la Silésie.

La réorganisation intérieure.

Sur le plan intérieur, Marie-Thérèse réorganise ses États et met en œuvre de nombreuses réformes faisant une large place à la centralisation. L'influence de l'archiduc Joseph et celle de ses ministres Kaunitz et de Haugwitz sont certes déterminantes, mais les décisions émanent de la souveraine et lui valent la réputation de despote éclairé. Elle fait cependant preuve d'une extrême prudence afin de ne jamais heurter les privilèges de la noblesse au sein de chacun de ses États. Ainsi, elle simplifie l'administration, diminue les pouvoirs des États locaux et réunit les chancelleries de Bohême et d'Autriche (1749) ; mais elle ménage la Hongrie, à laquelle des concessions ont été accordées en 1742. L'égalité devant l'impôt n'est pas proclamée mais la confection d'un cadastre améliore le rendement de la fiscalité, ce qui permet de renforcer et de réorganiser l'armée. Profondément religieuse, Marie-Thérèse réforme l'enseignement, dont l'Église a la charge. En 1773, l'ordre des Jésuites, dont l'esprit est jugé rétrograde, est supprimé. Enfin, l'impératrice apporte un soin particulier au développement économique. Pour mettre en valeur les ressources et accroître la population, elle fait appel à de la main-d'œuvre spécialisée étrangère et aide les industries minières, métallurgiques et textiles. Mais sa politique agraire ne se traduit que par de timides réformes.

Le partage du pouvoir avec Joseph II.

À la mort de François Ier (1765), Marie-Thérèse a songé à quitter le pouvoir, mais elle reste dans le but de résister aux velléités de réformes radicales de son fils Joseph, qui devient cependant corégent. La prudence de la reine, attachée à respecter le subtil compromis établi entre la monarchie et les élites des différentes nationalités, contraste avec les buts et les méthodes du futur Joseph II, dont les réformes brutales, heurtant de front les particularismes nationaux, provoqueront les révoltes de Belgique et de Hongrie. Dans les domaines militaire et diplomatique, où elle laisse à son fils de vastes pouvoirs, l'impératrice accepte le premier partage de la Pologne (1772), se fait céder la Bucovine par les Turcs en 1775 mais soutient mal son fils lors de sa tentative d'annexer la Bavière (1778-79).

LA MARINE

La prépondérance des mers à la surface de la Terre a conduit très tôt les peuples à construire des navires destinés à la guerre, au commerce ou à la pêche.

La marine marchande.

Les navires à voiles. Pendant longtemps, le commerce maritime s'est effectué à l'aide de navires à voiles, notamment *nefs* et *cogghes* au Moyen Âge ; *caravelles, caraques, galions, hourques* et *galères* à partir de la Renaissance ; *bricks, brigantins* et *goélettes* au XVIIIᵉ siècle. Les derniers long-courriers marchands à voiles ont été, au milieu du XIXᵉ siècle, les *cap-horniers* (qui suivaient des routes doublant le cap Horn) et les *clippers,* grands voiliers rapides créés aux États-Unis principalement pour le commerce du thé de Chine ou le transport de la laine et des céréales d'Australie.

Les navires à propulsion mécanique. Reprenant l'idée émise au début du XVIIIᵉ siècle par Denis Papin, les Français d'Auxiron, Follenay puis J. C. Périer et Jouffroy d'Abbans sont les premiers à installer des machines à vapeur sur des navires (1774-1778). Jouffroy d'Abbans réussit, avec son deuxième bâtiment, à remonter la Saône (1783). En 1803, l'Américain R. Fulton fait évoluer sur la Seine un bateau à roues ; en 1806, il regagne l'Amérique et met en service sur l'Hudson un navire de 100 t, le *Clermont.* La navigation à vapeur est née. En 1819, le *Savannah,* navire de mer équipé de roues, relie l'Amérique à l'Angleterre, en utilisant toutefois aussi sa voilure. Les inconvénients de la roue, par mer agitée, sa vulnérabilité entraînent bientôt l'adoption de l'hélice pour la propulsion des navires de haute mer. Le Français F. Sauvage prend le premier brevet en 1832. Les premiers essais à la mer sont faits par le Suédois J. Ericsson (1837) et par le Britannique F. P. Smith (1839). Les premiers navires en fer sont construits vers 1820. L'ingénieur britannique I. K. Brunel construit les premiers grands navires à coque en fer propulsés par hélice, le *Great Britain* (1843) et le *Great Eastern* (1858). Vers 1860, l'acier se substitue au fer. L'évolution la plus spectaculaire est celle des paquebots. Au lendemain de la Première Guerre mondiale apparaissent la turbine, pour les navires rapides, et le moteur Diesel, au fonctionnement économique. Le mazout remplace peu à peu le charbon comme combustible. La radio est installée sur tous les navires. La composition des flottes marchandes se transforme vers 1965 avec l'apparition de nouveaux navires à haut rendement : rouliers, porte-conteneurs, méthaniers, et une meilleure spécialisation des pétroliers,

LA MARINE

❶ Pétrolier stationnant dans le port de Rotterdam (Pays-Bas).

LES MUTATIONS DU TRANSPORT MARITIME

Depuis une vingtaine d'années, la construction navale ❷ et la marine marchande ❶ sont marquées par la baisse des trafics pétroliers, les surcapacités et l'émergence de nouveaux compétiteurs asiatiques (Japon, Corée), tandis que le succès des croisières d'agrément a suscité la réapparition des paquebots ❸. Le transport maritime représente désormais un secteur très concurrentiel où l'innovation technologique joue un rôle crucial.

minéraliers et vraquiers. Les années 1960 marquent aussi les débuts de la radionavigation par satellites.

La construction navale.

Les caractéristiques générales du navire. Les constructions au-dessus du pont sont les *superstructures,* dont les parois latérales prolongent les *murailles* de la coque, et les *roufs.* Les caractéristiques usuelles d'un navire sont ses *dimensions,* c'est-à-dire longueur, largeur et creux (hauteur du point le plus bas du pont supérieur au-dessus de la quille) ; son *tirant d'eau* (distance verticale entre la flottaison et le dessus de la quille) et son *francbord* (distance verticale, mesurée au milieu du navire et en abord, entre la flottaison et la face supérieure du pont de francbord, généralement le pont supérieur) ; son *déplacement,* poids total du navire équilibré par la poussée de l'eau déplacée, en particulier le déplacement *en charge* (maximal autorisé) et le déplacement *lège,* c'est-à-dire sans équipage, ni passagers, ni bagages et sans aucun chargement ou approvisionnement ; son *volume de carène ;* son *port en lourd,* poids total que le navire peut embarquer sans s'immerger au-delà de sa flottaison en charge et, pour un navire de commerce, sa *jauge,* volume intérieur du navire mesuré selon des règlements particuliers.

La conception et la construction. Les caractéristiques générales du navire sont déterminées pour un programme donné :

LA MARINE

❷ Bassin de radoub
d'un chantier naval.

❸ Le paquebot
Monarch of the seas.

LA MARINE

**DU GALION
AU PORTE-AVIONS**

Plus fin et plus rapide que la nef, le galion ❹ reste jusqu'à la fin du XVIIᵉ siècle le bâtiment de guerre par excellence. C'est vers cette date qu'apparaissent les marines modernes organisées en vue de la guerre et dont les bâtiments sont conçus pour le combat. Le navire de guerre par excellence est le vaisseau de ligne ❺, à la puissante artillerie, qui reste le maître des mers jusqu'au milieu du XIXᵉ siècle, lorsque la vapeur détrône la voile. Les progrès de l'artillerie amènent le recouvrement des coques en bois par des plaques de blindage et, entre 1870 et 1880, l'acier est substitué au fer dans la construction des navires. Vers 1905, le mazout et la turbine commencent à remplacer le charbon et la machine à piston pour la propulsion de ces navires. En 1914, le cuirassé ❻ devient le navire principal des marines de guerre. La Seconde Guerre mondiale voit le porte-avions détrôner le cuirassé, tandis que sur le plan technique apparaissent le radar et l'asdic (1939). La propulsion nucléaire et le remplacement de l'artillerie par les missiles ❾ renforcent la spécificité des missions de chacun des navires ❼, ❽ en service dans les marines de guerre.

vitesse, rayon d'action, port en lourd et volume correspondant nécessaire, éventuellement nombre de passagers et degré de leur confort, compte tenu de toutes les exigences relatives à la sécurité, à la solidité et à l'hygiène ainsi que des servitudes de l'exploitation. La puissance propulsive nécessaire dépend de la résistance à l'avancement de la carène pour la vitesse prévue, cette résistance étant souvent déterminée expérimentalement, sur des modèles réduits, dans des *bassins d'essais,* au moyen d'essais en remorquage et en autopropulsion (à l'aide d'hélices à l'échelle du modèle). Pour déterminer la puissance à fournir à l'hélice, il faut faire entrer en ligne de compte la résistance de l'air, la rugosité de la carène ainsi que l'influence de l'état de la mer et du temps moyen rencontrés. D'autre part, pour définir les « échantillons » des éléments de la charpente du navire, on assimile ce dernier à une poutre soumise, en eau calme et sur houle, à des efforts, qui sont des poids et des poussées, à partir desquels on détermine les efforts tranchants et les moments de flexion en chaque point de la longueur. En outre, il faut tenir compte de divers efforts additionnels, dus en particulier aux mouvements du navire et aux charges locales diverses.

La construction est réalisée soit sur une *cale* inclinée, à partir de laquelle le lancement du navire est effectué, soit dans une *forme de construction,* que l'on met en eau le moment venu. Après traçage, le chantier procède à la construction et au montage de la coque, généralement par éléments préfabriqués soudés.

Les différents types de navires à propulsion mécanique. D'après leur système de construction, on distingue les *navires à construction transversale,* où dominent des raidisseurs transversaux (membrures), et les *navires à construction longitudinale,* où dominent des raidisseurs longitudinaux (lisses).

D'après leur zone de navigation, on distingue les navires pouvant naviguer en haute mer, ceux qui peuvent naviguer dans les eaux côtières et ceux qui ne peuvent évoluer que dans les eaux abritées. Ceux de la première catégorie sont susceptibles de naviguer en toutes zones ; ceux de la deuxième catégorie naviguent à une distance maximale des côtes qui leur permet de faire relâche dans un lieu abrité en six heures au plus ; ceux de la troisième catégorie naviguent dans les ports, rades ou estuaires.

D'après leur utilisation, on distingue cinq catégories de navires :

1° les *paquebots,* ou *navires à passagers,* ce nom étant attribué à tout navire qui transporte plus de douze passagers d'après la

LA MARINE

convention de la sauvegarde de la vie humaine en mer de 1974 ; cette catégorie inclut les paquebots transocéaniques ou de croisière et les *transbordeurs* (car-ferries et ferry-boats) ;

2° les *navires de charge,* ou *cargos,* qui transportent les marchandises les plus variées et se subdivisent en cargos classiques, cargos polyvalents, porte-conteneurs, rouliers, vraquiers, minéraliers, transporteurs de colis lourds, etc. ; à cette catégorie peuvent être rattachées les barges transocéaniques de transport ;

3° les *navires-citernes,* qui se subdivisent en pétroliers, transporteurs de gaz liquéfiés, transporteurs de produits chimiques ;

4° les *engins portuaires,* docks flottants, remorqueurs, dragues et autres engins de servitude ;

5° les navires affectés aux travaux en mer, navires de forage à positionnement dynamique, navires de plongée, barges de levage.

La marine de guerre.

L'Antiquité et le Moyen Âge. C'est en Méditerranée que se manifeste pour la première fois la puissance de la mer avec l'apparition des flottes égyptienne et phénicienne. Les cités grecques, Carthage puis Rome cherchent à obtenir la maîtrise de la mer et développent, parallèlement à leurs navires de commerce, une flotte de combat. À cette époque, le combat, bord à bord, ressemble à une bataille terrestre. Au Moyen Âge, lors des croisades, les flottes italiennes (Venise, Gênes) assurent les liaisons et font face au problème de la piraterie musulmane. Les cités marchandes de la Hanse et des Flandres disposent de forces navales pour la protection de leur commerce. Pendant la guerre de Cent Ans, la maîtrise de la mer permet aux Anglais de

❹ Galion anglais (XVIᵉ s.).

LA MARINE

guerroyer en France. À la fin du XVe siècle, les progrès techniques et l'amélioration des qualités nautiques des navires permettent les premières traversées océaniques.

Les Temps modernes. La recherche de nouveaux territoires à explorer et de nouvelles routes commerciales stimule les flottes européennes. Il s'ensuit une période de compétition qui aboutit, au XVIIIe siècle, à l'établissement de l'hégémonie maritime britannique. Les marines de cet âge classique sont composées de corvettes, de frégates, de galiotes et surtout de vaisseaux de ligne. La multiplication des canons de bord finit par transformer le combat naval, où la canonnade remplace l'abordage.

Ayant atteint son apogée au milieu du XIXe siècle, la marine à voile ne résistera pas à l'assaut de techniques nouvelles : pro-

❺ Vaisseau de haut rang français (XVIIIe s.).

❻ Cuirassé britannique *Dreadnought* (1906).

LA MARINE

pulsion à vapeur, blindage en fer puis en acier, artillerie rayée et obus explosifs.

Le xxᵉ siècle. La lutte entre le canon et la cuirasse se traduit alors par une course au tonnage. À partir de 1906, le cuirassé va donner au navire de ligne son aspect définitif pour près d'un demi-siècle. La Première Guerre mondiale, marquée par un seul véritable affrontement naval (Jütland, mai 1916), n'en souligne pas moins le rôle déterminant de la mer : blocus des puissances centrales, transport des troupes sur les champs de bataille, lutte contre les sous-marins. Avec la Seconde Guerre mondiale, le rôle dévolu aux marines de guerre est l'objet d'un véritable changement d'échelle. La maîtrise de la mer cesse de s'identifier avec la surface ; la menace aérienne et sous-marine pèse sur la liberté des routes de communication et sur la sécurité

❼ Corvette française pour la lutte anti-sous-marins *Montcalm* (1981). *[Ci-dessous.]*

❽ Patrouilleur français l'*Audacieuse* (1985). *[En bas.]*

des convois. Dès 1942, le porte-avions, avec ses navires de protection, détrône le cuirassé.

Depuis la fin de la Seconde Guerre mondiale, les flottes de combat tendent à s'organiser autour du porte-avions et du sous-marin à propulsion nucléaire. Le porte-avions, soutenu par des bâtiments logistiques, est la pièce maîtresse de forces d'intervention lointaine. L'équipement généralisé des navires en missiles antiaériens et anti-sous-marins bénéficie de systèmes électroniques et informatiques de traitement et d'exploitation des informations tactiques. Le sous-marin offre des possibilités comme bâtiment d'attaque ou comme lanceur de missiles balistiques à charges nucléaires ; il reste à ce jour l'atout majeur de la stratégie des grandes puissances, en raison des difficultés liées à sa détection.

Les navires de guerre de surface actuels. Mis à part les *cuirassés* américains *Missouri, Wisconsin, Iowa* et *New Jersey*, armés de tourelles de 406 mm et remis en service au début des années 1980, les plus grands navires de surface actuels sont les *croiseurs*. Par leur équipement, ces bâtiments sont polyvalents, de l'escorte des porte-avions aux missions localisées. Les autres types de bâtiments de combat sont, par ordre de puissance décroissant : les *destroyers,* navires d'escorte équipés d'un armement antiaérien et anti-sous-marin très complet ; les *frégates,* souples d'emploi, souvent utilisées comme supports d'opérations amphibies ; les *escorteurs,* dont le nom indique la fonction ; les *corvettes,* dont les plus petites peuvent être assimilées aux vedettes lance-missiles ; les *avisos-escorteurs,* avisos et patrouilleurs.

❾ Écorché
du destroyer
américain
Spruance (1975).

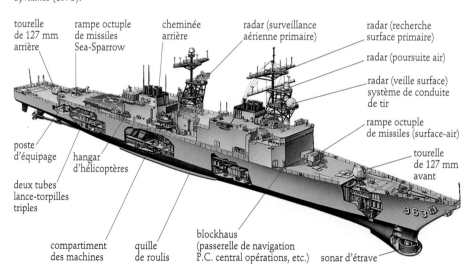

tourelle de 127 mm arrière	rampe octuple de missiles Sea-Sparrow	cheminée arrière	radar (surveillance aérienne primaire)	radar (recherche surface primaire)

radar (poursuite air)

radar (veille surface) système de conduite de tir

rampe octuple de missiles (surface-air)

tourelle de 127 mm avant

poste d'équipage

hangar d'hélicoptères

deux tubes lance-torpilles triples

compartiment des machines

quille de roulis

blockhaus (passerelle de navigation P.C. central opérations, etc.)

sonar d'étrave

MARISTE n.m. Membre de deux congrégations religieuses vouées à la Vierge : la Société de Marie, qui se consacre aux tâches missionnaires ; les Petits Frères de Marie, ou frères maristes, institut enseignant composé de religieux laïcs.

MARITAIN (Jacques), philosophe et homme de lettres français (Paris 1882 - Toulouse 1973). Converti à un catholicisme exigeant et militant (1906), il devint le champion du néothomisme. Il joua un rôle majeur, entre les deux guerres, dans le mouvement de renouveau intellectuel et spirituel du catholicisme français avec, notamment, *Primauté du spirituel* (1927).

MARITAL, E, AUX adj. Qui relève du mari ; qui appartient au mari. ◆ **maritalement** adv. Comme des époux, mais sans être mariés : *Vivre maritalement.*

MARITIME adj. -1. Qui est au bord de la mer. -2. Relatif à la mer ou à la navigation sur mer. -3. *Plante maritime,* plante que l'on trouve au voisinage de la mer. (À distinguer de *plante marine,* plante qui vit dans la mer.)

MARITZA (la) → MARICA.

MARIUS (Caius), général et homme politique romain (Cereatae, près d'Arpinum, 157 - Rome 86 av. J.-C.). Plébéien, il rompt avec Metellus, l'un des chefs aristocrates, et se pose en champion du peuple. Il obtient, en 107, le consulat et le commandement de l'armée d'Afrique ; il constitue une véritable armée de métier, grâce à laquelle il vient à bout de Jugurtha (105), des Teutons à Aix (102) et des Cimbres à Verceil (101). Mais le parti aristocratique reprend l'avantage avec Sulla, qui, vainqueur en Orient, marche sur Rome (88). Marius doit s'exiler en Afrique. Sulla étant reparti pour l'Orient, Marius rentre à Rome (86) avec l'aide de Cinna. Consul pour la septième fois, il meurt peu après.

MARIVAUDAGE n.m. -1. Langage raffiné et précieux propre à l'expression de la passion amoureuse, dont le modèle est le théâtre de Marivaux. -2. LITT. Badinage spirituel et superficiel ; échange de propos galants et raffinés.

MARIVAUDER v.i. LITT. Se livrer au marivaudage, au badinage galant.

MARIVAUX (Pierre Carlet de Chamblain de), écrivain français (Paris 1688 - *id.* 1763). → ● DOSSIER MARIVAUX *page 3423.*

MARJOLAINE n.f. Plante aromatique de la famille des labiées. SYN. : origan.

MARK n.m. -1. Unité monétaire principale de la République fédérale d'Allemagne. (On dit aussi *Deutsche Mark.*) -2. *Mark finlandais,* markka.

MARKETING [marketiŋ] n.m. -1. Ensemble des actions coordonnées (études de marché, publicité, promotion sur le lieu de vente, stimulation du personnel de vente, recherche de nouveaux produits, etc.) qui concourent au développement des ventes d'un produit ou d'un service. Recomm. off. : *mercatique.* -2. *Marketing direct,* méthode de vente, comme la vente par correspondance, permettant une relation directe entre le client et l'entreprise. -3. *Marketing mix,* marchéage.

MARKHAM, v. du Canada (Ontario) ; 137 591 hab.

MARKKA n.m. (pl. markkaa). Unité monétaire principale de la Finlande. SYN. : mark finlandais.

MARKOV (Andreï Andreïevitch), mathématicien russe (Riazan 1856 - Petrograd 1922). En théorie des probabilités, il introduisit, pour étudier la loi des grands nombres, les chaînes d'événements, dites « chaînes de Markov », dont le futur, à partir d'un présent connu, est indépendant du passé.

MARKOWITZ (Harry), économiste américain (Chicago 1927). Il a obtenu en 1990 le prix Nobel de sciences économiques avec Merton Miller et William Sharpe pour leurs travaux sur la théorie économique financière et le financement des entreprises. Il a développé la théorie dite « du choix de portefeuille ».

MARLBOROUGH (John Churchill, *duc* de), général anglais (Musbury 1650 - Granbourn Lodge 1722). En 1688, il passa du camp de Jacques II au parti de Guillaume d'Orange. À l'avènement de la reine Anne (1702), il devint commandant en chef des troupes britanniques. Généralissime des armées alliées, il remporta de nombreuses victoires, dont celle de Malplaquet (1709), au cours de la guerre de la Succession d'Espagne. Il fut disgracié en 1710. Son nom est devenu légendaire grâce à la chanson populaire dont il est le héros sous le nom de Malbrough.

MARLEY (Robert Nesta, dit Bob), chanteur, guitariste et compositeur de reggae jamaïcain (Rhoden Hall, Saint Ann, 1945 - Miami, États-Unis, 1981). « Pape » du reggae, il combina, avec son groupe The Wailers, le ska jamaïcain, le rhythm and blues, le rock and roll des pionniers et tout l'acquis de la pop music.

MARLI n.m. Limite séparant l'aile du fond d'une assiette ou d'un plat.

MARLIN n.m. Poisson téléostéen des mers chaudes, dont le rostre constitue un trophée apprécié dans la pêche au gros.

MARLOWE (Christopher), poète dramatique anglais (Canterbury 1564 - Deptford, Londres, 1593). Le plus grand des prédécesseurs de Shakespeare, il a donné des drames et des tragédies, dont *la Tragique Histoire du docteur Faust* (1588) et *Édouard II* (v. 1592), la première tragédie historique du théâtre anglais. Son poème lyrique *Héro et Léandre* (1598) est un hymne à l'homosexualité malheureuse.

Marlowe (Philip), personnage de détective privé créé, en 1939, par Raymond Chandler.

MARLY-LE-ROI, ch.-l. de c. des Yvelines, près de la Seine ; 16 775 hab. *(Marlychois)*. — Louis XIV y avait fait bâtir par J. Hardouin-Mansart un petit château accompagné de douze pavillons pour la cour, ensemble qui fut détruit sous la Révolution ; beau parc avec plans d'eau, moulages des *Chevaux* de Coustou et « Musée-promenade » de Marly-Louveciennes.

MARMAILLE n.f. FAM. Bande, troupe désordonnée et bruyante de tout jeunes enfants.

MARMANDE, ch.-l. d'arr. de Lot-et-Garonne, sur la Garonne ; 18 326 hab. *(Marmandais)*. Centre de production maraîchère. Alimentation. Constructions mécaniques. — Église des XIIIᵉ-XVIᵉ siècles.

MARMARA *(mer de)*, mer intérieure du bassin de la Méditerranée, entre les parties européenne et asiatique de la Turquie ; env. 11 500 km². C'est l'anc. *Propontide*.

MARMELADE n.f. (port. *marmelada*, de *marmelo*, coing). Compote de fruits coupés en morceaux et cuits avec du sucre jusqu'à ce qu'ils aient une consistance de purée.

MARMITE n.f. Récipient avec couvercle, sans manche (à la différence de la casserole), génér. muni d'anses, dans lequel on fait cuire les aliments ; son contenu. GÉOMORPH. *Marmite de géants* ou *marmite torrentielle,* cavité que l'érosion creuse, avec l'aide de graviers et de galets, dans une roche assez compacte pour s'user sans s'émietter. PHYS. *Marmite de Papin* ou *marmite à pression,* vase clos muni d'une soupape de sûreté et dans lequel on peut élever

l'eau liquide à une température supérieure à celle de l'ébullition à l'air libre.

MARMITON n.m. Apprenti attaché au service de la cuisine dans un restaurant.

MARMOLADA (la), point culminant des Dolomites (Italie) ; 3 342 m.

MARMONNEMENT n.m. Action de marmonner ; bruit fait en marmonnant.

MARMONNER v.i. Murmurer entre ses dents, d'une manière confuse et, souvent, avec hostilité. ◆ v.t. Dire qqch en murmurant entre ses dents : *Marmonner des injures.*

MARMONT (Auguste Viesse de), *duc* de Raguse, maréchal de France (Châtillon-sur-Seine 1774 - Venise 1852). Il commanda en Dalmatie (1806), au Portugal et en Espagne (1811-12) puis pendant la campagne de France (1814). Après entente avec les coalisés (4 avr.), il dirigea ses troupes sur la Normandie, décidant ainsi de l'abdication de Napoléon.

MARMONTEL (Jean-François), écrivain français (Bort-les-Orgues 1723 - Habloville, Eure, 1799). Protégé par Voltaire, il se fit connaître dans les salons philosophiques par ses *Contes moraux* (1755-1765). Il écrivit également des romans (*Bélisaire,* 1767 ; *les Incas,* 1777) et des *Mémoires.* (Acad. fr. 1763.)

MARMORÉEN, ENNE adj. Qui a la nature ou l'aspect du marbre.

MARMOT n.m. -1. FAM. Petit enfant. -2. ANC. Figurine grotesque qui, souvent, servait de heurtoir.

MARMOTTE n.f. -1. Mammifère rongeur dont une espèce vit dans les Alpes entre 1 500 et 3 000 m d'altitude et hiberne plusieurs mois dans un terrier. (Long. 50 cm.) -2. Boîte à échantillons des voyageurs de commerce. -3. Cerise bigarreau d'une variété à chair ferme.

MARMOUSET n.m. (de l'anc. fr. *marmote,* guenon). -1. Figurine grotesque : *Marmousets sculptés sur les portails des églises.* -2. Chenet dont une extrémité est ornée d'une figure. -3. Ouistiti ou tamarin (singes). ◆ pl. Nom sous lequel les ducs de Bourgogne et de Berry désignèrent les anciens conseillers de Charles V, rappelés au gouvernement par Charles VI en 1388.

1. **MARNAGE** n.m. Différence entre la hauteur de la pleine mer et celle de la basse mer.

2. **MARNAGE** n.m. Opération consistant à marner une terre.

MARNE n.f. Roche sédimentaire argileuse contenant une forte proportion (de 35 à 65 %) de calcaire et que l'on utilise pour amender les sols acides et pour fabriquer du ciment.

MARNE (la), riv. qui naît sur le plateau de Langres, passe à Chaumont, Saint-Dizier, Vitry-le-François, Châlons-en-Champagne, Épernay, Château-Thierry, Meaux et se jette dans la Seine (r. dr.) entre Charenton et Alfortville ; 525 km. Près de Saint-Dizier, une retenue *(réservoir Marne)* forme un lac de près de 5 000 ha. Le *canal de la Marne au Rhin* relie Vitry-le-François à Strasbourg.

MARNE [51], dép. de la Région Champagne-Ardenne, formé d'une partie de la Champagne et traversé par la Marne ; ch.-l. de dép. *Châlons-en-Champagne ;* ch.-l. d'arr. *Épernay, Reims, Sainte-Menehould, Vitry-le-François ;* 5 arr., 44 cant., 619 comm. ; 8 162 km² ; 558 217 hab. *(Marnais).* Il est rattaché à l'académie et à la cour d'appel de Reims, à la région militaire Nord-Est.

Marne *(bataille de la),* ensemble des manœuvres et des combats victorieux dirigés par Joffre en septembre 1914, qui arrêtèrent l'invasion allemande et contraignirent Moltke à la retraite. Foch remporta dans la région une deuxième victoire en août 1918.

MARNE (HAUTE-) [52], dép. de la Région Champagne-Ardenne ; ch.-l. de dép. *Chaumont ;* ch.-l. d'arr. *Langres, Saint-Dizier ;* 3 arr., 32 cant., 424 comm. ; 6 211 km² ; 204 067 hab. Il est rattaché à l'académie de Reims, à la cour d'appel de Dijon et à la région militaire Nord-Est.

MARNE-LA-VALLÉE, ville nouvelle aménagée à l'E. de Paris, au S. de la vallée de la Marne, aux confins des départements de Seine-et-Marne (vers Lagny-sur-Marne), de la Seine-Saint-Denis (vers Noisy-le-Grand) et du Val-de-Marne. Desservie par le R. E. R et l'autoroute de l'Est, elle doit être un pôle de développement à l'E. de Paris. Technopole (« cité scientifique Descartes ») et grand parc d'attractions (Disneyland Paris).

1. **MARNER** v.t. Amender un sol pauvre en calcaire par incorporation de marne.

2. **MARNER** v.i. En parlant de la mer, monter par l'effet de la marée.

MARNEUX, EUSE adj. Qui est de la nature de la marne ou qui en contient.

MARNIÈRE n.f. Carrière de marne.

MARNIX (Philippe de), baron de Sainte-Aldegonde, écrivain et diplomate néerlandais d'expression néerlandaise et française (Bruxelles 1540 - Leyde 1598). Ses pamphlets anticatholiques (*la Ruche de la Sainte Église romaine, Tableau des différends de la Religion*) sont marqués par une verve truculente proche de celle de Rabelais.

MAROC, en ar. al-Marhrib, État de l'Afrique du Nord-Ouest, entre l'Algérie et la Mauritanie, bordé par la Méditerranée et l'Atlantique.
→ ● DOSSIER LE MAROC *page 3430.*

MAROILLES [marwal] n.m. Fromage au lait de vache, à pâte molle et à croûte lavée, fabriqué en Thiérache.

MAROLLIEN n.m. (de *Marolles,* n. d'un anc. quartier de Bruxelles). Argot à base de français et de flamand des faubourgs de Bruxelles.

MARONI (le), fl. séparant la Guyane française et le Suriname ; 680 km.

MARONITE adj. et n. Se dit d'un fidèle de l'Église maronite. ◆ adj. -1. Relatif aux maronites. -2. *Église maronite,* Église catholique de rite syrien, implantée surtout au Liban.

ENCYCL. L'Église maronite se serait définie — en tant que communauté autonome fidèle à la doctrine du concile de Chalcédoine et hostile aux usages melkites — en se réclamant, au VIIIe siècle, du supérieur du monastère de Saint-Maron, dans la région d'Apamée-sur-l'Oronte (Syrie). À l'époque des croisades, les maronites se sont regroupés en majorité dans les montagnes du Liban, à Chypre et dans les régions d'Alep et d'Antioche. Vers 1180, ils proclament leur communion avec l'Église de Rome, qui cependant ne leur accordera leur patriarcat qu'en 1608 et dont, tout en gardant le syriaque (puis aussi l'arabe) comme langue liturgique, ils ont accepté bien des usages disciplinaires et surtout une pensée théologique largement soumise aux influences latines.

MAROQUIN n.m. (de *Maroc).* Peau de chèvre tannée au moyen de produits végétaux, teinte et utilisée pour la reliure et la maroquinerie.

MAROQUINAGE n.m. Action de maroquiner.

MAROQUINER v.t. Tanner et corroyer une peau à la façon du maroquin.

MAROQUINERIE n.f. -1. Fabrication du maroquin ; lieu où il se prépare. -2. Fabrication de petits objets en cuir ; entreprise industrielle ou artisanale vouée à cette fabrication. -3. Commerce, magasin de petits objets en cuir ; ces objets eux-mêmes.

MAROQUINIER, ÈRE n. Personne qui travaille à la fabrication ou à la vente d'objets de maroquinerie.

MAROS → MUREŞ.

MAROT (Clément), poète français (Cahors 1496 - Turin 1544). Valet de chambre du roi François Ier, il est soupçonné de sympathie pour la Réforme et doit s'exiler à plusieurs reprises. Formé à l'école des rhétoriqueurs, il subit simultanément l'influence de l'esthétique venue d'Italie. Dans l'*Adolescence clémentine* (1532), il regroupe ses poèmes de jeunesse, où abondent rondeaux, ballades et autres pièces à forme fixe. Devenu poète de cour, il célèbre les événements officiels. Ses *Épigrammes,* ses *Épîtres* et ses *Élégies* témoignent de son style plein de verve et de naturel. Il a écrit le premier sonnet français.

MAROTIQUE adj. Qui imite le style, à la fois spirituel et archaïque, de Clément Marot.

MAROTTE n.f. -1. FAM. Idée fixe, manie. -2. Tête en bois, en carton, etc., dont se servent les modistes, les coiffeurs. -3. Sceptre surmonté d'une tête grotesque coiffée d'un capuchon garni de grelots, attributs de la Folie.

MAROUETTE n.f. Oiseau échassier voisin du râle, nichant dans les herbes au bord des cours d'eau et dans les marais. (Long. 20 cm.)

MAROUFLE n.f. Colle forte utilisée autref. pour maroufler.

MAROUFLER v.t. -1. Coller une toile peinte sur une surface murale ou un plafond ; coller sur une toile de renfort une toile peinte, une peinture sur papier, un dessin. -2. Poser et coller sur un panneau de bois un revêtement décoratif en exerçant un fort pressage dirigé du milieu vers les extrémités.

MAROUTE n.f. Plante à odeur fétide, dite aussi *camomille puante.* (Famille des composées.)

MARQUAGE n.m. -1. Action de marquer. -2. *Marquage radioactif,* introduction de radioéléments dans une molécule, une substance, un organisme vivant, permettant de les suivre dans leurs déplacements.

MARQUANT, E adj. -1. Qui fait impression ; qui laisse une trace : *Les faits marquants de l'actualité.* -2. Qui est remarquable par sa situation, son mérite : *Une personnalité marquante.*

MARQUE n.f. -1. Trace, signe, objet qui servent à repérer, à reconnaître qqch. -2. Trace de contact, empreinte laissée par un corps sur un autre : *La marque des pas sur la neige.* -3. Trace laissée sur le corps par un coup, un choc, etc. : *La marque d'une brûlure.* - 4. Preuve, témoignage : *Des marques d'estime.* -5. Caractère propre ; trait distinctif : *Un film qui porte la marque de son réalisateur.* -6. Ensemble des produits fabriqués, vendus sous une marque ; firme, entreprise qui est propriétaire de cette marque. -7. Insigne, attribut d'une fonction, d'une dignité, d'un grade, etc. -8. *De marque,* se dit d'un produit qui sort d'une maison dont la marque est connue ; de qualité. ‖ *Marque (de fabrique, de commerce, de service),* tout signe, nom ou dénomination servant à distinguer des produits, des objets, des services. DR. *Marque déposée,* marque de fabrique ou de commerce ayant fait l'objet d'un dépôt légal afin de bénéficier de la protection juridique attachée à cette formalité. ÉCON. *Taux de marque,* rapport entre la marge bénéficiaire et le prix de vente. JEUX. Jeton, fiche dont on se sert à certains jeux. LING. Trait pertinent dont la présence ou l'absence permet d'opposer deux formes ou deux éléments linguistiques dont les autres traits sont identiques (par ex. le trait de voisement qui oppose le phonème [b], marqué, au phonème [p], non marqué). MIL. Pavillon ou guidon hissé au mât du bâtiment de guerre à bord duquel est embarqué l'officier général ou supérieur commandant le groupe (et, le cas échéant, le ministre de tutelle de la Marine ou le chef de l'État). SPORTS. Repère placé par un athlète pour faciliter un saut, un élan. ‖ Décompte des points gagnés, des buts inscrits au cours d'une compétition. SYN. : score. ‖ *À vos marques !,* en athlétisme, ordre donné par le starter pour amener les athlètes sur la ligne de départ. ‖ *Marque !,* au rugby, cri poussé par le joueur effectuant un arrêt de volée.

MARQUÉ, E adj. -1. Indiqué avec netteté : *Une différence marquée.* -2. *Visage marqué,* visage cerné, ridé, aux traits accusés. -3. Se dit de qqn qui est engagé dans qqch, ou compromis par ses agissements antérieurs : *Elle est marquée politiquement.*

MARQUENTERRE (le), région de Picardie (Somme surtout) entre les estuaires de la Somme et de l'Authie.

D O S S I E R

MARIVAUX

Au moment où naît une littérature bourgeoise, morale et lar-
moyante, Marivaux, à la charnière des formes classiques et nouvelles, incarne une sensibilité sans mièvrerie et une morale
sans moralisme. Originale et rigoureuse, son écriture développe un art de la fugue et de la variation autour de quelques
figures : les amours des maîtres et des valets, la sincérité et les
masques, l'argent et la cruauté, les intermittences du cœur.

Une vie pour le théâtre.

Né à Paris en 1688, fils du directeur de la Monnaie de Riom,
Marivaux revient dans la capitale faire des études de droit.
Ruiné, semble-t-il, par la banqueroute de Law, il se consacre
entièrement à la littérature à travers des parodies, des pas-
tiches et des poèmes burlesques et à un journal, de 1721 à
1724, *le Spectateur français,* dont il est l'unique rédacteur.

Sa première comédie, *Arlequin poli par l'amour* (1720), triomphe
au Théâtre-Italien. Les Italiens, qui se dégagent des types
convenus de la commedia dell'arte, lui offrent quelques inter-
prètes exceptionnels pour illustrer la psychologie subtile de
ses personnages. Genre sclérosé, le théâtre français est renouvelé par ces dialogues qui ont la spontanéité de conversations
de salon. Le roman, quant à lui, est un genre alors méprisé, pour
lequel Marivaux n'hésite pas à mettre au point
de nouvelles formes, structurées et réalistes,
dans *le Paysan parvenu* (1735-36) et *la Vie de
Marianne* (1731-1741). Mais la description
détaillée du sentiment amoureux affecte le
rythme romanesque et c'est au théâtre que
Marivaux confie avant tout ses plus belles
œuvres, une quarantaine de pièces. Grâce à ses
succès, il est élu à l'Académie française en
décembre 1742 ; pourtant il mourra pauvre, en
1763, à Paris. Jusqu'à la fin, l'homme s'est effacé
derrière son œuvre.

L'amour dramaturge.

L'Île des esclaves (1725) et *l'Île de la raison* (1727),
courtes utopies, forment le socle social de ce
théâtre. Comédies de mœurs (*le Petit-Maître cor-
rigé,* 1734 ; *la Commère,* 1741) et comédies de
caractère (*le Legs,* 1736 ; *les Sincères,* 1739) complètent une œuvre qui a surtout fait la part belle
au sentiment (*la Surprise de l'amour,* 1722 ; *la*

❶ Marivaux.
Détail d'un portrait
de l'école française
du XVIIIᵉ siècle.
(Musée du château
de Versailles.)

MARIVAUX

Double Inconstance, 1723 ; *la Fausse Suivante*, 1724 ; *la Seconde Surprise de l'amour*, 1727 ; *le Jeu de l'amour et du hasard*, 1730 ; *les Serments indiscrets*, 1732 ; *l'Heureux Stratagème*, 1733 ; *les Fausses Confidences*, 1737 ; *l'Épreuve*, 1740).

Dans sa réflexion morale comme dans sa peinture psychologique, Marivaux place au centre de ses préoccupations esthétiques des individus qui croient inventer librement les règles du jeu social. L'amour vient aux personnages de Marivaux, comme à ceux de Racine, par un regard. Cet instant initial fonde leur identité et leur dynamique. Mais rien n'est plus difficile pour eux que de saisir ou de retenir la vérité de ce trouble.

Par le langage, le cœur à la fois se dissimule, se révèle et s'analyse. Mais le discours des personnages ne saurait se réduire au badinage spirituel et superficiel, par quoi se définit générale-

MONTER MARIVAUX

L'auteur a décrit le principe de ses pièces de « la métaphysique du cœur » : « J'ai guetté dans le cœur humain toutes les niches différentes où peut se cacher l'amour lorsqu'il craint de se montrer, et chacune de mes comédies a pour objet de le faire sortir d'une de ses niches » Le théâtre de Marivaux est aujourd'hui un passage obligé pour les metteurs en scène, qu'ils aient pour nom Vilar, Planchon, Chéreau, Arias ou Vitez.

❷ Jane Birkin et Laurence Bourdie dans *la Fausse Suivante* (mise en scène de Patrice Chéreau ; Nanterre-Amandiers, 1985).

MARIVAUX

ment le *marivaudage*. Ce raffinement du sentiment a pour rôle de désamorcer la cruauté de l'amour. S'il est absent ou défaillant, dans les pièces pessimistes (*la Nouvelle Colonie*, 1729; *la Dispute*, 1740), les rapports sombrent dans la guerre des sexes. Le discours amoureux n'est pas le seul défi auquel doivent se mesurer les amants : les rapports sociaux offrent des masques infinis à ces personnages qui se jouent, avec intelligence mais avec naturel, la comédie du sentiment.

Le succès de Marivaux est considérable de son vivant, mais, à partir de la génération des encyclopédistes, on lui discute le réalisme excessif de ses romans et la préciosité de son théâtre. Ce n'est qu'au XXe siècle que Marivaux acquiert le statut de quatrième grand classique français, le plus joué actuellement après Molière.

MARQUER v.t. -1. Signaler qqch, le distinguer par un repère, un signe : *Marquer du linge.* -2. Souligner qqch, le rendre plus apparent, plus sensible : *Marquer le rythme de la main.* -3. Faire ressortir, accuser, en partic. en parlant d'un vêtement : *Robe qui marque la taille.* -4. Noter, inscrire qqch qqpart. -5. Fournir une indication, en parlant d'un instrument de mesure. -6. Faire ou laisser une marque visible, une trace sur qqch. -7. Laisser une marque, une trace dans le caractère ou la personnalité de qqn : *Son éducation l'a marquée.* -8. Exprimer, manifester un sentiment, le faire connaître à autrui : *Marquer sa désapprobation.* -9. Indiquer qqch, le révéler, l'exprimer : *Un geste qui marque beaucoup de générosité.* -10. *Marquer le pas,* continuer à frapper le sol avec les pieds, selon la cadence du pas, sans avancer. **HIST.** Soumettre un condamné à la peine infamante de la marque (flétrissure imprimée au fer chaud sur l'épaule). **NUCL.** Procéder à un marquage radioactif. **SPORTS.** Rester dans la proximité immédiate d'un adversaire et le surveiller étroitement pour contrecarrer ses initiatives, dans un sport d'équipe. ‖ *Marquer un but, un essai,* réussir un but, un essai. ‖ *Marquer le coup,* accuser un coup reçu, à la boxe. ◆ v.i. -1. Faire une marque sur qqch, y laisser une trace : *Ce composteur ne marque plus.* -2. Laisser une impression, un souvenir durables, en parlant d'événements. -3. En parlant d'un cheval, avoir le creux des incisives externes encore visible, ce qui indique un âge qui n'est pas supérieur à huit ans.

MARQUET (Albert), peintre français (Bordeaux 1875 - Paris 1947). Lié avec Matisse et Manguin, il participa aux recherches du fauvisme. Maître d'un style fluide et concis, qui éclate dans ses croquis à l'encre de Chine, il est surtout un peintre de paysages, dont la prédilection va aux vues de ports et de rivières.

MARQUETER v.t. [27]. Orner de marqueterie.

MARQUETERIE [markətri] ou [markɛtri] n.f. Assemblage décoratif de lamelles de bois d'essences variées (ou de marbres, de métaux, etc.), employé en revêtement, notamm. sur un ouvrage de menuiserie.

MARQUETEUR n.m. et adj.m. Ouvrier qui fait des ouvrages de marqueterie.

MARQUETTE (Jacques), missionnaire jésuite et voyageur français (Laon 1637 - sur les bords du lac Michigan 1675). Il découvrit le Mississippi (1673).

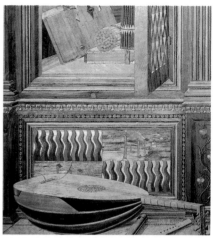

détail d'un panneau de **MARQUETERIE**
simulant un instrument de musique
et une armoire ouverte, exécuté (1476)
par Bramante, au palais ducal d'Urbino

MARQUEUR, EUSE n. -1. Personne qui marque. -2. Joueur qui marque un but, un essai, un panier, etc. ◆ **marqueur** n.m. -1. Crayon-feutre formant un trait large. -2. Atome ou molécule pouvant être retrouvés en très faible quantité, après injection, dans l'organisme, grâce à une propriété physique particulière (radioactivité, fluorescence). **SYN.** : **traceur.** -3. *Marqueur biologique,* substance biochimique caractéristique retrouvée chez certains sujets normaux (selon les groupes sanguins, par ex.) ou pathologiques (en cas de cancer, par ex.).

MARQUIS n.m. -1. Titre de noblesse intermédiaire entre celui de duc et celui de comte. -2. Seigneur de rang comtal qui était préposé à la garde d'une marche territoriale à l'époque carolingienne.

MARQUISAT n.m. -1. Titre, dignité de marquis. -2. Fief d'un marquis.

MARQUISE n.f. -1. Femme d'un marquis. -2. Auvent en charpente de fer et vitré, placé au-dessus d'une porte d'entrée, d'un perron. -3. Bague à chaton oblong, couvrant la première phalange. -4. Bergère à deux places, à dossier bas, sorte de demi-canapé.

MARQUISES *(îles),* archipel montagneux et volcanique de la Polynésie française ; 1 274 km² ; 7 358 hab. (*Marquésans* ou *Marquisiens*).

MARQUOIR n.m. Instrument de tailleur, de couturière pour marquer.

MARRAINE n.f. -1. Femme qui présente un enfant au baptême ou à la confirmation et qui doit veiller à son éducation religieuse. -2. Celle qui préside au baptême d'un navire, d'un ouvrage d'art, etc. -3. Celle qui présente qqn dans un club pour l'y faire entrer. - 4. *Marraine de guerre,* femme ou jeune fille qui, pendant un conflit, entretient une correspondance avec un soldat, lui envoie des colis, etc.

Vue partielle de la salle de prière de la mosquée Kutubiyya (XIIᵉ s.) à **MARRAKECH.**

MARRAKECH, v. du Maroc, ch.-l. de prov., dans la plaine du Haouz, à proximité de l'oued Tensift (à 400 m d'alt.) ; 549 000 hab. **GÉOGR.** Capitale régionale, elle comprend une ville ancienne (médina) et une ville moderne. Activités artisanales, commerciales et, surtout, touristiques (palmeraie, remparts, souks). **HIST.** Fondée en 1062, Marrakech fut, jusqu'en 1269, la capitale des Almoravides puis des Almohades. **ARTS.** La mosquée Kutubiyya (XIIᵉ s.), dont le célèbre minaret est le prototype de la tour Hasan de Rabat et de la Giralda de Séville, est le monument le plus remarquable (magnifique minbar) ; medersa Ibn Yusuf et les tombeaux des Saadiens (XVIᵉ s.) ; résidences princières du XIXᵉ s., dont l'une abrite le musée des Arts décoratifs marocains.

MARRANE n.m. Juif d'Espagne ou du Portugal converti de force au catholicisme et qui continuait à pratiquer en secret sa religion.

MARRANT, E adj. FAM. Amusant, comique.

MARRER (SE) v.pr. FAM. Rire ou se divertir ; s'amuser.

1. **MARRON** n.m. -1. Fruit de certaines variétés cultivées de châtaigniers. -2. Couleur brun-rouge. -3. Copie positive d'un film cinématographique tirée en noir adouci, virant sur le bistre et servant à l'établissement de contre-types. -4. *Marron glacé,* marron confit dans du sucre et glacé au sirop. ‖ *Marron d'Inde,* graine du marronnier d'Inde, riche en amidon mais non comestible, dont certaines préparations sont utilisées contre les troubles circulatoires (varices, hémorroïdes). ◆ adj. inv. Brun-rouge.

2. **MARRON, ONNE** adj. -1. Se disait d'un esclave fugitif dans l'Amérique coloniale. -2. Qui exerce une profession libérale dans des conditions illégales.

MARRONNIER n.m. -1. Châtaignier d'une variété cultivée, qui produit le marron *Castanea.* -2. *Marronnier d'Inde* ou *marronnier,* arbre à feuilles composées palmées, originaire des Balkans et souvent planté sur les voies publiques. (Haut. 30 m ; longévité 2 à 3 siècles ; famille des hippocastanacées.)

bogue
fruit
inflorescence et feuilles

MARRONNIER d'Inde

MARROU (Henri Irénée), historien français (Marseille 1904 - Bourg-la-Reine 1977). Spécialiste du christianisme antique, il fut l'un des fondateurs de la revue *Esprit* et des *Études augustiniennes.*

MARS		
Caractéristiques physiques	diamètre équatorial	6 794 km (0,533 fois celui de la Terre)
	diamètre polaire	6 760 km
	aplatissement	0,005
	masse par rapport à celle de la Terre	0,107
	densité moyenne	3,93
	période de rotation sidérale	24 h 37 min 22,7 s
	inclinaison de l'équateur sur l'orbite	24°
	albédo	0,154
Caractéristiques orbitales	demi-grand axe de l'orbite	227 940 000 km (1,523 7 fois celui de l'orbite terrestre)
	distance maximale au Soleil	249 000 000 de km
	distance minimale au Soleil	207 000 000 de km
	excentricité	0,093
	inclinaison sur l'écliptique	1° 51'
	période de révolution sidérale	686,980 j
	vitesse orbitale moyenne	24,14 km/s

MARRUBE [maʀyb] n.m. -1. Plante aromatique de la famille des labiées. -2. *Marrube noir,* ballote.

MARS n.m. -1. Troisième mois de l'année. -2. Papillon de jour, brun tacheté de blanc, avec des reflets bleus ou violets changeants.

MARS, dieu romain de la Guerre. Bien qu'identifié au Grec Arès, Mars était un dieu italique et aurait été primitivement une puissance agraire. D'ailleurs, il était vénéré à Rome non seulement comme dieu des Combats sous le nom de *Mars Gradivus* mais aussi comme dieu de la Nature et de la Végétation sous l'appellation de *Mars Silvanus.* Le mois qui lui était consacré ouvrait l'année romaine.

MARS, planète du système solaire, située entre la Terre et Jupiter (diamètre : 6 794 km). Sa surface, rocailleuse et désertique, offre une teinte rougeâtre caractéristique, due à la présence d'un oxyde de fer. Elle abrite les plus grands volcans (éteints) du système solaire. On présume que son sous-sol renferme d'impor-

Le Vieux-Port de **MARSEILLE** et, à l'arrière-plan, la basilique Notre-Dame-de-la-Garde (J. H. Espérandieu, 1853-1864).

tantes quantités d'eau sous forme de pergélisol. Elle est entourée d'une atmosphère ténue de gaz carbonique et possède deux petits satellites, Phobos et Deimos.

MARS (Anne Boutet, dite Mlle), actrice française (Paris 1779 - id. 1847), interprète des grands drames romantiques.

MARSAIS (César Chesneau, *sieur* du) → DUMARSAIS.

MARSALA n.m. Vin doux produit en Sicile.

MARSALA, port d'Italie (Sicile), sur la Méditerranée ; 77 218 hab. Vins.

MARSAULT [marso] n.m. Saule à feuilles elliptiques, qu'on trouve près des eaux et dont le bois sert à faire des perches à houblon.

Marseillaise (la), chant patriotique devenu en 1795, puis en 1879, l'hymne national français. Composé en 1792 pour l'armée du Rhin, ce chant, dû à un officier du génie, Claude Joseph Rouget de Lisle, en garnison à Strasbourg, reçut le titre de *Chant de guerre pour l'armée du Rhin ;* mais, les fédérés marseillais l'ayant fait connaître les premiers à Paris, il prit le nom de *Marseillaise.*

MARSEILLE, ch.-l. de la Région Provence-Alpes-Côte d'Azur et du dép. des Bouches-du-Rhône, à 774 km au S.-S.-E. de Paris et à 314 km au S. de Lyon 807 726 hab. *(Marseillais).* GÉOGR. Deuxième ville de France (avec une forte proportion d'immigrés) et centre de la troisième agglomération (plus de 1,2 million d'hab.). Marseille est aussi le premier port national et méditerranéen. Le port autonome de Marseille s'étend aujourd'hui vers l'O. jusqu'à l'embouchure du Rhône (installations du golfe de Fos). L'industrie est en partie liée à la fonction portuaire et est représentée notamment par la métallurgie (dont la réparation navale), l'agroalimentaire et la chimie. Mais le secteur tertiaire est devenu prépondérant : administration, commerce (foire internationale), enseignement (universités), etc. Équipée d'un métro, la ville est aussi bien desservie par le rail (T. G. V.), l'autoroute, la voie aérienne (aéroport à Marignane). HIST. Colonie fondée au VIe s. av. J.-C. par les Phocéens, Marseille *(Massalia)* connut une longue prospérité au temps des Romains. Siège d'une vicomté dépendant du comte de Provence au IXe siècle, la ville retrouva son activité au temps des croisades (XIIe-XIIIe s.). Française en 1481, elle devint un grand centre d'affaires après l'ouverture du canal de Suez. ARTS. Vestiges hellénistiques et romains. Églises, notamment

romanes. Hôtel de ville du XVIIe siècle ; ancien hospice de la Charité, de la même époque (chapelle sur plans de P. Puget), abritant le musée d'Archéologie. Autres musées : d'Histoire de Marseille, des Beaux-Arts (palais Longchamp), des Arts décoratifs (château Borély), Cantini (art moderne), d'Art contemporain, d'Arts africains, océaniens et amérindiens, etc.

MARSHALL *(îles),* archipel d'Océanie, en Micronésie, au N. de l'équateur.

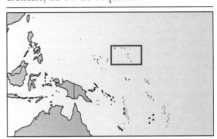

NOM OFFICIEL : République des îles Marshall.
CAPITALE : Majuro.
SUPERFICIE : 181 km².
POPULATION : 55 000 hab. *(Marshallais).*
LANGUES : anglais et marshallais.
RELIGION : protestantisme.
MONNAIE : dollar.
RÉGIME : parlementaire.

GÉOGRAPHIE

L'archipel comprend deux groupes d'îles, les Ratak (îles « de l'Aurore », ou « du Soleil levant ») et les Ralik (îles « du Soleil couchant »). Les principaux atolls sont Jaluit, Kwajalein, Eniwetok et Bikini. En dehors des bases militaires (Eniwetok et Bikini), les plantations de cocotiers (exportation du coprah) et la pêche constituent les ressources essentielles. *(V. carte Océanie.)*

HISTOIRE

Allemand de 1885 à 1914, sous mandat japonais jusqu'en 1944, puis sous la tutelle des États-Unis de 1947 à 1986, l'archipel devient alors un État librement associé à ces derniers.

MARSHALL (Alfred), économiste britannique (Londres 1842 - Cambridge 1924). Professeur à Cambridge, auteur des *Principes d'économie politique* (1890-1907), il est considéré comme le chef de file de l'école néoclassique et le premier représentant de l'école de Cambridge. Il utilisa les méthodes d'analyse des marginalistes. Il s'est également attaché à l'étude de l'équilibre partiel, plus sensible à court terme à la demande, et, en longue période, à l'offre.

LE MAROC

L'INTÉRIEUR ET LE LITTORAL

Le Maroc offre des paysages variés et contrastés (qui contribuent largement à son attraction touristique). L'intérieur, souvent montagneux, est entaillé de vallées ou bassins, sites de petits centres régionaux, comme Boumalne ❶ au sud du Haut Atlas. Mais une part croissante des hommes et des activités se concentrent sur le littoral. Rabat est la capitale politique, mais Casablanca ❷ demeure la plus grande ville et le principal débouché maritime du pays.

NOM OFFICIEL : Royaume du Maroc.
CAPITALE : Rabat.
SUPERFICIE : 710 000 km².
POPULATION : 28 000 000 hab. *(Marocains).*
LANGUE : arabe.
RELIGION : islam.
MONNAIE : dirham.
RÉGIME : monarchie constitutionnelle.
CHEF DE L'ÉTAT : roi.
CHEF DU GOUVERNEMENT : Premier ministre.
LÉGISLATIF : Chambre des représentants, élue au suffrage direct, et Chambre des conseillers, élue au suffrage indirect.

Le Maroc appartient au monde arabe et musulman mais se situe à son extrémité occidentale, très voisin géographiquement d'une Europe (France et Espagne notamment) qui a pesé sur son histoire et de laquelle il espère, économiquement, se rapprocher.

■ GÉOGRAPHIE
Le milieu naturel.

❶ Boumalne, dans la vallée du Dadès.

Parmi les pays du Maghreb, le Maroc se singularise par l'altitude élevée de ses montagnes et l'étendue relative de ses

plaines. Le Haut Atlas porte le point culminant de l'Afrique du Nord, mais les surfaces planes cultivables sont beaucoup plus étendues qu'en Algérie ou en Tunisie. Trois chaînes orientées S.-O. – N.-E. (Moyen Atlas, Haut Atlas et Anti-Atlas) séparent des plateaux prolongés par des plaines sur le littoral atlantique, limités par le Rif vers la Méditerranée, proches des hautes chaînes algériennes à l'E. et appartenant au domaine saharien au S.

Au N. d'une ligne Agadir-Oujda, le climat est méditerranéen. En montagne, l'altitude rafraîchit les températures. La pluviosité diminue vers l'E. (subaride) et le S., où règne le climat saharien.

❷ Casablanca.

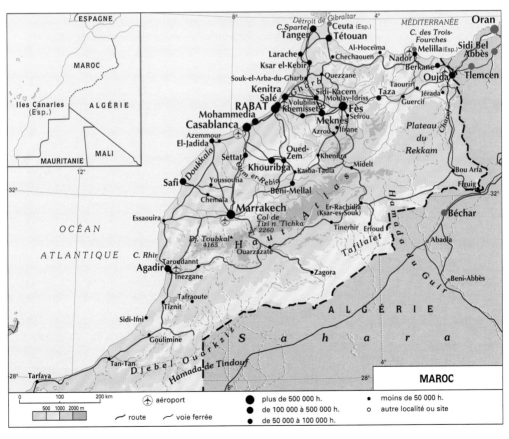

LE MAROC

La population et l'économie.

La population est composée de Berbères et, surtout, d'Arabes. Le taux d'accroissement naturel est élevé, et plus de la moitié de la population a moins de 20 ans. Les villes les plus importantes sont Casablanca, Rabat, Fès, Marrakech et Meknès. Au total, les villes regroupent déjà plus de la moitié de la population et se développent plus rapidement que leurs fonctions de production. L'agriculture emploie encore 40 % des actifs. Elle juxtapose un secteur vivrier céréalier (blé, orge), complété par l'élevage ovin et la pêche, et un secteur commercial (agrumes).

Sans ressources énergétiques, le Maroc dispose en revanche de grands gisements de phosphates (troisième producteur et premier exportateur mondial). L'industrie est encore peu développée et limitée au traitement des produits du sol et des phosphates. Le commerce extérieur, effectué surtout avec la C. E. (France en tête), est toujours déficitaire. Les revenus du tourisme (2 millions de visiteurs par an), les envois des émigrés ne suffisent pas à équilibrer la balance des paiements, et la situation économique demeure difficile, d'autant que les dépenses militaires sont importantes et l'endettement, lourd, et que la pression démographique et l'exode rural accroissent le sous-emploi dans les villes.

■ HISTOIRE

Le Maroc antique.

Au IXᵉ-VIIIᵉ s. av. J.-C., les Phéniciens créent sur le littoral des comptoirs qui passent au VIᵉ siècle sous le contrôle de Carthage. Les Maures, Berbères qui habitent la région, y organisent le royaume de Mauritanie, annexé par Rome en 40 apr. J.-C. Comme le reste de l'Afrique romaine, la région est envahie par les Vandales (435-442).

Les dynasties marocaines depuis la conquête arabe.

700-710 : les Arabes conquièrent le pays.

Ils imposent l'islam aux tribus berbères, chrétiennes, juives ou animistes.

789-985 : la dynastie idriside gouverne le pays.

1061-1147 : les Almoravides unifient le Maghreb et l'Andalousie en un vaste empire.

1147-1269 : sous le gouvernement des Almohades, une brillante civilisation arabo-andalouse s'épanouit.

1269-1420 : le Maroc est aux mains des Marinides.

Ces derniers doivent renoncer à l'Espagne en 1340.

LE MAROC

1415 : les Portugais conquièrent Ceuta.

À la fin du XVe siècle, la vie urbaine recule. Le nomadisme, les particularismes tribaux et la dévotion pour les marabouts se développent.

1554-1659 : les Saadiens règnent sur le Maroc.

1578 : les Portugais sont défaits à Alcaçar Quivir par al-Mansur.

1591 : Tombouctou est conquise et le Maroc contrôle pendant quelques années le commerce saharien.

1666 : Mulay Rachid fonde la dynastie alawite.

Le Maroc est gouverné depuis lors par cette dynastie. Il connaît au XVIIe-XVIIIe siècle des querelles successorales et une

LE POUVOIR DU SULTAN

Le sultan du Maroc a une double fonction, temporelle et spirituelle. Pour gouverner le pays, il est secondé par le *makhzen* - ensemble du personnel gouvernemental et de l'administration centrale. Il est également imam et représente pour les fidèles le « commandeur des croyants » et le guide suprême.

❸ Mulay Abd al-Rahman, sultan du Maroc (1822-1859). Détail d'une peinture de Delacroix. (Musée des Augustins, Toulouse.)

LE MAROC

HASSAN II ET L'UNION NATIONALE

Hassan II a cherché à instaurer une politique d'union nationale reposant sur trois principes : l'islam, la royauté, la démocratie sociale. Cette politique s'appuie sur une Constitution plus libérale (1962) et sur une réforme agraire. Mais, devant l'échec de son parti aux élections de 1963 et les émeutes de 1965, le roi proclame l'état d'urgence et reprend personnellement en main le pouvoir. En 1975, l'organisation de la « marche verte » de 350 000 volontaires en direction de l'ancien Sahara espagnol, considéré comme la partie méridionale du Maroc, suscite un consensus national et relativise les antagonismes politiques. Des élections législatives sont organisées en 1977. Cependant, les émeutes à Casablanca (1981) et les procès contre les islamistes radicaux (1984) montrent que la situation sociale reste difficile. Toutefois, le souci qu'a toujours eu le pouvoir d'associer modernité et tradition islamique (le roi est le « commandeur des croyants ») rend la contestation du régime au nom de l'islam plus difficile qu'ailleurs. Les réformes constitutionnelles menées au cours des années 1990 (comme celle de 1996, qui modifie sensiblement la place faite aux partis d'opposition) tendent à entretenir le consensus.

sévère décadence économique. Au XIXe siècle, les puissances européennes (Grande-Bretagne, Espagne, France) obligent les sultans à ouvrir le pays à leurs produits. Mais leur rivalité permet au Maroc de sauvegarder son indépendance.

1906-1912 : après les accords d'Algésiras, la France occupe la majeure partie du pays.

Les protectorats français et espagnols.

1912 : le traité de Fès établit le protectorat français. L'Espagne obtient une zone nord (le Rif) et une zone sud (Ifni).

1912-1925 : Lyautey entreprend la pacification du pays.

1921-1926 : Abd el-Krim anime la guerre du Rif contre les Espagnols puis contre les Français.

1933-34 : fin de la résistance des Berbères du Haut Atlas.

La France contrôle l'ensemble du pays. Le régime colonial laisse au sultan (Muhammad V de 1927 à 1961) un pouvoir purement religieux. La colonisation transforme l'économie ; un cinquième des terres utilisables est attribué à des Européens. Des manifestations en faveur des réformes sont organisées en 1934 puis en 1937 et les idées nationalistes se répandent. Après la défaite française de 1940, les partis puis le sultan Muhammad V demandent l'indépendance.

1953-1955 : le sultan Muhammad V est déposé et exilé par les autorités françaises.

L'indépendance.

1956 : l'indépendance est proclamée.

1957 : le Maroc est érigé en royaume.

1961 : Hassan II accède au trône.

Il instaure une politique autoritaire, suspendant la Constitution de 1965 à 1970 et faisant arrêter des syndicalistes et des opposants.

1971-72 : trois complots sont organisés contre le roi.

1975 : partage du Sahara occidental entre le Maroc et la Mauritanie, qui se heurtent aux nationalistes sahraouis.

1976 : rupture des relations diplomatiques avec l'Algérie.

1979 : après le retrait de la Mauritanie, le Maroc recouvre la totalité du Sahara occidental.

1988 : les relations diplomatiques avec l'Algérie sont rétablies.

1991 : signature d'un accord de cessez-le-feu au Sahara occidental.

Depuis 1992, des révisions constitutionnelles tentent d'assurer un meilleur équilibre entre l'exécutif et le législatif.

MARSHALL (George Catlett), général et homme politique américain (Uniontown, Pennsylvanie, 1880 - Washington 1959). Chef d'état-major de l'armée (1939-1945), secrétaire d'État du président Truman (1947-1949), il a donné son nom au plan américain d'aide économique à l'Europe. Le *plan Marshall,* lancé en 1948, fut administré par l'Organisation européenne de coopération économique (O. E. C. E.), à laquelle 16 États adhérèrent dès sa création. (Prix Nobel de la paix 1953.)

MARSHMALLOW [marʃmalo] n.m. Guimauve molle enrobée de sucre glace et d'amidon.

MARSILE DE PADOUE, théologien italien et théoricien politique (Padoue v. 1275/1280 - Munich v. 1343). Il prit la défense de l'empereur Louis IV de Bavière contre le pape Jean XXII et affirma dans son traité *Defensor pacis* (1324) l'indépendance de l'État vis-à-vis de l'Église.

MARSOUIN n.m. (anc. scand. *marsvin,* porc de mer). **-1.** Mammifère cétacé voisin du dauphin, très vorace, commun dans l'Atlantique, où il suit souvent les navires. (Long. 1,50 m.) **-2.** ARG. MIL. Militaire de l'infanterie de marine.

MARSTON (John), poète dramatique anglais (Coventry v. 1575 - Londres 1634). Auteur d'un poème érotique (*la Métamorphose de l'image de Pygmalion,* 1598) et de satires, il écrivit également des tragi-comédies (*le Mécontent,* 1604) et des comédies (*la Courtisane hollandaise,* 1605), seul ou en collaboration avec Ben Jonson et Chapman.

MARSUPIAL, E, AUX adj. (du lat. *marsupium,* bourse). Se dit d'un organe propre aux mammifères marsupiaux : *Poche marsupiale.* ◆ **marsupial** n.m. Mammifère d'un type primitif, dont la femelle a une poche ventrale contenant les mamelles et qui est destinée à recevoir les petits après la naissance. (Types principaux : kangourou, sarigue. Les marsupiaux, qui constituent la sous-classe des métathériens, sont répandus surtout en Australie et en Nouvelle-Guinée ainsi qu'aux Moluques et en Amérique tropicale.)

MARTABAN, golfe de la Birmanie.

MARTAGON n.m. Lis des prairies de montagne, à fleurs rose et brun, malodorant, rare et de culture difficile.

MARTE n.f. → MARTRE.

MARTEAU n.m. **-1.** Outil de percussion formé d'une tête en acier dur trempé et d'un manche. **-2.** Battant métallique servant de heurtoir à une porte. ANAT. Premier osselet de l'oreille moyenne, dont le manche est solidaire du tympan et dont la tête s'articule avec l'enclume. HORLOG. Pièce d'horlogerie qui frappe les heures sur un timbre. MUS. Pièce garnie de feutre, qui frappe la corde d'un piano. SPORTS. Sphère métallique (7,257 kg) munie d'un fil d'acier et d'une poignée, que lancent les athlètes ; épreuve d'athlétisme pratiquée avec cet engin. SYLVIC. Instrument qui porte une empreinte en relief, servant à marquer certains arbres. TECHN. Appareil constitué d'un outil (fleuret, burin ou aiguille) et d'un corps cylindrique, dans lequel se meut un piston qui frappe l'outil sous l'effet d'un choc pneumatique, hydraulique ou électrique, et qui sert à disloquer les matériaux rocheux *(marteau piqueur)* ou à creuser des trous destinés à recevoir des charges explosives *(marteau perforateur).* ZOOL. Requin-marteau. ◆ pl. Mouvements alternatifs des jambes, exécutés par le danseur accroupi et au cours desquels seuls les talons frappent le sol.

MARTEAU-PILON n.m. (pl. marteaux-pilons). Machine-outil de forge destinée à provoquer la déformation du métal par action d'une masse tombante.

MARTEAU-PIOLET n.m. (pl. marteaux-piolets). Instrument d'alpiniste analogue au piolet mais à manche plus court et à panne formant masse, permettant de poser des pitons ou de tailler la glace.

MARTEL (Édouard), spéléologue français (Pontoise 1859 - près de Montbrison 1938), fondateur de la spéléologie et auteur de *la France ignorée* (2 vol., 1928-1930).

MARTEL (Thierry de), chirurgien français (Maxéville 1875 - Paris 1940), l'un des créateurs de la neurochirurgie en France. Il se suicida à l'entrée des troupes allemandes à Paris.

MARTELAGE n.m. **-1.** Action de marteler ; façonnage ou forgeage au marteau. **-2.** Marque faite avec le marteau aux arbres qui doivent être abattus ou réservés.

MARTÈLEMENT [martɛlmã] n.m. **-1.** Action de marteler ; bruit qui en résulte. **-2.** Bruit cadencé rappelant celui des coups de marteau.

MARTELER v.t. [25]. **-1.** Frapper, forger, façonner au moyen du marteau. **-2.** Frapper qqch fort et à coups redoublés ; ébranler par un bruit fort et répété. **-3.** Articuler avec force, en détachant les mots : *Marteler ses phrases.*

MARTELLANGE (Étienne Ange Martel, dit), architecte et jésuite français (Lyon 1569 - Paris 1641). Il fut le principal constructeur, influencé par l'église du Gesù à Rome, des chapelles et collèges de son ordre (Avignon, Vienne, Lyon, La Flèche, Paris, etc.).

MARTENOT (Maurice), inventeur, pédagogue et compositeur français (Paris 1898 - Neuilly-sur-Seine 1980). Il présenta, en 1928 à Paris, un instrument électronique (les *ondes Martenot*) dont il enseigna le maniement au Conservatoire de Paris (1947-1970). Il mit au point une méthode d'enseignement fondée sur la pratique du chant et du jeu (*Méthode Martenot*, 1952).

MARTENS (Wilfried), homme politique belge (Sleidinge 1936). Président du Parti social-chrétien flamand de 1972 à 1979, il a été Premier ministre de 1979 à 1992.

MARTENSITE [-tɛ̃-] n.f. Composant de l'acier et de certains autres métaux ou alliages, résultant de la trempe.

MARTENSITIQUE [-tɛ̃-] adj. -1. Qui renferme de la martensite. -2. *Structure martensitique,* structure du même type que celle des aciers contenant de la martensite, observée dans d'autres alliages.

MARTHE (*sainte*), sœur de Lazare et de Marie de Béthanie (dite Marie-Madeleine), dans l'Évangile. La légende a fait d'elle la patronne de Tarascon (qu'elle débarrassa d'une bête malfaisante, la Tarasque).

MARTÍ (José), écrivain et patriote cubain (La Havane 1853 - Dos Ríos 1895). Il milita pour l'indépendance de Cuba et devint, par ses écrits et son action, le symbole de la lutte de l'Amérique hispanique pour son unité et son indépendance.

1. **MARTIAL, E, AUX** adj. -1. LITT. Qui manifeste des dispositions combatives, belliqueuses : *Un discours martial.* -2. Décidé, résolu, qui cherche à en imposer : *Prendre un air martial.* -3. *Arts martiaux,* ensemble des sports de combat d'origine japonaise tels que le judo, le karaté, l'aïkido, le kendo. ‖ *Cour martiale,* tribunal militaire d'exception (XVIIIᵉ-XIXᵉ s.). ‖ *Loi martiale,* loi d'exception confiant le maintien de l'ordre aux autorités militaires.

2. **MARTIAL, E, AUX** adj. -1. Qui contient du fer. -2. *Carence martiale,* insuffisance alimentaire en fer, cause d'anémies. ‖ *Fonction martiale,* fonction par laquelle le foie met en réserve le fer. ‖ *Thérapeutique martiale,* traitement par le fer.

MARTIAL, en lat. Marcus Valerius Martialis, poète latin (Bilbilis, Espagne, v. 40 - *id.* v. 104). Le mordant de ses *Épigrammes* a fait prendre à ce type de poésies courtes le sens de raillerie satirique.

MARTIEN, ENNE n. et adj. Relatif à la planète Mars. ◆ n. Habitant imaginaire de cette planète.

MARTIGNAC (Jean-Baptiste Gay, *comte* de), homme politique français (Bordeaux 1778 - Paris 1832), ministre de l'Intérieur et véritable chef du gouvernement de janvier 1828 à août 1829.

MARTIGUES, ch.-l. de c. des Bouches-du-Rhône ; 42 922 hab. *(Martégaux).* Port pétrolier (Lavéra) près de l'étang de Berre. Raffinage du pétrole. — Trois églises du XVIIᵉ siècle. Musée.

MARTIN (*cap*), cap de la Côte d'Azur, entre Monaco et Menton. Tourisme.

MARTIN (*saint*), évêque et apôtre de la Gaule (Sabaria, Pannonie, v. 315 - Candes 397). Soldat romain, il aurait un jour partagé son manteau avec un pauvre. Ordonné prêtre par Hilaire de Poitiers, il entra comme moine à Ligugé puis fut élu évêque de Tours en 371. Parcourant la Gaule, il fit disparaître les rituels païens, fonda des monastères (dont celui de Marmoutier) et organisa les premières paroisses rurales. Son tombeau, à Tours, devint très tôt un centre de pèlerinage.

MARTIN V (Oddone **Colonna**) [Genazzano 1368 - Rome 1431], pape de 1417 à 1431. Son élection, au concile de Constance, mit fin au Grand Schisme et permit le retour du pouvoir pontifical à Rome. Se conformant au décret de Constance, il dut convoquer un concile à Sienne (1423), au cours duquel il tint tête à l'hostilité de la nation française.

MARTIN (Frank), compositeur suisse (Genève 1890 - Naarden, Pays-Bas, 1974), auteur d'œuvres symphoniques, d'oratorios (*Golgotha,* 1949 ; *le Mystère de la Nativité,* 1959) et de concertos.

MARTIN (Pierre), ingénieur et industriel français (Bourges 1824 - Fourchambault 1915). Entré en relation avec W. Siemens en 1862, il appliqua le principe de la récupération des gaz chauds au four à sole pour la fusion de l'acier (1 700 ⁰C env.) ; puis il mit au point, en 1865, le procédé — qui porte son nom — d'élaboration de l'acier sur sole par fusion de ferrailles avec addition de fonte.

MARTIN-CHASSEUR n.m. (pl. martins-chasseurs). Oiseau coraciadiforme des forêts tropicales, voisin des martins-pêcheurs, qui chasse les insectes et les reptiles.

MARTIN DU GARD (Roger), écrivain français (Neuilly-sur-Seine 1881 - Sérigny, Orne, 1958). Peintre des crises intellectuelles et sociales de son temps (*Jean Barois,* 1913), il dressa dans *les Thibault* (1922-1940) [→ THIBAULT] le tableau d'une famille française au début du siècle. (Prix Nobel 1937.)

1. **MARTINET** n.m. Oiseau ressemblant à l'hirondelle mais à ailes plus étroites et à queue plus courte. (Il reste en France de mai au début d'août et chasse les insectes au cours de son vol rapide ; long. 16 cm env. ; ordre des micropodiformes.)

2. **MARTINET** n.m. -**1.** Fouet formé de plusieurs lanières de cuir fixées à un manche. -**2.** Marteau à bascule qui, mis en mouvement par une roue à cames, sert à battre les métaux.

MARTINET (André), linguiste français (Saint-Albans-des-Villards 1908), auteur de travaux importants en phonologie (*Économie des changements phonétiques,* 1955) et en linguistique générale (*Éléments de linguistique générale,* 1960).

MARTÍNEZ CAMPOS (Arsenio), maréchal et homme politique espagnol (Ségovie 1831 - Zarauz 1900). Il contribua à l'écrasement de l'insurrection carliste (1870-1876). Il échoua dans sa tentative de pacification de Cuba (1895).

MARTÍNEZ MONTAÑÉS (Juan), sculpteur espagnol (Alcalá la Real, Jaén, 1568 - Séville 1649). Il fut, à Séville, le grand maître de la sculpture religieuse en bois polychrome.

MARTINGALE n.f. -**1.** Ensemble de deux pattes se boutonnant l'une sur l'autre et placées à la taille dans le dos d'un vêtement. -**2.** Courroie du harnais qui s'oppose à l'élévation exagérée de la tête du cheval. -**3.** Système de jeu qui prétend, selon des principes fondés sur le calcul des probabilités, assurer un bénéfice certain dans les jeux de hasard.

MARTINI n.m. (nom déposé). -**1.** Vermouth rouge, blanc ou rosé de la marque de ce nom. -**2.** Cocktail composé de vermouth blanc et de gin.

MARTINI (Arturo), sculpteur italien (Trévise 1889 - Milan 1947). Novateur subtil par la voie « modérée » d'une tradition archaïsante, il a exercé une forte influence sur ses compatriotes, tels Marino Marini et Giacomo Manzu.

MARTINI (Francesco di Giorgio) → FRANCESCO DI GIORGIO MARTINI.

MARTINI (*Padre* Giovanni Battista), moine franciscain italien (Bologne 1706 - *id.* 1784). Compositeur et théoricien de la musique, il eut Jean-Chrétien Bach et Mozart pour disciples.

MARTINI (Simone), peintre italien (Sienne v. 1284 - Avignon 1344). Maître d'un style gothique d'une grande élégance, actif à Sienne, à Naples, à Assise (fresques de la *Vie de saint Martin*), en Avignon, il exerça une influence considérable sur l'école siennoise, sur Matteo Giovannetti (actif en Avignon de 1343 à 1367), etc.

MARTINIQUE [972], département français d'outre-mer, ayant le statut de Région, constitué par une île des Petites Antilles ; 1 100 km² ; 359 572 hab. *(Martiniquais).* Ch.-l. *Fort-de-France ;* 3 arrond. (*Fort-de-France, Le Marin* et *La Trinité*) et 34 comm. **GÉOGR.** Volcanique, au relief accidenté, surtout dans la moitié nord (montagne Pelée, pitons du Carbet), la Martinique possède un climat tropical (températures moyennes oscillant autour de 25 °C). Celui-ci est plus humide dans l'est, exposé aux alizés (qui provoquent des pluies abondantes entre juin et décembre surtout), et sur les hauteurs, plus ensoleillé à l'O. et au S. Les zones rurales se dépeuplent au profit de l'agglomération de Fort-de-France, qui rassemble un tiers de la population. L'émigration vers

MARTINIQUE

la métropole a contribué à la chute de natalité, au ralentissement de la croissance démographique. Elle n'a pas empêché la montée du chômage. Le tourisme est devenu une ressource notable. L'agriculture a décliné : canne à sucre (en partie pour la production de rhum) et bananiers surtout. L'industrialisation demeure modeste. La balance commerciale est lourdement déficitaire. L'île dépend largement de l'aide de la métropole, qui a déjà financé d'importants travaux d'infrastructure routière et aérienne, scolaire et sanitaire. **HIST.** Découverte par Christophe Colomb en 1502, l'île est colonisée par la France à partir de 1635. Elle fonde sa prospérité sur les cultures tropicales (canne à sucre) et sur le commerce des esclaves. En 1946, la Martinique devient un département d'outre-mer et, en 1982, elle se dote d'un conseil régional en vertu de la loi de décentralisation.

MARTINISME n.m. Doctrine mystique de Claude de Saint-Martin, qui considère le Christ comme intermédiaire unique avec Dieu.

MARTIN-PÊCHEUR n.m. (pl. martins-pêcheurs). Petit oiseau au plumage brillant, qui se tient d'ordinaire au bord des cours d'eau et plonge avec rapidité pour prendre de petits poissons. (Long. 16 cm env. ; ordre des coraciadiformes.)

MARTIN-PÊCHEUR

MARTINSON (Harry), écrivain suédois (Jämshög 1904 - Stockholm 1978). Marin, autodidacte, poète et romancier réaliste, il s'inscrit dans le courant littéraire moderniste (*Les orties fleurissent,* 1935 ; *le Chemin de Klockrike,* 1948). [Prix Nobel avec Eyvind Johnson 1974.]

MARTINŮ (Bohuslav), compositeur tchèque (Polička, Bohême, 1890 - Liestal, Suisse, 1959). Il a subi l'influence des postromantiques allemands, puis d'Albert Roussel et de Stravinski. L'impressionnisme le fascina autant que les rythmes de jazz. Il a composé des œuvres pour orchestre (6 symphonies), des concertos, des opéras (*Juliette ou la Clef des songes,* 1938), de la musique de chambre et des ballets.

MARTONNE (Emmanuel de), géographe français (Chabris 1873 - Sceaux 1955), auteur d'un *Traité de géographie physique* (1909).

MARTRE ou **MARTE** n.f. Mammifère carnivore à fourrure estimée, dont il existe trois espèces, la martre ordinaire, la fouine et la zibeline. (Famille des mustélidés.)

MARTY (André), homme politique français (Perpignan 1886 - Toulouse 1956). Il participa à une mutinerie en mer Noire au cours des opérations menées par l'armée française contre les bolcheviks (1919). Il adhéra au Parti communiste en 1923 et en fut exclu en 1953.

MARTYR, E n. (gr. *martus, marturos,* témoin). -1. Personne qui a souffert la mort pour sa foi religieuse ou pour une cause à laquelle elle s'est sacrifiée : *Les martyrs de la Résistance.* -2. Chrétien mis à mort ou torturé en témoignage de sa foi. ◆ adj. Qui souffre de mauvais traitements systématiques : *Une enfant martyre.*

MARTYRE n.m. -1. Torture, supplice, mort que qqn endure, génér. pour la défense de sa foi, de sa cause. -2. Grande douleur physique ou morale ; état, situation extrêmement pénibles.

MARTYRISER v.t. Faire endurer de cruels traitements à qqn, à un animal ; torturer, persécuter.

MARTYRIUM [martirjɔm] n.m. Dans le christianisme primitif, monument, chapelle élevés autour de la tombe d'un martyr.

MARTYROLOGE n.m. -1. Liste ou catalogue des martyrs et des saints. -2. Liste des victimes d'une cause.

MARTYRS CANADIENS (les), missionnaires français massacrés par des Iroquois et un Huron entre 1642 et 1649. Ils furent canonisés en 1930.

MARVELL (Andrew), poète anglais (Winestead, Yorkshire, 1621 - Londres 1678). Adversaire de Dryden et défenseur de Milton, il est l'auteur de pastorales nationalistes à la gravité sensuelle (*Miscellaneous Poems,* 1681).

MARX (Karl), théoricien du socialisme et révolutionnaire allemand (Trèves 1818 - Londres 1883).

→ ● **DOSSIER** KARL MARX *page suivante.*

D O S S I E R

KARL MARX

Forgeron de clefs qui devaient ouvrir les chaînes de l'humanité mais dont il est arrivé qu'elles serviront à mieux les verrouiller, Marx est poursuivi rétrospectivement par le spectre du marxisme institutionnalisé, qui ne fut pourtant, à bien des égards, qu'une contrefaçon de sa pensée. Reste que celle-ci, au risque d'une occultation injuste de ce qu'elle garde de pertinence émancipatrice, a finalement moins bien résisté à l'histoire, dont son propos était pourtant d'assurer la maîtrise, que nombre de ces philosophies auxquelles Marx reprochait de se contenter d'interpréter le monde.

L'engagement révolutionnaire d'un matérialiste convaincu.

Deuxième enfant d'un avocat libéral juif converti au protestantisme pour échapper à l'antisémitisme, Karl Marx, né à Trèves en 1818, étudie le droit à Bonn puis à Berlin, où il s'intéresse aussi à l'histoire et à la philosophie. En 1841, à Iéna, il approfondit, à l'occasion de sa thèse *Différence de la philosophie de la nature chez Démocrite et Épicure*, la critique matérialiste de la religion. En contact avec le milieu des jeunes hégéliens, il se lie aux frères Bauer et subit également l'influence de L. Feuerbach.

UN PROPHÈTE D'ESPÉRANCE

Si la pensée de Marx a eu tant d'écho, c'est que, tout en répondant à l'exigence de scientificité - apparente ou réelle - de son époque, elle invitait la foule immense des exploités à se forger une conscience nouvelle : elle leur démontrait qu'ils n'étaient pas les laissés-pour-compte de l'humanité, mais sa meilleure part, la seule qui puisse assurer le triomphe de la solidarité sur cette déshumanisation globale, drapée dans les illusions de l'individualisme, qui est le fait du capitalisme.

❶ Karl Marx en 1867.

KARL MARX

Il devient, en 1842, rédacteur en chef de la *Gazette rhénane,* journal d'opposition fondé par des bourgeois radicaux. Il s'initie aux problèmes économiques et pratique les œuvres des écrivains socialistes français. En 1843, il épouse une amie d'enfance, Jenny von Westphalen.

La même année, exilé par le gouvernement prussien, il s'installe à Paris, où il lance, à la suite de l'interdiction de la *Gazette rhénane,* les *Annales franco-allemandes,* qui se proposent d'unifier la réflexion critique allemande et la réflexion politique révolutionnaire française : un seul numéro, où figure *la Question juive,* paraît en 1844. L'influence hégélienne est encore sensible dans les *Manuscrits* de 1843-44, centrés sur le thème de l'aliénation. Au même moment, Marx rédige sa *Contribution à la critique de la philosophie du droit de Hegel.* En collaboration avec F. Engels, avec qui il s'est lié d'amitié, il écrit *la Sainte Famille* (1845), dirigée contre les hégéliens, rédige les *Thèses sur Feuerbach,* qui posent les bases du matérialisme historique, et entreprend l'*Idéologie allemande* (1845-1846), texte de grande importance quoique non publié alors. Il attaque Proudhon et son refus de la lutte politique dans *Misère de la philosophie* (1847).

Cette période, parisienne (1843-1845) puis bruxelloise (1845-1848), est marquée par une intense activité politique. Marx multiplie les contacts avec les militants ouvriers et les émigrés allemands, et établit avec l'aide d'Engels un réseau de correspondance communiste. La rédaction, toujours avec Engels, du *Manifeste du parti communiste* (1848), à la demande de la Ligue des communistes, concrétise le « règlement de compte » des deux hommes « avec leur conscience philosophique d'autrefois » et l'élaboration du matérialisme historique : la rupture avec leur passé est à la fois politique et théorique.

Lorsque la révolution de 1848 éclate, Marx est expulsé de Belgique. Il se fixe à Cologne, où il lance la *Nouvelle Gazette rhénane* (juin 1848 - mai 1849), pour laquelle il écrit de nombreux articles à l'intention des ouvriers *(Travail salarié et capital).* Expulsé d'Allemagne, puis de France, il se réfugie en 1849 à Londres.

Il rédige alors *les Luttes de classes en France* (1850). Il se remet à étudier l'économie et conçoit son œuvre majeure, *le Capital.* En 1864, il est invité à prendre la direction de l'Association générale des ouvriers allemands (→ INTERNATIONALE), dont il rédige l'*Adresse inaugurale* et *les Statuts.* Il est à Paris lors de la Commune et en donne une interprétation militante dans *la Guerre civile en France* (1871). Il poursuit la rédaction du *Capital* tout en participant activement à la définition des programmes des partis ouvriers allemand et français. Il aide Engels dans la

KARL MARX

rédaction de l'*Anti-Dühring* (1878); mais la maladie, la mort de sa femme (1881) et de sa fille Jenny (1883) ont raison de lui le 14 mars de cette même année.

Lutte de classes d'abord.

Complexe, évolutive et inachevée, l'œuvre de Marx tourne autour de l'analyse de la *lutte des classes* : inéluctablement ins- crite dans le réel comme lutte économique des classes pour leur existence, elle est le principe explicatif de tous les phéno- mènes historiques (économiques, politiques et sociaux) et le moteur de l'histoire. Le *matérialisme historique* en retrace le cheminement, le *matérialisme dialectique* en dégage la logique, fondée sur le développement et le dépassement des contra- dictions. Dans le *mode de production capitaliste,* dont l'essence est l'exploitation généralisée et le ressort l'extorsion de la *plus- value* (résultat du sur-travail) aux travailleurs, cette lutte prend un caractère définitif dans la mesure où l'émancipation du pro- létariat par la révolution ouvre la voie heureuse dont la der- nière étape, le *communisme,* se caractérisera par la disparition de toute exploitation de l'homme par l'homme. Il appartient donc à l'action révolutionnaire, menée dans les formes adé- quates, de guider la lutte du prolétariat et d'éviter qu'elle ne se perde dans les mirages du réformisme et de la collaboration de classes.

Quelques œuvres de Karl Marx.

1844 : *la Question juive ; les Manuscrits de 1844 ;* économie poli- tique et philosophie.

1845 : *la Sainte Famille.*

1845-46 : *l'Idéologie allemande* (publiée en 1932).

1848 : *Thèses sur Feuerbach ; Manifeste du parti communiste,* en coll. avec Engels ; *Travail salarié et capital.*

1850 : début de la rédaction du *Capital* (cet ouvrage paraîtra en 1867 [livre I], 1885 [livre II], 1894 [livre III], 1905 [livre IV]).

1852 : *le 18-Brumaire de Louis Bonaparte.*

1857 : *Fondements de la critique de l'économie politique (Grundrisse)* [publiés en 1939 et 1941].

1859 : *Contribution à la critique de l'économie politique.*

1861-1865 : *Matériaux pour l'économie* (publié en 1933).

1865 : *Salaire, prix, profit.*

1871 : *la Guerre civile en France.*

1875 : *Critique du programme de Gotha.*

Voir aussi : COMMUNISME, MARXISME, MATÉRIALISME, SOCIALISME.

MARX BROTHERS, nom pris par un quatuor, puis trio, d'acteurs américains comptant **Leonard,** dit Chico (New York 1886 - Los Angeles 1961), **Adolph Arthur,** dit Harpo (New York 1888 - Los Angeles 1964), **Julius,** dit Groucho (New York 1890 - Los Angeles 1977), et **Herbert,** dit Zeppo (New York 1901 - Palm Springs 1979). Après avoir débuté au music-hall, ils triomphèrent à l'écran, où leurs gags impertinents, loufoques, tant verbaux que visuels, entraînèrent le cinéma burlesque vers les rivages de l'absurde et de l'anarchisme. Zeppo se sépara du groupe en 1935. Leurs meilleurs films sont *Noix de coco* (1929), *Monnaie de singe* (1931), *Soupe au canard* (1933), *Une nuit à l'Opéra* (1935), *Un jour aux courses* (1937), *Une nuit à Casablanca* (1946).

Les **MARX BROTHERS**
(de gauche à droite, Groucho, Chico et Harpo) dans une scène de *Un jour aux courses* (1937).

MARXIEN, ENNE adj. Relatif à Karl Marx, à ses œuvres.

MARXISME n.m. Ensemble des conceptions politiques, philosophiques et sociales de K. Marx, de F. Engels et de leurs continuateurs.

ENCYCL. Le marxisme a connu après Marx et Engels une série exceptionnelle de continuateurs qui ont, chacun à sa manière, apporté une contribution et/ou une actualisation. Karl Kautsky souligne l'accentuation des contradictions, quasi automatiques, entre les classes et préconise une stratégie de renforcement des organisations de la classe ouvrière (*le Chemin du pouvoir,* 1909). Lénine insiste sur l'aspect organisationnel du parti et sur le rôle dévolu à la fraction consciente du prolétariat, qui, seule, doit appartenir à un parti communiste professionnalisé et soumis à une discipline militaire (*Que faire ?,* 1902). Perspective qui finira par réduire le marxisme, figé dans sa variante stalinienne (construction du socialisme dans un seul pays) après l'élimination politique de Trotski (partisan de la révolution permanente), au rôle d'ossature idéologique du totalitarisme en U. R. S. S. et ailleurs. Bien auparavant, Rudolf Hilferding avait démontré l'importance du capital financier (*le Capital financier,* 1910) par rapport aux investissements des industriels et l'extension, à l'époque de l'impérialisme, du mode de production capitaliste à l'ensemble des nouvelles conquêtes coloniales, analyse reprise et systématisée par Lénine (*l'Impérialisme, stade suprême du capitalisme,* 1916). Rosa Luxemburg aboutit à la même conclusion en montrant les différentes formes prises par l'accumulation du capital (*l'Accumulation du capital,* 1913), tout en luttant contre toute dérive centralisatrice de l'organisation prolétarienne. Antonio Labriola insiste sur la liquidation de toute philosophie (bourgeoise par essence) par le matérialisme (*le Matérialisme historique,* 1896). György Lukács affirme que l'aliénation de la conscience ouvrière est une forme de réification, hostile à la révolution (*Histoire et Conscience de classe,* 1923). Karl Korsch cherche à rétablir une relation dialectique entre le mouvement révolutionnaire et son expression théorique, qui est elle-même au-delà de la philosophie et de la science bourgeoises (*Marxisme et Philosophie,* 1923). Antonio Gramsci propose, en fonction des conditions historiques nouvelles, d'élargir la notion de dictature du prolétariat à celle d'« hégémonie du prolétariat » au sein d'un « bloc historique » dans lequel le prolétariat joue le rôle dominant, et ce dès avant la prise du pouvoir. Enfin, l'évolution du système soviétique a donné lieu à de nombreuses analyses marxistes : Boris Souvarine puis, après la guerre, Charles Bettelheim, Rudolf Bahro, Samir Amin. Louis Althusser a renouvelé l'analyse de l'État (bourgeois et prolétarien) en lui intégrant la notion d'« appareil idéologique d'État » (1970).

MARXISME-LÉNINISME n.m. sing. Théorie et pratique politiques s'inspirant de Marx et de Lénine.

MARXISTE adj. et n. Relatif au marxisme ; partisan du marxisme.

MARXISTE-LÉNINISTE adj. et n. (pl. marxistes-léninistes). Relatif au marxisme-léninisme ; partisan du marxisme-léninisme.

MARY *(puy),* sommet du massif du Cantal ; 1 787 m.

MARYLAND [marilɑ̃d] n.m. Tabac qui provient du Maryland.

MARYLAND, un des États unis d'Amérique (Atlantique) ; 4 781 468 hab. Cap. *Annapolis.* V. princ. *Baltimore* (dont l'agglomération regroupe la moitié de la population de l'État).

MAS [ma] ou [mas] n.m. Maison de campagne, ferme, en Provence.

MASACCIO (Tommaso di Ser Giovanni, dit), peintre italien (San Giovanni Valdarno, prov. d'Arezzo, 1401 - Rome 1428). Égal de Brunelleschi et de Donatello, il a pratiqué un art caractérisé par les qualités spatiales, la plénitude des formes, le réalisme expressif et dont l'influence fut considérable. Ses œuvres conservées les plus célèbres se situent dans les années 1425-1428 : la *Vierge à l'Enfant avec des anges* (panneau de retable, Nat. Gal. de Londres) ; *la Trinité,* fresque à S. Maria Novella de Florence ; le cycle de fresques de la chapelle Brancacci à S. Maria del Carmine (même ville), où les scènes dues à Masaccio (*Adam et Ève chassés du paradis, le Tribut de saint Pierre,* etc.) se démarquent de celles, encore proches de la suavité gothique, dues à son aîné Masolino da Panicale (v. 1383-1440).

MASAI ou **MASSAÏ,** peuple du Kenya et de Tanzanie, constitué exclusivement de pasteurs nomades et de guerriers.

MASAN, port de la Corée du Sud, sur le détroit de Corée ; 387 000 hab.

MASANIELLO (Tommaso Aniello, dit), tribun populaire napolitain (Naples 1620 - *id.* 1647). Chef d'une insurrection contre le vice-roi d'Espagne, il devint maître de Naples mais fut assassiné par ses amis.

MASARYK (Tomáš), homme d'État tchécoslovaque (Hodonín 1850 - château de Lány 1937). Nationaliste tchèque sous la monarchie austro-hongroise, il fonda, en 1918, la République tchécoslovaque, dont il fut le président jusqu'en 1935. Par son rayonnement intellectuel et moral, il joua un rôle beaucoup plus important que celui que lui conférait la Constitution. Son fils **Jan** (Prague 1886 - *id.* 1948), ministre des Affaires étrangères (1945-1948), se suicida après le coup d'État communiste de février 1948.

Saint Pierre et saint Jean distribuant les aumônes (1426-27). Détail d'une des fresques peintes par **MASACCIO** dans la chapelle Brancacci à Santa Maria del Carmine de Florence.

MASBATE, île des Philippines, dans le groupe des Visayas.

MASCAGNI (Pietro), compositeur italien (Livourne 1863 - Rome 1945). Chef de file du mouvement vériste, il est l'auteur d'ouvrages lyriques : *Cavalleria rusticana* (1890).

MASCARA n.m. Produit cosmétique coloré pour le maquillage des cils.

MASCARADE n.f. **-1.** Réunion ou défilé de personnes déguisées et masquées. **-2.** Déguisement étrange ; accoutrement ridicule. **-3.** Mise en scène trompeuse ; comédie, hypocrisie.

MASCAREIGNES *(îles),* ancien nom d'un archipel de l'océan Indien formé principalement par la Réunion (anc. île Bourbon) et l'île Maurice (anc. île de France).

MASCARET n.m. Surélévation brusque des eaux, qui se produit dans certains estuaires au moment du flux et qui progresse rapidement vers l'amont sous la forme d'une vague déferlante.

MASCARON n.m. Masque sculpté de fantaisie pouvant décorer la clef de l'arc ou de la plate-bande d'une baie, la panse d'un vase, l'orifice d'une fontaine, etc.

MASCATE, cap. de l'Oman, sur le golfe d'Oman ; 30 000 hab.

MASCOTTE n.f. Objet, personne ou animal considérés comme des porte-bonheur, des fétiches.

MASCULIN, E adj. -1. Qui appartient au mâle, à l'homme, qui a ses caractères. -2. Qui est composé d'hommes. -3. Qui appartient au genre masculin. -4. *Rime masculine,* rime qui ne finit pas par un e muet ou une syllabe muette. ◆ **masculin** n.m. Un des genres grammaticaux, qui s'applique, en français, à la plupart des noms d'êtres mâles et à une partie des noms désignant des choses.

MASCULINISER v.t. -1. Donner un caractère masculin à qqn, à qqch. -2. Viriliser.

MASCULINITÉ n.f. Ensemble des traits psychologiques, des comportements considérés comme caractéristiques du sexe masculin.

MAS-D'AZIL (Le), ch.-l. de c. de l'Ariège, sur l'Arize, au pied du Plantaurel ; 1 314 hab. — Cette bastide, fondée en 1266, devint un important centre de la Réforme. Musée préhistorique. Gisement préhistorique, avec, dans l'une des grottes, des vestiges d'habitants magdaléniens et de l'outillage dit « azilien », constituant la transition avec les industries épipaléolithiques.

MASER [mazɛr] n.m. (sigle de l'angl. *microwave amplification by stimulated emission of radiation*). Amplificateur de micro-ondes par émission stimulée de rayonnement électromagnétique, dispositif fonctionnant suivant les mêmes principes que le laser mais pour des ondes électromagnétiques non visibles. (Le maser est utilisé en radioastronomie comme amplificateur des émissions des radiosources et, en métrologie, comme étalon de fréquence des horloges atomiques.) [→ LASER.]

MASERU, cap. du Lesotho, en Afrique australe ; 45 000 hab.

MASINA (Giulia Anna, dite **Giulietta**), actrice de cinéma italienne (San Giorgio di Piano, Bologne, 1921 - Rome 1994). Épouse (1943) de Federico Fellini, elle débute au cinéma en 1946 dans *Païsa.* Elle obtient un triomphe dans *La Strada* (1954). Elle tourne ensuite *Il Bidone* (1955), *les Nuits de Cabiria* (1957), *Fortunella* (1958), *Juliette des esprits* (1965), *Ginger et Fred* (1985).

MASINISSA ou **MASSINISSA,** roi de Numidie (v. 238 - Cirta 148 av. J.-C.). Il s'allia aux Romains lors de la deuxième guerre punique (218-201) et put ainsi constituer un royaume puissant. Ses empiétements amenèrent Carthage à lui déclarer la guerre (150). Ce fut pour Rome le prétexte de la troisième guerre punique.

MASKELYNE (Nevil), astronome britannique (Londres 1732 - Greenwich 1811). Il fonda le *Nautical Almanac* (1766). Par des mesures de la déviation du fil à plomb sur une montagne d'Écosse (1774), il s'efforça de déterminer la valeur de la constante de gravitation et put évaluer la densité moyenne de la Terre.

MASKINONGÉ n.m. Poisson d'Amérique du Nord voisin du brochet, mais beaucoup plus grand.

MASOCHISME [mazɔʃism] n.m. (de L. von Sacher-*Masoch,* romancier autrichien). -1. Recherche plus ou moins consciente du plaisir au travers de la douleur physique, de la souffrance, de la déchéance. -2. Comportement d'une personne qui semble rechercher les situations où elle souffre, se trouve en difficulté, etc.

MASOCHISTE adj. et n. Relatif au masochisme ; atteint de masochisme.

MASPERO (Gaston), égyptologue français (Paris 1846 - *id.* 1916). Professeur au Collège de France, il succéda à Mariette à la direction du musée du Caire et poursuivit l'œuvre de sauvegarde de celui-ci. Le premier, il recopia les textes des chambres de certaines pyramides royales et dégagea, notamment, le temple de Louqsor et le sphinx de Gizeh. Son fils **Henri,** sinologue (Paris 1883 - Buchenwald 1945), est l'auteur de nombreux ouvrages sur l'Asie du Sud-Est et les religions extrême-orientales (*la Chine antique,* 1927).

MASQUAGE n.m. -1. Action de masquer qqch, de l'occulter. -2. Technique utilisée en photogravure pour améliorer la qualité de la sélection des couleurs.

MASQUE n.m. -1. Faux visage de carton peint, de matière plastique, de tissu, etc., dont on se couvre la figure pour se déguiser ou dissimuler son identité. -2. Forme stylisée du visage ou du corps humain ou animal, ayant une fonction rituelle. -3. LITT. Apparence, aspect du visage. -4. Moulage de la face, pris sur le vif ou sur un cadavre : *Masque mortuaire.* ARM. *Masque à gaz,* appareil individuel de protection contre les gaz toxiques. COSMÉT. Préparation, souvent sous forme de crème, de pâte ou de gel, utilisée en application pour les soins esthétiques du visage. **MÉD.** Appareil que l'on applique sur le nez et la bouche pour administrer les anesthésiques gazeux et l'oxygène. **MIL.** Obstacle artificiel ou naturel servant d'abri contre les tirs ennemis ou d'écran contre l'observation. **MUS.**, **THÉÂTRE.** En Angleterre, spectacle et réjouissance de cour, combinant, à son apogée, sous le règne de Jacques Ier (1603-1625), les ressources de la poésie et du drame, de l'architecture scénique, du décor, de la musique et de la danse. **PATHOL.** *Masque de grossesse,* chloasma. **PÊCHE, SPORTS.** Accessoire des plongeurs subaquatiques, isolant de l'eau les yeux et le nez. **SPORTS.** Protection pour le visage, en treillis métallique, portée par les escrimeurs. **TRAV. PUBL.** *Masque de barrage,* couche de béton bitumineux, imperméable et souple, que l'on pose sur la face amont d'un barrage pour l'étanchéifier. **ZOOL.** Lèvre inférieure des larves de libellules se dépliant brusquement pour la capture des proies.

MASQUÉ, E adj. -1. Qui porte un masque. -2. *Bal masqué,* bal où l'on va sous un déguisement. ‖ *Tir masqué,* tir exécuté par-dessus un obstacle.

MASQUE DE FER (*l'homme au*), personnage demeuré inconnu (m. à Paris en 1703), enfermé dans la forteresse de Pignerol en 1679, puis à la Bastille. Il fut contraint, sa vie durant, de porter un masque.

MASQUER v.t. -1. Couvrir qqn, son visage d'un masque. -2. Dérober qqch à la vue ; cacher. -3. Soustraire qqch à la connaissance d'autrui, le cacher sous de fausses apparences : *Il nous masque ses projets.* -4. *Masquer une voile,* la brasser de telle façon que le vent la frappe par-devant. ◆ v.i. Avoir ses voiles frappées par-devant par le vent, en parlant d'un navire.

MASSA, v. d'Italie (Toscane), ch.-l. de la *province de Massa e Carrara ;* 65 287 hab. Carrières de marbre.

MASSACHUSETTS, un des États unis d'Amérique, en Nouvelle-Angleterre ; 21 500 km² ; 6 016 425 hab. Cap. *Boston.* État urbanisé à plus de 80 %.

MASSACRE n.m. -1. Action de massacrer. -2. Trophée de chasse formé de la tête d'un cervidé portant les bois, séparée du corps et naturalisée. -3. *Jeu de massacre,* jeu forain qui consiste à faire basculer des silhouettes avec des balles qu'on lance.

MASSACRER v.t. -1. Tuer sauvagement et en masse des êtres, des gens sans défense. -2. **FAM.**

Abîmer, endommager qqch par un travail maladroit ; représenter, exécuter maladroitement une œuvre : *Massacrer un concerto.*

MASSACREUR, EUSE n. Personne qui massacre.

Massada, forteresse de Palestine élevée sur la rive occidentale de la mer Morte par un descendant des Maccabées, le roi asmonéen Alexandre Jannée (103-76 av. J.-C.). C'est Hérode le Grand, en 30 av. J.-C., qui en fit un piton fortifié. Au cours de la première révolte des Juifs contre les Romains, en 66 apr. J.-C., Massada, occupée par les zélotes, les derniers résistants juifs, tint en échec jusqu'en 73 les légions de Rome. Ceux-ci, au nombre d'un millier, choisirent la mort plutôt que de se rendre.

MASSAGE n.m. Action de masser. (Les massages sont employés, associés à la kinésithérapie, pour la rééducation des blessés et le traitement des affections articulaires, osseuses, musculaires et nerveuses.)

MASSAGÈTES, peuple iranien nomade de l'est du Caucase. C'est au cours d'une expédition contre les Massagètes que Cyrus II trouva la mort (530 av. J.-C.).

MASSAÏ → MASAI.

MASSALIA → MARSEILLE.

MASSALIOTE adj. et n. De l'antique Marseille.

MASSAOUA, port de l'Érythrée, sur la mer Rouge ; 29 000 hab. Salines.

1. **MASSE** n.f. -1. Grande quantité d'une matière, d'une substance sans forme précise : *Masse de terre.* -2. Quantité, volume important de liquide, de gaz formant une unité : *La masse du sang en circulation.* -3. Volume d'un objet important par ses dimensions et par son poids ; bloc compact. -4. Réunion d'éléments distincts de même nature, rassemblés en un tout indistinct : *La masse des véhicules.* -5. Grande quantité d'éléments formant un tout : *Une masse de documents.* -6. Grande quantité de choses ou de personnes : *La masse des spectateurs.* -7. Le commun des hommes, le plus grand nombre : *Un spectacle destiné à la masse.* -8. Caisse spéciale d'un groupe, à laquelle chacun contribue pour sa quote-part : *Masse d'un atelier des Beaux-Arts.* -9. *Dans la masse,* dans un seul bloc de matière homogène : *Travailler, sculpter, usiner dans la masse.* ‖ *De masse,* qui concerne la grande majorité du corps social, considérée comme culturellement homogène : *Communication de masse.* **ARCHIT.** *Plan de masse,* plan à petite échelle, ne donnant

d'un ensemble de bâtiments que les contours et souvent, par des ombres, une indication des volumes. SYN. : plan-masse. ASTRONAUT. *Rapport de masse,* dans une fusée, rapport entre la masse au lancement et la masse à l'achèvement de la combustion des ergols. AUTOM. Ensemble métallique d'une automobile par où se ferment les circuits de l'équipement électrique. CHIM. *Nombre de masse,* nombre total de particules (protons et neutrons) constituant le noyau d'un atome. ∥ *Masse molaire moléculaire,* masse d'une mole de substance formée de molécules. ∥ *Unité de masse atomique,* unité de mesure de masse atomique (symb. u) égale à la fraction 1/12 de la masse du nucléide ^{12}C et valant approximativement 1,660 56 • 10^{-27} kilogramme. DR. Ensemble des biens d'une succession, d'une société ou d'un groupement. ÉCON. *Masse monétaire,* ensemble des billets en circulation, des monnaies divisionnaires et des dépôts à vue. ÉLECTR. Ensemble des pièces conductrices qui, dans une installation électrique, sont mises en communication avec le sol. MÉTÉOR. *Masse d'air,* flux d'air qui présente une certaine homogénéité et dont les qualités physiques (pression, température, degré d'humidité) varient suivant la position géographique qu'il occupe. MIL. Allocation forfaitaire attribuée à une formation militaire pour subvenir à certaines dépenses (habillement, campement, casernement, etc.). NUCL. *Masse critique,* quantité minimale de substance fissile nécessaire pour qu'une réaction en chaîne puisse s'établir spontanément et se maintenir. PHYS. Quotient de la force appliquée à un corps par l'accélération que cette force imprime au mouvement de ce corps *(masse interte)* ; grandeur qui caractérise un corps en ce qui concerne l'attraction qu'il subit de la part d'un autre *(masse pesante).* [L'unité SI de masse est le kilogramme.] ∥ *Masse spécifique* ou *volumique,* quotient de la masse d'un corps par son volume. ◆ pl. Le peuple ; les classes populaires.

2. **MASSE** n.f. -1. Outil formé d'une lourde tête (métallique ou en bois) percée d'un trou dans lequel est fixé un long manche, servant à frapper, casser, enfoncer, etc. -2. Gros bout d'une queue de billard. -3. *Masse d'armes,* arme formée d'un manche assez souple surmonté d'une masse métallique, souvent garnie de pointes, en usage au Moyen Âge et jusqu'au XVIe s.

MASSÉ n.m. Au billard, coup donné sur une bille perpendiculairement à la surface du tapis.

MASSELOTTE n.f. -1. Petite masse d'un système mécanique agissant par inertie, gravité ou force centrifuge, souvent ajoutée à un organe tournant pour l'équilibrer dans sa rotation. -2. Métal en excédent qui adhère à une pièce fondue. SYN. : jet.

MASSÉNA (André), *duc* de Rivoli, *prince* d'Essling, maréchal de France (Nice 1758 - Paris 1817). Il participa à la victoire de Rivoli (1797), vainquit les Russes et les Autrichiens à Zurich (1799) et se distingua également à Essling et à Wagram (1809). Napoléon le surnomma « l'Enfant chéri de la Victoire ».

André **MASSÉNA**, maréchal de France. Détail d'un portrait par L. Hersent. (Musée Masséna, Nice.)

MASSENET (Jules), compositeur français (Montaud, près de Saint-Étienne, 1842 - Paris 1912). Professeur de composition au Conservatoire de Paris, il écrivit des mélodies et des oratorios mais s'intéressa surtout au théâtre lyrique. Sa mélodie raffinée, son orchestration soignée lui valurent la notoriété avec *Manon* (1884), *Werther* (1892), *Thaïs* (1894), *le Jongleur de Notre-Dame* (1902).

MASSEPAIN n.m. Petit biscuit rond, fait avec des amandes, du sucre et des blancs d'œufs.

1. **MASSER** v.t. Presser, pétrir différentes parties du corps avec les mains pour assouplir les tissus, fortifier les muscles, atténuer les douleurs, etc.

2. **MASSER** v.t. Rassembler, disposer en masse : *Masser des troupes.* ◆ se masser v.pr. Se réunir en masse ; se grouper.

3. **MASSER** v.t. et i. Au billard, faire un massé.

MASSÉTER [masetɛr] n.m. et adj.m. (mot gr., de *masâsthai,* mâcher). Muscle de la joue, qui élève la mâchoire inférieure.

MASSETTE n.f. -1. Petite masse à tête parallélépipédique, utilisée notamm. par les carriers, les maçons, les plâtriers. -2. Plante du bord des étangs, dite *roseau-massue,* dont les fleurs forment un épi compact d'aspect brun et velouté. (Famille des typhacées.)

MASSEUR, EUSE n. Personne habilitée à effectuer des massages. (On dit aussi *masseur-kinésithérapeute.*)

MASSEY (Vincent), homme politique canadien (Toronto 1887 - Londres 1967). Premier gouverneur général du Canada d'origine canadienne (1952-1959).

1. **MASSICOT** n.m. (it. *marzacotto,* vernis, de l'ar.). Oxyde naturel de plomb (PbO), de couleur jaune.

2. **MASSICOT** n.m. -**1**. Machine à couper le papier en feuilles. -**2**. Machine permettant la mise aux dimensions du bois de placage déroulé ou tranché.

MASSICOTER v.t. Couper au massicot.

1. **MASSIER** n.m. Huissier porteur d'une masse et qui, lors de certaines solennités, précédait le roi, le chancelier, le corps de l'université, etc.

2. **MASSIER, ÈRE** n. Dans un atelier de peinture ou de sculpture, élève chargé de recueillir les cotisations (masse) et de pourvoir aux dépenses communes.

1. **MASSIF, IVE** adj. -**1**. Qui forme un bloc compact ; qui n'est ni creux, ni plaqué, ni mélangé : *Un meuble en acajou massif.* -**2**. Qui a une apparence épaisse, lourde, compacte : *Formes massives.* -**3**. Qui groupe un grand nombre de personnes : *Manifestation massive.* -**4**. Qui est donné, fait ou qui existe en grande quantité : *Dose massive de médicaments.* -**5**. Qui possède une masse importante : *Étoile massive.*
◆ **massivement** adv.

2. **MASSIF** n.m. -**1**. Ensemble de plantes fleuries ou d'arbustes, dans un parterre. -**2**. Ensemble de hauteurs présentant un caractère montagneux : *Le massif du Mont-Blanc.* -**3**. Ouvrage de béton ou de maçonnerie destiné à porter ou à épauler une construction. -**4**. Ensemble des panneaux publicitaires d'un quai *(massif quai)* ou d'un couloir *(massif couloir)* affectés à un même annonceur, dans le métro. -**5**. *Massif ancien,* région formée de terrains plissés au précambrien ou au primaire, n'ayant subi que de larges déformations ou des cassures (failles).

MASSIF CENTRAL, région naturelle du centre-sud de la France couvrant environ 80 000 km², culminant à 1 885 m au puy de Sancy, mais d'une altitude moyenne de 714 m. Le Massif central correspond à la majeure partie de l'Auvergne et du Limousin mais englobe aussi des parties de Midi-Pyrénées, du Languedoc-Roussillon, de Rhône-Alpes et de la Bourgogne. Il juxtapose des paysages variés, des plateaux et des moyennes montagnes, formés de roches diverses, volcaniques (massifs des monts Dore, des monts Dôme et du Cantal notamment), cristallines (Margeride, Limousin, partie des Cévennes), calcaires (Causses). Quelques vallées et bassins (dont les Limagnes) aèrent le relief et concentrent de plus en plus hommes et activités. Les hauteurs, dépeuplées, vidées par l'exode rural, vivent surtout de l'élevage (notamment dans la moitié occidentale, au climat de type océanique, plus humide, mais frais, que dans l'est, abrité) et, localement et de façon saisonnière, du tourisme.

MASSIFICATION n.f. Adaptation d'un phénomène à la masse, au grand nombre, par suppression des caractères différenciés qu'il présentait : *La massification de la culture.*

MASSIFIER v.t. Opérer la massification de.

MASSIGNON (Louis), orientaliste français (Nogent-sur-Marne 1883 - Paris 1962). Il est l'auteur d'importants travaux sur la mystique de l'islam, notamment sur le soufisme.

MASSILLON (Jean-Baptiste), prédicateur français (Hyères 1663 - Beauregard-l'Évêque, Puy-de-Dôme, 1742). Oratorien, évêque de Clermont (1717), il prononça plusieurs oraisons funèbres, dont celles du prince de Conti (1709) et de Louis XIV (1715). Son chef-d'œuvre reste le *Petit Carême* de 1718. (Acad. fr. 1719.)

MASSINE (Léonide), danseur et chorégraphe russe, naturalisé américain (Moscou 1896 - Borken, Rhénanie-du-Nord-Westphalie, 1979). Il fut le collaborateur de Diaghilev et d'I. Rubinstein. La plupart de ses œuvres connurent un succès international (*le Tricorne,* 1919 ; *Choreartium,* 1933 ; la *Symphonie fantastique,* 1936, etc.). Il fut maître de ballet à l'Opéra-Comique (1957).

MASSINGER (Philip), écrivain anglais (près de Salisbury 1583 - Londres 1639 ou 1640). Partenaire de Thomas Dekker, de Fletcher et auteur de tragédies et de drames romanesques (*la Fille d'honneur,* 1621 ; *le Serf,* 1623), il est le plus virulent des grands poètes de l'époque élisabéthaine.

MASSIQUE adj. -**1**. Qui concerne la masse. -**2**. Se dit d'une grandeur rapportée à l'unité de masse : *Volume massique. Chaleur massique.*

André **MASSON :** « Surgit la naissance », planche II de *Mythologie de l'Être* (1940). Dessin à l'encre de Chine. (Galerie Louise Leiris, Paris.)

MASS MEDIA n.m. pl. Moyens de communication de masse (télévision, radio, presse, cinéma, etc.).

MASSON (André), peintre et dessinateur français (Balagny-sur-Thérain, Oise, 1896 - Paris 1987). Il est l'un des pionniers et l'un des maîtres du surréalisme (*les Chevaux morts,* peinture de sable [1927], *le Labyrinthe* [1938], M. N. A. M.). Par son séjour aux États-Unis (1941-1945), il est de ceux qui ont influencé l'école américaine (Pollock, l'expressionnisme abstrait).

MASSORA ou **MASSORE** n.f. (hébr. *massorah,* tradition). Annotation destinée à fixer le texte hébreu de la Bible et à remédier aux altérations dans la transmission du texte au cours des siècles.

MASSORÈTE n.m. Érudit juif, auteur de massoras.

MASSUE n.f. Bâton noueux, beaucoup plus gros à un bout qu'à l'autre, utilisé comme arme contondante de l'Antiquité au XVIe s.

MASSY, ch.-l. de c. de l'Essonne ; 38 972 hab. *(Massicois).* Ensemble résidentiel.

MASSYS (Quinten) → METSYS.

MASTABA n.m. Monument funéraire trapézoïdal (abritant caveau et chapelle), construit pour les notables de l'Égypte pharaonique de l'Ancien Empire.

MASTECTOMIE n.f. → MAMMECTOMIE.

MASTÈRE n.m. (de l'angl. *master,* maître). Diplôme à finalité professionnelle, délivré par certaines grandes écoles et sanctionnant une formation spécialisée en un an au moins.

MASTIC n.m. (gr. *mastikhê,* gomme de lentisque). -**1.** Pâte malléable à base de carbonate de calcium et d'huile de lin pure, durcissant au contact de l'air, qui sert à boucher des trous ou des joints, à faire adhérer des objets de nature différente, etc. -**2.** Erreur grave dans la composition typographique (partic., mélange des caractères). -**3.** Résine jaunâtre qui découle du lentisque. ◆ adj. inv. Beige clair.

MASTICAGE n.m. Action de mastiquer, de joindre ou de remplir avec du mastic.

MASTICATEUR, TRICE adj. Qui intervient dans la mastication. (Certains muscles masticateurs abaissent la mâchoire inférieure [digastriques], d'autres l'élèvent [masséters temporaux], d'autres la déplacent latéralement [ptérygoïdiens].) ◆ **masticateur** n.m. Ustensile servant à broyer les aliments pour certains malades.

MASTICATION n.f. Action de mâcher.

MASTICATOIRE n.m. et adj. Substance qu'on mâche, sans l'avaler (tel le chewing-gum), pour exciter la sécrétion de la salive.

MASTIFF n.m. Chien à corps trapu, voisin du dogue de Bordeaux.

1. **MASTIQUER** v.t. Triturer des aliments avec les dents avant de les avaler.

2. **MASTIQUER** v.t. Coller, joindre, boucher avec du mastic.

MASTITE n.f. (gr. *mastos,* mamelle). Inflammation de la glande mammaire. SYN. : **mammite**.

MÄSTLIN (Michael), astronome et mathématicien allemand (Göppingen, Wurtemberg, 1550 - Tübingen 1631). Professeur de mathématiques à Heidelberg (1580) et à Tübingen (1584), il enseigna l'astronomie à Kepler, qu'il convertit aux idées coperniciennes.

MASTODONTE n.m. (du gr. *mastos,* mamelle, et *odous, odontos,* dent). Mammifère fossile de la fin du tertiaire et du début du quaternaire, voisin de l'éléphant mais muni de molaires mamelonnées et parfois de deux paires de défenses.

MASTOÏDE adj. (gr. *mastoeidès,* qui a l'apparence d'une mamelle). *Apophyse mastoïde* ou *mastoïde,* n.f., éminence placée à la partie inférieure et postérieure de l'os temporal, en arrière de l'oreille.

MASTOÏDIEN, ENNE adj. -1. Relatif à l'apophyse mastoïde. -2. *Cavités* ou *cellules mastoïdiennes,* cavités de l'apophyse mastoïde, en communication avec la caisse du tympan.

MASTOÏDITE n.f. Inflammation des cellules mastoïdiennes, qui peut accompagner une otite aiguë.

MASTOLOGIE n.f. Étude de la physiologie et de la pathologie des glandes mammaires.

MASTROIANNI (Marcello), acteur italien (Fontana Liri 1924 - Paris 1996). Il débuta au théâtre dans la troupe de Visconti avant de s'imposer au cinéma, jouant notamment avec F. Fellini (*La Dolce Vita,* 1960 ; *Huit et demi,* 1963 ; *Ginger et Fred,* 1985), M. Antonioni (*la Nuit,* 1961), E. Scola (*Une journée particulière,* 1977), R. Ruiz (*Trois Vies et une seule mort,* 1996).

Marcello **MASTROIANNI** dans une scène du film de Ettore Scola *Une journée particulière* (1977).

MASTURBATION n.f. Action de masturber, de se masturber.

MASTURBER v.t. (du lat. *manus,* main, et *stuprare,* polluer). Procurer le plaisir sexuel par l'excitation manuelle des parties génitales. ➤ **se masturber** v.pr. Se livrer à la masturbation sur soi-même.

M'AS-TU-VU n. inv. Personne vaniteuse.

MASUDI (Abu al-Hasan Ali al-), voyageur et encyclopédiste arabe (Bagdad v. 900 - Fustat, Le Caire, Égypte, v. 956). Il écrivit une chronique universelle, *les Prairies d'or,* et *le Livre de l'avertissement.*

MASUKU, anc. Franceville, v. du sud-est du Gabon ; 16 500 hab.

MASURE n.f. Maison misérable ou délabrée.

1. **MAT** [mat] n.m. (ar. *māta,* il est mort). Aux échecs, position du roi qui est en échec sans pouvoir se mettre hors de prise, ce qui termine la partie. ➤ adj. inv. Se dit du roi en position de mat, du joueur dont le roi est dans une telle situation.

2. **MAT, E** [mat] adj. -1. Qui n'a pas d'éclat, de poli : *Or mat.* -2. Qui n'a pas de transparence, n'est pas lumineux : *Verre mat.* -3. Qui n'a pas de résonance : *Son mat.*

3. **MAT** [mat] n.m. (angl. *mat,* natte). Nappe en fibres de verre, en fibres synthétiques ou naturelles non tissées, utilisée dans la fabrication des plastiques armés, des stratifiés, etc.

MÂT [ma] n.m. -1. Longue pièce de bois ou de métal, de section génér. circulaire, dressée verticalement ou obliquement sur le pont d'un voilier, maintenue par des haubans et destinée à porter la voilure. -2. Longue pièce fichée dans le sol, au sommet de laquelle on hisse des drapeaux, des signaux, etc. -3. Support des signaux et des disques, en signalisation ferroviaire. -4. Longue perche fixe servant aux exercices des gymnastes. -5. *Grand mât,* mât principal d'un voilier.∥*Mât de charge,* dispositif comprenant une corne montée sur un pivot ainsi que divers organes de manœuvre et servant à embarquer et à débarquer les marchandises à bord d'un navire.

MATABÉLÉ ou **MATABELELAND,** région du Zimbabwe, formée de plateaux élevés et peuplée par les Matabélé, ou Ndébélé. V. princ. *Bulawayo.*

MATABICHE n.m. (du port. *matar o bicho,* tuer la bête). AFRIQUE. Pot-de-vin, bakchich.

MATADI, port du Congo (anc. Zaïre), sur le Congo ; 162 000 hab. Exportation de cuivre.

MATADOR n.m. (mot esp., de *matar,* tuer). Dans les courses de taureaux, celui qui, ayant reçu l'alternative, est chargé de la mise à mort de l'animal.

MATAGE n.m. -1. Action de travailler au matoir à tasser ou de refouler une matière malléable à froid. -2. Action de matir un métal précieux.

MATA HARI (Margaretha Geertruida Zelle, dite), danseuse et aventurière néerlandaise (Leeuwarden 1876 - Vincennes 1917). Convaincue d'espionnage en faveur de l'Allemagne, elle fut fusillée.

MATAMORE n.m. Faux brave ; fanfaron.

Matamore (esp. *Matamoros,* tueur de Maures), personnage de la comédie espagnole du XVIe siècle, pendant du Capitan de la comédie italienne, lui-même issu du *Miles gloriosus* de la comédie latine, fanfaron et hâbleur. Il fut introduit en France par Corneille dans *l'Illusion comique* (1636).

MATAMOROS, v. du Mexique, sur le río Grande del Norte ; 303 392 hab.

MATANZA, banlieue de Buenos Aires ; 1 121 164 hab.

MATAPAN ou **TÉNARE** *(cap),* cap du sud du Péloponnèse. Victoire navale britannique sur les Italiens (28 mars 1941).

MATCH [matʃ] n.m. (pl. matchs ou matches). -1. Compétition sportive disputée entre deux concurrents, deux équipes. -2. Compétition (économique, politique, etc.) entre États, organismes, etc.

MATCHICHE n.f. Danse d'origine brésilienne, à deux temps, à la mode au début du XXe s.

MATCH-PLAY [matʃplɛ] n.m. (pl. match-plays). Au golf, compétition se jouant trou par trou.

MATÉ n.m. Houx d'Amérique du Sud, dont les feuilles fournissent une infusion stimulante et diurétique. SYN. : **thé des jésuites.**

MATEFAIM n.m. Crêpe très épaisse, spécialité lyonnaise ou franc-comtoise.

MATELAS n.m. (ar. *maṭraḥ,* tapis). -1. Pièce de literie, génér. capitonnée, rembourrée de laine, de mousse, ou à ressorts, et destinée à garnir le sommier. -2. Épaisse couche d'un matériau mou, souple ou meuble : *Matelas de feuilles.* -3. *Matelas d'air,* couche d'air aménagée entre deux parois, dans une construction. ‖ *Matelas pneumatique,* enveloppe gonflable de toile caoutchoutée ou de plastique, utilisée pour le camping, la plage, etc.

MATELASSÉ, E adj. et n.m. Se dit d'un tissu doublé d'une couche moelleuse maintenue par des piqûres.

MATELASSER v.t. -1. Rembourrer un siège, un coussin, etc., en en fixant la couche intérieure par des piqûres ou des boutons. -2. Doubler une étoffe avec un tissu matelassé.

MATELASSIER, ÈRE n. Professionnel qui confectionne ou répare les matelas.

MATELOT n.m. -1. Homme d'équipage qui, à bord, participe à la manœuvre et à l'entretien du navire. -2. Militaire du rang, dans la Marine nationale (premier grade). -3. Chacun des navires d'une formation, considéré par rapport à celui qu'il précède ou qu'il suit.

MATELOTAGE n.m. Ensemble des travaux relatifs à la manœuvre et au service du gabier.

MATELOTE n.f. -1. Préparation faite de poissons coupés en morceaux, cuits dans du vin avec des oignons : *Matelote d'anguilles au vin blanc.* -2. (En app.). *Sauce matelote,* sauce au vin et aux champignons.

1. **MATER** v.t. -1. Aux échecs, mettre le roi, l'adversaire en position de mat. -2. Faire mat.

2. **MATER** v.t. -1. Matir. -2. Soumettre au matage ; refouler, battre au matoir. -3. Réduire qqn à l'impuissance, à l'obéissance. -4. Arrêter le développement d'une action ; réprimer : *Mater une révolte.* -5. *Mater une soudure,* la battre avec un matoir.

MÂTER v.t. Pourvoir un navire de son ou de ses mâts.

MATERA, v. d'Italie (Basilicate), ch.-l. de prov. ; 53 775 hab. — Ensemble d'habitations troglodytiques (les « Sassi ») et de sanctuaires rupestres. Cathédrale en partie romane.

MÂTEREAU n.m. Petit mât de faible diamètre.

MATÉRIALISATION n.f. -1. Action de matérialiser, fait de se matérialiser. -2. Transformation d'énergie rayonnante en particules de masse non nulle.

MATÉRIALISER v.t. (du lat. *materia,* matière). -1. Donner une forme concrète, une réalité sensible à qqch : *La rivière matérialise la frontière.* -2. LITT. Considérer qqch comme matériel : *Philosophie qui matérialise l'âme.* -3. Réaliser qqch, le rendre effectif : *Matérialiser un projet.* -4. Signaliser : *Matérialiser une piste cyclable par des lignes vertes.* ◆ **se matérialiser** v.pr. Devenir réel ; se concrétiser.

MATÉRIALISME n.m. -1. Doctrine qui affirme que rien n'existe en dehors de la matière et que l'esprit est lui-même entièrement matériel.

-2. Manière de vivre, état d'esprit orientés vers la recherche des satisfactions matérielles et des plaisirs. -3. *Matérialisme historique, matérialisme dialectique,* marxisme.

ENCYCL. Le matérialisme, qui remonte à l'Antiquité (Démocrite), repose sur la thèse selon laquelle la matière constitue tout l'être de la réalité. G. Bruno, P. Gassendi, Hobbes, ainsi que l'invention de la physique mathématique (Galilée, Newton) et du microscope puis la naissance de la chimie (G. E. Stahl), contribuèrent beaucoup au renouvellement du matérialisme. Mais ce sont les Lumières qui le diffusèrent le plus en en faisant une idéologie politique, une cosmologie et une théorie de la connaissance.

Le matérialisme historique. Exposé par Marx, le matérialisme historique construit le concept d'histoire. Dans cette optique, l'histoire, qui a pour moteur la lutte des classes, est constituée par l'ensemble des modes de production qui sont apparus ou à venir. Le mode de production conditionne le mode de vie social, politique, intellectuel : c'est donc l'être social des hommes qui détermine leur conscience et non l'inverse. S'efforçant de faire de l'histoire une science, Marx analyse les divers modes de production capitaliste et propose une théorie du passage d'un mode de production à un autre.

Le matérialisme dialectique. Issu de la philosophie allemande — notamment de Hegel — et de l'établissement de la science de l'histoire, le matérialisme dialectique soutient les thèses de l'indépendance et du primat du réel sur la connaissance ; dans cette perspective, l'histoire de toute philosophie se ramène à la lutte incessante du matérialisme contre l'idéalisme, qualifié de « philosophie bourgeoise ».

Matérialisme mécaniste et matérialisme vitaliste. L'affirmation que le matériel détermine le spirituel, y compris le social, ne nie pas le spirituel ; il est faux de penser que ce dernier soit sans effet sur le matériel. La matière doit être de ce fait considérée comme une réalité vivante autant que morte ou mécanique. Il faut donc séparer ce qu'on appelle le « matérialisme mécaniste » du « matérialisme vitaliste ». Ce dernier affirme seulement que la vie est chose matérielle et qu'il existe un dynamisme propre à la matière, qui la « pousse » à créer du vivant. Le matérialisme, dans une telle optique, est le point de vue qui permet de légitimer la science (et non le scientisme).

MATÉRIALISTE adj. et n. -1. Qui appartient au matérialisme ; qui en est partisan. -2. Orienté vers la seule recherche des satisfactions matérielles.

MATÉRIALITÉ n.f. -1. Caractère de ce qui est matériel. -2. Circonstance matérielle qui constitue un acte. (En droit, la matérialité s'oppose aux motifs.)

MATÉRIAU n.m. -1. Substance, matière utilisée à la fabrication des objets, des machines, etc. (V. ENCYCL.) -2. Matière de base, ensemble d'informations utilisable pour une recherche, la rédaction d'un ouvrage, etc. : *Le matériau d'une thèse.* ◆ pl. -1. Matières d'origine naturelle ou artificielle entrant dans la construction d'un bâtiment, d'un véhicule, etc. -2. Informations, documents recueillis et combinés pour former un tout : *Les pièces à conviction forment une partie des matériaux d'un procès.*

ENCYCL. **Les classifications.** Le terme générique de « matériau » recouvre trois grandes familles : les *matériaux bruts,* tels les produits de carrière ou les matériaux de construction (pierre, sables, granulats, etc.) ; les *matériaux structurels* (aciers, verres, ciments, matières plastiques, etc.) ; les *matériaux supports,* comme le silicium (pour les semi-conducteurs) ou le cuivre (pour les conducteurs). On peut affiner ce classement. Ainsi, les matériaux structurels peuvent encore être subdivisés en trois groupes : les *métaux et alliages ;* les *produits inorganiques non métalliques,* dont deux grandes familles sont les verres et les céramiques, auxquels on peut adjoindre les ciments et bétons ; enfin, les *matériaux organiques,* dominés par les polymères et les plastiques. Cette dernière classification est en train de se complexifier : des « mariages » entre groupes ou à l'intérieur d'un même groupe donnent naissance à des familles de nouveaux matériaux. Chacun de ces trois pôles permet de réaliser et de développer des *composites* aux propriétés spécifiques à l'usage envisagé : c'est le cas, pour les matériaux organiques, des *biomatériaux,* compatibles avec les tissus du corps et aptes à la réalisation de prothèses médicales.

La science des matériaux. La physique des solides, née de la cristallographie, a permis de voir les matériaux de l'intérieur, d'en analyser la composition, l'architecture, aussi bien dans le cas idéal (le cristal parfait) qu'à travers des exemples concrets. On a ainsi compris comment des « défauts » affectent la structure de certains cristaux et, surtout, comment il est

nouveaux **MATÉRIAUX** : boucles (5 m de long,
20 cm de large, 25 mm d'épaisseur) en alliage
nickel-titane à mémoire de forme adoptant spontanément les formes mémorisées entre −5 °C (photo
du haut) et + 35 °C (photo du bas) [« totem du
futur » par J.-M. Philippe, Menlo Park, Californie]

possible d'en tirer profit ; cette réflexion est à
l'origine des propriétés des semi-conducteurs.
Aujourd'hui, la science des matériaux étudie
les solides sous l'angle de leurs propriétés tant
mécaniques (résistance aux contraintes, etc.)
que physiques (transparence, magnétisme,
conductivité, etc.) ou chimiques (oxydoréduc-
tion, résistance à la corrosion ou à la chaleur,
etc.). Cette pluridisciplinarité tend à abolir les
frontières entre domaines : les matériaux
composites, où, par exemple, polymères et
métaux, bien que souvent concurrents, peuvent se retrouver combinés, en sont un exemple significatif. (→ BÉTON, CÉRAMIQUE, COMPO-
SITE, FIBRE, MÉTAL, POLYMÈRE, SEMI-CONDUCTEUR,
VERRE.)

La création des nouveaux matériaux. Le
besoin de réaliser un objet aux caractéristiques
précises amène donc les chercheurs à définir
a priori les propriétés exigées du matériau, à
l'inventer à partir de la fonction à remplir : les
matériaux sont fabriqués « sur mesure »,
élaborés en même temps que la pièce, en
utilisant au mieux ses caractéristiques physiques (composition, structure, etc.). Tel pourrait être le cas de la triple structure de fibres
de carbone, de carbure de silicium et de silice
faisant office de bouclier thermique sur un
futur avion spatial. Ces matériaux *thermo-
structuraux* sont conçus pour assurer en même
temps la protection thermique et la structure
porteuse de l'engin.
  La démarche inverse reste aussi valable.
Lorsque sont découverts des matériaux aux
propriétés originales, les chercheurs se mettent
en quête d'applications potentielles. Ainsi a été
exploité le fait que certains matériaux chan-
gent de forme avec les variations de température, propriété utilisée pour la réalisation
d'antennes de satellites *à mémoire de forme,* qui
se déplient sous la chaleur du Soleil.

1. **MATÉRIEL, ELLE** adj. **-1.** Formé de matière,
par opp. à *spirituel,* à *intellectuel,* etc. : *L'univers
matériel.* **-2.** Qui existe effectivement ; réel,
tangible : *Obstacle matériel.* **-3.** Qui concerne les
objets et non les personnes : *Dégâts matériels.*
-4. Qui concerne les nécessités de la vie
humaine, les moyens financiers de l'existence :
Confort matériel. **-5.** Qui est considéré d'un point
de vue purement concret, en dehors de toute
subjectivité. **-6.** *Point matériel,* élément dont la
masse est supposée concentrée en un point.
‖ *Temps matériel,* temps nécessaire pour accomplir une action. ◆ **matériellement** adv.
-1. D'une manière concrète, objective ; effectivement : *C'est matériellement impossible.* **-2.** Sur
le plan financier, matériel : *Être matériellement
défavorisé.*

2. **MATÉRIEL** n.m. **-1.** Ensemble des objets, des
instruments nécessaires pour le bon fonctionnement d'une exploitation, d'un établissement, la pratique d'un sport, d'une activité,
etc. **-2.** Ensemble d'éléments susceptibles d'être
exploités, élaborés scientifiquement : *Le matériel d'une enquête sociologique.* GÉNÉT. *Matériel
génétique,* support de l'information héréditaire
dans les organismes, composé d'A. D. N. ou
d'A. R. N. INFORM. Ensemble des éléments
physiques d'un système informatique (recomm. off. pour *hardware*). MIL. Ensemble des
équipements nécessaires aux forces armées.
‖ *Service du matériel,* organisme chargé, dans les

armées de terre et de l'air, de la gestion et du maintien en condition des matériels. (Dans l'armée de terre, le matériel est une arme depuis 1976.)

MATERNAGE n.m. -1. Ensemble des soins qu'une mère, ou la personne qui la remplace, prodigue à son enfant ; ensemble des relations qu'elle entretient avec lui. -2. Action de materner, de protéger excessivement qqn. -3. Ensemble de techniques visant à créer et entretenir entre le thérapeute et le patient une relation mère-nourrisson.

MATERNEL, ELLE adj. -1. Propre à la mère : *Allaitement maternel.* -2. Qui concerne les mères. -3. Relatif à la mère, qui est du côté de la mère : *Grands-parents maternels.* -4. Qui rappelle, imite le comportement d'une mère : *Gestes maternels.* -5. *École maternelle* ou *maternelle,* n.f., école facultative mixte accueillant les enfants de deux à six ans. ‖ *Hôtel maternel,* établissement qui héberge les mères célibataires. ‖ *Langue maternelle,* première langue apprise par l'enfant, génér. celle de la mère, dans son milieu familial. ‖ *Maison maternelle,* établissement qui, dans le cadre de la protection maternelle et infantile, a pour but de prévenir les abandons d'enfant. ◆ **maternelle** n.f. École maternelle. ◆ **maternellement** adv.

MATERNER v.t. -1. Établir une relation de maternage avec qqn. -2. Entourer qqn de soins excessifs, le protéger excessivement.

MATERNISER v.t. Donner à un lait animal ou synthétique une composition la plus proche possible de celle du lait de femme.

MATERNITÉ n.f. -1. État, qualité de mère. -2. Fait de mettre un enfant au monde : *Elle a eu trois maternités rapprochées.* -3. Établissement, service hospitalier où s'effectuent la surveillance médicale de la grossesse et l'accouchement. -4. Lien de droit entre une mère et son enfant. -5. Œuvre d'art représentant une mère avec son enfant. -6. *Assurance maternité,* assurance sociale qui prend en charge les frais médicaux et pharmaceutiques de la grossesse, de l'accouchement et l'indemnité de repos pendant le congé de maternité.

MATHÉ (Georges), médecin cancérologue français (Sermages, Nièvre, 1922). Spécialiste des leucémies, il fut l'auteur de la première greffe réussie de moelle osseuse (1957) et étudia les traitements par chimiothérapie (médicaments). Il fut directeur de l'Institut de cancérologie et d'immunogénétique de Villejuif (1965).

MATHÉMATIQUE adj. (gr. *mathêmatikos,* de *mathêma,* science). -1. Relatif aux mathématiques : *Logique mathématique.* -2. Qui exclut toute incertitude, toute inexactitude : *Précision mathématique.* ◆ n.f. -1. (Au sing. ou au pl.). Science qui étudie par le moyen du raisonnement déductif les propriétés d'êtres abstraits (nombres, figures géométriques, fonctions, espaces, etc.) ainsi que les relations qui s'établissent entre eux. -2. (Au sing.). Ensemble des disciplines mathématiques envisagées comme constituant un tout organique. -3. Méthode d'élaboration du raisonnement propre à ces disciplines. -4. *Mathématiques spéciales,* classe préparatoire aux concours des grandes écoles scientifiques. ‖ *Mathématiques supérieures,* classe intermédiaire entre le baccalauréat et la classe de mathématiques spéciales. ◆ **mathématiquement** adv. -1. Selon les méthodes mathématiques. -2. Avec une exactitude rigoureuse. -3. Inévitablement. ◆ **mathématicien, enne** n.

→ ● DOSSIER LES MATHÉMATIQUES *page 3454.*

MATHÉMATISATION n.f. Application à un domaine particulier de théories, de méthodes mathématiques.

MATHÉMATISER v.t. Opérer la mathématisation : *Mathématiser une théorie économique.*

MATHEUX, EUSE n. FAM. -1. Étudiant en mathématique. -2. Personne douée pour les mathématiques.

MATHIAS *(saint)* → MATTHIAS.

MATHIAS (Vienne 1557 - *id.* 1619), empereur germanique (1612-1619), roi de Hongrie (1608) et de Bohême (1611), fils de Maximilien II.

MATHIAS Iᵉʳ Corvin (Kolozsvár, auj. Cluj-Napoca, 1440 ou 1443 - Vienne 1490), roi de Hongrie (1458-1490). Il obtint en 1479 la Moravie et la Silésie, et s'établit en 1485 à Vienne. Il favorisa la diffusion de la Renaissance italienne dans son royaume.

MATHIEU (Georges), peintre, théoricien et décorateur français (Boulogne-sur-Mer 1921). Maître de l'abstraction lyrique, il a donné pour fondement à sa peinture le signe calligraphique jeté sur la toile à grande vitesse (*les Capétiens partout,* 1954, M. N. A. M., Paris).

MATHILDE *(princesse)* → BONAPARTE.

MATHILDE ou **MAHAUT de Flandre** (m. en 1083), reine d'Angleterre par son mariage en 1053 avec le futur Guillaume Iᵉʳ le Conquérant. On lui a attribué à tort la broderie dite « tapisserie de Bayeux ».

LES MATHÉMATIQUES

**LES PREMIERS
DOCUMENTS
MATHÉMATIQUES**

Le papyrus Rhind (Égypte, 1600 av. J.-C.) est le premier texte mathématique connu ❶. Au lieu d'évoquer un problème concret, il donne des méthodes générales de calcul pour résoudre des problèmes de partage et des mesures d'aires (cas de la partie représentée ici). Les Mayas ❸, avec leur système de notation, ont fait de savants calculs astronomiques. Mais c'est de l'Inde ancienne que l'Occident a reçu, par l'intermédiaire des Arabes qui avaient conquis le Sind en 712, l'acquisition capitale qu'est la numération décimale avec la notion de zéro et les chiffres que l'on dit « arabes » ❷, qui permettent des opérations beaucoup plus complexes que celles qu'autorise la notation des Romains.

❶ Le papyrus Rhind (v. 1600 av. J._C.) [détail].

Sous l'appellation de « mathématique », on confond généralement deux démarches fort différentes. D'une part, une activité technique, la plus ancienne, où prime l'intérêt pratique, au service de la survie du groupe ; d'autre part, une activité scientifique, plus récente, création intellectuelle qui, dès les Grecs, place les mathématiques au même niveau que la philosophie. Mais au fil des siècles ces deux approches ont tissé des liens étroits.

Les deux « naissances » des mathématiques.

En premier s'élaborent donc des mathématiques pratiques, « art » des calculs, ensemble de techniques et de savoir-faire, outils du « gestionnaire » et de l'« ingénieur ». Leur origine remonte aux civilisations babyloniennes et égyptiennes, où ont été retrouvées de multiples traces de ces pratiques des algorithmes, de l'arpentage, etc. Mais ces civilisations n'en ont jamais tiré un corps de doctrine. C'est avec l'éclosion des mathématiques comme science des démonstrations rationnelles, mettant en œuvre une démarche hypothético-déductive et non plus simplement un ensemble de « recettes » de calcul ou de manipulations de figures, qu'apparaît ce qui, pour nombre de praticiens, constitue la seule mathématique. Celle-ci trouve son origine dans la civilisation hellène, dont Thalès ou

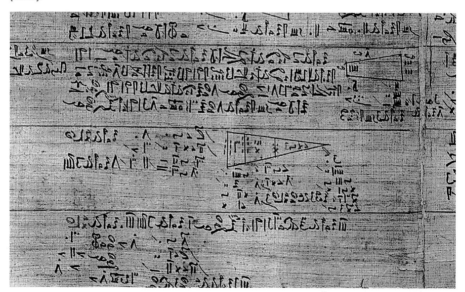

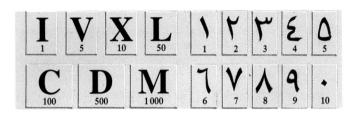

❷ Chiffres romains *(à gauche)* et chiffres modernes arabes *(à droite).*

Pythagore furent les premiers représentants, à partir du VIᵉ s. av. J.-C.

Les mathématiques et le réel.

Pendant des siècles, les mathématiques sont apparues comme un ensemble de vérités claires qui apprenaient à l'homme quelque chose sur le monde. Cependant, la distinction, pratiquée par la Grèce antique, entre monde sensible (soumis au devenir et livré pour partie au hasard) et monde intelligible (constitué d'essences éternelles) a longtemps interdit le recours aux mathématiques dans l'étude de la nature. Cette distinction est présente au cœur de l'œuvre d'Aristote : les mathématiques, qui traitent d'entités abstraites (points, lignes, surfaces), ne peuvent pas avoir de rapports avec la « physique », dont l'objet est la détermination des principes des choses naturelles.

À la Renaissance s'opère un changement décisif. Ainsi, Galilée postule que la nature est écrite en langage mathématique. Cette prise de position, fondamentale pour l'avènement de la science moderne, ne résout pas la question du type de l'existence des objets mathématiques. Aucun accord n'a jamais été trouvé sur ce point : les uns leur attribuent une réalité indépendante de la connaissance que nous en avons, les autres les réduisent à l'état de signes dont le sens se limite aux règles formelles de leur emploi.

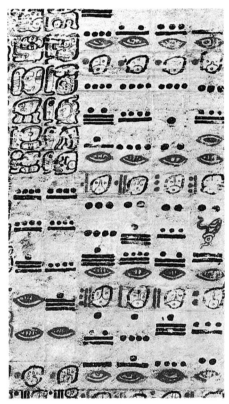

❸ L'écriture maya des nombres. Codex de Dresde.

Les divers courants des mathématiques.

Les mathématiques ne cessent, depuis Euclide, de s'interroger sur leur cohérence. Chaque école, au fil des siècles, a cherché à se constituer sur des fondements solides.

LES MATHÉMATIQUES

Le platonisme. La question de la nature des objets mathématiques avait déjà été posée par Platon. Sa doctrine des idées considère ceux-ci comme extérieurs et préexistants à l'homme. Les mathématiques sont longtemps apparues comme la science d'une réalité déjà là, structure véritable, bien qu'indirectement accessible, du monde physique. De Pythagore à Platon jusqu'à Galilée et à Einstein, l'Univers semblera, et semble encore à certains, de nature mathématique, leur rôle étant de faire émerger cet « ordre » caché. Jusqu'au XIXᵉ siècle, les axiomes et postulats d'Euclide ont été des vérités d'évidence que personne, semble-t-il, ne cherchait à discuter. Ils se fondaient sur une vision du monde physique idéalisée (existence de lignes droites, du parallélisme...), dans la lignée du platonisme.

Le formalisme. Gauss puis Bolyai, Lobatchevski et Riemann élaborent alors des géométries pour lesquelles le 5ᵉ postulat d'Euclide est faux, mais où l'aspect déductif est parfaitement rigoureux. Ces géométries dites « non-euclidiennes », irréfutables sur le plan logique, mais deux à deux contradictoires, mettaient fin à vingt-deux siècles d'« évidences ». Hilbert régla alors la question des contradictions : les axiomes d'une théorie mathématique ne sont plus des vérités, évidentes ou non, mais des relations que l'on considère comme « vraies » en se souciant uniquement de la compatibilité des axiomes entre eux. Les mathématiques deviennent alors la science des systèmes formels, traitant d'objets abstraits. Les *formalistes* refusent de se poser les questions d'« existence ». Ils se bornent à manipuler des règles et des propositions qui ne soient pas contradictoires.

De nouvelles disciplines se font jour : algèbre abstraite, théorie des ensembles, topologie, etc. Déjà, diverses branches se servaient de la notion d'ensemble. Cantor en fonde la théorie, démarche qui entend asseoir toutes les mathématiques sur de nouvelles bases et en unifier les branches disparates en un langage commun (→ ENSEMBLE). Cette synthèse permet de trouver les mêmes structures (de groupe, de corps, etc.) dans des situations très diverses ; science des systèmes formels, les mathématiques deviennent également une science des structures. Néanmoins, des contradictions n'allaient pas tarder à réapparaître. Certains ensembles « paradoxaux » (tel « l'ensemble de tous les ensembles », qui, d'après la théorie, ne peut « exister ») soulèvent, de nouveau, la question vieille de plus de vingt siècles : que signifie l'existence en mathématique ? Pour exister, un « être mathématique » doit-il rejoindre l'intuition ou l'expérience ? Ce débat devait être aggravé par l'analyse elle-même : ainsi, certaines courbes, partout continues mais nulle part déri-

LES MATHÉMATIQUES

vables (n'admettant de tangente en aucun point), allaient prouver que certains êtres peuvent « exister » en mathématiques sans que, pour autant, l'esprit puisse se les représenter clairement.

Intuitionnisme et constructivisme. Cette optique fut combattue par les mathématiciens *intuitionnistes,* comme Brouwer, pour lesquels chaque pas d'une démonstration s'effectue à la lumière d'une intuition, laquelle n'a pas de plus sûr garant qu'elle-même. Pour Brouwer, on ne doit considérer un objet mathématique comme existant que si l'on possède un moyen d'y accéder de manière « constructive ».

De ce fait, il se place dans la lignée de Kronecker et de la tendance *constructiviste*. S'opposant aux théories de Cantor, de Dedekind et de Weierstrass, Kronecker considère l'arithmétique, fondée sur les nombres entiers positifs, comme seule véritable « création divine » : « Dieu a créé les entiers, tout le reste est l'œuvre de l'homme. » Kronecker cherche donc à unifier autour de l'arithmétique les différents domaines des mathématiques et rejette les raisonnements qui font appel à l'infini : un objet mathématique n'est admis que s'il est possible de le construire en un nombre fini d'étapes. (→ INFINI.)

Aujourd'hui, cependant, l'opposition de l'intuitionnisme et du constructivisme avec le formalisme s'est considérablement atténuée, en particulier suite aux travaux de Gödel sur la consistance (la non-contradiction) de l'arithmétique. Et l'intuitionnisme lui-même fait l'objet d'importantes tentatives de formalisation.

La logique mathématique. Le considérable développement de la logique depuis la seconde moitié du XIXe siècle (avec Boole, Russell et Whitehead) a grandement contribué au travail de formalisation et à son succès. Pour résoudre les problèmes posés par la place que les mathématiques classiques accordent à l'intuition et à l'objectivité des définitions initiales, on s'est efforcé de pousser à son terme l'intention de rigueur déductive, qui animait aussi bien Aristote qu'Euclide, en éliminant ce qu'il y subsistait d'équivoque. Ainsi se mit en place une logique formelle, construite sur la base du symbolisme mathématique.

Ce formalisme constitue une tentative d'unification de la logique et de la mathématique, unification consacrée, au XXe siècle, par le travail du groupe Bourbaki ; celui-ci publie, depuis les années 1930, une « somme » de la culture mathématique *(Éléments de mathématique)* [→ ÉLÉMENTS] sous une forme qui privilégie la formalisation et l'axiomatique.

Voir aussi : ALGÈBRE, CALCUL, GÉOMÉTRIE, NOMBRE.

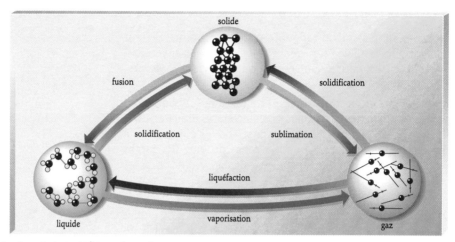

les états de la **MATIÈRE** et leurs changements

MATHILDE ou **MAHAUT** (1046 - Bondeno di Roncore 1115), comtesse de Toscane (1055-1115). Soutenant la cause pontificale lors de la querelle des Investitures, elle reçut à Canossa le pape Grégoire VII et l'empereur Henri IV venu faire amende honorable (1077), et légua ses États à la papauté.

MATHILDE ou **MAHAUT** (Londres 1102 - Rouen 1167), impératrice du Saint Empire puis reine d'Angleterre. Elle épousa (1114) l'empereur germanique Henri V, puis (1128) Geoffroi V Plantagenêt, comte d'Anjou, dont elle eut un fils, le roi Henri II. Elle lutta contre Étienne de Blois pour la Couronne d'Angleterre.

MATHILDE ou **MAHAUT** (m. en 1329), comtesse d'Artois (1302-1329). Fille du comte Robert II d'Artois, elle lui succéda malgré les prétentions de son neveu Robert.

MATHURA, v. de l'Inde (Uttar Pradesh) ; 233 235 hab. C'est une des sept villes saintes de l'hindouisme, considérée comme le lieu de naissance du dieu Krishna. L'impulsion des Kushana fera de Mathura l'un des principaux centres de sculpture des Ier-IIe s. apr. J.-C. à la fin du VIe siècle (thèmes décoratifs nouveaux, figures plus souples, images du Bouddha, du Jina, de divinités brahmaniques, effigies royales, etc.). Importants vestiges de stupas. Musée archéologique.

MATHURIN n.m. Religieux de l'ordre des Trinitaires (fondé en 1198), qui s'était donné pour mission de faciliter le rachat des chrétiens captifs dans les États barbaresques.

MATHUSALEM n.m. Grosse bouteille de champagne d'une contenance de huit bouteilles (6 litres).

MATHUSALEM, personnage dont la Genèse fait un des patriarches d'avant le Déluge et qui aurait atteint la longévité, devenue proverbiale, de 969 ans.

MATIÈRE n.f. -**1.** Substance, réalité constitutive des corps, douée de propriétés physiques. (V. ENCYCL.) -**2.** Substance particulière dont est faite une chose et connaissable par ses propriétés : *Matière combustible.* -**3.** Corps, réalité matérielle, par opp. à l'*âme*, à l'*esprit.* -**4.** Ce qui peut constituer le fond, le sujet d'un ouvrage, d'une étude : *Il y a là la matière d'un roman.* -**5.** Ce qui est l'objet d'une étude systématique, d'un enseignement : *Les matières artistiques.* -**6.** Ce qui fournit l'occasion de qqch, ce qui est la cause de qqch : *Donner matière à discussion.* -**7.** *Matière première,* matériau d'origine naturelle qui est l'objet d'une transformation artisanale ou industrielle : *La laine, le coton sont des matières premières.* ‖ *Table des matières,* liste indiquant les sujets traités dans un ouvrage, et leur référence. **BIOL.** *La matière vivante,* la matière dont sont faits les êtres vivants. **DR.** *Matière civile, commerciale, etc.,* ce qui concerne la juridiction civile, commerciale, etc.

ENCYCL. La conception moderne de la matière est essentiellement atomique : la matière est discontinue, faite de molécules, assemblages d'atomes, et les divers états de la matière (gaz, liquide, solide) correspondent à des arrangements différents de ces molécules. (→ ATOME, MOLÉCULE.)

Les états de la matière. À sa naissance (seconde moitié du XIXe siècle), la conception atomique de la matière est intimement liée aux succès de la théorie cinétique des gaz, qui rend compte des propriétés thermodynamiques de la matière à l'état gazeux à partir de la considération du mouvement des molécules assimilées aux particules de la mécanique classique. La conception atomique de la matière s'est par la suite imposée comme la seule capable de rendre compte des propriétés non seulement de l'état gazeux, mais également des états solide et liquide.

Le passage de l'état gazeux à l'état liquide puis solide correspond à une augmentation de la densité atomique, qui s'accompagne d'une restriction des possibilités d'agitation thermique ; à la limite de l'état solide, les atomes en viennent à occuper des positions bien déterminées (l'agitation thermique se réduisant à des mouvements de vibration autour de ces positions), voire, dans le cas des cristaux, des sites régulièrement répartis en un « réseau cristallin ». (→ CRISTAL.)

Pendant longtemps, on a considéré que la matière ne pouvait exister que sous l'un de ces trois états « classiques ». En réalité, la situation est beaucoup plus complexe. Déjà, du point de vue classique, la distinction entre liquides et gaz n'a pas un sens absolu, puisque la transition entre un état liquide et un état gazeux peut se faire soit de façon discontinue (vaporisation), soit de façon continue lorsque, dans certaines conditions de température et de pression, on contourne le « point critique ». De plus sont apparus au début de ce siècle des types de fluides fort différents des fluides gazeux ou des liquides ordinaires : *superfluides* à très basse température ou *plasmas* à haute température. Enfin, on connaît maintenant des états de la matière partiellement ordonnés, intermédiaires entre l'état solide et l'état fluide (cas des « cristaux liquides », des smectiques, des nématiques, etc.).

Matière, rayonnement et quanton. À la matière corpusculaire, discontinue et matérielle (!), s'opposait dans la physique classique le rayonnement immatériel dont le concept de champ électromagnétique rend compte. L'interaction matière-rayonnement était alors considérée comme l'action du champ sur les particules constitutives de la matière (singulièrement les électrons). C'est cette représentation que la physique quantique a rendue caduque en montrant que champs et particules

sont deux faces d'une même classe d'objets plus fondamentaux, les *quantons*. Cependant, dans la pratique, on est amené à considérer les électrons comme matériels et les photons comme un rayonnement. En ce sens, la distinction matière/rayonnement garde, au niveau macroscopique, une pertinence phénoménologique.

Au niveau quantique, ces objets peuvent être classés en deux grandes catégories, se distinguant l'une de l'autre par la manière dont ils se comportent lorsqu'ils sont en très grand nombre (on parle alors de comportement statistique). D'un côté, les *bosons* tendent à s'agglutiner les uns aux autres et, même, ont d'autant plus tendance à se regrouper dans un certain état qu'ils sont déjà plus nombreux à y être. Ainsi, le photon appartient à la classe des bosons. De l'autre côté, les *fermions* restent, au contraire, isolés et ne peuvent pas se trouver à plus de un dans un même état. Parmi les fermions figurent les électrons, les protons, les neutrons et bon nombre des particules subatomiques. À ce niveau de description, l'atome apparaît ainsi comme un ensemble de fermions (nucléons et électrons) liés entre eux par l'échange de bosons. (→ PARTICULE, QUANTIQUE.)

Matière et antimatière. La découverte, à partir de la théorie de Dirac, vers 1930, qu'à toute particule fondamentale était associée une « antiparticule » a conduit à introduire le terme d'*antimatière* pour désigner ces antiparticules. Bien entendu, l'antimatière n'est en fait qu'une forme de la matière, symétrique de la forme qui nous est familière.

Le phénomène d'annihilation mutuelle des particules et des antiparticules empêche la stabilité de l'antimatière au sein de la matière. Pour produire non seulement des antiparticules individuelles, mais des assemblages, systèmes d'antimatière, des artifices techniques complexes sont nécessaires : observations très rapides (car l'annihilation se produit très vite), isolement poussé, etc. On a pu ainsi créer et mettre en évidence des antinoyaux, ou noyaux d'antimatière, composés d'antiprotons et d'antineutrons.

MATIÉRISME n.m. Tendance de l'art contemporain consistant à privilégier le traitement de la matière, notamm. en peinture (emploi d'une couche picturale épaisse, souvent additionnée de matériaux hétérogènes).

MATIÉRISTE adj. et n. Qui relève du matiérisme ; adepte du matiérisme.

Matignon *(hôtel)*, à Paris, rue de Varenne (VIIe arr.). Construit en 1721 (architecte Jean

Courtonne), il abrite les services du Premier ministre.

MATIN n.m. -**1**. Début du jour. -**2**. Partie du jour comprise entre le lever du soleil et midi. ◆ adv. Dans la matinée : *Dimanche matin.*

MÂTIN n.m. (du lat. *mansuetus,* apprivoisé). Gros chien de garde.

MATINAL, E, AUX adj. -**1**. Propre au matin : *Brise matinale.* -**2**. Qui se lève de bonne heure.

MÂTINÉ, E adj. -**1**. Qui n'est pas de race pure : *Épagneul mâtiné de dogue.* -**2**. Qui est mêlé à qqch d'autre : *Un français mâtiné d'italien.*

MATINÉE n.f. -**1**. Temps qui s'écoule depuis le point du jour jusqu'à midi. -**2**. Spectacle, réunion qui ont lieu l'après-midi.

MÂTINER v.t. Couvrir une chienne de race, en parlant d'un chien de race différente ou d'un corniaud.

MATINES n.f. pl. Premier office divin de la liturgie catholique, chanté avant le lever du jour (appelé auj. *office de lectures*).

MATIR v.t. Rendre mat un métal précieux.

MATISSE (Henri), peintre français (Le Cateau-Cambrésis 1869 - Nice 1954).

→ ● **DOSSIER** HENRI MATISSE *page suivante.*

MATITÉ n.f. État de ce qui est mat.

MATO GROSSO, État du Brésil occidental ; 901 421 km² ; 2 020 581 hab. Cap. *Cuiabá.*

MATO GROSSO DO SUL, État du Brésil occidental ; 357 472 km² ; 1 178 434 hab. Cap. *Campo Grande.*

MATOIR n.m. Outil en acier trempé, qui sert à mater, à matir.

MATOIS, E adj. et n. LITT. Qui a de la ruse et de la finesse.

MATORRAL n.m. (pl. matorrals). Formation végétale des pays méditerranéens, plus ouverte que le maquis et constituée de cistes, d'oliviers sauvages, de lentisques, d'arbousiers et de petits chênes.

MATOU n.m. Gros chat mâle, génér. non castré.

MÁTRA, massif de la Hongrie du Nord, le plus haut du pays ; 1 015 m.

MATRAQUAGE n.m. Action de matraquer.

MATRAQUE n.f. Arme contondante, faite le plus souvent d'un cylindre de bois ou de caoutchouc durci.

MATRAQUER v.t. -**1**. Frapper qqn à coups de matraque. -**2**. Infliger au public, en les répétant

avec insistance, un slogan, une image publicitaire, etc.

MATRAS [matra] n.m. Récipient à long col, de forme sphérique ou ovoïde, utilisé dans les laboratoires de chimie.

MATRIARCAL, E, AUX adj. Relatif au matriarcat : *Société matriarcale.*

MATRIARCAT n.m. (du lat. *mater,* mère, et du gr. *arkhê,* commandement). Système politique et juridique dans lequel les femmes ont une autorité prépondérante dans la famille et dans l'organisation sociale.

MATRIÇAGE n.m. Forgeage à chaud de produits non ferreux à l'aide d'une matrice.

MATRICAIRE n.f. Plante herbacée odorante, dont une espèce, la *petite camomille,* ressemble à l'anthémis. (Famille des composées.)

MATRICE n.f. VIEILLI. Utérus. ADMIN. *Matrice cadastrale,* document énumérant les parcelles appartenant à chaque propriétaire dans la commune. ‖ *Matrice du rôle des contributions,* registre original d'après lequel sont établis les rôles des contributions dans chaque commune. MATH. *Matrice (à* n lignes *et* p *colonnes),* tableau rectangulaire de nombres disposés suivant n lignes et p colonnes, n et p pouvant être égaux *(matrice carrée).* [V. ENCYCL.] STAT. Arrangement ordonné d'un ensemble d'éléments. TECHN. Moule en creux ou en relief, servant à reproduire une empreinte sur un objet soumis à son action.

ENCYCL. MATHÉMATIQUES
Si $M = (\alpha_{ij})$ est une matrice de type (n, p), l'élément α_{ij} est à l'intersection de la i^{me} ligne et de la j^{me} colonne. Les éléments d'une même ligne forment un vecteur ligne ; les éléments d'une même colonne forment un vecteur colonne. Les éléments α_{ii} d'une matrice carrée, appelés « éléments diagonaux », forment la diagonale principale de la matrice. Si les éléments situés symétriquement par rapport à cette diagonale sont égaux $(\alpha_{ij} = \alpha_{ji})$, la matrice est dite « symétrique ».

Les matrices jouent un rôle important en algèbre linéaire (étude des applications linéaires, des endomorphismes, des automorphismes, des déterminants) et dans la résolution des systèmes d'équations linéaires. Elles trouvent également de nombreuses applications en physique et en analyse numérique (résolution numérique des systèmes d'équations linéaires, des équations différentielles et aux dérivées partielles, etc.). [→ ALGÈBRE.]

HENRI MATISSE

L'audace plastique, souvent magnifiée par une sensualité lumineuse, fait de la longue carrière de ce fils du Nord conquis par la Méditerranée (né en 1869 au Cateau-Cambrésis, mort en 1954 à Nice) une apothéose de la peinture française du XXᵉ siècle.

Du postimpressionnisme au fauvisme.

Le jeune homme délaisse ses études à la faculté de droit de Paris pour entrer à l'académie Julian, puis, en 1892, à l'E. N. S. B. A., dans l'atelier de G. Moreau. Il se lie avec Rouault, Camoin, Manguin (→ FAUVISME), avec Marquet puis, en 1899, avec Derain. Des vacances (1895 et 1896) à Belle-Île, où séjourne l'Australien John Russell, qui a connu Monet et Van Gogh, l'ont familiarisé avec l'impressionnisme, dont l'éclat l'éblouit au musée parisien du Luxembourg (1897). La manière sombre de ses premières toiles fait place à des valeurs plus claires (*la Desserte,* 1897, coll. priv.). Un voyage en Corse (1898) accentue cette nouvelle approche de la couleur (*Première Nature morte orange,* 1899, M. N. A. M.), à laquelle succède, de 1900 à 1904, une phase austère d'inspiration cézannienne (séries de nus debout et de natures mortes). Un déchaînement coloré suit, exprimé en touches pointillistes influencées par Signac, qui l'invite en 1904 à Saint-Tropez et lui achète *Luxe, Calme et Volupté* (Orsay).

En 1905, au Salon d'automne, Matisse apparaît comme le chef de file d'un nouveau mouvement, le fauvisme, qui, dans sa *Femme au chapeau* (M. A. M. de San Francisco), atteint l'expressionnisme. Son abandon du néo-impressionnisme, commencé à Collioure pendant l'été de 1905 (au cours duquel, avec Derain, il va voir les Gauguin de Daniel de Monfreid), s'affirme l'année suivante par la linéarité du monumental *Bonheur de vivre* (fondation Barnes, Merion, Pennsylvanie).

Le sommet des années 1908-1917.

De 1907 à 1911, Matisse donne des cours privés à de nombreux élèves étrangers, tel le Norvégien Per Krohg. Construction par la couleur et simplification dominent son œuvre avec une audace et une sûreté croissantes (*la Desserte rouge,* 1908, Ermitage, Saint-Pétersbourg). On en trouve des sources dans son intérêt pour les masques nègres et la céramique populaire de l'Algérie, visitée en 1906 (*Nu bleu, souvenir de Biskra,* musée de Baltimore), puis dans la peinture d'icônes, qu'il découvre en installant à Moscou (1911) les grandes toiles de *la Danse* et de

❶ *La Blouse roumaine*, 1940.
(Musée national d'Art moderne, Paris.)

la Musique, que le collectionneur Chtchoukine lui a commandées en 1909. Cette réduction du tableau à quelques arabesques monumentales et à quelques champs chromatiques (*le Rideau jaune*, 1914-15, coll. priv., Bruxelles) se géométrise parfois (*la Leçon de piano*, 1916, M. A. M. de New York).

Un éblouissement solaire.

La fréquentation, en 1917-18, de Renoir à Cagnes l'entraîne un moment vers des formes plus suaves, une lumière plus moelleuse. Ses thèmes, fenêtres, odalisques, ont des modelés légers, établissent un contrepoint qu'il a toujours aimé avec les effets d'étoffes et de papiers peints (petite *Odalisque au pantalon rouge*, 1924-25, suivie de la *Figure décorative sur fond ornemental*, 1925-26, de nouveau fortement géométrisée [les deux toiles au M. N. A. M.]).

Très apprécié des amateurs dès 1905, Matisse a beaucoup voyagé : Italie, Allemagne, Espagne, Russie, Maroc. En 1930, il visite Tahiti et les États-Unis, où le Dᣴ Barnes lui commande la vaste décoration de *la Danse* (1932-33, Merion, Pennsylvanie). L'éblouissement du Midi reflété par son œuvre évolue de la joie de vivre des toiles de Saint-Tropez à la poésie méditative

HENRI MATISSE

du *Silence habité des maisons* (1947, coll. priv.) et trouve sa finalité dans la décoration de la chapelle du Rosaire à Vence, ville
où l'artiste s'est installé en 1943, quittant Nice, où il passait l'hiver depuis 1921. Éclat des rouges, accent des noirs, lumière des
blancs soulignent ses diverses variations sur une *Blouse roumaine* (1940) ou un *Fauteuil rocaille* (1946). À la fin de sa vie, sa
double passion pour le dessin et pour la couleur aboutit aux
célèbres gouaches découpées (recueil *Jazz*, 1947, avec textes
de Matisse ; série des *Nus bleus*, 1952 ; *Souvenir d'Océanie*, 1953,
M. A. M. de New York).

D'autres œuvres.

L'œuvre de Matisse comprend d'importantes séries de sculptures tirées en bronze (bustes de *Jeannette*, 1910-1913 ; quatre
Nus de dos, bas-reliefs, 1909-1930), près de cinq cents pièces
gravées (eaux-fortes, bois, lithographies), des illustrations de
livres : *Poésies* de Mallarmé (1932), *Lettres de la religieuse portugaise* (1946), *Florilège des Amours de Ronsard* (1948), etc. Des
legs et donations de la veuve et des enfants de l'artiste ont
permis la création à Nice (Cimiez), en 1963, d'un musée Matisse
(enrichi en 1979 de la série quasi complète des sculptures) ; le
maître est également représenté au musée du Cateau-
Cambrésis.

❷ *Les Marocains,*
1915-16.
(Musée d'Art moderne,
New York.)

MATRICER v.t. [16]. Former une pièce au moyen de matrices.

MATRICIEL, ELLE adj. Relatif aux matrices : *Calcul matriciel.*

MATRICLAN n.m. Clan fondé sur la filiation matrilinéaire.

MATRICULE n.f. -1. Registre où sont inscrits les noms de tous les individus qui entrent dans un hôpital, dans une prison, dans un corps de troupes, etc. -2. Inscription sur ce registre. -3. Extrait de cette inscription. ◆ n.m. -1. Numéro d'inscription sur la matricule : *Le prisonnier matricule 100,* et, ellipt., *le matricule 100.* -2. Numéro d'identification des véhicules et matériels militaires.

MATRILIGNAGE n.m. Lignage ou groupe de filiation unilinéaire dont tous les membres se considèrent comme les descendants par les femmes d'un ancêtre commun.

MATRILINÉAIRE adj. Se dit d'un système de filiation et d'organisation sociale dans lequel seule l'ascendance maternelle est prise en ligne de compte pour la transmission du nom, des privilèges, de l'appartenance à un clan ou à une classe.

MATRILOCAL, E, AUX adj. Se dit du mode de résidence d'un jeune couple, dans lequel l'époux vient habiter dans la famille de sa femme. SYN. : uxorilocal.

MATRIMONIAL, E, AUX adj. (du lat. *matrimonium,* mariage). -1. Qui a rapport au mariage. -2. *Agence matrimoniale,* établissement commercial qui met en rapport des personnes désireuses de se marier. || *Régime matrimonial,* régime qui règle la répartition et la gestion des biens entre époux.

MATRIOCHKA n.f. Chacune des poupées gigognes en bois peint d'une série ; cette série.

MATRONE n.f. -1. Femme d'âge mûr et d'allure respectable. -2. PÉJOR. Femme corpulente aux manières vulgaires. -3. Accoucheuse, autref., ou dans les pays où la profession de sage-femme n'est pas réglementée. -4. Femme mariée ou mère de famille, chez les Romains.

MATRONYME n.m. Nom de famille formé d'après le nom de la mère.

MATSUDO, v. du Japon (Honshu) dans le nord-est de l'agglomération de Tokyo ; 456 210 hab.

MATSUE, v. du Japon (Honshu) entre le lac Shinji et la mer du Japon ; 142 956 hab. — Donjon du XVIIᵉ siècle ; résidences anciennes et intéressant pavillon de thé (fin XVIIIᵉ s.).

MATSUMOTO, v. du Japon (Honshu), au sud-est de Nagano ; 200 715 hab. — Donjon du XVIᵉ siècle ; dans les environs, à Oniwa, musée de l'Estampe japonaise.

MATSUSHIMA, baie et archipel du Japon, sur la côte orientale de Honshu. Tourisme. — Temples d'époque Momoyama (XVIIᵉ s.).

MATSUYAMA, v. du Japon (Shikoku), près de la mer Intérieure ; 443 322 hab. — Château du XVIIᵉ, restauré au XIXᵉ siècle.

MATTA (Roberto), peintre chilien (Santiago 1911). Lié aux surréalistes, à Paris, dès 1934, il s'est livré à une exploration de l'inconscient et des pulsions primitives, qu'il transcrit dans un expressionnisme monumental.

MATTE n.f. Substance métallique sulfureuse résultant de la première fusion d'un minerai traité et non suffisamment épuré.

MATTEI (Enrico), homme d'affaires et homme politique italien (Acqualagne 1906 - Bascape, près de Pavie, 1962). Son influence fut déterminante dans l'élaboration de la politique énergétique et industrielle de l'Italie après 1945. Il périt dans un accident d'avion.

MATTEOTTI (Giacomo), homme politique italien (Fratta Polesine 1885 - Rome 1924). Secrétaire général du Parti socialiste (1922), il fut assassiné par les fascistes.

MATTERHORN → CERVIN.

MATTHESON (Johann), compositeur et théoricien allemand (Hambourg 1681 - *id.* 1764). Chanteur à l'Opéra de Hambourg (1690) et organiste réputé, il a composé des opéras, des oratorios et cantates, 12 suites pour clavecin, des sonates et a écrit de nombreux ouvrages théoriques.

MATTHEWS (Drummond Hoyle), géologue britannique (Londres 1931). Il est à l'origine de l'un des arguments majeurs du modèle de la tectonique des plaques pour son interprétation de la symétrie des relevés magnétiques de part et d'autre de la ride médio-océanique, preuve de l'expansion des fonds marins.

MATTHIAS ou **MATHIAS** *(saint),* disciple de Jésus (m. en 61 ou 64) désigné pour remplacer Judas dans le collège des Apôtres. Il aurait évangélisé la Cappadoce.

MATTHIEU *(saint),* apôtre de Jésus à qui la tradition attribue la rédaction d'un des quatre Évangiles. Il est un « publicain » de Capharnaüm lorsqu'il répond à l'appel de Jésus. L'Évangile selon Matthieu, que l'on a classé le premier et qui est le plus long, paraît avoir été rédigé après 80 et s'être appuyé sur une source araméenne. Il s'adresse à des chrétiens venant du judaïsme et leur présente Jésus comme le Messie annoncé par les prophètes.

MATTHIOLE n.f. Plante ornementale dont on cultive une espèce, sous les noms de *giroflée rouge, violier*. (Famille des crucifères.)

MATURATION n.f -1. Processus menant au développement complet d'un phénomène, à la plénitude d'une faculté : *Maturation d'un talent*. -2. Évolution d'un organe animal ou végétal vers la maturité. -3. Évolution de l'organisme humain vers son état adulte (par opp. à la *croissance* désignant l'évolution des mensurations) : *Maturation sexuelle*. -4. Maintien à une température voisine de la température ambiante d'un produit en alliage léger préalablement trempé, destiné à en améliorer les qualités mécaniques. SYN. : **vieillissement**.

MATURE adj. -1. Arrivé à maturité. -2. Arrivé à une certaine maturité psychologique. -3. Se dit du poisson prêt à frayer.

MÂTURE n.f. Ensemble des mâts d'un navire.

MATURIN (Charles Robert), écrivain irlandais (Dublin 1782 - *id*. 1824), l'un des maîtres du roman noir et du récit fantastique (*Melmoth, ou l'Homme errant*, 1820).

MATURITÉ n.f. -1. État d'un fruit quand il est mûr. -2. Période de la vie caractérisée par le plein développement physique, affectif et intellectuel. -3. État de l'intelligence, d'une faculté qui a atteint son plein développement. -4. Sûreté du jugement (partic. en fonction de l'âge) : *Manquer de maturité*. -5. SUISSE. Examen de fin d'études secondaires, homologue du baccalauréat français.

MATUTE (Ana María), femme de lettres espagnole (Barcelone 1926). Ses romans évoquent les fantasmes d'enfants ou d'adolescents aux prises avec les bouleversements de la guerre civile ou du monde moderne (*Fête au Nord-Ouest*, 1953 ; *la Trappe*, 1968).

MAUBÈCHE n.f. Bécasseau hivernant en France, représenté par deux espèces : la *maubèche des estuaires* et la *maubèche des champs*. (Long. 25 cm env.)

MAUBEUGE, ch.-l. de c. du Nord, sur la Sambre ; 35 225 hab. (*Maubeugeois*). [Plus de 100 000 hab. dans l'agglomération.] Métallurgie. — Restes de fortifications de Vauban. Musée dans les bâtiments d'un ancien chapitre de chanoinesses.

MAUCHLY (John William), ingénieur américain (Cincinnati 1907 - Ambler, Pennsylvanie, 1980). Avec J. Eckert, il conçut et développa en 1946 l'un des premiers ordinateurs, l'ENIAC (Electronic Numerical Integrator And Calculator), destiné aux calculs d'artillerie de l'armée américaine, puis conçut l'Univac (Universal Automatic Computer), le premier ordinateur de gestion.

MAUDIRE v.t. [104]. -1. LITT. Vouer qqn à la damnation éternelle, en parlant de Dieu. -2. LITT. Appeler la malédiction, la colère divine sur qqn. -3. Manifester à l'égard de qqn ou de qqch son impatience, sa colère, son exaspération : *Maudire le sort*.

MAUDIT, E adj. et n. -1. Voué à la damnation éternelle. -2. Réprouvé, rejeté par la société : *Poète maudit*. -3. *Le Maudit*, le démon. ◆ adj. Qui contrarie désagréablement, dont on a sujet de se plaindre : *Cette maudite pluie !*

MAUDUIT (Jacques), compositeur français (Paris 1557 - *id*. 1627), auteur d'œuvres polyphoniques religieuses et de chansons « mesurées à l'antique ».

MAUER, village d'Allemagne (Bade-Wurtemberg), dans l'Odenwald. En 1907 y fut découverte une mandibule constituant l'un des plus anciens fossiles humains connus en Europe (pléistocène ancien). L'*homme de Mauer*, encore appelé « homme d'Heidelberg », est actuellement rapporté à l'espèce *Homo erectus*.

MAUGES (les) ou **CHOLETAIS**, partie sud-ouest de l'Anjou, au sud de la Loire. V. princ. *Cholet*.

MAUGHAM (William Somerset), écrivain britannique (Paris 1874 - Saint-Jean-Cap-Ferrat 1965). Critique cinglant, notamment des institutions sociales, dans ses pièces (*le Cercle*, 1921), il reste surtout comme le maître du roman, peintre de la haute société anglaise et de l'Extrême-Orient (*Servitude humaine*, 1915).

MAUGRÉER v.i. LITT. Manifester sa mauvaise humeur, son mécontentement. ◆ v.t. Marmonner des injures, des paroles désagréables.

MAUL n.m. (de l'angl. *to maul*, malmener). Au rugby, mêlée ouverte où le ballon ne touche pas terre.

MAULBERTSCH ou **MAULPERTSCH** (Franz Anton), peintre autrichien (Langenargen, lac de Constance, 1724 - Vienne 1796). Il a donné pour les abbayes d'Autriche, de Moravie et de Hongrie des décors qui sont parmi les plus fougueux du baroque germanique (Piaristenkirche, Vienne, 1752 ; église de Sümeg, Hongrie, 1757). Il a été, plus tard, influencé par le néoclassicisme.

MAULNIER (Jacques Louis **Talagrand**, dit **Thierry**), écrivain et journaliste français (Alès 1909 - Marnes-la-Coquette 1988). Il se fit le défenseur d'un idéal classique (*Racine,* 1935). [Acad. fr. 1964.]

MAUMUSSON *(pertuis de),* passage entre l'île d'Oléron et la côte.

MAUNA KEA, volcan éteint, point culminant de l'île d'Hawaii (4 208 m), au nord-est du Mauna Loa, volcan actif (4 170 m). Observatoire astronomique (télescopes Keck, les deux plus grands du monde [10 m de diamètre], mis en service en 1993 et 1996).

MAUNICK (Édouard), poète mauricien d'expression française (Flacq 1931). Chantre de la négritude mais ouvert à l'universalisme, il a publié *Manèges de la mer* (1964), *En mémoire du mémorable* (1979), *Saut dans l'arc-en-ciel* (1985), et, en hommage à A. Césaire, *Toi, laminaire* (1990).

MAUNOURY (Joseph), maréchal de France (Maintenon 1847 - près d'Artenay 1923). Il prit, en 1914, une part déterminante à la victoire de la Marne.

MAUPASSANT (Guy de), écrivain français (château de Miromesnil, Tourville-sur-Arques, 1850 - Paris 1893). Encouragé par Flaubert, qui le présenta à Zola, il collabora aux *Soirées de Médan* en publiant *Boule-de-Suif* (1880), sa seule contribution au naturalisme. Il entreprit alors une carrière d'écrivain réaliste, partageant sa vie entre l'écriture, les mondanités, d'innombrables aventures féminines et les voyages. Il évoque dans ses contes et ses nouvelles la vie des paysans normands et des petits-bourgeois, narre des aventures amoureuses ou les hallucinations de la folie (*la Maison Tellier,* 1881 ; les

Guy de
MAUPASSANT,
écrivain français.
Détail
d'un portrait
par F. Feyen-
Perrin.
(Château
de Versailles.)

Contes de la bécasse, 1883 ; *la Petite Roque,* 1886 ; *le Horla,* 1887). Parallèlement, il livre à travers ses romans et sous le masque de l'impersonnalité, transmis par Flaubert, sa conception désespérée de la vie (*Une vie,* 1883 ; *Bel-Ami,* 1885 ; *Pierre et Jean,* 1888 ; *Fort comme la mort,* 1889). Il mourut misérablement, dans la clinique du Dr Blanche, à Passy, victime de la folie qu'il sentait venir depuis longtemps.

MAUPEOU (René Nicolas de), chancelier de France (Montpellier 1714 - Le Thuit, Eure, 1792). Nommé chancelier par Louis XV en 1768, il constitua un triumvirat avec l'abbé Terray et le duc d'Aiguillon. Exilant le parlement de Paris en 1771, il réalisa alors une réforme judiciaire radicale, brisant le rôle politique du parlement. Mais il fut disgracié en 1774 par Louis XVI, qui rétablit le régime antérieur.

MAUPERTUIS (Pierre Louis Moreau de), mathématicien français (Saint-Malo 1698 - Bâle 1759). En 1736, il fut chargé par l'Académie des sciences de diriger l'expédition envoyée en Laponie pour mesurer la longueur d'un arc de méridien de 1°, afin de trancher entre diverses théories sur la forme de la Terre. Les mesures confirmèrent l'hypothèse de l'aplatissement de la Terre aux pôles. On lui doit également le *principe de moindre action* (1744), selon lequel « Le chemin que tient la lumière est celui pour lequel la quantité d'action est moindre », principe qu'il érigea en loi universelle de la nature. Appelé par Frédéric le Grand, il fut directeur de l'Académie royale de Prusse. (Acad. fr. 1743.)

MAURANDIE n.f Plante mexicaine, parfois grimpante, dont les fleurs à grande corolle tubuleuse sont recherchées pour orner les tonnelles. (Famille des scrofulariacées.)

MAURE ou **MORE** adj. et n. (lat. *Maurus,* Africain). -1. Chez les Romains, qui appartenait à la Mauritanie ancienne (actuel Maghreb). -2. Au Moyen Âge, Berbère appartenant au peuple qui conquit l'Espagne. -3. AUJ. Habitant du Sahara occidental. -4. *Tête de Maure,* figure représentant une tête de Noir.

MAURELLE n.f. Croton fournissant un colorant brun utilisé en teinturerie.

MAUREPAS (Jean Frédéric **Phélypeaux,** *comte* de), homme d'État français (Versailles 1701 - id. 1781). Secrétaire d'État à la Marine et aux Colonies sous Louis XV (1723-1749), il devint ministre d'État (1774) sous Louis XVI, dont il fut le principal conseiller.

MAURES, massif côtier de Provence (Var) ; 780 m au signal de la Sauvette. Massif primaire, gréseux et schisteux, injecté de por-phyres et de basaltes, couvert de forêts (75 000 ha) en partie dévastées par des incendies. Stations balnéaires sur la côte : Sainte-Maxime, Saint-Tropez, Cavalaire, Le Lavandou, etc.

MAURESQUE ou **MORESQUE** adj. Propre aux Maures. ◆ **mauresque** n.f. -1. Femme maure. -2. Pastis additionné de sirop d'orgeat.

MAURÉTANIE → MAURITANIE.

MAURIAC, ch.-l. d'arr. du Cantal, près de la Dordogne ; 4 776 hab. *(Mauriacois).* — Basilique romane.

MAURIAC (François), écrivain français (Bordeaux 1885 - Paris 1970). Ses romans (*Genitrix,* 1923 ; *Thérèse Desqueyroux,* 1927 ; *le Nœud de vipères,* 1932 ; *la Pharisienne,* 1941) et son théâtre (*Asmodée,* 1938 ; *les Mal-aimés,* 1945) peignent la vie provinciale et évoquent les conflits de la chair et de la foi ; ils expriment aussi les souffrances du chrétien, troublé par les problèmes du monde moderne. Écrivain et journaliste engagé, F. Mauriac a publié des articles et des œuvres critiques et politiques (*Bloc-notes,* 1958-1961 ; *De Gaulle,* 1964) ainsi que des souvenirs (*Mémoires intérieurs,* 1959-1965). [Acad. fr. 1933 ; prix Nobel 1952.]

MAURICE *(île),* en angl. Mauritius, État insulaire de l'océan Indien, à env. 900 km à l'E. de Madagascar et à moins de 200 km au N.-E. de la Réunion.

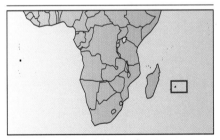

NOM OFFICIEL : République de Maurice.
CAPITALE : Port-Louis.
SUPERFICIE : 2 040 km².
POPULATION : 1 130 000 hab. *(Mauriciens).*
LANGUE OFFICIELLE : anglais.
RELIGIONS : hindouisme, catholicisme, islam.
MONNAIE : roupie mauricienne.
RÉGIME : parlementaire.

GÉOGRAPHIE

L'île, d'origine volcanique, humide, a une population hétérogène d'origine indienne (environ 70 %), européenne, africaine et chinoise. La densité de population y est très élevée (plus de 500 hab./km²). L'agriculture est dominée par la canne à sucre, base des exportations, loin devant le thé et le tabac. L'industrialisation s'est développée grâce à l'instauration de zones franches, parallèlement à l'industrie alimentaire traditionnelle. Le tourisme est également en plein essor. Mais le sous-emploi, le déficit de la balance commerciale et un fort endettement soulignent la fragilité économique de l'île.

HISTOIRE

1507 : l'île est découverte par les Portugais.

Au XVIIᵉ siècle, les Hollandais s'y établissent et lui donnent son nom en l'honneur de Maurice de Nassau.

1715 : les Français les remplacent et la rebaptisent « île de France ».

La Grande-Bretagne s'en empare (1810-1814) et se la fait céder. Reprenant le nom d'« île Maurice », elle prospère grâce à la culture de la canne à sucre, confiée à la main-d'œuvre indienne, mais décline avec le percement du canal de Suez et la concurrence de la betterave sucrière.

1968 : l'île constitue un État indépendant, membre du Commonwealth.

1992 : l'île Maurice devient une République.

MAURICE, *comte de Saxe,* dit le Maréchal de Saxe, général français (Goslar 1696 - Chambord 1750). Fils naturel d'Auguste II, Électeur de Saxe et roi de Pologne, il passe en 1720 au service de la France. Créé maréchal en 1744, il remporte de nombreuses et brillantes victoires, dont celle de Fontenoy, en 1745. Manœuvrier habile, grand improvisateur sur le champ de bataille, Maurice de Saxe incarne par excellence l'esprit de mesure qui, au XVIIIᵉ siècle, fait de la guerre limitée l'outil rationnel des politiques à buts modérés pratiquées par les monarchies européennes. Hostile à la bataille, qu'il juge ruineuse et trop aléatoire, comme au coûteux enlisement de la guerre de siège, il leur préfère une stratégie d'usure.

MAURICE DE NASSAU (Dillenburg 1567 - La Haye 1625), stathouder (gouverneur) de Hollande et de Zélande (1585-1625), de Groningue et de Drenthe (1620-1625), fils de Guillaume Iᵉʳ le Taciturne. Il combattit victorieusement la domination espagnole. Devenu prince d'Orange en 1618, il fit exécuter en 1619 le grand pensionnaire Johan Van Oldenbarnevelt, chef du pouvoir exécutif, et fut dès lors le seul maître des Provinces-Unies.

MAURICIE, partie du Québec (Canada), entre Montréal et Québec, dans la région du Saint-Maurice. V. princ. *Trois-Rivières.*

MAURIENNE (la), région des Alpes, en Savoie, correspondant à la vallée de l'Arc. Aménagements hydroélectriques. Électrométallurgie et électrochimie en *basse Maurienne.* Tourisme en *haute Maurienne.*

MAURISTE n.m. Bénédictin de la congrégation de Saint-Maur, créée à Paris en 1618 et qui disparut en 1790.

MAURITANIE ou **MAURÉTANIE,** ancien pays de l'ouest de l'Afrique du Nord, habité par les Maures, tribus berbères qui formèrent vers le ve s. av. J.-C. un royaume passé au IIe s. av. J.-C. sous la dépendance de Rome. Province romaine en 40 apr. J.-C., divisée, en 42, en *Mauritanie Césarienne* et *Mauritanie Tingitane,* la région, occupée par les Vandales au ve siècle puis par les Byzantins (534), fut conquise par les Arabes au VIIIe siècle.

MAURITANIE, en ar. Mūrītāniyya, État de l'Afrique, sur l'Atlantique.

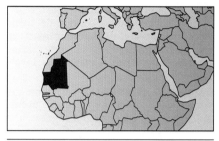

NOM OFFICIEL : République islamique de Mauritanie.
CAPITALE : Nouakchott.
SUPERFICIE : 1 080 000 km².
POPULATION : 2 330 000 hab. *(Mauritaniens).*
LANGUE : arabe.
RELIGION : islam.
MONNAIE : ouguiya.
RÉGIME : République islamique.

GÉOGRAPHIE

Le pays, près de deux fois grand comme la France, est pour sa plus grande partie saharien : les températures y sont élevées et les pluies n'atteignent pas 100 mm par an. Seul le tiers

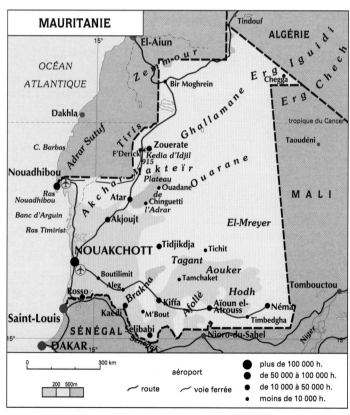

sud, sahélien, reçoit environ 500 mm d'eau par an. La population, musulmane, est composée surtout de Maures — d'origine berbère et arabe, souvent métissés de Noirs (qui dominent au S.) — et de Soudanais. Elle est concentrée au sud du 18e parallèle.

Les sécheresses récentes ont accéléré la sédentarisation et l'urbanisation : les nomades ne constituent plus qu'à peine 20 % du total (65 % en 1965). Le cheptel bovin a diminué, de même que les productions agricoles (mil, riz, maïs, sorgho en cultures de décrue ou périmètres irrigués), localisées sur les bords du fleuve Sénégal. Les importations agricoles et l'aide alimentaire internationale sont indispensables. La production minière est notable (avec un fer à haute teneur), mais la pêche demeure la première ressource du pays (70 % des exportations), grâce à des eaux territoriales très riches. Avec une balance commerciale déficitaire et un lourd endettement, la situation économique demeure médiocre.

HISTOIRE

Pendant les treize premiers siècles de notre ère, les Berbères Sanhadja règnent dans l'espace ouest-saharien sur une population de Noirs et de Berbères, et dominent le commerce transsaharien. Ces nomades créent, dans la seconde moitié du XIe siècle, l'Empire almoravide, qui propage un islam austère. De la fin du XIIIe au début du XVIIIe siècle arrivent des populations arabes qui assimilent ou soumettent les populations locales. Il en résulte un métissage, dont est issue la population maure actuelle.

1900-1912 : conquête de la région par la France.
1920 : la Mauritanie est érigée en colonie et rattachée à l'Afrique-Occidentale française.
1960 : la République islamique de Mauritanie accède à l'indépendance.

Entraînée dans des difficultés croissantes par la décolonisation du Sahara occidental (à partir de 1974), elle renonce à la zone qui lui avait été attribuée (1979).
1989 : de graves affrontements interethniques provoquent une vive tension avec le Sénégal.
1991 : le multipartisme est instauré.

MAUROIS (André), écrivain français (Elbeuf 1885 - Neuilly 1967). Il est l'auteur de souvenirs de guerre (les Silences du colonel Bramble, 1918), de romans (Climats, 1928), de biographies romancées (Ariel ou la Vie de Shelley, 1923). [Acad. fr. 1938.]

MAUROY (Pierre), homme politique français (Cartignies, Nord, 1928), Premier ministre de 1981 à 1984 puis premier secrétaire du Parti socialiste de 1988 à 1992.

MAURRAS (Charles), écrivain et homme politique français (Martigues 1868 - Saint-Symphorien 1952). Monarchiste et antidreyfusard, admirateur de Mistral, il collabore à partir de 1899 au journal l'Action française, dont il fait le fer de lance du nationalisme intégral et d'un néoroyalisme antiparlementaire et décentralisateur. Son influence est considérable dès avant 1914 et imprègne largement les milieux catholiques et conservateurs. Son mouvement, l'Action française, est condamné par Rome (1926-1928) pour l'utilisation politique qu'il fait de l'Église. Durant la Seconde Guerre mondiale, Maurras soutient le régime de Vichy et est condamné, en 1945, à la détention perpétuelle. Il a notamment publié Enquête sur la monarchie, 1900-1909, et l'Avenir de l'intelligence, 1905.

MAURYA, dynastie indienne fondée par Candragupta v. 320 av. J.-C. et renversée v. 185 av. J.-C.

MAUSER [mozɛr] n.m. (du n. des frères Wilhelm et Paul von Mauser [1834-1882 et 1838-1914]). -1. Fusil en usage dans l'armée allemande à partir de 1872. -2. Type de pistolet automatique.

MAUSOLE (m. en 353 av. J.-C.), satrape de Carie (v. 377-353 av. J.-C.), célèbre par son tombeau à Halicarnasse (le Mausolée). Celui-ci, qui comptait parmi les Sept Merveilles du monde, a été réalisé par les artistes les plus fameux de l'époque, parmi lesquels Scopas, Bryaxis et Léocharès.

MAUSOLÉE n.m. (de Mausole, n.pr.). Monument funéraire de grandes dimensions, à l'architecture somptueuse.

MAUSS (Marcel), sociologue et anthropologue français (Épinal 1872 - Paris 1950). Il a étudié les phénomènes de prestation et de contre-prestation (Essai sur le don, 1925).

MAUSSADE adj. -1. Qui est d'une humeur chagrine, désagréable ; qui manifeste cette humeur. -2. Qui inspire l'ennui, la tristesse : Temps maussade.

Mauthausen, camp de concentration allemand, près de Linz (Autriche), de 1938 à 1945 (env. 150 000 morts).

MAUVAIS, E adj. -1. Qui ne convient pas ; défavorable, inopportun : Arriver au mauvais moment. -2. Qui n'est pas de bonne qualité : Du mauvais pain. -3. De valeur nulle ou faible ; qui rapporte peu, insuffisant : Mauvaise affaire.

-4. Qui manque de qualité, de talent : *Mauvais acteur*. -5. Dangereux, nuisible : *Mauvais livre*. -6. Qui provoque une réaction défavorable : *Faire mauvais effet*. -7. Dépourvu de qualités morales ; qui fait le mal : *C'est un homme mauvais*. -8. Contraire à la morale ou à la loi : *Mauvaise conduite*. -9. *Mer mauvaise*, très agitée.

MAUVE n.f. Plante à fleurs roses ou violacées, dont l'infusion est laxative et calmante. (Type de la famille des malvacées.) ◆ adj. et n.m. Couleur violet pâle.

MAUVÉINE n.f. Colorant violet dérivé de l'aniline.

MAUVIETTE n.f. -1. VX. Alouette devenue grasse à la fin de l'été. -2. FAM. Personne chétive, maladive ou peu courageuse.

MAUVIS [movi] n.m. Petite grive à la chair estimée. (Long. 22 cm env.)

MAVROCORDATO ou **MAVROKORDHÁTOS** (Aléxandhros, *prince*), homme politique grec (Constantinople 1791 - Égine 1865). Défenseur de Missolonghi (1822-23), principal leader du parti probritannique, il fut Premier ministre (1833, 1841, 1844, 1854-55).

MAXENCE, en lat. Marcus Aurelius Valerius Maxentius (v. 280 - pont Milvius 312), empereur romain (306-312), fils de Maximien, vaincu par Constantin au pont Milvius (312).

MAXI adj. inv. Très long, en parlant d'un vêtement : *Robe, mode maxi*. ◆ n.m. -1. Manteau masculin ou féminin très long. -2. Mode des jupes et des manteaux longs.

MAXILLAIRE adj. Qui se rapporte aux mâchoires. ◆ n.m. -1. Mâchoire supérieure, par opp. à *mandibule*. -2. Os des mâchoires : *Maxillaire inférieur, supérieur*.

MAXILLE n.f. Pièce buccale paire des insectes, des crustacés, etc., située en arrière des mandibules.

MAXILLIPÈDE n.m. Appendice pair des crustacés, situé entre les mâchoires et les pattes, et servant surtout à tenir les proies. SYN. : patte-mâchoire.

1. **MAXIMA (A)** loc. adj. inv. *Appel a maxima*, appel formé par le ministère public pour diminuer la peine prononcée.

2. **MAXIMA** n.m. pl. → MAXIMUM.

MAXIMAL, E, AUX adj. -1. Qui constitue ou atteint le plus haut degré. -2. *Élément maximal (d'un ensemble ordonné)*, élément tel qu'il n'existe aucun autre élément dans cet ensemble qui lui soit strictement supérieur.

MAXIMALISME n.m. Tendance à préconiser des solutions extrêmes, notamm. en politique, par opp. à *minimalisme*.

MAXIMALISTE adj. et n. Qui relève du maximalisme ; qui en est partisan.

MAXIME n.f. Formule brève énonçant une règle de morale ou de conduite ou une réflexion d'ordre général.

MAXIMIEN, en lat. Marcus Aurelius Valerius Maximianus (Pannonie v. 250 - Marseille 310), empereur romain (286-305 et 306-310). Associé à l'Empire par Dioclétien, il abdiqua avec lui en 305. Dans l'anarchie qui suivit, il reprit le pouvoir. Il entra en conflit avec son gendre Constantin, qui le fit disparaître.

BAVIÈRE

MAXIMILIEN Iᵉʳ (Munich 1573 - Ingolstadt 1651), duc (1597) puis Électeur (1623-1651) de Bavière. Allié de Ferdinand II dans la guerre de Trente Ans, il battit l'Électeur palatin à la Montagne Blanche (1620).

MAXIMILIEN Iᵉʳ JOSEPH (Mannheim 1756 - Nymphenburg, Munich, 1825), Électeur (1799) puis roi de Bavière (1806-1825). Il obtint de Napoléon le titre de roi (1806), Bayreuth et Salzbourg (1809). **Maximilien II Joseph** (Munich 1811 - *id.* 1864), roi de Bavière (1848-1864).

EMPIRE GERMANIQUE

MAXIMILIEN Iᵉʳ (Wiener Neustadt 1459 - Wels 1519), archiduc d'Autriche, empereur germanique (1508-1519). Ayant épousé Marie de Bourgogne (1477), il hérita de la Bourgogne et des Pays-Bas mais perdit la Picardie et le duché de Bourgogne à l'issue d'une longue lutte contre Louis XI puis Charles VIII. S'il dut reconnaître l'indépendance des cantons suisses (1499), il dota ses États héréditaires d'institutions centralisées. **Maximilien II** (Vienne 1527 - Ratisbonne 1576), empereur germanique (1564-1576), fils de Ferdinand Iᵉʳ.

MAXIMILIEN Iᵉʳ, archiduc d'Autriche, empereur germanique. Détail d'un portrait par Dürer. (Kunsthistorisches Museum, Vienne.)

MEXIQUE

MAXIMILIEN (Vienne 1832 - Querétaro 1867), archiduc d'Autriche (Ferdinand Joseph de Habsbourg) puis empereur du Mexique (1864-1867). Frère cadet de l'empereur François-Joseph, choisi comme empereur du Mexique par Napoléon III en 1864, il ne put triompher du sentiment nationaliste incarné par Benito Juárez García. Abandonné en 1867 par la France, il fut pris et fusillé.

MAXIMILIEN ou **MAX DE BADE** *(prince)*, homme politique allemand (Baden-Baden 1867 - près de Constance 1929). Il fut nommé chancelier par Guillaume II (3 oct. 1918), mais il dut s'effacer devant Ebert (10 nov.).

MAXIMISATION ou **MAXIMALISATION** n.f. Action de maximiser.

MAXIMISER ou **MAXIMALISER** v.t. -1. Donner la plus haute valeur possible à une grandeur, un fait, une idée, etc. -2. Porter une quantité au plus haut degré.

MAXIMUM [maksimɔm] n.m. (pl. maximums ou maxima). -1. Le plus haut degré atteint par qqch ou que qqch puisse atteindre : *Le maximum de risques.* -2. Limite supérieure d'une condamnation pénale : *Le juge lui a infligé le maximum.* -3. *Maximum (d'un ensemble ordonné),* le plus grand élément, s'il existe, de cet ensemble. ‖ *Maximum d'une fonction,* la plus grande des valeurs de cette fonction dans un intervalle de la variable ou dans son domaine de définition. ◆ adj. (Emploi critiqué). Maximal.

MAXWELL [makswɛl] n.m. (de J. C. *Maxwell,* n.pr.). ANC. Unité C.G.S. de flux magnétique équivalant au flux produit par une induction magnétique de 1 gauss à travers une surface de 1 cm², normale au champ.

MAXWELL (James Clerk), physicien britannique (Édimbourg 1831 - Cambridge 1879). Il contribue à l'élaboration de la théorie cinétique des gaz et de la thermodynamique, en étudiant la répartition des vitesses des molécules, et montre, en 1860, qu'à une même température l'énergie cinétique moyenne des molécules ne dépend pas de leur nature. Il tire de ses propres mesures sur le frottement interne la valeur du libre parcours moyen.

Les lois de l'électromagnétisme. Disciple de Faraday, il crée en 1862 les concepts de « déplacement » et de « courant de déplacement » apparaissant dans les diélectriques soumis à un champ électrique. Il établit la formule générale qui donne le travail élec-tromagnétique lorsqu'un circuit se déplace dans un champ magnétique. Il donne les équations générales du champ électromagnétique. Son autre titre de gloire est sa théorie électromagnétique de la lumière (1865, qu'il développe en 1873). L'égalité entre la vitesse de la lumière et la propagation d'un ébranlement électromagnétique, qui en résulte, devait bientôt être vérifiée.

On doit encore à Maxwell la découverte de la magnétostriction et des travaux sur la perception des couleurs. Il dirigea, à partir de 1871, le laboratoire Cavendish à Cambridge.

James Clerk **MAXWELL,** physicien britannique.

1. MAYA adj. Qui appartient aux Mayas. ◆ n.m. Famille de langues indiennes de l'Amérique centrale.

2. MAYA n.f. (mot sanskr., *illusion*). Dans la pensée hindoue, apparence illusoire qui cache la réalité et provoque l'ignorance.

MAYAPÁN, cité maya du Yucatán (Mexique) édifiée au postclassique (950-1500 apr. J.-C.) et qui a pris le relais de Chichén Itzá. Elle représente un nouveau modèle urbain, celui de la ville défensive protégée par un mur. Elle a été abandonnée vers 1450.

MAYAS, peuple indien de l'Amérique centrale parlant des langues apparentées.
→ ● **DOSSIER** LES MAYAS *page suivante.*

MAYEN n.m. SUISSE (Valais). Pâturage d'altitude moyenne avec bâtiment, où le troupeau séjourne au printemps et en automne.

MAYENCE, en all. Mainz, v. d'Allemagne, cap. de l'État de Rhénanie-Palatinat, sur la rive gauche du Rhin ; 177 062 hab. — Cathédrale romane des XIIᵉ-XIIIᵉ siècles, à deux chœurs opposés (tombeaux, œuvres d'art) ; églises médiévales ou baroques. Musée Romain-Germanique, Musée régional (de la préhistoire à l'art du XXᵉ s.) et musée Gutenberg (ou musée mondial de l'Imprimerie).

LES MAYAS

Tikal s'est organisée, dès 200 av. notre ère, à partir de l'acropole nord ❷ et, au fil des siècles, plates-formes et terrasses ont englobé les édifices plus anciens. Ici s'affirme la verticalité avec, au sommet de hautes pyramides, des sanctuaires surmontés d'un imposant mur de crête. À Palenque et dans le Petén, les pyramides sont plus larges que hautes et le décor sculpté ❶ est parfaitement intégré au cadre architectural. Léger relief et ligne y sont privilégiés pour évoquer, de manière réaliste et spontanée, lignées dynastiques et exploits des souverains. Copán présente de larges espaces et un foisonnant décor des stèles commémoratives inscrites ❸ où fourmillent, taillés en très haut relief, personnages et ornements symboliques d'une extrême complexité. Ainsi ces œuvres réalisées à la même époque témoignent-elles de la richesse stylistique de cette aire centrale, foyer du classicisme maya.

Peuple d'agriculteurs pacifiques, les Mayas ont constitué l'une des civilisations les plus raffinées de l'Amérique précolombienne, ce dont témoignent les centres culturels et les palais enfouis dans la jungle.

L'aire maya recouvre trois zones : le Nord (Yucatán), le Centre (de l'État de Tabasco au Honduras) et le Sud (côte pacifique et hautes terres du Chiapas et du Guatemala).

La société maya.

Fortement hiérarchisée, la société maya est dominée par une aristocratie dirigeante de cités-États qui, sans être à l'origine d'un empire, a des préoccupations guerrières (comme le prouvent les peintures de Bonampak et de nombreuses stèles). Les serfs et les prisonniers assurent les plus lourdes tâches dans cette société qui ignore la roue et dont l'agriculture est la principale activité économique ; coquillages du Pacifique, plumes de quetzal, obsidienne destinée à l'outillage, etc., retrouvés à de grandes distances de leur lieu de production, sont l'objet d'échanges commerciaux très actifs.

Les Mayas n'ayant jamais été réunis sous l'hégémonie d'un pouvoir central, leurs centres cérémoniels conservent chacun un style individuel.

❶ Panneau des esclaves, daté de 730. Calcaire. (Musée local, Palenque, Mexique.)

La chronologie
de la civilisation maya.

Le préclassique (2000 av. J.-C.-250 apr. J.-C.). Les premières communautés d'agriculteurs apparaissent : l'un des plus anciens villages (Cuello, au Belize) date de 2000 av. J.-C. env. Dès le préclassique moyen, des plates-formes supportent probablement des édifices publics (Altar de Sacrificios). Au préclassique récent (300 av. J.-C. - 250 apr. J.-C.), les premières pyramides sont accompagnées des premiers styles de sculptures (Izapa, Kaminaljuyú).

Le classique (250-950 apr. J.-C.). Hiéroglyphes, voûte encorbellée couvrant certains édifices et poteries polychromes comptent parmi les innovations de cette époque, qui correspond à l'épanouissement des Mayas. La première stèle à inscription chronologique est datée de l'an 292 ; ces stèles commémoratives se retrouvent à Quiriguá, Copán, etc. Les centres cérémoniels prennent de l'importance (Tikal) ; leur plan type comprend une place rectangulaire entourée de monticules pyramidaux et de plates-formes construits en terre et en pierre, et pourvus d'un escalier. Le jeu de balle est un autre élément majeur du noyau urbain. Nombreuses, les plates-formes d'habitations s'éparpillent autour des grands bâtiments. Les activités et la mythologie mayas nous sont révélées par de nombreuses figurines en terre cuite, par les stèles en relief, par les peintures murales (Bonampak) et par celles des vases. Un calendrier rituel est associé au calendrier solaire (365 jours), qui atteste la préci-

❷ Le temple II (entre 682 et 734) et l'acropole nord, à Tikal (Guatemala).

LES MAYAS

sion de l'astronomie. Parmi les principaux dieux du panthéon maya figurent Chac, le dieu de la Pluie, Kinich Ahau, le dieu du Soleil, qui, dans sa révolution nocturne, devient jaguar, Kukulcán, héros civilisateur et protecteur de la classe dirigeante, correspondant au Quetzalcóatl des Aztèques, dont l'apogée du culte se situe au postclassique.

À la fin du classique, la civilisation maya commence à décliner dans les basses terres du Centre et les cités sont abandonnées vers l'an 1000 de notre ère.

Le postclassique (950-1500 apr. J.-C.). Venus de Tula, les Toltèques sont à l'origine d'une certaine renaissance. Chichén Itzá devient capitale de la région du Yucatán, mais, vers 1200, elle est abandonnée pour Mayapán, qui, à la suite de rivalités, sera elle aussi détruite et abandonnée (1450).

De la conquête à nos jours. Après la conquête espagnole, à partir de 1511, les populations sont concentrées en villages d'évangélisation et décimées par des épidémies.

Aujourd'hui, la plupart des descendants des Mayas se sont mélangés à d'autres peuples et sont largement acculturés. Il ne resterait qu'environ 330 000 Mayas authentiques, répartis au Guatemala, au Belize et, surtout, au Yucatán.

Voir aussi : AMÉRIQUE.

❸ Stèle B,
pierre datée de 731
(Copán, Honduras.)

MAYENNE (la), riv. du Maine, qui se joint à la Sarthe pour former la Maine ; 185 km. Elle passe à Mayenne, à Laval, à Château-Gontier.

MAYENNE, ch.-l. d'arr. de la Mayenne, sur la Mayenne ; 14 583 hab. *(Mayennais).* Imprimerie. — Monuments anciens ; hôtels particuliers des places Hercé et Cheverus.

MAYENNE [53], dép. de la Région Pays de la Loire ; ch.-l. de dép. *Laval ;* ch.-l. d'arr. *Mayenne, Château-Gontier ;* 3 arr., 32 cant., 261 comm. ; 5 175 km² ; 278 037 hab. *(Mayennais).* Il est rattaché à l'académie de Nantes, à la cour d'appel d'Angers et à la région militaire Atlantique.

MAYENNE (Charles de Lorraine, *marquis* puis *duc* de), prince français (Alençon 1554 - Soissons 1611). Chef de la Ligue à la mort de son frère Henri de Guise, il fut vaincu à Arques (1589) et à Ivry (1590) par Henri IV et fit sa soumission en 1595.

MAYER (Robert von), physicien et médecin allemand (Heilbronn 1814 - *id.* 1878). Il calcula l'équivalent mécanique de la calorie (1842) et énonça le principe de la conservation de l'énergie.

MAYERLING, localité d'Autriche, à 40 km au sud de Vienne. L'archiduc Rodolphe et la baronne Marie Vetsera y furent trouvés morts dans un pavillon de chasse, le 30 janvier 1889.

MAYEUR n.m. → MAÏEUR.

Mayflower *(Fleur de mai),* vaisseau parti de Southampton le 16 septembre 1620 avec une centaine d'émigrants, qui fondèrent Plymouth en Nouvelle-Angleterre (26 déc.). Ces colons, en majorité des puritains anglais, sont connus depuis 1820 sous l'appellation de « Pères pèlerins » *(Pilgrim Fathers).*

MAYNARD ou **MAINARD** (François), poète français (Toulouse 1582 - Aurillac 1646). Disciple de Malherbe, il excella dans l'épigramme et dans l'ode *(À la Belle Vieille).* [Acad. fr. 1634.]

MAYOL (Félix), chanteur fantaisiste français (Toulon 1872 - *id.* 1941). Il devint propriétaire du Concert parisien (1909), auquel il donna son nom. Il créa quelque 500 chansons *(la Cabane Bambou, Viens Poupoule, Cousine,* etc.).

MAYONNAISE n.f. Sauce froide composée d'une émulsion de jaune d'œuf et d'huile.

MAYORAL, E, AUX adj. → MAÏORAL.

MAYORAT n.m. → MAÏORAT.

MAYOTTE [976], île française de l'océan Indien, partie de l'archipel des Comores, 374 km² ; 94 400 hab. *(Mahorais).* Ch.-l. *Ma-*

moudzou. Entre 12° et 13° de latitude sud, c'est une île volcanique, bordée de constructions coralliennes. Des plantations de cocotiers et de vanilliers ont largement relayé la canne à sucre. — En 1976, sa population s'est prononcée pour le maintien de l'île dans le cadre français.

MAZAGAN → JADIDA (El-).

MAZAGRAN n.m. Récipient épais, en faïence, en forme de verre à pied bas, sans anse, pour boire le café.

MAZAMET, ch.-l. de c. du Tarn, au pied de la Montagne Noire ; 12 125 hab. *(Mazamétains).* Délainage. Constructions mécaniques. — Musée « Mémoire de la terre ».

MAZAR-E CHARIF, v. de l'Afghanistan ; 110 000 hab. Principal centre du Turkestan afghan. — Important sanctuaire (XVᵉ s.) et centre de pèlerinage qui passe, depuis le XIᵉ siècle, pour abriter le tombeau d'Ali.

MAZARIN (Jules), en ital. Giulio Mazarini, prélat et homme d'État français (Pescina, Abruzzes, 1602 - Vincennes 1661). Issu d'une modeste famille sicilienne, officier, puis diplomate au service du pape, il passe au service de la France (1638) et est naturalisé français (1639). Il devient le principal collaborateur de Richelieu, qui le fait nommer cardinal (1641) et le recommande à Louis XIII, qui le nomme ministre d'État et chef du Conseil en décembre 1642. Après la mort du roi (1643), la régente Anne d'Autriche le maintient dans ses fonctions et lui apporte un soutien constant.

Attaché comme Richelieu à l'autorité de l'État, Mazarin préfère l'intrigue à la brusquerie de son prédécesseur pour faire face notamment aux difficultés intérieures. À l'extérieur, il parvient à conclure la paix avec l'Empire germanique (traités de Westphalie, 1648). Mais la Fronde éclate cette même année et Mazarin devient la cible d'attaques virulentes (les *mazarinades*). Il doit s'exiler en 1651 et

Jules
MAZARIN,
prélat
et homme d'État
français.
Détail
d'un portrait
par P. Mignard.
(Musée Condé,
Chantilly.)

1652, et attend le moment où l'opinion, lasse de l'anarchie, souhaite un pouvoir fort. Alors, à la suite de Louis XIV et de sa mère, il rentre à Paris (1653), plus puissant que jamais.

Un Premier ministre tout-puissant. Ayant triomphé de la Fronde, il restaure l'autorité royale. Il rétablit les intendants, supprimés en 1648, surveille la noblesse, limite les droits du parlement et lutte contre le jansénisme. À l'extérieur, il poursuit la guerre contre l'Espagne. Après la victoire de Turenne aux Dunes (1658), des négociations difficiles s'engagent, conclues par la paix des Pyrénées (1659), qui marque les débuts de la prépondérance française en Europe.

Mazarin se constitue une immense fortune, acquise par des moyens souvent peu avouables. Mécène, il accumule les œuvres littéraires et artistiques dans son palais (auj. Bibliothèque nationale), fonde l'Académie royale de peinture et de sculpture, et introduit en France l'opéra italien.

MAZARINADE n.f. Chanson ou pamphlet publiés contre Mazarin pendant la Fronde.

Mazarine *(bibliothèque),* bibliothèque publique située dans l'aile gauche du palais de l'Institut, à Paris. Formée sur l'ordre de Mazarin, elle fut ouverte au public en 1643 et rattachée à la Bibliothèque nationale en 1930.

MAZATLÁN, port du Mexique, sur le Pacifique ; 312 429 hab.

MAZDÉEN, ENNE adj. Qui appartient au mazdéisme.

MAZDÉISME n.m. Religion de l'Iran ancien réformée par Zarathushtra. SYN. : **zoroastrisme.**

ENCYCL. Le mazdéisme (de l'avestique *maz-dāh,* « sage, omniscient », épithète accompagnant le nom du grand dieu Ahura) aurait été la religion des Perses depuis l'époque des Achéménides jusqu'à la chute des Sassanides (651 apr. J.-C.). Il disparut peu à peu à partir de la conquête musulmane, pour ne subsister aujourd'hui que chez les Guèbres d'Iran et les Parsis de l'Inde. Cette religion a été propagée en Perse par Zarathushtra (Zoroastre), dont l'enseignement, consigné dans l'*Avesta,* est connu par des hymnes appelés « gatha ». Le mazdéisme originel fait du monde le théâtre d'une lutte entre deux esprits antagonistes : le principe du Bien, Ahura-Mazda, ou Ormuzd, et celui du Mal, Angra-Mainyu, ou Ahriman. Zarathushtra aurait tenté d'infléchir cette doctrine dans un sens monothéiste, en donnant la primauté à Ahura-Mazda et en le considérant comme le vainqueur du Mal à la fin des temps.

MAZEPPA ou **MAZEPA** (Ivan Stepanovitch), hetman (chef) des Cosaques d'Ukraine orientale (1639 ou 1644 - Bendery, auj. Tighina, 1709). Il servit d'abord le tsar Pierre le Grand, puis se tourna contre lui, s'alliant à Charles XII de Suède, qui s'engageait à reconnaître l'indépendance de l'Ukraine. Défait à Poltava (1709), il se réfugia en pays tatar. Il est l'un des héros du nationalisme ukrainien.

MAZER v.t. Faire subir à la fonte un premier affinage.

MAZOT n.m. SUISSE. Petit bâtiment rural.

MAZOUT [mazut] n.m. Fioul ; fioul domestique.

MAZOUTER v.t. Polluer par le mazout. ◆ v.i. Se ravitailler en mazout, en parlant d'un navire.

MAZOVIE, région de Pologne, sur la Vistule moyenne, dont Varsovie est le centre. — La Mazovie fut duché héréditaire de 1138 à 1526, date de son rattachement au royaume de Pologne.

MAZOWIECKI (Tadeusz), homme politique polonais (Płock 1927). Membre influent de Solidarność, il est nommé Premier ministre en août 1989, devenant le premier chef de gouvernement non communiste de l'Europe de l'Est depuis quarante ans. En novembre 1990, après son échec à l'élection présidentielle, il démissionne de ses fonctions.

MAZURIE, région du nord-est de la Pologne, autref. en Prusse-Orientale, formée de collines et de plaines parsemées de nombreux lacs.

MAZURKA n.f. -1. Danse à trois temps, d'origine polonaise (Mazurie). -2. Air sur lequel elle s'exécute.

MAZZINI (Giuseppe), patriote italien (Gênes 1805 - Pise 1872). Militant pour la libération de tous les peuples d'Europe, il fonde, en exil, une société secrète, la Jeune-Italie (1831), qui vise à l'établissement d'une République italienne unitaire. Organisateur de complots et d'insurrections qui se soldent tous par des échecs, il mène une vie errante jusqu'à son retour en Italie, lors de la révolution de 1848. En mars 1849, il fait proclamer la République à Rome et participe à son gouvernement, mais l'expédition française (juill.) l'oblige à un nouvel exil.

MAZZOLA et **MAZZOLA-BEDOLI** → PARMESAN (le).

MBABANE, cap. du Swaziland ; 38 000 hab.

MBANDAKA, anc. Coquilhatville, v. du Congo (anc. Zaïre), sur le Congo ; 125 000 hab.

MBINI, anc. Río Muni, partie continentale de la Guinée équatoriale.

MBUJI-MAYI, v. du Congo (anc. Zaïre) [Kasaï] ; 423 000 hab. Diamants.

MBUTI → PYGMÉES.

Md, symbole chimique du mendélévium.

ME pron. pers. de la 1ʳᵉ pers. du sing., compl. d'objet dir. ou ind. (avant le v.) : *Je m'inquiète. Il me semble.*

MEA CULPA [meakylpa] n.m. inv. (mots lat. tirés du Confiteor, *par ma faute*). Aveu de la faute commise ; coup dont on se frappe la poitrine en prononçant ces paroles.

MEAD (George Herbert), philosophe et psychosociologue américain (Hadley, Massachusetts, 1863 - Chicago 1931). Pionnier de la psychologie sociale, il a cherché à démontrer la genèse de la conception de soi *(self)* et de la pensée *(mind)*. Il a écrit *l'Esprit, le soi et la société* (1934).

MEAD (Margaret), anthropologue américaine (Philadelphie 1901 - New York 1978). Ses thèses ont permis une grande avancée du culturalisme. (*Coming of Age in Samoa,* 1928 ; *L'un et l'autre sexe,* 1949).

MEADE (James Edward), économiste britannique (Swanage, Dorset, 1907 - Cambridge 1995). Spécialiste des questions internationales, il a notamment étudié la croissance et l'échange international. Il a obtenu, en 1977, le prix Nobel de sciences économiques avec Bertil Ohlin.

MÉANDRE n.m. (du gr. *Maiandros,* le Méandre, fl. sinueux d'Asie Mineure). **-1.** Sinuosité décrite par un cours d'eau. **-2.** Détour sinueux et tortueux : *Les méandres de la diplomatie.* **-3.** Ornement courant du type des grecques ou des postes ; onde de certains guillochis.

Giuseppe **MAZZINI,** patriote italien. Détail d'un portrait anonyme. (Galerie d'Art moderne, Florence.)

MÉANDRE → MENDERES.

MÉANDRINE n.f. Madrépore des mers chaudes, aux loges en méandres.

MÉAT [mea] n.m. (lat. *meatus,* passage). **-1.** Cavité intercellulaire des végétaux. **-2.** *Méat urinaire,* orifice externe de l'urètre.

MEAUX, ch.-l. d'arr. de Seine-et-Marne, sur la Marne ; 49 409 hab. *(Meldois).* Métallurgie. Produits chimiques. — Restes de remparts gallo-romains et médiévaux. Cathédrale, surtout du XIIIᵉ siècle. Musée municipal « Bossuet », dans l'ancien évêché (XIIᵉ-XVIIᵉ s.).

MEC n.m. FAM. **-1.** Garçon ; homme. **-2.** Mari ; amant ; compagnon.

MÉCANICIEN, ENNE n. **-1.** Physicien spécialiste de mécanique. **-2.** Ouvrier effectuant le montage et les réparations courantes d'ensembles mécaniques. **-3.** *Officier mécanicien de l'air,* officier de l'armée de l'air chargé de l'encadrement de certaines formations à caractère technique. ◆ **mécanicien** n.m. Agent de conduite d'un engin ferroviaire moteur (locomotive, automotrice, etc.). ◆ **mécanicienne** n.f. Ouvrière exécutant à la machine certains travaux dans le prêt-à-porter.

MÉCANICIEN-DENTISTE n.m. (pl. mécaniciens-dentistes). VIEILLI. Prothésiste dentaire.

MÉCANICISME n.m. PHILOS. Mécanisme.

MÉCANIQUE n.f. (gr. *mêkhanê,* machine). **-1.** Combinaison d'organes propres à produire ou à transmettre des mouvements. **-2.** Science ayant pour objet l'étude des forces et des mouvements. **-3.** Étude des machines, de leur construction et de leur fonctionnement. **-4.** Machine considérée du point de vue du fonctionnement de ses organes mécaniques : *Une belle mécanique.* **-5.** *Mécanique céleste,* branche de l'astronomie qui étudie le mouvement des astres sous l'action de la gravitation universelle. ‖ *Mécanique quantique* ou *ondulatoire,* dénominations originelles de la *physique quantique.* ‖ *Mécanique rationnelle,* mécanique considérée sous son aspect mathématique. ‖ *Mécanique relativiste,* mécanique construite à partir de la théorie de la relativité. ‖ *Mécanique statistique,* mécanique appliquée aux systèmes formés d'un grand nombre d'éléments semblables (atomes, molécules, etc.). ◆ adj. **-1.** Relatif aux lois du mouvement et de l'équilibre. **-2.** Qui agit uniquement suivant les lois du mouvement et des forces, par opp. à *chimique* : *L'action mécanique des vents.* **-3.** Qui relève du fonctionnement d'une machine, d'un mécanisme et, en partic., du moteur d'un véhicule : *Ennuis* *mécaniques.* -**4.** Qui est mis en mouvement par un mécanisme : *Jouet mécanique.* -**5.** Qui ne dépend pas de la volonté ; machinal : *Un geste mécanique.* ◆ **mécaniquement** adv. -**1.** De façon mécanique, machinale. -**2.** Du point de vue de la mécanique.

→ ● DOSSIER LA MÉCANIQUE *page suivante.*

MÉCANISATION n.f. Action de mécaniser.

MÉCANISER v.t. -**1.** Introduire l'emploi des machines dans une activité, une installation : *Mécaniser l'agriculture.* -**2.** Rendre une action mécanique, automatique ; automatiser.

MÉCANISME n.m. -**1.** Combinaison d'organes ou de pièces disposés de façon à obtenir un résultat déterminé ; ensemble des pièces entrant en jeu dans un fonctionnement. -**2.** Mode de fonctionnement de qqch qui est comparé à une machine : *Mécanisme de défense.* -**3.** Philosophie de la nature qui s'efforce d'expliquer l'ensemble des phénomènes naturels par les seules lois de cause à effet. SYN. (moins cour.) : mécanicisme.

MÉCANISTE adj. et n. Qui concerne ou qui professe le mécanisme philosophique.

MÉCANO n.m. (abrév.). FAM. Mécanicien.

Mécano de la « General » (le), film américain de B. Keaton et de C. Bruckman (1926), l'un des chefs-d'œuvre de la comédie burlesque.

MÉCANOGRAPHE n. -**1.** Personne chargée de transcrire, en perforations, des données alphabétiques ou numériques sur des cartes spéciales. -**2.** Personne chargée de saisir des informations pour les entrer en mémoire d'ordinateur.

MÉCANOGRAPHIE n.f. (du gr. *mêkhanê,* machine, et *graphein,* écrire). Méthode de dépouillement, de tri ou d'établissement de documents administratifs, comptables ou commerciaux, fondée sur l'utilisation de machines traitant mécaniquement des cartes perforées.

MÉCANOGRAPHIQUE adj. Relatif à la mécanographie.

MÉCANORÉCEPTEUR n.m. Récepteur sensoriel sensible à des stimulations mécaniques souvent très faibles.

MÉCANOTHÉRAPIE n.f. (du gr. *mêkhanê,* machine, et *therapeuein,* soigner). Kinésithérapie effectuée au moyen d'appareils mécaniques.

MECCANO n.m. (nom déposé). Jeu de construction à pièces métalliques interchangeables.

MÉCÉNAT n.m. Protection, subvention accordée à des activités culturelles.

MÉCÈNE n.m. (de *Mécène,* n.pr.). Personne physique ou morale qui protège les écrivains, les artistes, les savants, en les aidant financièrement.

MÉCÈNE, en lat. Caius Cilnius Maecenas, chevalier romain (Arezzo ? v. 69-8 av. J.-C.). Ami personnel d'Auguste, il encouragea les lettres et les arts. Virgile, Horace, Properce bénéficièrent de sa protection.

MÉCHAGE n.m. -**1.** Action de drainer une plaie ou un abcès avec une mèche. -**2.** Désinfection d'une cuve, d'un tonneau par combustion d'une mèche soufrée à l'intérieur du récipient.

MÉCHAIN (Pierre), astronome et géodésien français (Laon 1744 - Castellón de la Plana 1804). Il mesura avec Delambre l'arc de méridien compris entre Dunkerque et Barcelone (1792-1799) pour déterminer l'étalon du mètre, découvrit une dizaine de comètes et compléta le catalogue de nébuleuses et d'amas stellaires de Messier.

MÉCHANCETÉ n.f. -**1.** Penchant à faire du mal. -**2.** Action, parole méchante.

MÉCHANT, E adj. et n. Qui fait le mal sciemment ; qui manifeste de la malveillance. ◆ adj. -**1.** Qui procure des ennuis, cause des difficultés ; dangereux : *S'attirer une méchante affaire.* -**2.** LITT. Qui n'a aucune valeur ou compétence (en ce sens, précède le n.) : *Un méchant poète.* ◆ **méchamment** adv.

MÈCHE n.f. -**1.** Touffe de cheveux. -**2.** Assemblage de fils, cordon, tresse employés dans la confection des bougies ou pour servir à conduire un liquide combustible dans un appareil d'éclairage. -**3.** Bout de ficelle attaché à la lanière d'un fouet. - **4.** Outil rotatif en acier servant à percer des trous. -**5.** Gaine de coton contenant de la poudre noire et servant à mettre le feu à une arme, à une mine, à un explosif. CHIR. Pièce de gaze étroite et longue que l'on introduit dans une plaie pour arrêter l'épanchement du sang, drainer une suppuration. MAR. Axe du gouvernail d'un navire. MUS. Touffe de crins de cheval tendus entre les extrémités d'un archet et qui en forme la partie utile, qui frotte sur les cordes. TEXT. Assemblage de grande longueur de fibres textiles éventuellement maintenues par une légère torsion.

MECHELEN → MALINES.

MÉCHER v.t. [18]. -**1.** Procéder au méchage d'une cuve à vin, d'un tonneau. -**2.** Placer une mèche dans une plaie.

LA MÉCANIQUE

La mécanique dite « classique » est divisée en trois grandes sections : la *cinématique,* qui s'occupe de la description de l'espace, du temps et des mouvements indépendamment de leurs causes (→ MOUVEMENT) ; la *statique,* qui étudie l'équilibre et l'action des forces sur les corps en l'absence de tout mouvement ; la *dynamique,* qui a pour objet l'étude des mouvements sous l'action des forces.

La statique.

La statique, dans l'Antiquité grecque, traite surtout de la théorie de l'équilibre du levier à bras inégaux, tandis qu'Archimède introduit la notion de « centre de gravité ». L'équilibre d'un tel levier est réalisé dès lors qu'est assurée l'égalité des produits du poids par la longueur de la distance entre la verticale du poids et la verticale du point fixe de rotation du levier. Galilée nommera ce produit « momento », qui n'est autre que le concept moderne de moment. S. Stevin, au XVIe siècle, envisage le problème de l'équilibre d'un « grave » (corps pesant) sur un plan incliné en déduisant les conditions de cet équilibre à partir du principe de l'impossibilité du mouvement perpétuel. Galilée, à la suite d'Archimède, traite non seulement du levier mais aussi des autres machines simples (poulie, treuil...).

L'*hydrostatique* ne connaît, dans l'Antiquité, qu'une seule acquisition majeure, le principe d'Archimède. Ses autres fondements datent de la fin du XVIe siècle. Stevin démontre plusieurs propositions concernant les vases communicants et la pression qui s'exerce au sein d'un liquide. Pascal met en évidence le processus à l'origine de la presse hydraulique et étudie l'équilibre des liquides, dans le cas où interviennent l'air et le vide. Torricelli montre, à l'encontre des conceptions d'Aristote, que, d'une part, l'air est pesant et que, d'autre part, on doit admettre l'existence du vide. Pour apporter une preuve décisive de l'existence d'une pression atmosphérique, Pascal imagine l'expérience du puy de Dôme (1647), qui permet d'observer la différence des niveaux de mercure à deux altitudes différentes.

La dynamique.

Chez Aristote, la dynamique repose sur les conceptions suivantes : les corps se partagent en deux catégories, les *lourds* et les *légers ;* et les mouvements, en mouvements *naturels* et mouvements *violents.* Les corps lourds tombent en ligne droite vers le centre de la Terre ; les corps légers vont en sens inverse. Les mouvements violents sont ceux conférés à un corps par une projection. Cette impulsion est transmise à l'air, qui, tout en freinant le mouvement, en assure l'entretien. Même un mouvement uniforme a besoin d'une force pour se poursuivre.

C'est principalement avec Galilée que commence l'élaboration de la dynamique moderne (chute libre, plan incliné, pendule, balistique, principe d'inertie, relativité « galiléenne », mouvement de la Terre). Ces problèmes sont traités également par Torricelli, Mersenne, Gassendi, Roberval, Descartes ou Huygens.

Galilée établit le premier la loi exacte de la *chute libre* des graves. Il pose en principe que celle-ci se fait selon un mouvement uniformément accéléré. Il montre en outre, et cela contre les vues aristotéliciennes, que la vitesse acquise et l'espace parcouru par le corps, dans un temps donné, sont indépendants de sa forme, de son volume et de sa densité. Il est aussi le premier à établir, entre autres, la loi de la chute d'un grave sur un *plan incliné* et imagine, à partir de là, les notions d'énergie cinétique, de travail et d'énergie potentielle, et même la conservation de l'énergie mécanique. Ces études sont à l'origine de la première formulation, bien qu'imparfaite, du principe d'inertie, qui marque l'avènement de la mécanique moderne. Galilée est amené à cette conception en diminuant progressivement l'inclinaison du plan. Descartes, en 1630, formule ce principe dans toute sa généralité : « Tout corps qui a commencé à se mouvoir continue à le faire sans jamais s'arrêter lui-même. »

Les lois de la mécanique.

La notion d'énergie cinétique, implicitement présente chez Galilée, est précisée par Huygens. Leibniz démontre que la somme des quantités de mouvement orientées se conserve, ce qu'en langage moderne on considère comme une somme de vecteurs. Il montre en outre que la somme des énergies cinétiques d'un système, elle aussi, se conserve dans le cas où le travail total est nul.

La détermination des lois exactes du *choc* des corps sur un plan horizontal va aussi contribuer à la constitution de la mécanique moderne. C'est à Wren et, surtout, à Huygens qu'on les doit. C'est aussi ce dernier qui parvient à calculer la *force centrifuge* à partir des deux grandeurs qui la déterminent, le diamètre du cercle de la rotation et la vitesse angulaire de rotation. Cette formulation constitue l'un des progrès les plus remarquables de la mécanique au XVIIe siècle, avant Newton.

Ces progrès constituent un ensemble disparate qui laisse sans explication nombre de phénomènes, surtout les mouvements des planètes, même si Kepler en a formulé les lois. Newton, le premier, propose une théorie cohérente et générale de la

LA MÉCANIQUE

dynamique. Il définit clairement la notion de *masse* (masse d'inertie) comme la quantité de matière. Il la distingue de la *pesanteur* (masse pesante). Puis il énonce trois principes fondamentaux : principe d'inertie ; égalité de l'action et de la réaction ; égalité entre la force quelle qu'elle soit et le produit de la masse par l'accélération. Il leur joint le principe de la composition des forces. Newton applique alors sa dynamique générale à la détermination des mouvements des planètes. Cela implique la découverte de l'*attraction universelle,* qui achèvera de ruiner les conceptions aristotéliciennes. (→ NEWTON.)

Les développements de la mécanique.

Au XVIIIᵉ s., les progrès consistent surtout dans des applications et une meilleure formulation mathématique de la mécanique de Newton. Y contribuent principalement Maupertuis, Daniel Bernoulli, Clairaut, Euler, d'Alembert, Lagrange, Laplace, Poisson, Jacobi, Hamilton.

À la suite de D'Alembert, Lagrange, en 1788, réalise le projet, conçu et partiellement mis en œuvre par Euler, d'un unique traité englobant toutes les branches de la mécanique : statique, hydrostatique, dynamique des éléments matériels et des solides, hydrodynamique. Il réussit à mettre les équations de la dynamique sous une forme plus générale et plus simple, et qui est demeurée classique sous le nom de *mécanique analytique.*

L'application la plus novatrice des travaux de Newton est le développement de la *mécanique des fluides,* qui connaît, à partir du XVIIIᵉ siècle, un essor remarquable. Déjà, au XVIIᵉ siècle, Torricelli a formulé, sans la démontrer, la loi d'écoulement d'un liquide par un orifice. En France, Mariotte introduit des considérations de similitude dans l'étude de la résistance des fluides. En 1738, Daniel Bernoulli démontre et précise la loi de Torricelli. D'Alembert s'étant limité au cas des fluides incompressibles, homogènes et sans pesanteur, c'est Euler qui va offrir, en 1755, une formulation plus claire des équations de l'hydrodynamique. Lagrange, quelque 30 ans plus tard, exprime de façon encore plus remarquable ces mêmes équations.

Au XIXᵉ siècle, les développements concernent principalement le mouvement relatif, notamment avec Coriolis, les théories de l'élasticité, de la capillarité, de la propagation des mouvements dans les milieux continus et la formulation des équations générales. Les deux aspects principaux dans la seconde moitié du XIXᵉ siècle sont l'approfondissement des principes, surtout avec Hertz et Mach, et la mécanique statistique avec Boltzmann et Gibbs.

Voir aussi : PHYSIQUE, QUANTIQUE (physique), RELATIVITÉ, THERMODYNAMIQUE.

MECHHED ou **MACHHAD,** v. d'Iran (Khorasan) ; 1 120 000 hab. — Depuis sa fondation (IXᵉ s.), le mausolée de l'imam Reza n'a cessé de se développer ; mosquée Gawhar Chad (XVᵉ s.) ; riche musée. — Centre de pèlerinage chiite.

MÉCHOUI [meʃwi] n.m. Mouton ou agneau cuit en entier à la broche ; repas où l'on sert cet animal rôti. (Spécialité d'Afrique du Nord.)

MECHTA [mɛʃta] n.f. En Algérie et en Tunisie, hameau.

Meckel *(diverticule de),* petit diverticule d'origine embryonnaire, appendu à la portion terminale de l'intestin grêle, et qui n'existe que chez 1 % des individus.

MECKLEMBOURG, en all. Mecklenburg, région historique d'Allemagne qui constitue une partie du Land de Mecklembourg-Poméranie-Occidentale. Intégré au domaine germanique au XIIᵉ siècle, il est partagé en 1520 en deux duchés. Les deux Mecklembourgs furent réunis en 1934, puis intégrés dans la R. D. A.

MECKLEMBOURG-POMÉRANIE-OCCIDENTALE, en all. Mecklenburg-Vorpommern, Land d'Allemagne, sur la Baltique ; 23 600 km² ; 1 963 909 hab. Cap. *Schwerin.*

MÉCOMPTE n.m. Espérance trompée ; déception.

MÉCONDUIRE (SE) v.pr. [98]. BELGIQUE,CONGO (anc. ZAÏRE). Se conduire mal.

MÉCONDUITE n.f. BELGIQUE, CONGO (anc. ZAÏRE). Mauvaise conduite ; débauche.

MÉCONIUM [mekɔnjɔm] n.m. (gr. *mêkônion,* suc de pavot). Premières matières fécales du nouveau-né.

MÉCONNAISSABLE adj. Transformé au point d'être malaisé à reconnaître : *La maladie l'a rendu méconnaissable.*

MÉCONNAÎTRE v.t. [91]. LITT. Ne pas comprendre qqn, qqch, ne pas en voir les qualités ; ne pas apprécier à sa juste valeur.

MÉCONNU, E adj. et n. Qui n'est pas apprécié selon son mérite : *Un auteur méconnu.*

MÉCONTENT, E adj. et n. Qui n'est pas satisfait ; qui éprouve du ressentiment.

MÉCONTENTEMENT n.m. Sentiment, état d'indignation de qqn, d'un groupe qui est mécontent.

MÉCONTENTER v.t. Donner des sujets d'insatisfaction, de mécontentement à qqn.

MÉCOPTÈRE n.m. *Mécoptères,* ordre d'insectes aux quatre ailes égales, à larve souterraine, tels que la panorpe.

MECQUE (La), v. d'Arabie saoudite, cap. du Hedjaz ; 618 000 hab. — Patrie de Mahomet et ville sainte de l'islam. Le pèlerinage à La Mecque est obligatoire pour tout musulman, s'il en a la possibilité, une fois au cours de sa vie.

Pèlerinage à la Grande Mosquée de La **MECQUE.** (Au centre, la Kaba.)

MÉCRÉANT, E n. Personne irreligieuse, qui n'a pas de religion.

MÉDAILLE n.f. -1. Pièce de métal, génér. circulaire, portant un dessin, une inscription en relief, frappée en l'honneur d'une personne ou en souvenir d'un événement. -2. Pièce de métal représentant un sujet de dévotion : *Médaille de la Vierge*. -3. Pièce de métal donnée en prix dans certains concours, certaines épreuves sportives (jeux Olympiques) ou en récompense d'actes de dévouement, etc. -4. Petite pièce de métal portée comme breloque ou comme plaque d'identité (pour les animaux). -5. *Médailles commémoratives,* décorations attribuées aux militaires ayant participé à certaines guerres (guerres mondiales, Indochine, etc.).

MÉDAILLÉ, E adj. et n. Décoré d'une médaille ayant valeur de récompense.

Médaille d'honneur, la plus haute décoration militaire des États-Unis, décernée par le Congrès depuis 1862.

Médaille militaire, décoration française créée en 1852, accordée pour actions d'éclat ou longs services aux sous-officiers et aux hommes du rang ainsi qu'à certains généraux ayant commandé en chef.

MÉDAILLEUR n.m. Graveur en médailles.

MÉDAILLIER n.m. -1. Collection de médailles. -2. Meuble qui renferme une telle collection.

MÉDAILLON n.m. -1. Médaille sans revers qui dépasse en poids et en taille les médailles ordinaires. -2. Bas-relief ou autre élément décoratif circulaire ou ovale. -3. Bijou de forme circulaire ou ovale, dans lequel on place un portrait, des cheveux, etc. -4. Préparation culinaire de forme ronde ou ovale.

MEDAL PLAY [medɛlplɛ] n.m. (pl. medal plays). Au golf, compétition fondée sur le décompte des coups pour l'ensemble du parcours.

MEDAN, port de l'Indonésie, dans l'île de Sumatra, sur le détroit de Malacca ; 1 380 000 hab.

MEDAWAR (Peter Brian), biologiste britannique (Rio de Janeiro 1915 - Londres 1987), auteur de travaux sur les greffes. (Prix Nobel 1960.)

MÈDE adj. et n. De Médie. ◆ adj. Médique.

MÉDECIN n.m. -1. Titulaire du diplôme de docteur en médecine, qui exerce la médecine. -2. *Médecin des armées,* officier du corps des médecins militaires, depuis 1968. ǁ *Médecin*

traitant, celui qui donne des soins au cours d'une maladie.

MÉDECIN-CONSEIL n.m. (pl. médecins-conseils). Médecin attaché à un organisme public ou privé (caisse d'assurance maladie, compagnie d'assurances), chargé de donner un avis médical motivé sur les cas qui lui sont soumis (arrêt de travail, taux d'invalidité, etc.).

MÉDECINE n.f. -1. Ensemble des connaissances scientifiques et des moyens mis en œuvre pour la prévention, la guérison ou le soulagement des maladies, blessures ou infirmités. -2. Profession de médecin. -3. Système médical particulier : *La médecine homéopathique.* -4. *Médecine légale,* branche de la médecine appliquée à différentes questions de droit, de criminologie (constats des décès, expertises auprès des tribunaux). ǁ *Médecine parallèle,* méthode diagnostique ou thérapeutique dont l'efficacité n'est pas scientifiquement démontrée, telle que l'acupuncture et l'homéopathie. ǁ *Médecine sociale,* ensemble des mesures préventives et curatives prises en charge par les pouvoirs publics ou privés et destinées à éviter ou à combattre l'action des facteurs sociaux défavorables. ǁ *Médecine du travail,* ensemble des mesures préventives destinées à dépister les maladies touchant les travailleurs et à éviter les accidents ou maladies résultant de l'activité professionnelle.

→ ● DOSSIER LA MÉDECINE *page 3486.*

MÉDECINE-BALL n.m. → MEDICINE-BALL.

Médecins du monde, association humanitaire privée, reconnue d'utilité publique, créée en 1980 à la suite d'une scission avec Médecins sans frontières.

Médecins sans frontières (M. S. F.), association humanitaire privée à vocation internationale, reconnue d'utilité publique, fondée en 1971, qui regroupe des bénévoles professionnels de la santé et aide les victimes des guerres et des catastrophes.

MÉDÉE, magicienne grecque qui joue un grand rôle dans le cycle des Argonautes. Fille du roi de Colchide, elle s'éprend de Jason, l'aide à s'emparer de la Toison d'or et s'enfuit avec les Argonautes. Jason l'épouse puis l'abandonne pour Créüse, fille du roi de Corinthe. Médée se venge en offrant à celle-ci une tunique qui la consume, mais aussi en égorgeant les enfants qu'elle avait eus elle-même avec Jason. La légende de Médée a inspiré notamment Euripide (431 av. J.-C.), Sénèque (Ier s. apr. J.-C.) et Corneille (1635).

MEDELLÍN, v. de Colombie, au nord-ouest de Bogotá ; 1 480 000 hab. Métropole économique et deuxième ville du pays. Centre textile. – Quelques églises d'époque coloniale subsistent (fin XVIIᵉ-XVIIIᵉ s.).

MEDERSA n.f. → MADRASA.

MÈDES, peuple de l'Iran ancien, qui constitua un empire au VIIᵉ s. av. J.-C. Ils détruisirent Assour en 614 av. J.-C., puis Ninive (612). Le Perse Cyrus II mit fin à la puissance mède (v. 550 av. J.-C.).

MÉDIA n.m. (de *mass media*). -**1.** Tout support de diffusion de l'information (radio, télévision, presse imprimée, livre, ordinateur, vidéogramme, satellite de télécommunication, etc.) constituant à la fois un moyen d'expression et un intermédiaire transmettant un message à l'intention d'un groupe. -**2.** *Média de groupe,* organe d'information ou de communication dont les usagers ou les destinataires appartiennent à un même groupe, qu'il s'agisse d'une collectivité territoriale, d'un groupement autour d'un intérêt particulier ou d'une caractéristique commune (radio, télévision locale). ‖ *Nouveaux médias,* ceux qui découlent des technologies récentes (informatique, Bureautique, etc.), envisagés en partic. du point de vue des débouchés, des marchés qu'ils sont susceptibles de faire naître. ‖ *Plan média,* recherche d'une combinaison de médias et de supports permettant d'atteindre le maximum de consommateurs visés par la publicité.

MÉDIAL, E, AUX adj. -**1.** Qui est placé au milieu d'un mot. -**2.** *Consonne médiale* ou *médiale,* n.f., consonne placée entre deux voyelles. ◆ **médiale** n.f. -**1.** En statistiques, valeur d'une distribution qui sépare celle-ci en deux classes égales. -**2.** Consonne médiale.

MÉDIAN, E adj. -**1.** Qui se trouve au milieu : *Ligne médiane.* -**2.** Se dit, pour une courbe plane ou une surface, de l'ensemble des milieux des cordes parallèles à une direction donnée. -**3.** *Nerf médian,* principal nerf de la flexion du membre supérieur, agissant sur le bras, l'avant-bras et la main. ‖ *Plan médian (d'un tétraèdre),* plan passant par une arête et par le milieu de l'arête opposée. ‖ *Veines médianes,* les deux veines situées à la surface de l'avant-bras. ◆ **médiane** n.f. -**1.** Dans un triangle, droite passant par un sommet et par le milieu du côté opposé ; segment limité par ces deux points. -**2.** Nombre répartissant les termes d'une série numérique, rangée par ordre de grandeur, en deux groupes de même fréquence.

MÉDIANTE n.f. Troisième degré de la gamme tonale, entre la tonique et la dominante.

MÉDIAPLANNING n.m. Choix et achat des supports en vue d'une campagne, en publicité.

MÉDIASTIN n.m. Espace compris entre les deux poumons et divisé en deux parties par des replis des plèvres.

MÉDIATEUR, TRICE adj. et n. (bas lat. *mediator,* de *mediare,* être au milieu). Qui sert d'intermédiaire, d'arbitre, de conciliateur. ◆adj. *Plan médiateur (d'un segment de l'espace),* plan perpendiculaire au segment en son milieu. ◆ **médiateur** n.m. -**1.** Personne qui effectue une médiation. -**2.** *Médiateur chimique,* substance libérée par l'extrémité des fibres nerveuses en activité et excitant les cellules voisines (neurone, fibre musculaire, cellule glandulaire). ‖ *Médiateur de la République,* en France, autorité indépendant jouant le rôle d'intermédiaire entre les pouvoirs publics et les particuliers au sujet de leurs revendications concernant le fonctionnement d'un service public. (Il est titulaire d'un mandat non renouvelable de six ans et agit par voie de recommandation.)

MÉDIATHÈQUE n.f. -**1.** Collection rassemblant sur des supports correspondant aux différents médias (bande magnétique, disque, film, papier, etc.) des documents de natures diverses. -**2.** Organisme chargé de la conservation et de la mise à la disposition du public d'une telle collection ; lieu qui l'abrite.

MÉDIATION n.f. Entremise destinée à amener un accord ; arbitrage. **DR.** Procédure du droit international public ou du droit du travail, qui propose une solution de conciliation aux parties en litige. **PHILOS.** Articulation entre deux êtres ou deux termes au sein d'un processus dialectique ou dans un raisonnement.

MÉDIATIQUE adj. -**1.** Relatif aux médias ou à la communication par les médias. -**2.** Rendu populaire grâce aux médias : *Une personnalité très médiatique.*

MÉDIATISATION n.f. Action de médiatiser.

1. MÉDIATISER v.t. (de *média*). Faire passer, diffuser par les médias.

2. MÉDIATISER v.t. -**1.** Servir d'intermédiaire pour transmettre qqch. -**2.** En philosophie, instaurer une médiation.

MÉDIATOR n.m. Lamelle d'une matière plus ou moins souple (plastique, corne, écaille, etc.), qui sert à toucher les cordes de certains instruments de musique (mandoline, balalaïka, banjo, guitare, etc.). **SYN.** : **plectre.**

MÉDIATRICE n.f. *Médiatrice (d'un segment du plan),* droite perpendiculaire au segment en son milieu. ‖ *Médiatrice d'un triangle,* médiatrice d'un côté du triangle.

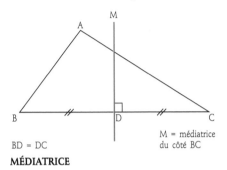

BD = DC

M = médiatrice du côté BC

MÉDIATRICE

MÉDICAL, E, AUX adj. -1. Relatif à la médecine, aux médecins. -2. Qui relève de la médecine, et non de la chirurgie ou de la psychothérapie : *Traitement médical.* -3. *Professions médicales,* celles des médecins, des chirurgiens-dentistes et des sages-femmes. ‖ *Visiteur, délégué médical,* représentant des laboratoires de spécialités pharmaceutiques auprès des professions médicales. ◆ **médicalement** adv. Du point de vue de la médecine.

MÉDICALISATION n.f. Action de médicaliser.

MÉDICALISÉ, E adj. *Logement médicalisé,* local d'habitation équipé d'appareils d'assistance pour personnes âgées ou handicapées, et placé sous surveillance médicale.

MÉDICALISER v.t. -1. Faire relever des phénomènes naturels ou sociaux du domaine médical. -2. Doter un pays, une région d'une infrastructure médicale.

MÉDICAMENT n.m. Substance ou composition administrée en vue d'établir un diagnostic médical ou de restaurer, corriger, modifier les fonctions organiques.

MÉDICAMENTEUX, EUSE adj. Qui a les propriétés d'un médicament.

MÉDICATION n.f. Emploi d'agents thérapeutiques, répondant à une indication donnée.

MÉDICINAL, E, AUX adj. Qui sert de remède : *Une plante médicinale.*

MEDICINE-BALL [medsinbol] ou **MÉDECINE-BALL** n.m. (de l'angl. *medicine,* remède, et *ball,* ballon) [pl. medicine-balls, médecine-balls]. Ballon plein et lourd, utilisé pour les exercices d'assouplissement et de musculation.

MEDICINE HAT, v. du Canada (Alberta) ; 43 625 hab. Chimie.

MÉDICINIER n.m. Plante tropicale dont les graines fournissent une huile purgative. (Famille des euphorbiacées.)

MÉDICIS, en ital. Medici, famille de banquiers florentins, qui domina Florence à partir de 1434, avant d'en acquérir le titre ducal en 1532. Ses principaux membres furent : **Cosme l'Ancien** (Florence 1389 - Careggi 1464), banquier qui fit de Florence la capitale de l'humanisme ; **Laurent Ier,** dit le Magnifique → LAURENT ; **Julien** (Florence 1478 - Rome 1516), fait duc de Nemours par le roi de France François Ier. Avec l'aide des troupes pontificales et espagnoles (1512), il restaura à Florence le pouvoir des Médicis, chassés depuis la révolution de Savonarole ; **Laurent II,** *duc* d'Urbino (Florence 1492 - *id.* 1519), père de Catherine de Médicis ; **Alexandre,** premier duc de Florence (Florence v. 1510 - *id.* 1537), assassiné par son cousin Lorenzino *(Lorenzaccio) ;* **Cosme Ier** *(Cosimo)* [Florence 1519 - Villa di Castello, près de Florence, 1574], duc de Florence (1537-1569), premier grand-duc de Toscane (1569-1574), réorganisa l'État florentin et embellit la ville ; **Ferdinand Ier** (Florence 1549 - *id.* 1609), grand-duc de Toscane (1587-1609) ; **Ferdinand II** (Florence 1610 - *id.* 1670), grand-duc de Toscane (1621-1670) ; **Jean-Gaston** (Florence 1671 - *id.* 1737), après qui le grand-duché de Toscane passa à la maison de Lorraine.

Médicis *(prix),* prix littéraire français fondé en 1958 et décerné à un roman ou à un recueil de nouvelles d'un auteur encore peu connu. Depuis 1970, il couronne également un écrivain étranger.

Médicis *(villa),* villa du XVIe siècle, à Rome, occupée depuis 1803 par l'Académie de France ; beaux jardins. Après avoir hébergé les lauréats des prix de Rome (concours dans les différentes disciplines des beaux-arts, créés sous Louis XIV, supprimés en 1968), elle accueille aujourd'hui de jeunes artistes et des chercheurs choisis sur dossier.

MÉDICO-LÉGAL, E, AUX adj. -1. Relatif à la médecine légale. -2. Qui est destiné à faciliter la découverte de la vérité par un tribunal civil ou pénal, ou à préparer certaines dispositions administratives : *Expertise médico-légale.* -3. *Institut médico-légal,* établissement, tel que la morgue de Paris, destiné à recevoir des cadavres, notamm. pour pratiquer certains examens demandés par les magistrats.

LA MÉDECINE

La progression continue, dans le domaine médical, du savoir et des techniques, particulièrement depuis le milieu du xxᵉ siècle, ne doit pas faire oublier les nouveaux défis auxquels est confrontée la médecine, tels que les difficultés liées aux dépenses croissantes en matière de santé. Par ailleurs, on s'intéresse de plus en plus à la santé au sens le plus large, concept qui inclut par exemple la lutte contre la pollution et le bien-être psychologique de l'homme.

L'histoire.

Dans l'Antiquité, la médecine grecque est dominée par le grand nom d'Hippocrate et par les soixante traités de la « collection hippocratique ». L'école d'Hippocrate invente l'examen du malade et la déontologie médicale. Rome, avec Galien, maintient et développe la tradition hippocratique, et encourage le raisonnement clinique. Au Moyen Âge, la médecine reprend les doctrines de l'Antiquité, par l'intermédiaire de la médecine de langue arabe, et s'illustre par les premières écoles de médecine (Cordoue, Montpellier). La Renaissance est marquée par l'essor de l'anatomie et de l'expérimentation. Vésale, grâce aux dissections, édifie une œuvre monumentale. Ambroise Paré fait progresser la chirurgie, qui prend de l'avance sur la médecine. Harvey découvre la circulation du sang. Au XVIIᵉ siècle, A. Van Leeuwenhoek, par ses observations au microscope, prépare les découvertes des siècles suivants. Au XVIIIᵉ siècle, Bichat fonde l'histologie, Jenner invente la vaccination contre la variole et Pinel libère les aliénés enchaînés. La première moitié du XIXᵉ siècle est marquée par les travaux de Laennec, de Trousseau et de Bretonneau. La chirurgie progresse avec Corvisart, Dupuytren, Lisfranc, Velpeau, pour s'ouvrir, avec la découverte de l'anesthésie par Horace Wells, Morton et Simpson, sur d'immenses possibilités. Dans la seconde moitié du siècle, Pasteur fait entrer la médecine dans l'ère moderne en découvrant la nature infectieuse de plusieurs maladies, en créant le vaccin contre la rage, en permettant l'antisepsie en chirurgie. Charcot transforme la neurologie, tandis que l'hôpital Saint-Louis se spécialise dans la dermatologie. La première moitié du XXᵉ siècle est marquée par le développement des applications de la physique, de la chimie et de la biochimie. Les moyens de diagnostic et de traitement se développent alors considérablement. Les spécialités médicales s'individualisent.

Les sources
de la connaissance.

La démonstration scientifique. Une partie des connaissances diagnostiques et thérapeutiques a pour origine la recherche scientifique. Celle-ci peut se réaliser en laboratoire, mais, souvent, on doit mettre à contribution directement les malades *(recherche clinique),* dont les droits sont protégés par la législation, avant de diffuser à l'ensemble du public un nouveau médicament. La recherche clinique se fait en milieu hospitalier, dans des services spécialisés, pour des raisons de formation et de disponibilité du personnel, de nombre de malades, de financement. Les résultats sont ensuite élargis, si besoin, aux patients de la médecine de ville. Depuis quelques années, un mouvement se dessine pour développer la recherche en médecine de ville. En recherche pharmaceutique, comme il s'écoule en moyenne quinze ans entre la découverte d'une substance et sa commercialisation comme médicament, les dépenses engagées peuvent être considérables.

Les professions
et les secteurs.

Les intervenants. Les membres des *professions médicales* peuvent faire un diagnostic suivi d'une prescription. Il s'agit des médecins, des sages-femmes et des dentistes. L'étendue des connaissances actuelles nécessite, chez les médecins, une spécialisation (dans la C. E., à l'exception de la France, la médecine générale est une spécialité parmi les autres).

Parmi les membres des *professions paramédicales,* qui interviennent sur prescription et sous contrôle des médecins, citons surtout les infirmières et les masseurs-kinésithérapeutes.

La situation des « guérisseurs », ou les professions équivalentes, est extrêmement variable : ils font partie intégrante du système de santé en Chine, ils sont reconnus et donc contrôlés en Allemagne, mais n'ont pas de statut légal en France.

Les secteurs. La *médecine de soins,* ou *curative,* la plus ancienne, s'adresse aux individus, diagnostique et traite les maladies et les accidents.

La *prévention* consiste à empêcher l'apparition ou l'aggravation d'une maladie (par exemple en faisant arrêter un tabagisme), ou à diminuer ses conséquences. Le *dépistage* décèle une maladie qui existe déjà, mais qui n'a pas encore provoqué de symptômes. Ces méthodes peuvent être appliquées par des spécialistes (médecin scolaire, médecin du travail, etc.), mais elles sont aussi intégrées à toute consultation.

LA MÉDECINE

La *santé publique* recueille des informations sur l'ensemble d'une population et prend les mesures adéquates (campagne d'information, établissement d'une liste de vaccinations obligatoires).

L'*épidémiologie* étudie la fréquence et l'évolution des maladies au sein de la population, et en recherche les causes par des méthodes statistiques. C'est un secteur important de la médecine actuelle.

La *médecine légale* intervient dans les enquêtes policières, mais elle s'intéresse aussi à toutes les connexions entre la médecine et la loi ou les règlements. La *médecine d'expertise* renseigne les tribunaux ou les sociétés d'assurance sur l'état exact des malades et des blessés. Par ailleurs, il existe plusieurs types de fonctions administratives, tel le contrôle médical de la Sécurité sociale, ou des employeurs.

L'éthique médicale.

L'éthique médicale, ou bioéthique, est devenue une discipline à part entière. De nouvelles possibilités diagnostiques et thérapeutiques soulèvent parfois des difficultés morales qui ne sont pas encore prévues par la loi, et qui relèvent plus d'un choix de société que d'une décision du corps médical. La génétique et l'hérédité posent les questions les plus graves.

Voir aussi : ANALYSE, DIAGNOSTIC, MÉDICAMENT.

LA CONSULTATION MÉDICALE

Aujourd'hui, le tuyau en plastique à deux embouts a remplacé le cylindre en bois du XIXᵉ siècle dans l'examen clinique ❶. Utilisant la palpation avec les mains et de petits instruments tels que le stéthoscope et le marteau à réflexes, cet examen reste la base de la consultation médicale, permettant d'éviter d'autres examens sophistiqués inutiles, et pas toujours anodins, ou de choisir correctement l'un d'entre eux.

❶ Auscultation au stéthoscope au XIXᵉ siècle.

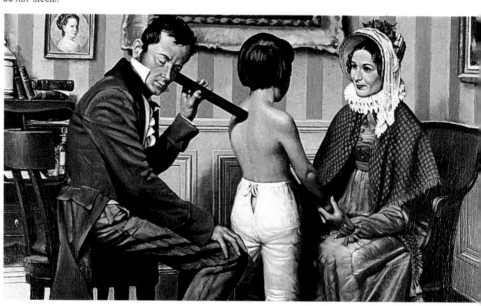

MÉDICO-PÉDAGOGIQUE adj. (pl. médico-pédagogiques). Se dit d'une institution pédagogique placée sous contrôle médical et accueillant des adolescents déficients intellectuels de 14 à 18 ans pour les initier à la vie professionnelle.

MÉDICO-SOCIAL, E, AUX adj. Qui concerne la médecine sociale.

MÉDICO-SPORTIF, IVE adj. (pl. médico-sportifs, ives). Qui concerne la médecine rattachée au sport.

MÉDIE, région du nord-ouest de l'Iran ancien habitée par les Mèdes.

MÉDIÉVAL, E, AUX adj. (du lat. *medium aevum,* moyen âge). Relatif au Moyen Âge.

MÉDINA n.f. Vieille ville, par opp. à la ville neuve européenne, dans les pays d'Afrique du Nord, partic. au Maroc et en Tunisie.

MÉDINE, v. d'Arabie saoudite (Hedjaz) ; 500 000 hab. — Ville sainte de l'islam ; Mahomet s'y réfugia en 622 lors de l'*hégire*. — La Grande Mosquée abrite les tombeaux du prophète, de sa fille préférée et des deux premiers califes.

MÉDINET EL-FAYOUM, v. d'Égypte, dans le Fayoum ; 167 000 hab.

MÉDIOCRATIE [-si] n.f. Pouvoir exercé par les médiocres.

MÉDIOCRE adj. -1. Qui est au-dessous de la moyenne ; modique, insuffisant : *Revenus médiocres.* -2. Qui a peu de capacités dans tel domaine : *Élève médiocre en anglais.* -3. Qui est sans éclat, sans intérêt : *Film médiocre.* ◆ adj. et n. Peu intelligent ou mesquin ; borné. ◆ **médiocrement** adv.

MÉDIOCRITÉ n.f. État, caractère de qqn, de ce qui est médiocre.

MÉDIQUE adj. Relatif aux Mèdes, à la Médie. SYN. : **mède**.

médiques *(guerres)* [490-479 av. J.-C.], conflits qui ont opposé les Grecs à l'Empire perse. L'origine de ces guerres est le soutien apporté par Athènes à la révolte des Ioniens (499), dont Darios vient à bout en 495. Pour assurer sa domination sur l'Égée, celui-ci s'attaque ensuite aux cités de la Grèce d'Europe. En 490 *(première guerre médique),* Darios traverse l'Égée et, malgré des forces importantes, est vaincu à Marathon. En 481 *(seconde guerre médique),* Xerxès, reprenant la politique de son père, envahit la Grèce avec une formidable armée. Les Grecs tentent en vain de l'arrêter aux Thermopyles (août 480), et Athènes est prise

et incendiée ; mais, grâce à Thémistocle, la flotte perse est détruite devant l'île de Salamine (sept. 480). Xerxès abandonne son armée, qui est vaincue à Platées (479). Les Grecs portent alors la guerre en Asie sous la direction d'Athènes et remportent les victoires du cap Mycale (479) et de l'Eurymédon (468). En 449, la paix de Callias entérine la liberté des cités grecques d'Asie.

MÉDIRE v.t. ind. **(de)** [103]. Tenir sur qqn des propos malveillants, révéler ses défauts avec l'intention de nuire : *Médire de ses voisins.*

MÉDISANCE n.f. -1. Action de médire, de dénigrer. -2. Propos de qqn qui médit.

MÉDISANT, E adj. et n. Qui médit ; qui manifeste de la médisance : *Propos médisants.*

MÉDITATIF, IVE adj. et n. Qui est porté à la méditation. ◆ adj. -1. Qui dénote un état de méditation. -2. Rêveur, songeur : *Air méditatif.*

MÉDITATION n.f. -1. Action de réfléchir, de penser profondément à un sujet, à la réalisation de qqch. -2. Attitude qui consiste à s'absorber dans une réflexion profonde. -3. Oraison mentale sur un sujet religieux ; application de l'esprit à un tel sujet. -4. *Méditation transcendantale,* technique de relaxation mentale qui consiste à concentrer son attention sur soi et à éliminer les pensées venant de l'extérieur, source de stress.

Méditations métaphysiques → DESCARTES.

MÉDITER v.t. -1. Soumettre qqch à une profonde réflexion : *Méditer une vérité.* -2. Préparer qqch par une longue réflexion : *Il médite de partir.* ◆ v.t. ind. **(sur).** Se livrer à de profondes réflexions sur un thème, un sujet. ◆ v.i. S'absorber dans ses pensées, dans la méditation.

MÉDITERRANÉE *(mer),* mer bordière de l'Atlantique, comprise entre l'Europe, l'Afrique et l'Asie, couvrant env. 2,5 millions de km² et communiquant avec l'Atlantique par le détroit de Gibraltar, avec la mer Noire par le Bosphore et les Dardanelles. GÉOGR. La Méditerranée est une mer intercontinentale profonde (moyenne : 1 500 m ; profondeur maximale : 5 093 m), dont la forme est l'aboutissement d'une évolution géologique introduite par le rapprochement des plaques Europe et Afrique. L'étranglement compris entre la Sicile et la Tunisie la divise en deux bassins : la *Méditerranée occidentale,* avec son annexe la mer Tyrrhénienne, et la

Méditerranée orientale, plus ramifiée, avec ses dépendances (mer Ionienne, Adriatique et mer Égée). Les côtes sont surtout composées de falaises, coupées de rias et de calanques. Les côtes basses, à lagunes et à lidos, sont établies à la sortie des grands bassins tectoniques (Languedoc, golfe de Valence, plaine du Pô).

La Méditerranée est une mer tiède (moyenne : 19 °C). La salinité croît de l'O. (37 ‰) à l'E. (39,5 ‰). L'isolement de la mer explique la faiblesse générale de la marée. Cette faiblesse, la forte salure, la tiédeur, la limitation des mouvements verticaux en font une mer peu fertile, sauf dans les zones peu profondes, plus intensément brassées. Traditionnelle voie d'échanges entre l'Orient et l'Occident, la Méditerranée est équipée de ports nombreux, aux activités souvent diversifiées au N. (Marseille, Barcelone, Gênes et Venise). La douceur du climat, des eaux et des rivages fait de cette mer un domaine d'élection du tourisme balnéaire. HIST. Cette mer a été le centre vital de l'Antiquité. Elle perdit une partie de son importance à la suite des grandes découvertes des XVe et XVIe siècles ; mais elle redevint l'une des principales routes mondiales de navigation grâce au percement du canal de Suez (1869).

Méditerranée (la), œuvre de F. Braudel, parue en 1949 sous le titre *la Méditerranée et le monde méditerranéen à l'époque de Philippe II.* C'est une synthèse magistrale et novatrice qui unit l'histoire immobile, celle du cadre géographique, l'histoire profonde, celle des mouvements de longue durée (États, sociétés, civilisations), et l'histoire événementielle.

MÉDITERRANÉEN, ENNE adj. -1. De la Méditerranée, des régions qui l'entourent. -2. *Climat méditerranéen,* climat caractérisé par des étés chauds et secs et des hivers génér. doux et pluvieux, typique notamm. des régions proches de la Méditerranée. ◆ n. Originaire ou habitant des régions qui bordent la Méditerranée.

1. **MÉDIUM** [medjɔm] n.m. -1. Registre moyen d'une voix, d'un instrument. -2. En peinture, liant. -3. Aggloméré de fines particules de bois, compact, susceptible de coloration et de poli.

2. **MÉDIUM** [medjɔm] n. Intermédiaire entre le monde des vivants et le monde des esprits, selon les doctrines spirites.

MÉDIUS n.m. Doigt du milieu de la main ; majeur.

MEDJERDA (la), fl. de l'Afrique du Nord, né en Algérie et débouchant dans le golfe de Tunis ; 365 km.

MÉDOC n.m. Vin rouge provenant de la région du Médoc, au nord de Bordeaux.

MÉDOC, région viticole du Bordelais, sur la rive gauche de la Gironde. Le *haut Médoc* groupe les crus les plus renommés, le *bas Médoc* produit des vins courants.

MÉDULLAIRE adj. (du lat. *medulla,* moelle). -1. Relatif à la moelle épinière. -2. Relatif à la moelle osseuse. -3. Qui forme la partie centrale de certains organes : *Substance médullaire de la surrénale.* -4. Relatif à la moelle d'une plante. -5. *Canal médullaire,* canal axial des os longs, qui contient la moelle osseuse.

MÉDULLEUX, EUSE adj. Rempli de moelle.

MÉDULLOSURRÉNAL, E, AUX adj. Relatif à la médullosurrénale. ◆ **médullosurrénale** n.f. Partie centrale des capsules surrénales, sécrétant l'adrénaline.

MÉDUSE n.f. Animal marin, représentant la forme nageuse de nombreux cnidaires, fait d'une ombrelle contractile, transparente et d'aspect gélatineux dont le bord porte des filaments urticants et la face inférieure la bouche et génér. les tentacules. (Les méduses, essentiellement composées d'eau, se déplacent de façon passive au gré des courants marins. Dans certaines espèces, la larve est un polype fixé au fond marin.) [Embranchement des cœlentérés.]

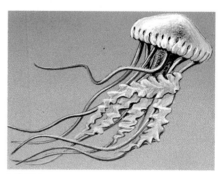

MÉDUSE

MÉDUSE, une des trois Gorgones de la mythologie grecque, celle dont le regard était mortel. Persée, l'ayant découverte dans sa demeure au-delà du fleuve Océan, trancha sa tête hérissée de serpents et l'offrit à Athéna, qui en orna son bouclier.

MÉDUSER v.t. Frapper de stupeur ; stupéfier.

MEERUT, v. de l'Inde (Uttar Pradesh) ; 846 954 hab.

MEETING [mitiŋ] n.m. (mot angl., de *to meet,* rencontrer). -1. Importante réunion publique organisée par un parti, un syndicat, etc., pour informer et débattre d'un sujet politique ou social. -2. Démonstration, réunion sportive : *Meeting aérien. Meeting d'athlétisme.*

MÉFAIT n.m. -1. Action mauvaise, nuisible et, partic., crime ou délit. -2. Résultat néfaste, effet nuisible de qqch : *Les méfaits du tabac.*

MÉFANO (Paul), compositeur français (Bassora, Iraq, 1937). Il a participé en 1971 à la création du Collectif musical international 2e2m. Il a composé *la Cérémonie* (1970), *Ondes/Espaces mouvants* (1975), *Micromégas,* opéra de chambre d'après Voltaire (1983-1987), *Voyager* (1989), *Dragonbass* (1993).

MÉFIANCE n.f. État d'esprit de qqn qui se tient sur ses gardes face à qqn d'autre ou à propos de qqch : *Éveiller la méfiance de qqn.*

MÉFIANT, E adj. et n. Qui se méfie ; qui dénote la méfiance.

MÉFIER (SE) v.pr. **(de).** -1. Manquer de confiance ; être soupçonneux. -2. Faire attention ; se tenir sur ses gardes.

MÉFORME n.f. Mauvaise condition physique d'un sportif.

MÉG- ou **MÉGA-** (du gr. *megas,* grand). Préfixe (symb. M) qui, placé devant une unité, la multiplie par un million (10^6).

MÉGACARYOCYTE n.m. Cellule géante de la moelle osseuse, dont la fragmentation fournit les plaquettes sanguines.

MÉGACÉROS [-rɔs] n.m. (de *méga-* et du gr. *keras,* corne). Ruminant fossile du quaternaire dont la ramure atteignait 3 m d'envergure.

MÉGACÔLON n.m. Dilatation d'un segment ou de la totalité du côlon, entraînant génér. une constipation chronique et opiniâtre.

MÉGAHERTZ n.m. Un million de hertz (symb. MHz).

MÉGALÉRYTHÈME n.m. Maladie éruptive bénigne de l'enfance, dite aussi *cinquième maladie.*

MÉGALITHE n.m. (du gr. *megas, megalos,* grand, et *lithos,* pierre). Monument composé d'un ou plusieurs grands blocs de pierre bruts ou sommairement aménagés (menhirs, dolmens, cromlechs).

MÉGALITHIQUE adj. Fait de mégalithes ; relatif aux mégalithes.

MÉGALITHISME n.m. Coutume de l'édification de mégalithes, que manifestent certaines cultures.

ENCYCL. Il semble qu'il y ait eu plusieurs foyers de mégalithisme dans le monde : Europe occidentale, Malte, Afrique centrale, Amérique du Sud, etc. Les premiers mégalithes

exemple de **MÉGALITHISME** : chambre funéraire à l'intérieur du tumulus de Gavrinis (Morbihan ; IVᵉ millénaire av. J.-C.)

(ceux d'Europe occidentale et d'Afrique centrale) ont été érigés vers le Vᵉ millénaire avant notre ère et d'autres, en Inde par exemple, ont été construits à l'époque moderne. Ces monuments deviennent des symboles autour desquels se développe la société néolithique. Certains dolmens irlandais (New Grange et Knoth) ou armoricains (Gavrinis) présentent des dalles bouchardées et décorées de motifs souvent curvilignes, de haches et d'une divinité féminine.

MÉGALO adj. et n. (abrév.). FAM. Mégalomane ; mégalomaniaque.

MÉGALOBLASTE n.m. Érythroblaste géant, pathologique, caractérisé par un noyau à chromatine fine et un cytoplasme normal.

MÉGALOCYTAIRE adj. Relatif aux mégalocytes, aux affections caractérisées par la présence de mégalocytes : *Anémie mégalocytaire.*

MÉGALOCYTE n.m. Globule rouge résultant de la maturation d'un mégaloblaste.

MÉGALOMANE adj. et n. -1. PSYCHIATR. Atteint de mégalomanie. -2. COUR. Qui manifeste des idées de grandeur, un orgueil excessif. Abrév. (fam.) : *mégalo.*

MÉGALOMANIAQUE adj. Relatif à la mégalomanie.

MÉGALOMANIE n.f. (du gr. *megas,* grand, et *mania,* folie). Surestimation de sa valeur physique ou intellectuelle, de sa puissance ; délire, folie des grandeurs.

MÉGALOPOLE, MÉGALOPOLIS [-lis] ou **MÉGAPOLE** n.f. (du gr. *megas,* grand, et *polis,* ville). Très grande agglomération urbaine ou ensemble de grandes villes voisines.

MÉGALOPTÈRE n.m. *Mégaloptères,* ordre d'insectes aux longues ailes, à larve aquatique, comprenant notamm. le sialis.

MÉGAOCTET n.m. Unité de mesure (symb. Mo), équivalant à 2^{20} octets.

MÉGAPHONE n.m. (du gr. *megas,* grand, et *phonê,* voix). Appareil qui amplifie les sons de la voix ; porte-voix.

MÉGAPODE n.m. (du gr. *megas,* grand, et *pous, podos,* pied). Gros oiseau d'Océanie, aux pattes très fortes, qui assure l'incubation de ses œufs par la chaleur solaire, volcanique ou par la fermentation de substances organiques.

MÉGAPOLE n.f. → MÉGALOPOLE.

MÉGAPTÈRE n.m. (du gr. *megas,* grand, et *pteron,* aile). Cétacé à longues nageoires, appelé couramment *baleine à bosse* (long. 15 m env.). SYN. : jubarte.

MÉGARDE (PAR) loc. adv. Par inadvertance ; par erreur.

MÉGARE, v. de Grèce, sur l'isthme de Corinthe ; 26 562 hab. — Prospère aux VIIᵉ et VIᵉ s. av. J.-C., elle fonda de nombreuses colonies, dont Byzance. Ses démêlés avec Athènes déclenchèrent la guerre du Péloponnèse. Son école de philosophes, à la suite d'Aristote, contribua au développement de la logique.

MÉGARON [megarɔn] n.m. Grande salle rectangulaire, à foyer fixe central, qui caractérise le premier type d'habitation, en Crète, à Mycènes, etc.

MÉGATHÉRIUM [-rjɔm] n.m. (du gr. *megas,* grand, et *thêrion,* bête). Grand mammifère fossile des terrains tertiaires et quaternaires d'Amérique du Sud, qui atteignait 4,50 m de long. (Ordre des édentés.)

MÉGATONNE n.f. Unité servant à évaluer la puissance d'un explosif nucléaire, équivalent de l'énergie produite par l'explosion d'un million de tonnes de trinitrotoluène (T. N. T.).

MÉGÈRE n.f. Femme acariâtre, emportée et méchante.

MEGÈVE, comm. de la Haute-Savoie, près du massif du Mont-Blanc ; 4 876 hab. Station de sports d'hiver (alt. 1 113-2 040 m).

MEGHALAYA, État de l'Inde du Nord-Est ; 1 760 626 hab. Cap. *Shillong.*

MEGIDDO, cité cananéenne du nord de la Palestine. Située sur la route reliant l'Égypte à l'Assyrie, elle fut conquise par plusieurs pharaons (Thoutmosis III, Néchao II).

MÉGIR ou **MÉGISSER** v.t. Tanner une peau à l'alun.

MÉGIS [meʒi] n.m. Bain de cendre et d'alun qui était employé pour mégir les peaux.

MÉGISSERIE n.f. -1. Industrie, commerce des peaux mégissées. -2. Industrie de transformation des petites peaux (mouton, chèvre, etc.) par un mode quelconque de tannage.

MÉGISSIER n.m. -1. Ouvrier qui mégit les peaux. -2. Tanneur de petites peaux.

MÉGOHM n.m. Un million d'ohms (symb. MΩ).

MÉGOT n.m. FAM. Bout d'un cigare ou d'une cigarette que l'on a fini de fumer.

MÉGOTER v.i. FAM. Faire des économies sur de petites choses ; lésiner.

MÉHARÉE n.f. Voyage à dos de méhari.

MÉHARI n.m. (pl. méharis ou méhara). Nom donné au dromadaire en Afrique du Nord et au Sahara. (Il peut parcourir 80 km par jour.)

MÉHARISTE n. Personne qui monte un méhari.

MÉHÉMET-ALI (Kavála 1769 - Alexandrie 1849), vice-roi d'Égypte (1805-1848). Après s'être emparé du pouvoir et avoir reçu des Ottomans le titre de vice-roi, il massacre les Mamelouks (1811) et réorganise, avec le concours de techniciens européens, l'administration, l'économie et l'armée égyptiennes. Il apporte son soutien aux Ottomans en Arabie (1811-1819) puis en Grèce (1824-1827), mais il conquiert le Soudan pour son propre compte (1820-1823) et, fort de l'alliance française, cherche à supplanter le sultan, que son fils Ibrahim Pacha vainc en Syrie (1831-32). Les puissances européennes lui imposent le traité de Londres (1840), qui ne lui laisse, à titre héréditaire, que l'Égypte et le Soudan.

MÉHÉMET-ALI,
vice-roi d'Égypte.
Détail
d'un portrait
par A. Couder.
(Château
de Versailles.)

MEHMED II, dit Fatih, « le Conquérant » (Edirne 1432 - Tekfur Çayiri 1481), sultan ottoman (1444-1446 et 1451-1481). Il s'empara de Constantinople (1453), dont il fit sa capitale, avant de conquérir la Serbie (1459), l'empire de Trébizonde (1461), la Bosnie (1463) et de vassaliser la Crimée (1475). Il accomplit aussi une œuvre législative et culturelle remarquable, affirmant le triomphe de l'islam dans Constantinople (transformation de la basilique Sainte-Sophie en mosquée) et y organisant la vie de ses vassaux grecs et arméniens. **Mehmed IV** (Istanbul 1642 - Edirne 1692), sultan ottoman (1648-1687). Il présida au redressement de l'empire grâce à l'œuvre des Köprülü. **Mehmed V Reşad** (Istanbul 1844 - id. 1918), sultan ottoman (1909-1918). Il laissa le pouvoir aux Jeunes-Turcs. **Mehmed VI Vahideddin** (Istanbul 1861 - San Remo 1926), sultan ottoman (1918-1922). Il fut renversé par Mustafa Kemal.

MEHRGARH, site archéologique du Baloutchistan pakistanais, reliant la vallée de l'Indus

à l'Iran et à l'Asie centrale. Occupée d'env. 7000 à 2000 av. J.-C., cette agglomération à économie agricole est sans doute à l'origine de la civilisation de l'Indus.

MÉHUL (Étienne), compositeur français (Givet 1763 - Paris 1817). Auteur de sonates pour clavier, de symphonies et d'hymnes révolutionnaires *(le Chant du départ),* il a excellé dans l'opéra *(le Jeune Henri,* 1797 ; *Joseph,* 1807).

MEHUN-SUR-YÈVRE, ch.-l. de c. du Cher ; 7 255 hab. *(Mehunois).* Porcelaine.

MEIER (Richard), architecte américain (Newark 1934). Il puise aux sources du style international et de Le Corbusier pour produire un impeccable classicisme (musée des Arts décoratifs de Francfort-sur-le-Main, 1985 ; siège de Canal Plus à Paris, 1992 ; Paul Getty Trust, à Los Angeles, 1997).

MEIJI [mɛjʒi] adj. *L'ère meiji,* la période du règne de Meiji tenno, au Japon.

MEIJI TENNO, nom posthume de **Mutsuhito** (Kyoto 1852 - Tokyo 1912), empereur du Japon (1867-1912). Après l'écroulement du régime shogunal (1867), il inaugura l'ère Meiji (1868). Il proclama sa volonté de réforme et d'occidentalisation dans la charte des Cinq Articles. Il s'installa à Tokyo et donna en 1889 une Constitution au Japon. Il mena victorieusement les guerres sino-japonaise (1895) et russo-japonaise (1905) puis annexa la Corée (1910).

MEILHAC (Henri), auteur dramatique français (Paris 1831 - id. 1897). Il composa, seul ou avec Ludovic Halévy, des opéras bouffes *(la Belle Hélène,* 1864 ; *la Vie parisienne,* 1866 ; *la Périchole,* 1868). On lui doit également le livret de *Carmen.* (Acad. fr. 1888.)

MEILLET (Antoine), linguiste français (Moulins 1866 - Châteaumeillant 1936). Formé dans la tradition de la grammaire comparée, il est influencé par F. de Saussure et par É. Durkheim. Il a mis en valeur l'aspect social des faits linguistiques *(Introduction à l'étude comparative des langues indo-européennes,* 1903 ; *Linguistique historique et Linguistique générale,* 2 vol., 1921 et 1936).

MEILLEUR, E adj. **-1.** (Comparatif de supériorité de *bon).* Plus favorable ; plus clément ; plus généreux. **-2.** (Superlatif de *bon).* Qui atteint le plus haut degré de bonté, de qualité dans son domaine : *Le meilleur des hommes.* ◆ **meilleur** n.m. Ce qui est excellent chez qqn ou dans qqch : *Donner le meilleur de soi-même.*

Meilleur des mondes (le), roman d'A. Huxley (1932), un des classiques de la science-fiction.

Mein Kampf *(Mon combat),* ouvrage écrit en prison (1923-24) par Adolf Hitler et publié en 1925. Il expose les principes du national-socialisme : antisémitisme, supériorité de la race germanique, qui a besoin pour s'épanouir d'un « espace vital », culte de la force.

MÉIOSE n.f. (gr. *meiôsis,* décroissance). Division de la cellule aboutissant à la réduction de moitié du nombre des chromosomes, se produisant au moment de la formation des cellules reproductrices (gamètes).

ENCYCL. La méiose est une division cellulaire qui a pour effet de produire des cellules ne contenant plus que la moitié du stock génétique, soit un unique jeu de chromosomes. Sa durée est relativement longue, plusieurs dizaines de minutes en moyenne. Elle s'observe au cours de la formation des gamètes, cellules haploïdes. La méiose est en fait composée de deux divisions cellulaires successives : la première est « équationnelle » car elle conserve 2n chromosomes, tandis que la seconde est dite « réductionnelle » car elle donne naissance à des cellules à n chromosomes. Chaque division a pu être décomposée en plusieurs phases. La méiose est une étape essentielle dans la transmission des caractères héréditaires puisqu'elle permet, par le phénomène du *crossing-over,* un brassage des gènes et donc une variation au sein des espèces.

MÉIOTIQUE adj. Relatif à la méiose.

MEIR (Golda), femme politique israélienne (Kiev 1898 - Jérusalem 1978), Premier ministre de 1969 à 1974.

MEISSEN, v. d'Allemagne (Land de Saxe), sur l'Elbe ; 35 662 hab. — Cathédrale gothique (XIIIe-XVIe s. ; œuvres d'art) ; château, où fut installée, en 1710, la première manufacture européenne de porcelaine dure ; musée de la Porcelaine.

MEISSONIER (Ernest), peintre français (Lyon 1815 - Paris 1891), auteur de petits tableaux de genre à l'ancienne et de scènes militaires.

MEISSONNIER (Juste Aurèle), décorateur et orfèvre français (Turin v. 1693 - Paris 1750), un des plus brillants représentants du style rocaille.

MEISTRE n.m. → MESTRE.

MEITNER (Lise), physicienne autrichienne (Vienne 1878 - Cambridge 1968). Elle a découvert le protactinium avec O. Hahn (1917) et étudié la fission de l'uranium (1939).

MEITNERIUM n.m. (de L. *Meitner*). Élément chimique artificiel (Mt), de numéro atomique 109. (Anc. unnilennium.)

MÉJEAN *(causse),* l'un des Grands Causses (Lozère), le plus élevé (souvent plus de 1 000 m) et le plus aride.

MÉJUGER v.t. [17]. LITT. Porter un jugement défavorable ou erroné sur qqn, qqch. ◆ v.t. ind. (de). LITT. Se tromper sur le compte, la valeur de qqn, de qqch. ◆ **se méjuger** v.pr. LITT. Se sous-estimer.

MEKNÈS, v. du Maroc, au sud-ouest de Fès ; 320 000 hab. — Madrasa Bu Inaniyya (XIVe s.), imposants remparts et nombreux monuments anciens (XIVe-XVIIIe s.) qui rappellent son passé de capitale (1672 à 1727) d'un sultanat alawite.

MÉKONG (le), le plus long fleuve du Sud-Est asiatique (env. 4 200 km). Né dans le Tibet, à plus de 5 000 m d'altitude, il parcourt sur près de 2 000 km des gorges profondes et sauvages. À sa sortie de Chine, à 300 m d'altitude, il forme la frontière entre, successi-

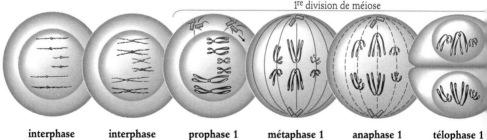

1re division de méiose

interphase	interphase	prophase 1	métaphase 1	anaphase 1	télophase 1
une cellule à 2 n chromosomes	doublement du matériel génétique	spiralisation des chromosomes niveau de condensation maximal	alignement des chromosomes sur la plaque équatoriale	migration des chromosomes vers les pôles sans séparation des centromères	reconstitution de la membran du noyau

différentes phases de la **MÉIOSE**

vement, la Chine et la Birmanie, la Birmanie et le Laos, la Thaïlande et le Laos. Il coule alors au Laos avant de servir encore, sur 820 km, de frontière entre la Thaïlande et le Laos. Il pénètre ensuite au Cambodge et se sépare en plusieurs branches. À Phnom Penh commence le delta, qui s'épanouit au Viêt Nam en deux bras principaux. Le Mékong est alimenté par la fonte des neiges dans son bassin supérieur et par la mousson en aval.

MELÆNA ou **MÉLÉNA** n.m. Élimination par l'anus de sang noir due à la présence, dans l'intestin, de sang digéré.

MELAKA ou **MALACCA,** port de Malaisie, cap. de l'*État de Melaka,* sur le *détroit de Malacca ;* 88 000 hab.

MÉLAMPYRE n.m. (du gr. *melas,* noir, et *puros,* grain). Plante herbacée parasitant certaines graminées par ses racines. (Famille des scrofulariacées.)

MELANCHTHON (Philipp Schwarzerd, dit), réformateur allemand (Bretten, Bade, 1497 - Wittenberg 1560). Professeur de grec à l'université de Wittenberg, il s'attache très tôt à Luther et publie en 1521 les *Loci communes rerum theologicarum,* premier traité dogmatique de la Réforme. Il prépare en 1530 le texte de la *Confession d'Augsbourg* et en rédige une *Apologie* (1530-31). À la mort de Luther (1546), il devient le chef principal du mouvement de la Réforme, dont il tente de faire s'accorder les diverses fractions.

MÉLANCOLIE n.f. -1. État de dépression, de tristesse vague, de dégoût de la vie. -2. Caractère de ce qui inspire cet état : *La mélancolie d'un paysage d'automne.* -3. État dépressif intense, caractérisé par un ralentissement psychomo-

teur, avec un sentiment de culpabilité et d'autodépréciation.

MÉLANCOLIQUE adj. et n. -1. Qui éprouve une tristesse vague. -2. Atteint de mélancolie. ◆adj. Qui manifeste, qui provoque de la mélancolie. ◆ **mélancoliquement** adv.

MÉLANÉSIE, ensemble d'archipels et d'îles du sud-ouest du Pacifique, constitué essentiellement par la Papouasie-Nouvelle-Guinée, les îles Salomon, Vanuatu, les îles Fidji, la Nouvelle-Calédonie, auxquels il faut ajouter leurs dépendances. Les terres émergées couvrent environ 550 000 km² et regroupent plus de 4 millions d'hab. Les îles, souvent volcaniques et montagneuses, possèdent un climat tropical fréquemment humide. Les habitants ont généralement la peau sombre, ce qui explique le nom de Mélanésiens (du gr. *melas,* noir) qui leur est donné. Des plantations (canne à sucre, café, cocotier) introduites par les Européens complètent les cultures de tubercules. Le nickel (en Nouvelle-Calédonie) est la principale ressource minière.

MÉLANÉSIEN, ENNE adj. et n. De Mélanésie. ◆ **mélanésien** n.m. Groupe de langues de la famille austronésienne, parlées en Mélanésie.

MÉLANGE n.m. -1. Action de mêler, de mettre ensemble des substances diverses. -2. Substance obtenue en mêlant. -3. Réunion de choses ou d'êtres de nature différente : *Un mélange d'ancien et de moderne.* -4. Absorption, dans un temps relativement court, de boissons alcoolisées de nature différente. -5. Association de plusieurs corps sans réaction chimique. -6. *Mélange détonant* → DÉTONANT. ◆ pl. -1. Recueil portant sur des sujets variés : *Mélanges littéraires.* -2. Ouvrage composé d'arti-

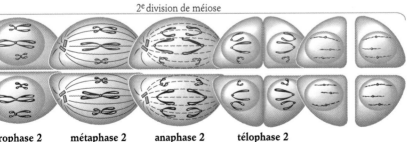

2ᵉ division de méiose

rophase 2	métaphase 2	anaphase 2	télophase 2	
aque cellule e directement n prophase s interphase	alignement des chromosomes sur la plaque équatoriale	migration vers les pôles avec séparation des centromères	fin de la division équationnelle donc fin de la méiose	4 cellules filles à n chromosomes = gamètes haploïdes

cles divers, offert en hommage à un professeur par ses collègues et ses disciples.

MÉLANGER v.t. [17]. -**1**. Mettre des choses ensemble pour former un tout : *Mélanger des liquides*. -**2**. Rassembler les personnes ensemble : *Il ne mélange pas ses relations*. -**3**. Mettre des choses en désordre : *Mélanger ses dossiers*. -**4**. Confondre des choses, les mêler en un tout confus, les prendre les unes pour les autres : *Mélanger les dates*. -**5**. *Mélanger les cartes*, les battre.

MÉLANGEUR n.m. -**1**. Robinetterie à deux têtes et un bec, permettant d'obtenir un mélange d'eau froide et d'eau chaude. -**2**. Appareil servant à mélanger des substances.

MÉLANINE n.f. Pigment de couleur foncée, produit de l'oxydation de la tyrosine, présent normalement dans la peau, les cheveux et l'iris.

MÉLANIQUE adj. -**1**. Relatif à la mélanine. -**2**. Relatif au mélanisme.

MÉLANISME n.m. Mutation récessive de certains animaux, consistant en une pigmentation noire de leurs phanères.

MÉLANOCYTE n.m. (du gr. *melas, -anos,* noir, et *kutos,* creux). Cellule de la peau de l'homme et des vertébrés contenant la mélanine et assurant la protection des organes internes contre les radiations solaires.

MÉLANODERME adj. et n. (du gr. *melas, -anos,* noir, et *derma,* peau). Se dit de qqn dont la peau est noire et qui présente la plupart des caractères des Noirs.

MÉLANODERMIE n.f. Coloration brunâtre ou noirâtre de la peau et des muqueuses, due à une surcharge en pigment mélanique.

MÉLANOME n.m. Tumeur cutanée développée à partir des mélanocytes. (Il existe des mélanomes bénins mais il s'agit le plus souvent de tumeurs cancéreuses de haute gravité, appelées nævo-carcinomes.)

MÉLANOSE n.f. (gr. *melanôsis,* tache). Accumulation localisée de pigment mélanique dans les tissus.

MÉLASSE n.f. (du lat. *mellaceum,* vin cuit). Résidu sirupeux non cristallisable de la fabrication du sucre, utilisé notamm. pour l'alimentation du bétail.

MELBA adj. inv. *Pêche, poire, fraises Melba,* ces fruits pochés au sirop, servis sur une couche de glace à la vanille et nappés de purée de framboises et de crème Chantilly.

MELBOURNE, port d'Australie, fondé en 1835, cap. de l'État de Victoria ;

3 002 300 hab. Centre commercial, industriel et culturel. — Musée d'art.

MELBOURNE (William **Lamb,** *vicomte*), homme politique britannique (Londres 1779 - près de Hatfield 1848). Premier ministre (1834, 1835-1841), il assura l'éducation politique de la jeune reine Victoria.

MELCHIOR, nom de l'un des trois Rois mages, selon une tradition qui en fait un Africain.

MELCHISÉDECH, personnage figurant dans la Genèse comme prêtre-roi de Salem (nom de la Jérusalem primitive) et comme bénissant Abraham qui lui présente la dîme au nom de son Dieu. Dans le Nouveau Testament (Épître aux Hébreux), le sacerdoce royal de Melchisédech est l'image de celui de Jésus-Christ.

MELCHITE [-kit] adj. et n. → MELKITE.

MÊLÉ, E adj. Formé d'éléments divers, disparates : *Une société très mêlée*.

MÉLÉAGRINE n.f. Huître perlière. SYN. : pintadine.

MÊLÉE n.f. -**1**. Combat opiniâtre et confus où on lutte corps à corps. -**2**. Rixe, bousculade entre un certain nombre de personnes. -**3**. Lutte, conflit d'intérêts, de passions. -**4**. Phase du jeu de rugby où les avants de chaque équipe se mettent face à face en s'arc-boutant pour récupérer le ballon lancé sur le sol au milieu d'eux par le demi de mêlée. -**5**. *Mêlée ouverte,* mêlée que les avants forment spontanément.

MÉLÉNA n.m. → MELÆNA.

MÊLER v.t. -**1**. Mettre ensemble des choses diverses. -**2**. Mettre dans le plus grand désordre ; emmêler, embrouiller. -**3**. Faire participer qqn à une action ; impliquer : *Mêler qqn à une affaire*. ◆ **se mêler** v.pr. -**1**. Se confondre, entrer dans un tout. -**2**. Se joindre à un groupe : *Se mêler à un cortège*. -**3**. Intervenir dans qqch, en partic. de manière inopportune : *Ne te mêle pas de ses affaires*.

MÉLÈZE n.m. Arbre croissant dans les montagnes au-dessus de la zone des sapins, à aiguilles caduques insérées par touffes. (Haut. 20 à 35 m ; ordre des conifères.)

MELIA [melja] n.m. (mot gr., *frêne*). Arbre à longues grappes de fleurs odorantes, originaire d'Asie. (Famille des méliacées.)

MÉLIACÉE n.f. *Méliacées,* famille de plantes arborescentes équatoriales, telles que le melia et l'acajou, recherchés en ébénisterie.

MÉLIÈS (Georges), cinéaste français (Paris 1861 - *id.* 1938). Prestidigitateur-illusionniste, pionnier de la mise en scène et du spectacle cinématographique, il fut l'inventeur des premiers trucages, le constructeur des premiers studios. Il réalisa entre 1896 et 1913 plus de 500 petits films, remarquables par la fantaisie poétique et ingénieuse, la féerie, le merveilleux qu'il fut le premier à exprimer au cinéma (*le Voyage dans la Lune,* 1902 ; *20 000 Lieues sous les mers,* 1907).

MELILLA, port et enclave espagnols sur la côte méditerranéenne du Maroc ; 56 600 hab.

MÉLILOT n.m. (du gr. *meli,* miel, et *lôtos,* lotus). Herbe fourragère aux petites fleurs odorantes, utilisée en parfumerie et en pharmacopée. (Famille des papilionacées.)

MÉLINE (Jules), homme politique français (Remiremont 1838 - Paris 1925). Ministre de l'Agriculture (1883-1885 et 1915-16), il pratiqua une politique protectionniste. Il fut chef du gouvernement de 1896 à 1898.

MÉLINITE n.f. (du lat. *melinus,* couleur de coing). Explosif à base d'acide picrique.

MÉLIORATIF, IVE adj. et n.m. Se dit d'un terme qui présente sous un aspect favorable l'idée ou l'objet désignés, par opp. à *péjoratif* : *Adjectifs mélioratifs.*

MÉLIQUE adj. (du gr. *melos,* chant). Se dit de la poésie lyrique, et surtout chorale, des Grecs.

cône femelle

cône mâle

cône femelle fécondé

MÉLÈZE

MÉLISSE n.f. (gr. *melissa,* abeille). -1. Plante mellifère antispasmodique et stomachique. (Famille des labiées.) SYN. : **citronnelle.** -2. *Eau de mélisse,* alcoolat obtenu par la distillation des feuilles de mélisse fraîche et employé comme antispasmodique et stomachique.

MÉLITOCOCCIE [-ksi] n.f. Brucellose.

MÉLITTE n.f. Plante mellifère vivace, appelée aussi *mélisse des bois* ou *mélisse sauvage.* (Famille des labiées.)

MELK, v. d'Autriche (Basse-Autriche), sur le Danube ; 6 200 hab. — Abbaye bénédictine reconstruite au début du XVIIIᵉ siècle par l'architecte Jakob Prandtauer (1660-1726), œuvre baroque grandiose.

MELKITE ou **MELCHITE** [-kit] adj. et n. (syriaque *melech,* roi). -1. Fidèle (orthodoxe ou catholique) d'un des patriarcats melkites. -2. *Patriarcats melkites,* patriarcats orthodoxes d'Alexandrie, d'Antioche et de Jérusalem. (Les patriarcats melkites se séparèrent de Rome en 1054, mais il existe, depuis 1724, un patriarcat melkite catholique qui a autorité sur l'Orient.)

MELLAH n.m. ANC. Quartier juif, dans les villes marocaines.

MELLIFÈRE adj. (du lat. *mel, mellis,* miel, et *ferre,* porter). -1. Qui produit un suc avec lequel les abeilles font le miel. -2. Mellifique.

MELLIFICATION n.f. Élaboration du miel par les abeilles.

MELLIFIQUE adj. Qui fait du miel. SYN. : mellifère.

MELLONI (Macedonio), physicien italien (Parme 1798 - Portici 1854). Il inventa la pile thermoélectrique, qu'il employa pour étudier la chaleur rayonnante (rayonnement infrarouge).

MÉLODICA n.m. Petit instrument à air, à bouche, muni d'un clavier analogue à un clavier de piano qui actionne des soupapes.

MÉLODIE n.f. -1. Suite de sons formant un air. (L'écriture linéaire de la mélodie s'oppose à l'écriture verticale des accords, dont l'enchaînement constitue l'harmonie.) -2. Composition pour voix seule avec accompagnement. -3. Suite harmonieuse de mots, de phrases, etc., propre à charmer l'oreille.

MÉLODIEUX, EUSE adj. Dont la sonorité est agréable à l'oreille ; harmonieux. ➡ **mélodieusement** adv.

MÉLODIQUE adj. Relatif à la mélodie.

MÉLODISTE n. Musicien qui compose des mélodies.

MÉLODRAMATIQUE adj. -1. Qui relève du mélodrame. -2. Qui évoque le mélodrame par son emphase, son exagération : *Ton mélodramatique.*

MÉLODRAME n.m. (du gr. *melos,* cadence, et *drama,* action théâtrale). -1. ANC. Drame où une musique instrumentale accompagnait l'entrée et la sortie des personnages. -2. Dans la tragédie grecque, dialogue chanté entre le coryphée et un personnage. -3. Drame populaire, né à la fin du XVIIIe s., où sont accumulées des situations pathétiques et des péripéties imprévues.

MÉLOÉ n.m. Insecte coléoptère vésicant, noir ou bleu, à reflets métalliques, sans ailes et aux élytres très courts.

MÉLOMANE n. et adj. Amateur de musique.

MELON n.m. -1. Plante rampante cultivée pour ses fruits, demandant de la chaleur et de la lumière. (Famille des cucurbitacées.) -2. Fruit de cette plante, arrondi ou ovoïde, vert, jaune ou brun clair, à chair orangée ou vert clair, sucrée et parfumée. -3. *Chapeau melon,* chapeau rond et bombé à bords étroits, ourlés sur les côtés. ‖ *Melon d'eau,* pastèque.

coupe du fruit

MELON

MELONNIÈRE n.f. Terrain, serre où l'on cultive le melon.

MÉLOPÉE n.f. -1. Dans l'Antiquité, chant rythmé qui accompagnait la déclamation. -2. Chant monotone et triste.

MÉLOPHAGE n.m. (du gr. *mêlon,* brebis, et *phagein,* manger). Mouche parasite des moutons, dont elle suce le sang.

Meloria *(batailles de la),* nom donné à deux batailles qui se déroulèrent auprès de l'île de Meloria, dans le golfe de Gênes, et au cours desquelles les forces navales génoises détruisirent les flottes pisane (1284) et angevine (1410).

MELPOMÈNE, muse de la Tragédie.

MELTING-POT [mɛltiŋpɔt] n.m. (mot angl., *creuset*) [pl. melting-pots]. -1. Brassage et assimilation d'éléments démographiques divers, aux États-Unis. -2. Endroit où se rencontrent des éléments d'origines variées, des idées différentes.

MELUN, ch.-l. du dép. de Seine-et-Marne, sur la Seine, à 46 km au sud-est de Paris ; 36 489 hab. *(Melunais)* [plus de 100 000 hab. dans l'agglomération]. École des officiers de la gendarmerie. Constructions mécaniques. Industries alimentaires. — Églises Notre-Dame (en partie des XIⁱe et XIⁱe s.) et St-Aspais (gothique des XVe-XVIe s.). Musée municipal et musée de la Gendarmerie.

MELUN-SÉNART, ville nouvelle du sud-est de la Région parisienne, entre Melun et la forêt de Sénart.

MÉLUSINE n.f. Feutre à poils longs et souples, rappelant la fourrure.

Mélusine, personnage fabuleux, fille d'une fée, qui pouvait se métamorphoser partiellement en serpent. Les romans de chevalerie et les légendes du Poitou font d'elle l'aïeule et la protectrice de la maison de Lusignan.

MELVILLE, baie de la mer de Baffin, sur la côte du Groenland.

MELVILLE (Herman), écrivain américain (New York 1819 - *id.* 1891). Quatre années à bord d'un baleinier, dans les mers du Sud, lui inspirèrent des romans situés en Polynésie *(Taïpi,* 1846 ; *Omoo,* 1847 ; *Moby Dick ou la Baleine blanche,* 1851), que suivront d'autres romans *(Israel Potter,* 1855 ; *le Grand Escroc,* 1857) révélant sa quête de la vérité et son désespoir spirituel, ainsi que des contes et son poème *Clarel* (1876). Inconnu de son vivant, Melville est aujourd'hui considéré comme un des plus grands romanciers américains.

MELVILLE (Jean-Pierre Grumbach, dit Jean-Pierre), cinéaste français (Paris 1917 - *id.* 1973). Après *le Silence de la mer* (d'après Vercors, 1949), il s'imposa comme l'auteur de films noirs, rigoureux et dépouillés : *le Doulos* (1963), *le Deuxième Souffle* (1966), *le Samouraï* (1967), *le Cercle rouge* (1970).

MEMBRANAIRE adj. Relatif aux membranes.

MEMBRANE n.f. -1. Mince paroi d'une substance poreuse que l'on interpose entre deux milieux et qui permet d'éliminer ou de concentrer certains constituants par osmose, dialyse, filtration, etc. -2. Enveloppe souple entourant la cellule (membrane cellulaire) [→ CELLULE.], le noyau cellulaire (membrane nucléaire), un organe ou un groupe d'organes, telle que la plèvre et le péritoine. -3. *Fausse membrane,* enduit blanchâtre constitué de fibrine, se formant sur les muqueuses à la suite de certaines inflammations (angine diphtérique, notamm.). ‖*Membrane plasmique* ou *membrane cellulaire,* enveloppe externe de la cellule. (Dans la cellule eucaryote, la membrane forme un réseau interne et délimite les organites et les vacuoles.) ‖ *Membrane vibrante,* dans un haut-parleur, membrane qui engendre des ondes sonores en vibrant sous l'impulsion d'un dispositif électromagnétique, électrostatique, etc. ; dans un instrument de musique, membrane qui vibre, génér. sous l'effet d'une percussion (tambours) ou, plus rarement, sous l'effet de la vibration d'une corde (banjo), d'une colonne d'air (mirliton), etc.

MEMBRANEUX, EUSE adj. -1. Relatif à une membrane. -2. Formé d'une membrane.

MEMBRE n.m. -1. Appendice disposé par paires sur le tronc de l'homme et des vertébrés tétrapodes, et servant à la locomotion et à la préhension : *Membres inférieurs et membres supérieurs.* -2. Personne, groupe, pays faisant partie d'un ensemble, d'une communauté, etc. -3. *Membre fantôme* → FANTÔME. ‖ *Membre viril,* pénis. ‖ *Pays, État membre,* pays faisant partie d'une communauté internationale, État faisant partie d'une fédération. LING. Partie d'un constituant ou constituant d'une unité de rang supérieur. MATH. Dans une égalité ou une inégalité, chacun des deux termes figurant de part et d'autre du signe.

MEMBRON n.m. Baguette en plomb ou en zinc protégeant la ligne de brisis d'un toit mansardé.

MEMBRURE n.f. -1. Ensemble des membres du corps humain. -2. Forte pièce en bois ou en métal, servant de point d'appui à une charpente ou à un assemblage de pièces ajustées. -3. Couple, en construction navale.

MÊME adj. -1. Avant le n., marque la similitude, l'identité totale : *Avoir les mêmes goûts.* -2. Après le n., marque une insistance, souligne une précision : *Être la bonté même.* ◆ adv. -1. Marque un renchérissement, une gradation : *Je vous dirai même que...* -2. Marque un renforcement : *Aujourd'hui même.* ◆ pron. indéf. Indique

l'identité, la ressemblance : *Je connais ce disque, j'ai le même.* ◆ loc. conj. *De même que,* ainsi que, comme. ◆ n.m. Principe invariant de la pensée.

MÉMÉ n.f. LANGAGE ENFANTIN. Grand-mère.

MEMEL → KLAIPEDA.

MÉMENTO [memēto] n.m. (lat. *memento,* souviens-toi) -1. Agenda où l'on inscrit ce dont on veut se souvenir. -2. Livre où est résumé l'essentiel d'une question : *Mémento d'histoire.* -3. Prière du canon de la messe commençant par ce mot.

MEMLING ou **MEMLINC** (Hans), peintre flamand (Seligenstadt, Bavière, v. 1433 - Bruges 1494). Sa carrière s'est déroulée à Bruges, où sont conservées ses œuvres principales : compositions religieuses d'un style doux et calme, portraits dont le modèle est représenté dans son cadre familier (*Châsse de sainte Ursule,* avec six scènes de la légende de la sainte, musée de l'hôpital St-Jean, Bruges).

MEMMI (Albert), écrivain tunisien d'expression française (Tunis 1920). Les thèmes majeurs de son œuvre, axée sur le Maghreb, sont liés à la tradition, l'affrontement culturel et la domination (*Portrait du colonisé...,* 1957 ; *Juifs et Arabes,* 1974 ; *la Dépendance,* 1979 ; *le Pharaon,* 1988 ; *le Juif et l'Autre,* 1996).

MEMNON, héros du cycle troyen tué par Achille. Les Grecs l'identifièrent à un des deux colosses du temple d'Aménophis III, à Thèbes. Cette statue, fissurée en 27 av. J.-C. par une secousse tellurique, faisait entendre au lever du soleil une vibration, « le chant de Memnon », qui cessa après la restauration de Septime Sévère.

1. **MÉMOIRE** n.f. -1. Activité biologique et psychique qui permet de retenir des expériences antérieurement vécues. -2. Aptitude à se souvenir. -3. Souvenir qu'on garde de qqn, qqch ; ce qui reste ou restera dans l'esprit des hommes. -4. *Mémoire collective,* ensemble des souvenirs spécifiques d'une communauté, d'un groupe ethnique, d'une nation. COMPTAB. *Pour mémoire,* terme par lequel on indique qu'un article, mentionné pour le principe, n'est pas porté en compte. INFORM. Organe de l'ordinateur qui permet l'enregistrement, la conservation et la restitution des données. (V. ENCYCL.)

ENCYCL. INFORMATIQUE ET ÉLECTRONIQUE

Les mémoires électroniques sont à la base de l'essor des ordinateurs. Initialement réalisées avec des technologies mécaniques

détail de la **MÉMOIRE** d'un superordinateur

(propagation d'une onde acoustique dans un solide), magnétiques (état magnétique d'un tore) ou électriques (câblage de fils, de fiches ou de diodes), elles sont maintenant essentiellement réalisées à partir de semi-conducteurs ou de pistes magnétiques. Grâce à l'évolution de la capacité d'intégration des composants électroniques, le nombre d'informations binaires que l'on peut mettre dans un seul boîtier a progressé dans un rapport de 1 à 4 000 entre 1971 et 1990. Le nombre de boîtiers, et donc de points de soudure, nécessaires pour réaliser une capacité de mémoire donnée a diminué dans le même rapport, ce qui entraîne une amélioration considérable de la fiabilité. Dans le même temps, la consommation électrique est devenue soixante fois moindre.

En fonction de la technologie employée et du mode de fonctionnement des composants, on distingue les mémoires à semi-conducteurs, vives ou mortes, et les mémoires de masse (disque dur, disquette, bande magnétique, à bulles, disque optique).

Les types de mémoires. La plus simple des *mémoires mortes* est la mémoire ROM (sigle de l'anglais *Read Only Memory*), qui ne peut être que lue par l'utilisateur. Son contenu est déterminé lors de la fabrication du composant et ne peut plus être modifié ultérieurement. Le programme d'initialisation d'un ordinateur est enregistré sur ce type de mémoire. Certaines mémoires mortes offrent une plus grande souplesse d'emploi : les PROM *(Programmable Read Only Memory)*, les EPROM *(Electrically Read Only Memory)*, les EPROM *(Electrically*

Programmable Read Only Memory) et les EE-PROM *(Electrically Erasable Programmable Read Only Memory)*. À la différence des mémoires mortes, une *mémoire vive*, ou RAM *(Random Access Memory)*, peut être lue ou écrite à tout moment par l'utilisateur. Mais son contenu est perdu en cas de coupure de la tension d'alimentation. Les plus performantes sont les mémoires vives dynamiques, ou DRAM *(Dynamic Random Access Memory)*.

Les mémoires de masse. Ce sont des mémoires de grande capacité qui utilisent le magnétisme comme élément de stockage (disques durs) ou la technologie des disques à lecture laser (CD-ROM). Elles sont utilisées conjointement aux mémoires vives pour stocker des informations dont l'utilisation est moins fréquente. Pour y avoir accès, il faut transférer une partie du contenu de la mémoire de masse dans une mémoire vive. Ces mémoires ont un mode de fonctionnement séquentiel, aussi le temps d'accès à l'information recherchée y est-il plus long que dans les mémoires à semi-conducteurs. Une table des matières facilite la recherche des informations dans leurs fichiers. Pour l'avenir, on place de grands espoirs dans les *mémoires flash,* dont la capacité approche celle des disques magnétiques et le temps d'accès celui des DRAM et qui, contrairement aux mémoires vives, conservent les informations stockées lorsque l'alimentation électrique est coupée.

PSYCHOLOGIE

L'étude proprement scientifique de la mémoire, dont les premiers pas, effectués à l'aide de techniques expérimentales, remontent au XIXe siècle (travaux d'Ebbinghaus), a été profondément renouvelée — si l'on met à part les apports de l'investigation psychanalytique — par l'apparition et l'intégration, dans le milieu des années 50, de la notion d'*information*. Le cognitivisme, courant fort de la psychologie moderne, reprend alors l'idée, déjà exprimée par W. James, qu'il existe plusieurs types de mémoire, correspondant à plusieurs types de stockage de l'information, et construit un modèle fondé sur la distinction entre information stockée et information *sur* l'information stockée : une *mémoire à court terme* serait définie par le passage des stimulus dans une « pile » aux capacités limitées ; éliminés en cas de non-réactivation, ces stimulus viendraient dans le cas contraire prendre place dans un autre répertoire, la *mémoire à long terme,* représentant la totalité des connaissances acquises. Un dispositif, la *mémoire de travail,* serait chargé de gérer à la fois les activités de stockage et les activités de traitement de l'information, et de traiter au préalable des informations avant leur orientation.

Cette caractérisation de l'architecture de la mémoire rend nécessaire une analyse des modalités précises de la mise en mémoire de l'information à des fins de restitution possible *(encodage),* c'est-à-dire de la manière dont sont retenues et exploitées les données fournies par les divers appareils sensoriels : d'où l'intérêt pour les traits constitutifs, principalement et respectivement, de la *mémoire visuelle* et de la *mémoire auditive.*

Elle invite également à dégager les règles auxquelles obéit l'organisation des souvenirs stockés, règles dont l'existence seule permet à la mémoire de jouer son rôle de support de nos connaissances et de guide de l'action. Il a été montré que certains traits d'un objet (oiseau, fleur) apparaissent plus représentatifs de la classe à laquelle il appartient que d'autres (un « moineau » est plus facilement rangé dans la catégorie *oiseau* qu'une « autruche »). Il y a donc des représentations catégorielles qui sont à la base de l'encodage dans la mémoire. C'est le phénomène de *typicalité.* Il est étroitement lié au contexte social et culturel de chaque sujet, mais, comme tel, doit vraisemblablement se retrouver dans toutes les cultures humaines.

Ce phénomène se retrouve dans une analyse de la mémoire appliquée à l'*analyse du langage :* la compréhension du langage peut s'analyser comme la perception de séquences de « mots » syntaxiquement bien rangés, eux-mêmes immédiatement perçus comme autant de catégories renvoyant à des signifiants structurés. Cela veut bien dire que chaque chose nouvelle perçue l'est à la fois dans sa nouveauté et dans l'ordre où elle prend un sens. Il y a donc en jeu une *mémoire implicite* et une *mémoire explicite :* les données du texte, comme le stimulus de la perception, activent les différentes structures cognitives stockées par le sujet.

Si dans la perspective cognitiviste, marquée par les modèles informatiques, l'étude de la mémoire peut être menée sans exploration directe du cerveau, il n'en convient pas moins de tenir compte des acquis de la *psychophysiologie.* Celle-ci a recherché les éventuelles localisations du stockage dans le cerveau ; puis ce modèle « localisateur » s'est affiné et s'est associé à l'analyse des lésions cérébrales. On admet aujourd'hui que la mémoire à court terme a un support bioélectrique. L'étude du sommeil a mis en évidence l'importance de la phase dite « *paradoxale* » dans le sommeil : elle renforce le souvenir et rend sa récupération plus rapide et mieux adaptée. Enfin le rôle joué par l'A. R. N. et certaines protéines est important dans l'encodage en mémoire.

2. **MÉMOIRE** n.m. -1. Écrit sommaire exposant des faits, des idées. -2. Exposé scientifique ou littéraire en vue d'un examen, d'une communication dans une société savante : *Les mémoires de l'Académie des sciences.* -3. Relevé des sommes dues à un fournisseur. -4. Acte de procédure contenant les prétentions et arguments du plaideur, devant certaines juridictions. ◆ pl. (Avec une majusc.). Relation écrite faite par une personne des événements qui ont marqué sa vie.

Mémoires d'outre-tombe, par Chateaubriand, publiés après sa mort, sous forme de feuilletons, dans *la Presse* (1848-1850). L'auteur fait revivre son époque et fixe le rôle qu'il a joué en littérature et en politique, dans la perspective continue de la vanité des actions et du temps humains.

MÉMORABLE adj. Digne d'être conservé dans la mémoire.

MÉMORANDUM [memɔrɑ̃dɔm] n.m. -1. Note diplomatique contenant l'exposé sommaire de l'état d'une question. -2. Carnet de notes ; mémento.

MÉMORIAL n.m. -1. (Avec une majusc.). Ouvrage dans lequel sont consignés des faits mémorables. -2. Monument commémoratif.

-**3.** Mémoire servant à l'instruction d'une affaire diplomatique.

Mémorial de Sainte-Hélène, ouvrage de Las Cases (1823). C'est le journal des entretiens de Napoléon Ier avec son secrétaire durant son exil.

MÉMORIALISTE n. Auteur de Mémoires historiques ou littéraires.

MÉMORIEL, ELLE adj. -**1.** Relatif à la mémoire. -**2.** Relatif aux mémoires d'un ordinateur.

MÉMORISATION n.f. Action de mémoriser.

MÉMORISER v.t. -**1.** Fixer qqch dans sa mémoire. -**2.** Conserver une information dans une mémoire informatique.

MEMPHIS, v. de l'Égypte ancienne, sur le Nil, en amont du Delta, cap. de l'Ancien Empire. La concurrence d'Alexandrie, fondée en 331 av. J.-C., puis l'invasion des Arabes entraînèrent sa décadence.

MEMPHIS, v. des États-Unis (Tennessee), sur le Mississippi ; 610 337 hab. Port de commerce, grand marché et centre industriel.

MENAÇANT, E adj. Qui exprime une menace ; qui fait prévoir un danger.

MENACE n.f. -**1.** Parole, geste, acte par lesquels on exprime la volonté qu'on a de faire du mal à qqn, par lesquels on manifeste sa colère. -**2.** Signe, indice qui laisse prévoir un danger : *Menace de pluie.*

MENACÉ, E adj. En danger.

MENACER v.t. [16]. -**1.** Chercher à intimider qqn, un groupe, un pays, etc., par des menaces. -**2.** Constituer un danger, un sujet de crainte pour qqn, qqch ; être à craindre : *Une crise nous menace.*

MÉNADE n.f. Bacchante adonnée aux transes sacrées.

MENADO → MANADO.

MÉNAGE n.m. (du lat. *mansio,* demeure). -**1.** Homme et femme vivant ensemble et formant la base de la famille. -**2.** Ensemble de ce qui concerne l'entretien, la propreté d'un intérieur. -**3.** Unité élémentaire de population (couple, personne seule, communauté) résidant dans un même logement, envisagée dans sa fonction économique de consommation : *Les dépenses des ménages.* -**4.** *Faire le ménage,* ranger et nettoyer un local. ‖ *Faire des ménages,* assurer contre rémunération les travaux ménagers. ‖ *Femme de ménage* (parfois *homme de ménage*), personne qui fait des ménages, moyennant salaire, chez un particulier, dans une entreprise, etc.

MÉNAGE (Gilles), écrivain français (Angers 1613 - Paris 1692). Auteur de poèmes latins et d'ouvrages de philologie (*Observations sur la langue française,* 1672), il fut raillé par Boileau et Molière.

MÉNAGEMENT n.m. Attitude destinée à ménager qqn ; précaution, égard.

1. MÉNAGER v.t. [17]. -**1.** Employer qqch avec économie, avec mesure ; épargner, économiser : *Ménager ses forces.* -**2.** Traiter qqn avec égards, avec respect, pour ne pas lui déplaire, l'indisposer ou le fatiguer : *Ménager un adversaire.* -**3.** Préparer qqch avec soin ou avec prudence : *Ménager une surprise.*

2. MÉNAGER, ÈRE adj. -**1.** Relatif aux soins du ménage. -**2.** *Équipement ménager,* ensemble des appareils domestiques destinés à faciliter les tâches ménagères. ◆ **ménagère** n.f. -**1.** Femme qui a soin du ménage, qui s'occupe de l'administration du foyer. -**2.** Service de couverts de table (cuillers, fourchettes, etc.) dans leur coffret.

MÉNAGERIE n.f. -**1.** Collection d'animaux de toutes espèces, entretenus pour l'étude ou pour la présentation au public. -**2.** Lieu où l'on entretient ces animaux.

MÉNAM (le) → CHAO PHRAYA.

MÉNANDRE, poète comique grec (Athènes v. 342 - *id.* v. 292 av. J.-C.). Il créa la « comédie nouvelle ». On lui attribue 108 pièces seulement connues jusqu'à la fin du XIXe siècle par des imitations de Plaute et de Térence.

MENCHEVIK [mɛnʃevik] adj. et n. Se dit de la portion minoritaire du Parti ouvrier social-démocrate russe, qui s'opposa à partir de 1903 aux bolcheviks et que ceux-ci éliminèrent après oct. 1917.

MENCHIKOV (Aleksandr Danilovitch, *prince*), homme d'État et feld-maréchal russe (Moscou 1673 - Berezovo 1729). Il dirigea la construction de Saint-Pétersbourg. Il détint sous Catherine Ire la réalité du pouvoir puis fut exilé en Sibérie (1728).

MENCHIKOV (Aleksandr Sergueïevitch, *prince*), amiral russe (Saint-Pétersbourg 1787 - *id.* 1869). Commandant en chef en Crimée, il fut battu par les Franco-Britanniques (1854).

MENCIUS, en chin. Mengzi ou Mong-tseu, philosophe chinois (v. 371-289 av. J.-C.). Pour lui, l'homme est moralement *bon* lorsqu'il naît et c'est son éducation qui le corrompt. C'est la piété filiale qui constitue le fondement de la société chinoise. Il s'inscrit dans la ligne de Confucius.

MENDE, ch.-l. du dép. de la Lozère, sur le Lot, à 576 km au sud de Paris ; 12 667 hab. *(Mendois).* Évêché. — Cathédrale gothique des XIVᵉ-XVIᵉ siècles. Pont gothique. Musées dans un hôtel particulier et dans l'ancienne chapelle des Pénitents, tous deux du XVIIᵉ siècle.

MENDÉ, peuple de Sierra Leone, parlant une langue du groupe mandé.

MENDEL (Johann, en relig. **Gregor**), religieux et botaniste autrichien (Heinzendorf, Silésie, 1822 - Brünn, auj. Brno, 1884). Il a réalisé des expériences sur l'hybridation des plantes et l'hérédité chez les végétaux, et a dégagé les lois qui portent son nom. (→ HÉRÉDITÉ.)

Gregor **MENDEL**,
religieux
et botaniste
autrichien.
(B. N., Paris.)

MENDELEÏEV (Dmitri Ivanovitch), chimiste russe (Tobolsk 1834 - Saint-Pétersbourg 1907). Il a étudié la compression des gaz, l'air raréfié et l'isomorphisme, mais il est surtout l'auteur de la classification périodique des éléments chimiques (1869), dans laquelle il laissa des cases vides correspondant à des éléments qui ne furent découverts que par la suite.

MENDELE MOCHER SEFARIM (Chalom Jacob **Abramovitz**, dit), écrivain russe d'expression yiddish et hébraïque (Kopyl, gouv. de Minsk, 1835 - Odessa 1917). L'un des fondateurs de la littérature hébraïque moderne, il dépeint, en yiddish, la vie des ghettos d'Europe orientale (*les Voyages de Benjamin III,* 1878).

MENDÉLÉVIUM [mɛ̃delevjɔm] n.m. Élément transuranien (Md), de numéro atomique 101, de masse atomique 256, obtenu artificiellement à partir de l'einsteinium.

MENDÉLIEN, ENNE adj. Relatif au mendélisme.

MENDÉLISME n.m. Théorie explicative du mécanisme général de l'hérédité, reposant sur les lois de Mendel.

MENDELSSOHN (Moses), philosophe allemand (Dessau 1729 - Berlin 1786). Il a cherché à penser en termes rationnels une solution de coexistence pour la communauté juive au sein de la société protestante prussienne et à obtenir la reconnaissance de la spécificité juive au sein d'un État chrétien. Disciple de Lessing, il se rattache à l'*Aufklärung.* Il a proposé une explication fondamentale du judaïsme, qui n'est pas, selon lui, une religion révélée, mais une « législation révélée » (*Jerusalem oder Über die religiöse Macht und Judentum,* 1783).

MENDELSSOHN-BARTHOLDY (Felix), compositeur allemand (Hambourg 1809 - Leipzig 1847), petit-fils du précédent. Il s'est fait connaître très jeune comme compositeur et comme pianiste, puis en dirigeant, pour la première fois depuis près d'un siècle, l'intégrale de *la Passion selon saint Matthieu* de Bach (1829). Directeur du Gewandhaus et fondateur du Conservatoire de Leipzig, il a laissé une œuvre considérable appuyée sur la tradition allemande, dont le romantisme est discret (*Concerto* pour violon, 1844 ; *Chansons sans paroles* pour piano, 1830-1850), l'écriture moderne (*Variations sérieuses,* 1841) et l'orchestration raffinée (*le Songe d'une nuit d'été,* 1826-1843 ; cinq symphonies dont « la Réformation », 1832 ; « l'Italienne », 1833 ; « l'Écossaise » 1842).

Felix
MENDELSSOHN-BARTHOLDY,
compositeur
allemand.
Détail
d'un portrait
par E. Magnus.
(Staatsbibliothek,
Bildarchiv
Preussischer
Kulturbesitz, Berlin.)

MENDERES (le), anc. Méandre, fl. de la Turquie d'Asie, qui rejoint la mer Égée ; 500 km.

MENDERES (Adnan), homme politique turc (Aydin 1899 - île d'Imrali 1961). Premier ministre (1950-1960), il fut renversé par l'armée, condamné à mort et exécuté. Il a été réhabilité en 1990.

MENDÈS FRANCE (Pierre), homme politique français (Paris 1907 - *id.* 1982). Avocat, député radical-socialiste à partir de 1932, il fut président du Conseil en 1954-55 ; il mit alors fin à la guerre d'Indochine (accords de Genève) et accorda l'autonomie interne à la Tunisie.

MENDIANT, E n. -**1.** Personne qui mendie. -**2.** *Les quatre mendiants* ou *mendiant,* n.m., dessert composé de quatre fruits secs, figues, raisins secs, amandes, noisettes. ◆ adj. *Ordres mendiants,* fondés à partir du XIIIe s., et auxquels leur règle impose la pauvreté. (Les quatre ordres les plus anciens et les plus importants sont les carmes, les franciscains, les dominicains et les augustins.)

MENDICITÉ n.f. -**1.** Action de mendier. -**2.** Condition de celui qui mendie : *Être réduit à la mendicité.*

MENDIER v.i. Demander l'aumône, la charité. ◆ v.t. -**1.** Demander qqch comme une aumône. -**2.** Solliciter qqch humblement ou avec insistance.

MENDOLE n.f. Poisson osseux assez commun sur les côtes méditerranéennes, gris argenté avec des raies brunes, à chair peu estimée. (Long. 20 cm.)

MENDOZA, v. d'Argentine, au pied des Andes ; 121 696 hab. Archevêché. Centre viticole.

MENDOZA (Diego Hurtado de) → HURTADO DE MENDOZA.

MENDOZA (Iñigo López de), *marquis* de Santillana → SANTILLANA.

MENEAU n.m. Chacun des montants fixes divisant une baie en compartiments, notamm. dans l'architecture du Moyen Âge et de la Renaissance. (Ils peuvent être recoupés par des *croisillons* horizontaux.)

MENÉE n.f. -**1.** Voie d'un cerf qui fuit. -**2.** SUISSE. Congère.

MENÉES n.f. pl. Manœuvres secrètes et malveillantes pour faire réussir un projet ; machination.

MÉNÉLAS, roi achéen qui, succédant à Tyndare, fonda Sparte et qui, selon la légende, poussa les Grecs à la guerre contre Troie pour reprendre sa femme Hélène, enlevée par Pâris.

MÉNÉLIK II (Ankober 1844 - Addis-Abeba 1913), négus d'Éthiopie. Il fonda Addis-Abeba dans son royaume du Choa. Négus en 1889, il signa la même année avec l'Italie un accord que celle-ci considéra comme un traité de protectorat. Dénonçant cet accord (1893), Ménélik écrasa les troupes italiennes à Adoua (1896). Il s'efforça par ailleurs de limiter l'influence française et anglaise. Il se retira en 1907.

MENEM (Carlos Saúl), homme d'État argentin (Anillaco, prov. de La Rioja, Argentine, 1935), président de la République depuis 1989.

MENEN, en fr. Menin, v. de Belgique (Flandre-Occidentale), sur la Lys ; 32 645 hab.

MENENIUS AGRIPPA, consul romain en 502 av. J.-C. Il aurait réconcilié la plèbe avec les patriciens par son apologue *les Membres et l'Estomac* (494 av. J.-C.).

MENER v.t. [19]. -**1.** Conduire, emmener qqn, un animal, un véhicule, au lieu où il doit se rendre. -**2.** Donner accès à un lieu en y aboutissant ; transporter d'un lieu à un autre : *Ce chemin mène à la plage.* -**3.** En parlant d'un indice, d'une marque, diriger qqn, le guider vers tel lieu. -**4.** Être en tête ; diriger, commander : *Mener une course.* -**5.** Assurer le déroulement de qqch : *Mener les débats.* -**6.** Construire, tracer une figure : *Mener une circonférence par trois points.* ◆ v.t. et i. Avoir l'avantage sur un adversaire : *Mener par deux buts à zéro.*

MÉNÈS, nom donné par les Grecs au pharaon Narmer.

MÉNESTREL n.m. (du lat. *ministerium,* service). Au Moyen Âge, musicien de basse condition qui récitait ou chantait des vers en s'accompagnant d'un instrument de musique.

MÉNÉTRIER n.m. Dans les campagnes, homme qui jouait d'un instrument de musique pour faire danser.

MENEUR, EUSE n. -**1.** Personne qui par son ascendant et son autorité dirige un mouvement, notamm. un mouvement populaire ou insurrectionnel. -**2.** *Meneur d'hommes,* personne qui sait par son autorité entraîner les autres à sa suite. ‖ *Meneur de jeu,* animateur d'un jeu, d'un spectacle ; joueur qui anime une équipe, qui conduit ses évolutions.

MENGER (Carl), économiste autrichien (Neusandez, auj. Nowy Sącz, Galicie, 1840 - Vienne 1921). Fondateur, avec L. Walras et S. Jevons, de l'école marginaliste (1871), il est le premier représentant de l'école psychologique autrichienne qui lie la valeur d'un bien à son utilité et à sa rareté relative (*Principes d'économie politique,* 1871).

MENGISTU (Hailé Mariam), homme d'État éthiopien (région de Harar 1937). Il participe à la révolution de 1974 et devient vice-président (1974) puis président (1977) du Derg (Comité de coordination militaire), dissous en 1987. Élu à la présidence de la République en 1987, il doit abandonner le pouvoir en 1991.

MENGS (Anton Raphael), peintre et écrivain d'art allemand (Aussig, auj. Ústí nad Labem, Bohême, 1728 - Rome 1779). Une grande partie de sa carrière se déroula à Rome. Sa rencontre avec Winckelmann l'orienta vers le néoclassicisme et sa fresque du *Parnasse,* à la villa Albani (1761), le fit considérer en Europe comme le peintre novateur de cette époque. Il vint par deux fois travailler à Madrid (fresques pour le palais royal, portraits).

MENGZI → MENCIUS.

MENHIR [menir] n.m. (du breton *men,* pierre, et *hir,* longue). Monument mégalithique constitué d'un seul bloc de pierre vertical. (Il a une fonction commémorative.)

MENIA (El-), anc. El-Goléa, oasis du Sahara algérien, en bordure du Grand Erg occidental ; 24 000 hab. Centre touristique.

MENIN, E [me-] n. En Espagne, jeune homme, jeune fille attachés à la personne des enfants royaux. **◆ ménin** n.m. En France, gentilhomme attaché au service du Dauphin.

Ménines (les) → VELÁZQUEZ.

MÉNINGE n.f. Chacune des trois membranes *(pie-mère, arachnoïde, dure-mère)* entourant le cerveau et la moelle épinière.

MÉNINGÉ, E adj. Relatif aux méninges, à la méningite : *Symptômes méningés.*

MÉNINGIOME n.m. Tumeur bénigne développée à partir de l'arachnoïde et adhérente à la dure-mère.

MÉNINGITE n.f. Inflammation des méninges, d'origine microbienne ou virale.

ENCYCL. Dans les *méningites purulentes aiguës,* le liquide céphalo-rachidien, qui entoure la moelle épinière et l'encéphale, et qui peut être prélevé par ponction lombaire, contient des globules blancs du type granulocyte (ou polynucléaire). L'origine est une bactérie, surtout le méningocoque. Dans les *méningites lymphocytaires,* aiguës ou chroniques, le liquide est clair. Il s'agit principalement de virus (poliomyélite, rougeole...), mais aussi de certaines bactéries (tuberculose).

Les signes. Il existe d'une part un syndrome infectieux (fièvre), d'autre part un syndrome méningé (maux de tête, vomissements, raideur de la nuque et de la colonne vertébrale).

Le traitement et la prévention. Ils dépendent de la cause. Les infections bactériennes répondent bien aux antibiotiques, et certaines peuvent être prévenues par vaccination.

MÉNINGITIQUE adj. Relatif à la méningite.

MÉNINGOCOQUE n.m. Diplocoque provoquant des méningites cérébro-spinales.

MÉNINGO-ENCÉPHALITE n.f. (pl. méningo-encéphalites). Inflammation simultanée de l'encéphale et des méninges.

MÉNIPPE, poète et philosophe grec de l'école des cyniques (Gadara IVe-IIIe s. av. J.-C. ?). Ses satires, vives et spirituelles, aujourd'hui perdues, inspirèrent Varron et Lucien.

MÉNISCAL, E, AUX adj. Relatif au ménisque du genou.

MÉNISCITE [-sit] n.f. Affection d'un ménisque du genou.

MÉNISCOGRAPHIE n.f. Radiographie du ménisque du genou après injection d'un produit de contraste dans l'articulation.

MÉNISQUE n.m. (gr. *mêniskos,* petite lune). -1. Lame de cartilage située entre les os, dans certaines articulations comme le genou. -2. Lentille de verre convexe d'un côté et concave de l'autre : *Ménisque convergent, divergent.* -3. Surface incurvée qui forme l'extrémité supérieure d'une colonne de liquide contenue dans un tube.

MENNONITE n. Membre d'une secte anabaptiste, fondée par le réformateur hollandais Menno Simonsz. (1496-1561), surtout répandue en Amérique (amish de Pennsylvanie).

MÉNOLOGE n.m. (du gr. *mên, mênos,* mois, et *logos,* discours). Livre liturgique de l'Église grecque, correspondant au martyrologe latin.

MÉNOPAUSE n.f. (du gr. *mên, mênos,* mois, et *pausis,* cessation). Cessation de l'ovulation chez la femme, caractérisée par l'arrêt définitif de la menstruation ; époque où elle se produit.

MÉNOPAUSÉE adj.f. Se dit d'une femme dont la ménopause est accomplie.

MÉNOPAUSIQUE adj. Relatif à la ménopause.

MENORA n.f. Chandelier à sept branches, un des principaux objets du culte hébraïque.

MÉNORRAGIE n.f. Exagération de l'hémorragie menstruelle (règles).

MÉNOTAXIE n.f. Réaction d'orientation d'un animal, provoquée par un stimulus lointain.

MENOTTES n.f. pl. Bracelets métalliques avec lesquels on attache les poignets des prisonniers, ou de personnes appréhendées sur la voie publique.

MENOTTI (Gian Carlo), compositeur italien naturalisé américain (Cadegliano 1911). Il se rattache à la tradition de l'opéra vériste (*le*

Médium, 1946 ; *le Consul,* 1950 ; *Goya,* 1986). Il a fondé le festival de Spolète.

MENSE [mãs] n.f. (lat. *mensa,* table). Part des biens fonciers d'un évêché ou d'un monastère qui était affectée, à l'époque carolingienne, à l'usage personnel des évêques, des abbés, des moines, etc.

MENSONGE n.m. -1. Action de mentir, d'altérer la vérité. -2. Affirmation contraire à la vérité.

MENSONGER, ÈRE adj. Fondé sur un mensonge ; faux, trompeur. ◆ **mensongèrement** adv.

MENSTRUATION n.f. (de *menstrues*). Phénomène physiologique caractérisé par un écoulement sanguin périodique correspondant à l'élimination de la muqueuse utérine, se produisant chez la femme, lorsqu'il n'y a pas eu fécondation, de la puberté à la ménopause.

MENSTRUEL, ELLE adj. Relatif à la menstruation.

MENSTRUES n.f. pl. (lat. *menstrua,* de *mensis,* mois). VX. Perte de sang accompagnant la menstruation. SYN. : **règles.**

MENSUALISATION n.f. Action de mensualiser.

MENSUALISER v.t. -1. Rendre mensuel un paiement, un salaire. -2. Payer qqn au mois ; faire passer à une rémunération mensuelle qqn qui était payé à l'heure, etc.

MENSUALITÉ n.f. -1. Somme versée chaque mois. -2. Traitement mensuel.

MENSUEL, ELLE adj. Qui se fait, qui paraît tous les mois : *Revue, paiement mensuels.* ◆ n. Salarié mensualisé. ◆ **mensuel** n.m. Publication qui paraît chaque mois. ◆**mensuellement** adv. Par mois.

MENSURATION n.f. Détermination de certaines dimensions caractéristiques du corps (notamm. le tour de poitrine, le tour de taille et le tour de hanches). ◆ pl. Ces dimensions elles-mêmes.

MENTAL, E, AUX adj. (bas lat. *mentalis,* de *mens, mentis,* esprit). -1. Relatif aux fonctions intellectuelles, au psychisme : *Maladies mentales.* -2. Qui se fait exclusivement dans l'esprit, sans être exprimé : *Calcul mental.* ◆ **mental** n.m. sing. Ensemble des dispositions mentales, psychiques de qqn ; esprit. ◆ **mentalement** adv. Par la pensée.

MENTALISATION n.f. Intellectualisation des conflits psychiques.

MENTALISER v.t. Se représenter mentalement qqch.

MENTALISME n.m. -1. Conception selon laquelle la psychologie a pour objet l'étude des divers états de conscience et pour méthode privilégiée l'introspection. -2. Conception selon laquelle le contenu est l'élément déterminant de la structure de la langue.

MENTALITÉ n.f. -1. Ensemble des habitudes intellectuelles, des croyances, des comportements caractéristiques d'un groupe. -2. Ensemble des manières d'agir, de penser de qqn.

MENTEUR, EUSE adj. et n. Qui ment ; qui a l'habitude de mentir.

MENTHE n.f. -1. Plante odorante des lieux humides, velue, à fleurs roses ou blanches. (Famille des labiées.) -2. Essence de cette plante utilisée pour son arôme et ses propriétés médicinales.

MENTHOL [mãtɔl] ou [mɛ̃tɔl] n.m. Alcool terpénique extrait de l'essence de menthe.

MENTHOLÉ, E adj. Qui contient du menthol.

MENTION [mãsjɔ̃] n.f. -1. Action de signaler, de citer ; fait d'être signalé, cité : *Faire mention d'un événement.* -2. Indication, note dans un texte, un formulaire. -3. Appréciation, souvent favorable, donnée par un jury sur une personne, un travail, dans un examen, un concours, une compétition.

MENTIONNER v.t. Faire mention de qqn, de qqch ; citer.

MENTIR v.i. [37]. -1. Donner pour vrai ce qu'on sait être faux ou nier ce qu'on sait être vrai. -2. Tromper par de fausses apparences : *Cette photographie ne ment pas.*

MENTISME n.m. (lat. *mens, mentis,* esprit). Trouble de la pensée dans lequel les idées, les images défilent de façon incoercible.

MENTON n.m. Partie saillante du visage, au-dessous de la bouche.

MENTON, ch.-l. de c. des Alpes-Maritimes, sur la Méditerranée ; 29 474 hab. *(Mentonnais).* Centre touristique. — Église et chapelle baroques de la place Saint-Michel. Musées.

MENTONNET n.m. -1. Pièce articulée sur la détente d'une arme à feu, permettant le tir coup par coup. -2. Boudin ferroviaire.

MENTONNIER, ÈRE adj. Relatif au menton ; qui appartient au menton. ◆**mentonnière** n.f. -1. Bande passant sous le menton et retenant une coiffure. -2. Pièce entourant le menton et assurant la tenue d'un casque. -3. Pièce articulée d'un casque servant à protéger le bas du visage (XVe-XVIIIe s.). -4. Bandage pour le menton. -5. Accessoire épousant la forme du menton et servant à maintenir le violon pendant le jeu.

MENTOR, personnage de l'*Odyssée* auquel Ulysse confia l'administration de sa maison d'Ithaque lorsqu'il partit pour Troie. Athéna emprunte les traits de cet ami de la famille, par exemple pour accompagner Télémaque ou pour porter secours à Ulysse.

1. **MENU, E** adj. -1. Qui a peu de volume, d'épaisseur, d'importance. -2. Qui est mince, frêle : *Une enfant toute menue.* -3.*Menue monnaie,* monnaie de peu de valeur. ◆ **menu** adv. En petits morceaux : *Hacher menu.*

2. **MENU** n.m. -1. Liste détaillée des plats servis à un repas. -2. Repas à prix fixe servi dans un restaurant, par opp. au repas *à la carte.* -3. Liste d'actions exécutables par un ordinateur exploité en mode interactif.

MENUET n.m. -1. Danse à trois temps. -2. Composition dans le caractère de cette danse qui, à la fin du XVIIe s., s'intègre à la suite et au XVIIIe s. à la symphonie.

MENUHIN (*sir* Yehudi), violoniste d'origine russe possédant la double nationalité américaine et britannique (New York 1916). Il a présidé le Conseil international de la musique à l'Unesco (1969-1975).

MENUIRES ou **MÉNUIRES** (les), station de sports d'hiver de Savoie, dans le massif de la Vanoise (comm. de Saint-Martin-de-Belleville). Alt. 1 800-2 880 m.

MENUISE n.f. Petit poisson à frire, comme le jeune sprat ou le hareng.

MENUISER v.t. Travailler du bois en menuiserie. ◆ v.i. Faire de la menuiserie ; travailler le bois.

MENUISERIE n.f. -1. Métier du menuisier. -2. Ouvrage du menuisier. -3. Atelier de menuisier.

MENUISIER n.m. Spécialiste (ouvrier, artisan, industriel, etc.) qui produit des ouvrages en bois pour le bâtiment, constitués de pièces relativement petites (à la différence du charpentier), ou des meubles génér. utilitaires, sans placage ni ornement (à la différence de l'ébéniste).

MÉNURE n.m. (du gr. *mênê,* lune, et *oura,* queue). Passereau d'Australie, de la taille d'un faisan, et qui doit son nom d'*oiseau-lyre* aux longues plumes recourbées de la queue des mâles.

MÉNYANTHE n.m. Plante des étangs, à feuilles à trois folioles (d'où le nom de *trèfle d'eau*), à pétales roses soudés.

MENZEL (Adolf von), lithographe et peintre allemand (Breslau 1815 - Berlin 1905). Ses planches de l'histoire de la Prusse le rendirent célèbre. Mais c'est dans ses tableaux qu'il montre toutes ses qualités de peintre réaliste et, par certains côtés, préimpressionniste (*la Sœur de l'artiste avec une chandelle,* 1847, Nouvelle Pinacothèque de Munich ; paysages ; thèmes du travail industriel).

MENZEL (Jiří), cinéaste tchèque (Prague 1938). Son premier long métrage, *Trains étroitement surveillés* (1966), d'après Hrabal, révèle un cinéaste ironique, caustique et poétique. Il tourne ensuite *Un été capricieux* (1967), *Retailles* (1981), *Mon cher petit village* (1986), *les Aventures d'Ivan Tchonkine* (1993).

Une scène de *Trains étroitement surveillés* (1966), film de Jiří **MENZEL.**

MÉOTIDE *(marais),* en lat. Palus Maeotica, nom antique de la mer d'Azov.

Méphistophélès, personnage de la légende de *Faust,* suppôt de Satan. Pour Goethe, il est le symbole du démon intellectuel qui procure à l'homme l'illusion de tout comprendre et de tout dominer.

MÉPHITIQUE adj. (du lat. *mephitis,* odeur infecte). Qui a une odeur répugnante ou toxique.

MÉPLAT, E adj. -1. Qui a plus de largeur que d'épaisseur, en parlant d'une pièce de bois, de métal. -2. *Bas-relief méplat,* où le motif se présente comme un jeu de surfaces planes, qui sont les parties épargnées (non entaillées) du matériau mis en œuvre. ◆ **méplat** n.m. -1. Partie relativement plane du corps : *Les méplats du visage.* -2. Pièce méplate.

MÉPRENDRE (SE) v.pr. (**sur**) [79]. LITT. Se tromper sur qqn, qqch ; prendre une personne ou une chose pour une autre.

MÉPRIS n.m. -1. Sentiment par lequel on juge qqn, sa conduite condamnables, indignes d'estime, d'attention. -2. Fait de ne tenir aucun compte de qqch : *Mépris des conventions.*

Mépris (le) → GODARD.

MÉPRISABLE adj. Digne de mépris.

MÉPRISANT, E adj. Qui a ou qui témoigne du mépris : *Sourire méprisant.*

MÉPRISE n.f. Erreur commise sur qqn, qqch.

MÉPRISER v.t. -1. Avoir ou témoigner du mépris pour qqn, pour qqch. -2. Ne faire aucun cas de qqch : *Mépriser le danger.*

MÉPROBAMATE n.m. Médicament anxiolytique et hypnotique.

MER n.f. -1. Très vaste étendue d'eau salée qui couvre une partie de la surface du globe ; partie définie de cette étendue : *La mer Rouge.* -2. Villes, plages qui bordent la mer : *Aller à la mer.* -3. Eau de la mer ou de l'océan : *La mer est chaude.* -4. Grande quantité de liquide, d'une chose quelconque : *Mer de sable.* -5. *Homme de mer,* marin. ǁ *Pleine mer,* la partie de la mer éloignée du rivage, le large. ASTRON. À la surface de la Lune ou de certaines planètes du système solaire, vaste étendue faiblement accidentée. DR. *Haute mer,* partie de la mer libre, en principe, de la juridiction des États. ǁ *Mer nationale,* eaux intérieures. ǁ *Mer territoriale,* eaux territoriales. HYDROL. *Basse mer,* marée basse. ǁ *Haute mer* ou *pleine mer,* marée haute. MIL. *Armée de mer,* ensemble des navires et des formations aériennes et terrestres relevant de la marine militaire. PATHOL. *Mal de mer,* ensemble de troubles causés par les oscillations d'un bateau ; naupathie.

Mer (la), ensemble de trois « esquisses symphoniques » de Claude Debussy créées en 1905 : *De l'aube à midi sur la mer, Jeux de vagues, Dialogue du vent et de la mer.*

MERCANTILE adj. Animé par l'appât du gain, le profit : *Esprit mercantile.*

MERCANTILISME n.m. -1. LITT. État d'esprit mercantile. -2. Doctrine économique élaborée au XVIe et au XVIIe s. à la suite de la découverte, en Amérique, des mines d'or et d'argent, selon laquelle les métaux précieux constituent la richesse essentielle des États, et qui préconise une politique protectionniste. (Le colbertisme fut une politique mercantiliste.)

MERCANTILISTE adj. Relatif au mercantilisme ; qui en est partisan.

MERCANTOUR (le), massif cristallin des Alpes-Maritimes, aux confins de l'Italie ; 3 143 m à la cime du Gélas. Parc national (72 000 ha).

MERCAPTAN n.m. (du lat. *mercurium captans,* qui capte le mercure). Composé d'odeur fétide, dérivant d'un alcool dans lequel l'oxygène est remplacé par du soufre. SYN. thioalcool.

MERCATIQUE n.f. Recomm. off. pour *marketing.* ◆ **mercaticien, enne** n.

MERCATOR (Gerhard Kremer, dit Gerard), mathématicien et géographe flamand (Rupelmonde 1512 - Duisburg 1594). Il a donné son nom à un système de projection qu'il élabora en 1552 et qui s'apparente à un développement cylindrique effectué le long de l'équateur. Les méridiens y sont représentés par des droites parallèles équidistantes, et les parallèles par des droites perpendiculaires aux méridiens. (Cette projection conserve les angles mais déforme les surfaces.)

MERCATOR (Nikolaus Kauffmann, dit), mathématicien allemand (Eutin v. 1620 - Paris 1687). Il fut l'un des premiers à utiliser les séries entières.

MERCENAIRE n.m. (lat. *mercenarius,* de *merces,* salaire). Soldat recruté à prix d'argent et pour un conflit ponctuel par un gouvernement dont il n'est pas ressortissant.

Mercenaires (*guerre des*) [241-238 av. J.-C.], guerre soutenue par Carthage après la première guerre punique, contre ses mercenaires révoltés.

MERCERIE n.f. (du lat. *merx, mercis,* marchandise). -1. Ensemble des articles destinés à la couture, aux travaux d'aiguille. -2. Commerce, magasin du mercier.

MERCERISAGE n.m. Traitement à la soude des fils ou des tissus de coton, donnant à ceux-ci un aspect brillant et soyeux.

MERCERISER v.t. Traiter par mercerisage.

MERCHANDISING [mɛrʃãdizin] ou [-dajzin] n.m. (Anglic. déconseillé). Marchandisage.

MERCI n.m. Parole de remerciement. ◆ interj. S'emploie pour remercier.

MERCIE, royaume angle fondé entre 632 et 654, qui s'effondra au IXe siècle sous les coups des Danois.

MERCIER, ÈRE n. Personne vendant de la mercerie.

MERCIER (Désiré Joseph), prélat belge (Braine-l'Alleud 1851 - Bruxelles 1926). Professeur à l'université de Louvain, où il contribua au renouveau du thomisme, il devint archevêque de Malines en 1906 et cardinal en 1907 ; il acquit, durant la Première Guerre mondiale, un grand prestige par son courage face à l'occupant allemand. Les « conversations de Malines », qu'il organisa avec l'anglican lord Halifax, ont fait de lui un pionnier de l'œcuménisme.

MERCIER (Louis Sébastien), écrivain français (Paris 1740 - *id.* 1814). Auteur d'un récit d'anticipation (*l'An 2440, rêve s'il en fut jamais,* 1771) et d'une peinture de la société française à la fin de l'Ancien Régime (*Tableau de Paris,* 1781-1788), il s'est illustré au théâtre avec des drames populaires (*la Brouette du vinaigrier,* 1775) exemplaires de sa volonté de réforme politique et théâtrale (*Du théâtre ou Nouvel essai sur l'art dramatique,* 1773).

MERCKX (Eddy), coureur cycliste belge (Meensel-Kiezegem, Brabant, 1945). Il a gagné notamment cinq Tours de France (1969 à 1972, 1974) et d'Italie (1968, 1970, 1972 à 1974), trois championnats du monde et a détenu le record de l'heure (49,431 km).

MERCŒUR (Philippe Emmanuel de Vaudémont, *duc* de) [Nomeny, Meurthe-et-Moselle, 1558 - Nuremberg 1602], beau-frère d'Henri III, chef ligueur.

Mercosur (MERcado COmún del SUR), marché commun du sud de l'Amérique. Il regroupe l'Argentine, le Brésil, le Paraguay et l'Uruguay, qui constituent, à partir de 1995, une zone de libre-échange. Le Chili et la Bolivie lui sont associés.

MERCREDI n.m. -1. Troisième jour de la semaine. -2. *Mercredi des Cendres,* le premier jour du carême, marqué par une cérémonie de pénitence.

MERCURE n.m. Métal blanc très brillant, liquide à la température ordinaire ; élément (Hg) de numéro atomique 80, de masse atomique 200,59. SYN. (vx) : **vif-argent.**
ENCYCL.
Propriétés physico-chimiques. Élément assez volatil dont les vapeurs sont toxiques, le mercure possède une densité exceptionnellement élevée pour un liquide. Il dissout facilement l'or, l'argent, le plomb, les métaux alcalins, pour donner des alliages plus ou moins consistants, les amalgames. À l'air, il s'altère lentement. À 350 °C, il s'oxyde plus rapidement, en donnant de l'oxyde mercurique rouge HgO. Il est attaqué par le chlore à froid, par le soufre à chaud ; il décompose l'acide sulfurique concentré et l'acide nitrique.
Obtention et utilisations. On obtient le mercure par grillage du *cinabre* (HgS : sulfure de mercure). On l'emploie dans la construction de thermomètres, baromètres, pompes à vide, lampes (lampes dites « fluorescentes » [→ LUMINESCENCE]) et redresseurs à vapeur de mercure, contacteurs ; il sert à l'étamage des glaces, à la fabrication de colorants, de fulminate de mercure employé comme détonateur dans les explosifs, etc. Avec les radicaux aromatiques, le mercure donne des composés organométalliques.

MERCURE, planète du système solaire, la plus proche du Soleil (diamètre : 4 878 km).

MERCURE		
Caractéristiques physiques	diamètre équatorial	4 878 km (0,382 fois celui de la Terre)
	aplatissement	0
	masse par rapport à celle de la Terre	0,055
	densité moyenne	5,44
	période de rotation sidérale	58 j 15 h 38 min
	inclinaison de l'équateur sur l'orbite	0°
	albédo	0,055
Caractéristiques orbitales	demi-grand axe de l'orbite	58 000 000 de km (0,39 fois celui de l'orbite terrestre)
	distance maximale au Soleil	69 700 000 km
	distance minimale au Soleil	45 900 000 km
	excentricité	0,206
	inclinaison sur l'écliptique	7°
	période de révolution sidérale	87,969 j
	vitesse orbitale moyenne	47,89 km/s

Quasiment dépourvue d'atmosphère, elle possède, comme la Lune, une surface creusée d'innombrables cratères d'impacts de météorites et soumise à des écarts thermiques considérables, mais sa forte densité laisse présumer qu'elle renferme un volumineux noyau ferreux.

MERCURE, dieu romain du Commerce et des Voyageurs. Il fut, à l'époque classique, identifié à l'Hermès grec et représenté comme le messager de Jupiter et son serviteur dans ses entreprises amoureuses. Comme Hermès, il a pour attributs le caducée, le chapeau à larges bords, les sandales ailées et la bourse, symbole des gains qu'on acquiert dans le commerce.

Mercure de France, revue littéraire (1889-1965) fondée par Alfred Vallette et un groupe d'écrivains favorables au symbolisme et qui cessa de paraître en 1965. En 1894, A. Vallette fonda, sous le même nom, une maison d'édition qui publia des œuvres d'auteurs symbolistes et d'écrivains étrangers.

MERCURESCÉINE n.f. Composé mercuriel sodique de couleur rouge, utilisé pour son action antiseptique puissante.

MERCUREUX adj.m. Se dit de l'oxyde de mercure Hg_2O et des sels du mercure univalent.

MERCUREY n.m. Vin de Bourgogne rouge, récolté dans la région de Mercurey.

1. **MERCURIALE** n.f. -1. Sous l'Ancien Régime, assemblée des différentes chambres du parlement qui se tenait à l'origine le mercredi et au cours de laquelle étaient présentées des observations sur la manière dont la justice avait été rendue ; discours prononcé dans cette assemblée. -2. LITT. Remontrance, réprimande d'une certaine vivacité.

2. **MERCURIALE** n.f. (du lat. *mercurialis,* de Mercure, dieu du Commerce). Bulletin reproduisant les cours officiels des denrées vendues sur un marché public ; ces cours eux-mêmes.

3. **MERCURIALE** n.f. (du lat. *mercurialis herba,* herbe de Mercure). Plante commune dans les champs, les bois, à fleurs verdâtres, utilisée comme laxatif. (Famille des euphorbiacées.)

MERCURIEL, ELLE adj. Qui contient du mercure.

MERCURIQUE adj. Se dit de l'oxyde de mercure HgO et des sels du mercure bivalent.

MERCUROCHROME n.m. (nom déposé). Composé organique mercuriel dont les solutions aqueuses, de couleur rouge, constituent un antiseptique puissant.

MERDE n.f. POP. Excrément de l'homme et de quelques animaux. ◆ interj. FAM. Exprime la colère, l'indignation, le mépris, etc.

MERDEUX, EUSE adj. FAM. -1. Mauvais ; qui ne donne pas satisfaction. -2. Gêné, confus, mal à son aise. ◆ n. FAM. -1. Enfant ; gamin. -2. Personne mal élevée ou prétentieuse.

MERDIER n.m. FAM. -1. Grand désordre. -2. Situation complexe, confuse.

MERDIQUE adj. FAM. Mauvais ; sans valeur.

1. **MÈRE** n.f. -1. Femme qui a mis au monde un ou plusieurs enfants. -2. Femelle d'un animal qui a eu des petits. -3. *Mère célibataire,* femme ayant un ou plusieurs enfants sans être mariée. AGROALIM. *Mère du vinaigre,* pellicule qui se forme à la surface des liquides alcooliques, constituée par l'accumulation des acétobacters. ÉCON. *Maison mère,* établissement principal d'une firme où sont situés, le plus souvent, les services généraux et la direction. ‖*Société mère,* société ayant sous sa dépendance financière d'autres sociétés, dites *filiales.* RELIG. Supérieure d'un couvent. ‖*Maison mère,* principal établissement d'un ordre religieux dont dépendent les autres communautés.

2. **MÈRE** adj. (du lat. *merus,* pur). *Mère goutte,* vin qui coule de la cuve ou du pressoir avant que le raisin ait été pressé ; première huile qui sort des olives pressées.

MÉRÉ (Antoine Gombaud, chevalier de), écrivain français (en Poitou v. 1607 - Baussay, Poitou, 1685). Dans ses essais, il définit les règles de conduite que doit respecter l'« honnête homme ».

MEREDITH (George), écrivain britannique (Portsmouth 1828 - Box Hill 1909). Il est l'auteur de romans psychologiques (*l'Épreuve de Richard Feverel,* 1859 ; *l'Égoïste,* 1879).

MEREJKOVSKI (Dmitri Sergueïevitch), écrivain russe (Saint-Pétersbourg 1866 - Paris 1941). Il publia le manifeste du symbolisme russe et tenta de concilier christianisme et paganisme (*Julien l'Apostat,* 1894).

MÉRENS ou **MÉRENGUAIS** n.m. Poney d'une race originaire des montagnes ariégeoises, utilisé autref. comme bête de somme, auj. pour le tourisme équestre.

MERGENTHALER (Ottmar), inventeur américain d'origine allemande (Hachtel, Wurtemberg, 1854 - Baltimore 1899). Il conçut en 1884 le principe de la Linotype.

MERGUEZ [mɛrgɛs] n.f. Saucisse fraîche pimentée, à base de bœuf ou de bœuf et de mouton et consommée grillée ou frite. (Spécialité d'Afrique du Nord.)

MERGULE n.m. (bas lat. *mergulus,* de *mergus,* plongeon). Oiseau voisin du pingouin, à bec très court.

MÉRIBEL-LES-ALLUES, station de sports d'hiver de Savoie (comm. des Allues), en Tarentaise (alt. 1 450-2 700 m).

MÉRIDA, v. d'Espagne, cap. de l'Estrémadure et ch.-l. de prov., sur le Guadiana ; 49 284 hab. — Ensemble de ruines romaines (théâtre, amphithéâtre...) et autres souvenirs du passé. Musée national d'Art romain inauguré en 1987 (architecte Rafael Moneo).

MÉRIDA, v. du Mexique, cap. du Yucatán ; 557 340 hab. Université. Textile.

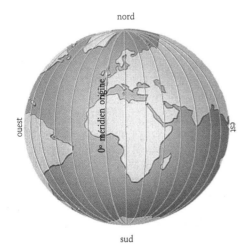

MÉRIDIENS

MÉRIDIEN, ENNE adj. (lat. *meridianus,* de *meridies,* midi). ASTRON. Se dit du plan qui, en un lieu, comprend la verticale locale et l'axe du monde. ‖ Se dit d'un instrument servant à observer les astres dans ce plan. MATH. Se dit d'un plan qui contient l'axe d'une surface de révolution. ◆**méridien** n.m. -1. Lieu des points ayant même longitude, à la surface de la Terre ou d'un astre quelconque. -2. En un lieu donné, plan défini par la verticale locale et l'axe de rotation de la Terre. (On dit aussi *plan méridien.*) ASTRON. Demi-grand cercle de la sphère céleste limité aux pôles et passant par le zénith d'un lieu. GÉOGR., MAR. *Méridien origine* ou *premier méridien,* méridien par rapport auquel on compte les longitudes. (Le méridien origine international passe par l'an-

cien observatoire de Greenwich, à 2° 20′ 14″ à l'ouest de celui de Paris.) GÉOPHYS. *Méridien magnétique,* plan vertical contenant la direction du champ magnétique terrestre. ◆**méridienne** n.f. -1. Chaîne de triangulation géodésique orientée suivant un méridien. -2. Section d'une surface de révolution par un plan passant par l'axe de cette surface.

MÉRIDIENNE n.f. -1. LITT. Sieste. -2. Lit de repos à deux chevets de hauteur inégale réunis par un dossier.

MÉRIDIONAL, E, AUX adj. et n. Du midi de la France. ◆ adj. Situé au sud : *La côte méridionale de la Grande-Bretagne.*

MÉRIGNAC, ch.-l. de c. de la Gironde, banlieue de Bordeaux ; 58 684 hab. *(Mérignacais).* Aéroport.

MÉRIMÉE (Prosper), écrivain français (Paris 1803 - Cannes 1870). Auteur de supercheries littéraires (*Théâtre de Clara Gazul,* 1825 ; *la Guzla,* 1827), prétendues traductions de l'espagnol, de romans historiques (*Chronique du règne de Charles IX,* 1829), il doit sa célébrité à ses nouvelles (*Mateo Falcone,* 1829 ; *Tamango,* 1829, *la Vénus d'Ille,* 1837 ; *Colomba,* 1840 ; *Carmen,* 1845 ; *la Chambre bleue,* 1873). Inspecteur des monuments historiques, il fut, sous l'Empire, un des familiers des souverains. Il traduisit alors les écrivains russes. Romantique par le choix des sujets et le goût de la couleur locale, Mérimée appartient à l'art classique par la concision de son style. (Acad. fr. 1844.)

MERINA, peuple établi à Madagascar, qui habite les hautes terres centrales (Imerina).

MERINGUE [mə-] n.f. Pâtisserie légère, à base de blancs d'œufs et de sucre, que l'on fait cuire au four à feu doux.

MÉRINIDES → MARINIDES.

MÉRINOS [merinos] n.m. -1. Mouton très répandu dans le monde, dont il existe plusieurs races et dont la laine fine est très estimée. -2. Étoffe, feutre faits avec la laine de ce mouton.

MERISE n.f. (de *amer* et *cerise*). Fruit du merisier, noir, suret et peu charnu.

MERISIER n.m. Cerisier sauvage, appelé aussi *cerisier des oiseaux,* dont le bois est apprécié en ébénisterie. (Haut. 15 m env.)

MÉRISTÈME n.m. (du gr. *meristos,* partagé). Tissu végétal formé de cellules indifférenciées, siège de divisions rapides et nombreuses, situé dans les régions de croissance de la plante.

MÉRITANT, E adj. Qui a du mérite.

MÉRITE n.m. -1. Ce qui rend qqn, sa conduite, dignes d'estime, de récompense. -2. Ensemble des qualités intellectuelles et morales particulièrement dignes d'estime : *Des gens de mérite.* -3. Qualité louable de qqn, qqch : *Il a le mérite d'être ponctuel.* -4. Entre dans les noms de certaines distinctions honorifiques récompensant les mérites acquis dans un domaine particulier.

Mérite *(ordre national du),* ordre français créé en 1963 pour récompenser les mérites distingués acquis dans une fonction publique ou privée. Il a remplacé les anciens ordres particuliers du Mérite ainsi que ceux de la France d'outre-mer. Les ordres du *Mérite agricole* (créé en 1883) et du *Mérite maritime* (créé en 1930) ont seuls été maintenus.

MÉRITER v.t. -1. Être digne de récompense ou passible de châtiment : *Mériter des éloges, une punition.* -2. Présenter les conditions requises pour obtenir qqch : *Cette lettre mérite une réponse.*

MÉRITOCRATIE [-si] n.f. Système dans lequel le mérite détermine la hiérarchie.

MÉRITOIRE adj. Digne d'estime, de récompense ; louable.

MERL n.m. → MAËRL.

MERLAN n.m. Poisson des côtes d'Europe occidentale, à trois nageoires dorsales et deux anales, pêché activement pour sa chair tendre et légère. (Long. 20 à 40 cm ; famille des gadidés.)

MERLAN

MERLE n.m. Oiseau passereau voisin de la grive, commun dans les parcs et les bois, à plumage sombre (noir chez le mâle, brun chez la femelle). *Le merle siffle, chante,* pousse son cri.

MERLE (Robert), écrivain français (Tébessa, Algérie, 1908). Son œuvre va du récit de guerre (*Week-end à Zuydcoote,* 1949) et de science-fiction (*Un animal doué de raison,* 1967) à l'histoire romancée (*Fortune de France,* 10 vol., 1978-1997).

MERLEAU-PONTY (Maurice), philosophe français (Rochefort 1908 - Paris 1961). Sa philosophie tourne autour d'une réflexion sur l'enracinement du corps propre dans le monde (*la Structure du comportement,* 1942 ; *Phénoménologie de la perception,* 1945).

MERLETTE n.f. Merle femelle.

MERLIN n.m. -1. ANC. Marteau utilisé pour assommer les bovins lors de l'abattage. -2. Forte masse dont la tête se termine en biseau d'un côté, utilisée pour fendre le bois.

Merlin, dit l'Enchanteur, personnage de la tradition celtique (Myrrdin) et du cycle d'Arthur, magicien et prophète, amoureux de la fée Viviane.

MERLIN (Philippe Antoine, *comte*), dit **Merlin de Douai,** homme politique français (Arleux 1754 - Paris 1838). Député aux États généraux (1789) et à la Convention (1792), directeur en 1797, il dut se retirer en 1799. Il s'exila de 1815 à 1830. (Acad. fr. 1803.)

MERLON n.m. Partie pleine d'un parapet entre deux créneaux.

MERLOT n.m. Cépage, le plus souvent rouge, cultivé surtout dans le Bordelais.

MERLU n.m. Poisson marin commun dans l'Atlantique, à dos gris, portant deux nageoires dorsales et une anale, dépourvu de barbillon mentonnier, et commercialisé sous le nom de *colin.* (Long. 1 m env. ; famille des gadidés.)

MERLUCHE n.f. -1. Poisson de la famille des gadidés, tel que le merlu et la lingue. -2. Morue séchée, non salée.

MERMOZ (Jean), aviateur français (Aubenton 1901 - dans l'Atlantique sud 1936). Après avoir appartenu, de 1920 à 1924, à l'armée de l'air, il entra chez Latécoère et devint l'un des pilotes de l'Aéropostale, établissant la ligne Buenos Aires-Rio de Janeiro (1928) et franchissant la cordillère des Andes (1929). Le 12 mai 1930, il réussit la traversée de l'Atlantique sud sans escale, dans le sens est-ouest, puis, le 15 mai 1933, la traversée en sens inverse, de Natal à Saint-Louis du Sénégal. Il disparut en mer, au large de Dakar, à bord de l'hydravion *Croix-du-Sud.*

MÉROÉ, v. du Soudan, sur le Nil, qui fut la capitale du royaume de Koush, au N. de la Nubie. Elle disparut sous la poussée du royaume éthiopien d'Aksoum au IVe s. apr. J.-C. Palais, temple et nécropole témoignent des influences égyptienne et hellénistique mais aussi de caractères originaux.

MÉROSTOME n.m. *Mérostomes,* classe d'arthropodes aquatiques qui ne comprend plus actuellement que le genre *Limulus* (→ LIMULE).

MÉROU n.m. Poisson osseux pouvant atteindre, dans les mers chaudes, 2 m de long et peser plus de 100 kg, à la chair très estimée. (Famille des serranidés.)

MÉROVÉE, chef franc (ve s.). Ce personnage plus ou moins légendaire a donné son nom à la première dynastie des rois de France (les Mérovingiens).

MÉROVINGIEN, ENNE adj. Relatif à la dynastie des Mérovingiens.

MÉROVINGIENS, dynastie des rois francs qui régna sur la Gaule de 481 à 751.

La puissance mérovingienne. Fils de Childéric et, selon la tradition, petit-fils de Mérovée, Clovis (m. en 511) est le fondateur de la dynastie. Il unifie le peuple franc, puis conquiert la plus grande partie de la Gaule, après s'être converti au christianisme non arien et avoir ainsi reçu le soutien de l'épiscopat et de l'aristocratie gallo-romaine. À sa mort, ses quatre fils se partagent ses conquêtes et poursuivent sa politique d'expansion, faisant du regnum Francorum la principale puissance de l'Occident chrétien. Des unités territoriales se constituent en son sein, déchirées par des rivalités permanentes : la Neustrie, l'Austrasie, la Burgondie et l'Aquitaine. À la mort de Clotaire Ier, qui règne sur l'ensemble du royaume de 558 à 561, Chilpéric Ier de Neustrie (561-584), mari de Frédégonde, et Sigebert Ier d'Austrasie (561-575), mari de Brunehaut, sont à l'origine d'un conflit de quarante ans, qui affaiblit la royauté. Dagobert Ier, seul roi de 629 à 638, est le dernier grand souverain mérovingien.

L'ascension des maires du palais. Appauvris par les concessions de terres, les Mérovingiens doivent, dès le milieu du VIIe siècle, laisser gouverner les maires du palais, à l'origine simples chefs de l'intendance de la cour. En Austrasie s'impose la dynastie des Pippinides, dont l'un des représentants, Pépin de Herstal, remporte contre la Neustrie la victoire de Tertry (687). Son fils et successeur Charles Martel (715-741), vainqueur des Arabes à Poitiers en 732, est assez fort pour imposer son autorité sur toute la Gaule, et le fils de ce dernier, Pépin le Bref, parvient, avec le soutien du pape, à prendre la place du dernier roi mérovingien (751), fondant ainsi la dynastie carolingienne.

L'organisation du royaume. Le roi mérovingien demeure avant tout le chef d'une suite de guerriers qu'il conduit au combat. Représenté au niveau local par le comte, il dispose du pouvoir d'ordonner et d'interdire (ban), qu'il exerce sans limite. La dévolution de son royaume se fait comme pour n'importe quel patrimoine privé, par partage égal entre ses fils. Malgré quelques emprunts à l'ancienne administration romaine, l'administration mérovingienne, très embryonnaire, se caractérise par la confusion entre service domestique et activité politique ; le siège du palais change au gré des déplacements du roi.

MERRAIN n.m. -1. Planche obtenue en débitant un billot de bois, et servant à confectionner les douves des tonneaux. -2. Tige centrale de la ramure d'un cerf.

MERSEBURG, v. d'Allemagne (Saxe-Anhalt), sur la Saale ; 44 367 hab. Centre industriel. — Cathédrale gothique des XIIIe et XVIe siècles (crypte romane ; œuvres d'art).

MERS EL-KÉBIR, auj. El-Marsa El-Kebir, port d'Algérie (wilaya d'Oran), dans une rade abritée ; 23 600 hab. MIL. Base navale sur le golfe d'Oran, créée par la France en 1935. Le 3 juillet 1940, une escadre française y refusa la sommation des Britanniques de se joindre à eux pour continuer la lutte contre l'Axe ou d'aller désarmer en Grande-Bretagne (ou aux Antilles). Elle fut bombardée par la Royal Navy, ce qui causa la mort de 1 300 personnes. Les accords d'Évian (1962) concédèrent la jouissance de la base pendant quinze ans à la France, qui l'évacua en 1967.

MERSENNE (Marin), religieux, philosophe et savant français (près d'Oizé, Maine, 1588 - Paris 1648). En correspondance avec Descartes et de très nombreux autres savants (Torricelli, Pascal, Fermat...), il fut au centre de l'activité scientifique de son temps. Il mesura l'intensité de la pesanteur à l'aide du pendule (1644) et conçut le télescope à miroir parabolique. Il découvrit les lois des tuyaux sonores et des cordes vibrantes, détermina les rapports des fréquences des notes de la gamme et mesura la vitesse du son (1636). Son Harmonie universelle (1636) apparaît comme la somme de toutes les connaissances musicales de son époque.

MERSIN, port de Turquie, en Cilicie, sur la Méditerranée ; 422 357 hab. Raffinage du pétrole.

MERTENS (Pierre), écrivain belge d'expression française (Bruxelles 1939). Ses romans et nouvelles, à caractère intimiste, mettent en scène des héros déracinés (le Niveau de la mer, 1970 ; les Bons Offices, 1974 ; Éblouissements, 1987 ; Une paix royale, 1995).

MERTON (Robert King), sociologue américain (Philadelphie 1910). Les bases de sa méthodologie (le fonctionnalisme structuraliste) sont définies dans *Éléments de théorie et de méthode sociologiques* (1949).

MÉRULE n.m. ou f. Très grand champignon qui attaque le bois des charpentes.

MERVEILLE n.f. -1. Ce qui inspire une grande admiration par sa beauté, sa grandeur, sa valeur : *Les merveilles de la nature.* -2. Pâte frite, coupée en morceaux, que l'on mange saupoudrée de sucre. SYN. : **oreillette.** -3. *Les Sept Merveilles du monde,* les sept ouvrages les plus remarquables de l'Antiquité (les pyramides d'Égypte, les jardins suspendus de Sémiramis à Babylone, la statue en or et en ivoire de Zeus Olympien par Phidias, le temple d'Artémis à Éphèse, le mausolée d'Halicarnasse, le colosse de Rhodes, le phare d'Alexandrie).

MERVEILLEUX, EUSE adj. Qui suscite l'admiration par ses qualités extraordinaires, exceptionnelles. ◆ **merveilleux** n.m. -1. Ce qui s'éloigne du cours ordinaire des choses ; ce qui paraît miraculeux, surnaturel. -2. Intervention de moyens et d'êtres surnaturels dans une œuvre littéraire et, partic., dans l'épopée. ◆ **merveilleuse** n.f. Femme élégante et excentrique de la période de la Convention thermidorienne et du Directoire. ◆ **merveilleusement** adv.

MÉRYCISME n.m. (gr. *mêrukismos,* rumination). Comportement pathologique du nourrisson, qui consiste en la régurgitation des aliments de l'estomac dans la bouche, où ils sont de nouveau mastiqués.

MERZ (Mario), artiste italien (Milan 1925). À partir d'éléments tels que des inscriptions au néon, des objets banals et des matériaux bruts, ce représentant de l'art pauvre développe dans ses installations, depuis les années 60, quelques thèmes privilégiés comme l'igloo (structure symbolique) ou la suite de Fibonacci.

MERZLOTA n.f. (mot russe). Partie du sol et du sous-sol gelée en hiver. SYN. : **tjäle.**

MESA [meza] n.f. (mot esp., *table*). Plateau constitué par les restes d'une coulée volcanique mise en relief par l'érosion.

MÉSALLIANCE n.f. Mariage avec une personne de classe ou de fortune considérée comme inférieure.

MÉSALLIER (SE) v.pr. Épouser une personne de classe jugée inférieure.

MÉSANGE n.f. Petit passereau au plumage parfois rehaussé de teintes vives, aux joues souvent blanches, répandu dans le monde entier. (Les mésanges forment la famille des paridés.)

MÉSANGE

MÉSAVENTURE n.f. Aventure désagréable qui a des conséquences fâcheuses ; déboires.

MESA VERDE, plateau des États-Unis (Colorado). Musée archéologique. Cañons abritant d'imposants vestiges de la culture Anasazi à l'apogée de la phase pueblo dite « Grand Pueblo » (1100-1300) avec de remarquables *cliffs-dwellings,* à la fois habitat, forteresse et sanctuaire.

MÉSAXONIEN adj.m. et n.m. Imparidigité.

MESCALINE n.f. (mexicain *mexcalli,* peyotl). Alcaloïde hallucinogène extrait d'une cactacée mexicaine, le peyotl.

MESCLUN [mɛsklœ̃] n.m. Mélange de jeunes plants de salades de diverses espèces et de plantes aromatiques.

MÉSENCÉPHALE n.m. (du gr. *mesos,* au milieu, et *encéphale*). Région de l'encéphale formée des pédoncules cérébraux en avant et des tubercules quadrijumeaux en arrière.

MÉSENCHYME [mezɑ̃ʃim] n.m. Tissu conjonctif de l'embryon, à partir duquel se forment les vaisseaux sanguins et lymphatiques, les muscles, les cartilages et le squelette.

MÉSENTENTE n.f. Mauvaise entente.

MÉSENTÈRE n.m. (du gr. *mesos,* au milieu, et *enteron,* intestin). Repli du péritoine reliant les anses de l'intestin grêle à la paroi postérieure de l'abdomen.

MÉSESTIMER v.t. LITT. Apprécier une personne, une chose au-dessous de sa valeur.

MESETA (la), socle hercynien rigide de l'Espagne centrale (Castille). La Meseta est constituée par les plateaux de la Vieille- et de la Nouvelle-Castille.

« Cliff Palace », l'un des « cliff-dwellings » de **MESA VERDE**.
Culture Anasazi, phase Grand Pueblo, 1100-1300.

MÉSIE, ancienne région des Balkans, correspondant partiellement à la Bulgarie. Conquise par Rome (75-29 av. J.-C.), elle devint province romaine.

MESMER (Franz), médecin allemand (Iznang 1734 - Meersburg 1815). Il commença à formuler en 1775 sa théorie sur le magnétisme animal, ou *mesmérisme*. À Paris, à partir de 1778, ses séances d'expériences et de guérisons collectives lui valurent un renom considérable.

MESMÉRISME n.m. Doctrine de Mesmer.

MÉSO-AMÉRICAIN, E adj. (pl. méso-américains, es). Relatif à la Méso-Amérique.

MÉSO-AMÉRIQUE, aire culturelle occupée par les hautes civilisations préhispaniques (Mexique, Guatemala, Belize, Salvador, ouest du Honduras, du Nicaragua et du Costa Rica).

MÉSOBLASTE n.m. -1. Territoire embryonnaire qui est à l'origine du mésoderme. -2. Mésoderme.

MÉSOCARPE n.m. Zone médiane d'un fruit, entre l'épiderme et le noyau ou les graines, charnue et sucrée chez les fruits comestibles.

MÉSODERME n.m. Feuillet embryonnaire situé entre l'endoderme et l'ectoderme, et qui fournit notamm. la musculature, le sang, le squelette, les reins. SYN. : mésoblaste.

MÉSOÉCONOMIE n.f. Partie de la science économique se situant à mi-chemin de la macroéconomie et de la microéconomie.

MÉSOLITHIQUE n.m. et adj. (du gr. *mesos,* au milieu, et *lithos,* pierre). Phase du développement technique des sociétés préhistoriques, correspondant à l'abandon progressif d'une économie de prédation (paléolithique) et à l'orientation vers une économie de production (néolithique).

MÉSOMÈRE adj. En état de mésomérie.

MÉSOMÉRIE n.f. Structure d'un composé chimique intermédiaire entre deux formes isomères.

MÉSOMORPHE adj. -1. Se dit d'états (smectique, nématique) de la matière intermédiaires entre l'état amorphe et l'état cristallin. -2. *Corps mésomorphe,* cristal liquide.

MÉSON n.m. (du gr. *mesos,* médian). Particule de la famille des hadrons (subissant l'interaction forte), composée d'un quark et d'un antiquark. (Les pions et les kaons sont des exemples de mésons ; ceux-ci sont tous instables.)

MÉSOPAUSE n.f. Surface de séparation entre la mésosphère et la thermosphère.

MÉSOPOTAMIE, région de l'Asie occidentale, entre le Tigre et l'Euphrate.
→ ● DOSSIER LA MÉSOPOTAMIE *page suivante.*

MÉSOSPHÈRE n.f. Couche atmosphérique qui s'étend entre la stratosphère et la thermosphère (autour de la Terre, de 40 à 80 km d'altitude env.).

LA MÉSOPOTAMIE

Initiatrice de la « révolution néolithique » avec la domestication des plantes et celle des animaux, et foyer d'invention des plus anciennes civilisations urbaines et de l'écriture, la Mésopotamie a marqué de son empreinte toute l'Antiquité.

Les débuts de l'agriculture.

Dans la vallée de l'Euphrate, les premières installations néolithiques sont antérieures à - 8000 (Mureybat). Dès l'époque d'Hassouna, au début du VIe millénaire, on trouve les premières méthodes d'irrigation dans la partie irakienne de la plaine mésopotamienne. Eridou est déjà un centre religieux important. Le Ve millénaire est marqué par les cultures préhistoriques de Samarra, Halaf, Obeïd et par leur production de céramiques peintes. Tell es-Sawwan, près de Samarra, livre des maisons à pièces multiples.

LA STATUAIRE ARCHAÏQUE

La statue d'Ebih-il, l'intendant de Mari – une des pièces maîtresses de la statuaire mésopotamienne archaïque ❶ –, est une œuvre révélatrice de l'expansion vers le nord de la civilisation sumérienne. Elle témoigne aussi – par ses yeux – de la distance des échanges économiques : le lapis-lazuli provenait d'Afghanistan ou du Pakistan, là où s'épanouit la civilisation de l'Indus.

❶ Ebih-il. Gypse et lapis-lazuli ; v. 2500 av. J.-C. (Musée du Louvre, Paris.

La civilisation urbaine.

Au IVe millénaire, dans le Sud mésopotamien, naissent les grandes agglomérations de type urbain (cités-États). Elles se dotent d'une comptabilité, d'une écriture (apparition du cylindre-sceau) à l'origine de l'écriture cunéiforme et créent une architecture monumentale (temple d'Ourouk) ; architecture qui se répand jusqu'à près de 1 000 km d'Ourouk, où, dans la partie syrienne de la vallée de l'Euphrate, on trouve des villes parfois entourées de remparts. Cette distance donne la mesure du commerce qui s'effectue alors le long de l'Euphrate.

Dans les premières années du IIIe millénaire av. J.-C., Suse établit un réseau suivi de relations avec certains sites du plateau iranien, à l'époque protoélamite.

La première moitié du IIIe millénaire voit le développement des cités-États sumériennes, dont l'art est bien connu (stèle de la Victoire provenant de Girsou, Louvre ; statuaire de Khafadje et, plus au nord, de Mari). Progressivement, la Mésopotamie entre dans l'histoire (époque sumérienne, ou protodynastique, entre 2900 et 2350 av. J.-C.). Les tombes royales d'Our illustrent la richesse et la puissance économique des cités sumériennes.

Vers 2340 av. J.-C., la monarchie militaire de Sargon utilise l'art des sculpteurs pour magnifier une idéologie royale très caractéristique (stèles de victoire de Naram-Sin, tête de Ninive). À la fin du IIIe millénaire, le pays de Sumer (Our, Ourouk, Larsa) crée une forme architecturale originale propre à la Mésopotamie : la ziggourat. Les sculpteurs du règne de Goudéa ont laissé

L'ARCHITECTURE RELIGIEUSE

Avec la fondation de l'empire d'Akkad par Sargon, mais plus encore avec l'avènement de son petit-fils Naram-Sin, le régime monarchique connaît un accroissement de puissance sans précédent. Les rois fondent des palais et des villes, mais n'oublient pas les dieux. Le trait marquant de l'architecture religieuse est la tour à étages, la ziggourat, dont la plus ancienne est celle d'Our ❷.

❷ Ziggourat d'Our. V. 2100 av. J.-C.

L'ART, INSTRUMENT DU POUVOIR

À mesure que leur pouvoir s'affirme, les dynasties locales sont soucieux de laisser un témoignage de leur gloire. Eannatoum, prince de Lagash, célèbre sa victoire sur la cité rivale d'Oumma ❺. Victoire aussi pour Naram-Sin ❸, prince d'Akkad, qui, le premier, maintient son hégémonie sur les cités-États du Sud ; exploit réédité plus tard par Hammourabi ❹, roi de Babylone.

LA MÉSOPOTAMIE

nombre de portraits (Louvre) du prince de Lagash. On doit à la dynastie kassite qui règne sur Babylone (période des royaumes rivaux, 1595-858 av. J.-C.) des koudourrous (bornes de pierre) épigraphiés.

Au début du Ier millénaire, l'État néoassyrien a pour capitales successives : Assour, Nimroud, Khursabad et Ninive, dont on connaît les palais et leur décoration sculptée sur orthostates.

La fin de la culture suméro-akkadienne.

Les Assyriens ont commencé au milieu du IXe siècle des expéditions annuelles en Syrie qui sont le point de départ de leur empire. Ils infligent aux Babyloniens en 813-812 av. J.-C. une défaite décisive et l'Assyrie édifie un immense empire, dit « néoassyrien », dont la plus grande expansion se situe sous le règne d'Assourbanipal (669-630). Mais cet empire s'effondre sous les coups des Mèdes et des Babyloniens (626-608). La dynastie araméenne, dite « chaldéenne » (626-539 av. J.-C.), qui

LA MÉSOPOTAMIE
(XVIIIe-VIIe S.)
DANS L'ORIENT ANCIEN

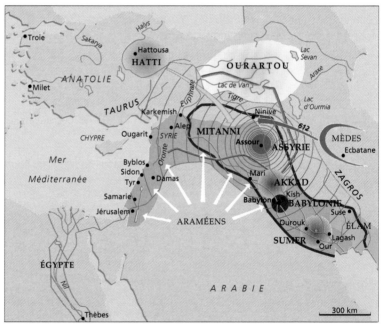

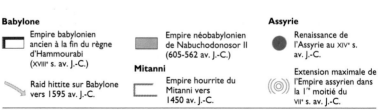

Babylone

Empire babylonien ancien à la fin du règne d'Hammourabi (XVIIIe s. av. J.-C.)

Raid hittite sur Babylone vers 1595 av. J.-C.

Empire néobabylonien de Nabuchodonosor II (605-562 av. J.-C.)

Mitanni

Empire hourrite du Mitanni vers 1450 av. J.-C.

Assyrie

Renaissance de l'Assyrie au XIVe s. av. J.-C.

Extension maximale de l'Empire assyrien dans la Ire moitié du VIIe s. av. J.-C.

LA MÉSOPOTAMIE

s'est installée à Babylone, étend sa domination à la haute Mésopotamie et à la Syrie. Mais cet empire succombe à l'attaque du Perse Cyrus (539). L'esprit national se manifeste une dernière fois avec les révoltes de Babylone contre les Perses (522, 521 et 482). Après, la population de la Mésopotamie, renforcée par les infiltrations des Arabes, se laisse gagner aux cultures du monde hellénistique et des Sémites de Syrie.

Voir aussi : AKKAD, ASSYRIE, BABYLONE, MOYEN-ORIENT, SUMER, SYRIE.

❸ *Stèle de Naram-Sin.* Grès rose ; v. 2250 av. J.-C. (Musée du Louvre, Paris.)

❹ Hammourabi. Bronze et or ; v. 1750 av. J.-C. (Musée du Louvre, Paris.)

❺ *Stèle des Vautours.* Calcaire ; v. 2450 av. J.-C. (Musée du Louvre, Paris.)

MÉSOTHÉRAPIE n.f. Procédé thérapeutique consistant en injections de doses minimes de médicaments faites au moyen d'aiguilles très fines le plus près possible du siège de la douleur ou de la maladie.

MÉSOTHORAX n.m. Deuxième division du thorax des insectes, entre le prothorax et le métathorax, qui porte les ailes antérieures.

MÉSOZOÏQUE adj. et n.m. Secondaire, en géologie.

MESQUIN, E adj. Qui manque de grandeur, de générosité ; qui est petit, médiocre : *Un procédé mesquin.* ➤ **mesquinement** adv.

MESQUINERIE n.f. Caractère de ce qui est mesquin ; action mesquine.

MESS [mɛs] n.m. Salle où les officiers, les sous-officiers d'un corps ou d'une garnison prennent leurs repas.

MESSAGE n.m. -1. Information, nouvelle transmise à qqn. -2. Communication adressée avec une certaine solennité à qqn, à une assemblée, à une nation : *Message du chef de l'État.* -3. Communication adressée aux hommes par un être d'exception, un écrivain, un artiste : *Le message de Gandhi.* LING. Toute séquence de discours produite par un locuteur dans le cadre de la communication linguistique. PUBL. *Message publicitaire,* information sur un produit, un service, une société transmise par les annonces publicitaires ; annonce publicitaire ou promotionnelle de courte durée diffusée sur un support audiovisuel. SYN. (anglic. déconseillé) : **spot.** TÉLÉCOMM. *Message téléphoné,* correspondance dictée par téléphone directement par le demandeur au central télégraphique, qui l'achemine par des moyens informatiques au bureau chargé de la distribution.

MESSAGER, ÈRE n. -1. Personne chargée de transmettre un message. -2. *A. R. N. messager,* se dit de l'acide ribonucléique assurant le transport du message héréditaire déchiffré dans les cellules de l'organisme.

MESSAGER (André), compositeur et chef d'orchestre français (Montluçon 1853 - Paris 1929). Il a écrit des opérettes et des opéras-comiques de la plus séduisante facture (*Véronique,* 1898) et des ballets (*les Deux Pigeons,* 1886).

MESSAGERIE n.f. (Souvent au pl.). -1. Service de transport pour les voyageurs et les marchandises ; maison où est établi ce service. -2. Transport rapide qui s'effectue par avion, par chemin de fer, par bateau, par voitures. -3. Entreprise chargée du routage, de l'acheminement, de la distribution d'ouvrages imprimés (presse, librairie). -4. *Messagerie électronique,* service d'envoi de messages en temps réel ou différé entre des personnes connectées sur un réseau télématique. SYN. : **courrier électronique, télémessagerie.**

MESSAGIER (Jean), peintre et graveur français (Paris 1920). Il est l'un des maîtres du paysagisme abstrait (*Haute Promenade,* 1954, musée des Beaux-Arts de Dijon), notamment sous la forme gestuelle de grands écheveaux de couleur lovés.

MESSALI HADJ (Ahmed), nationaliste algérien (Tlemcen 1898 - Paris 1974), fondateur du Parti populaire algérien (1937) puis du Mouvement national algérien (1954).

MESSALINE, en lat. Valeria Messalina (v. 25 apr. J.-C. - 48), femme de l'empereur Claude et mère de Britannicus et d'Octavie. Ambitieuse et dissolue, elle fut exécutée sur l'ordre de l'empereur.

MESSE n.f. (lat. ecclés. *missa,* action de renvoyer). -1. Célébration fondamentale du culte catholique, dont l'acte central commémore, sous la forme du pain et du vin de la dernière Cène, le sacrifice du Christ sur la croix. -2. Musique composée pour une grand-messe. (V. ENCYCL.) -3. *Messe basse,* messe dont toutes les parties sont lues et récitées, et non chantées. ‖ *Messe chantée,* grand-messe. ‖ *Messe de minuit,* messe célébrée dans la nuit de Noël. ‖ *Messe des morts* ou *de requiem,* messe que l'on dit pour le repos de l'âme des morts. ‖ *Messe solennelle* ou *pontificale,* messe chantée par un prélat.

ENCYCL. MUSIQUE

La première *messe polyphonique a cappella* écrite par un seul compositeur est la *Messe « Notre-Dame »* de Guillaume de Machaut, à 4 voix (2e moitié du XIVe s.). À partir du XVe siècle, la messe atteint une plus grande unité, grâce à un thème commun à toutes ses parties, emprunté soit au grégorien, soit à une chanson profane. Elle connaît son apogée au XVe siècle avec G. Dufay puis au XVIe siècle avec Josquin Des Prés et G. P. Palestrina. Au XVIIe siècle, la messe a cappella perd de l'importance. Elle renaîtra au XXe siècle avec les messes de A. Caplet, de F. Poulenc.

La *messe concertante* du XVIIe siècle est une vaste cantate religieuse, donnant une place de choix à l'orchestre, introduisant des parties vocales en solo, duo, trio, quatuor. Pendant tout le XVIIIe siècle, ce type de messe prévaut avec les musiciens de l'école napolitaine (G. B. Pergolèse). La *Messe en « si » mineur* de J. S. Bach porte ce genre à son apogée.

Avec les classiques (J. Haydn, W. A. Mozart, L. van Beethoven) naît la *messe symphonique,* dont la formule sera reprise par F. Schubert, A. Bruckner, F. Liszt, A. Dvořák et C. Gounod.

MESSÈNE, en gr. Messini, v. de Grèce, dans le Péloponnèse ; 6 600 hab. Puissants remparts du IVe s. av. J.-C. dus à Épaminondas.

MESSÉNIE, contrée ancienne du sud-ouest du Péloponnèse. Conquise par Sparte au VIIIe s. av. J.-C., elle retrouva son indépendance après la victoire d'Épaminondas sur les Spartiates à Leuctres (371 av. J.-C.).

MESSERSCHMITT (Willy), ingénieur allemand (Francfort-sur-le-Main 1898 - Munich 1978). Il conçut en 1938 le premier chasseur à réaction, engagé au combat en 1944.

MESSIAEN (Olivier), compositeur et pédagogue français (Avignon 1908 - Paris 1992). Titulaire à 20 ans de l'orgue de la Trinité, il commence par écrire des œuvres pour son instrument (*les Corps glorieux...,* 1939). En 1936, il participe avec André Jolivet, Yves Baudrier et Daniel Lesur à la fondation du mouvement Jeune-France. Prisonnier en 1940, il écrit et fait exécuter en captivité une de ses œuvres maîtresses, *le Quatuor pour la fin du temps* (1941). Nommé en 1942 professeur au Conservatoire de Paris, il forme la génération des compositeurs d'après-guerre. De 1943 datent les *Visions de l'Amen* pour deux pianos, de 1944 les *Trois Petites Liturgies de la présence divine,* de 1946-1948 la *Turangalîla-Symphonie.* Les *Quatre Études de rythme* pour piano sont écrites en 1949. Ensuite, le style de Messiaen synthétisera trois sources d'inspiration principales, sa foi catholique, les chants d'oiseaux, enfin, les rythmes et les modes des musiques traditionnelles de l'Inde, de Bali, du Japon et de l'Amérique andine : *Catalogue d'oiseaux* (1956-1958) ; *Vingt Regards sur l'Enfant Jésus* (1944) ; *Et exspecto resurrectionem mortuorum* (1964) ; *Des canyons aux étoiles* (1970-1974) ; un opéra, *Saint François d'Assise* (1983).

Olivier
MESSIAEN,
compositeur
et pédagogue
français.

MESSIANIQUE adj. Relatif au Messie, au messianisme.

MESSIANISME n.m. **-1.** Croyance en la venue d'un libérateur ou d'un sauveur qui mettra fin à l'ordre présent, considéré comme mauvais, et instaurera un ordre nouveau dans la justice et le bonheur. **-2.** Attente et espérance du Messie, dans la Bible.

ENCYCL. Comme le prophétisme, le messianisme s'est exprimé de manière exemplaire au sein de la religion juive, laquelle a été et reste tournée vers l'avènement d'un Roi sauveur du peuple élu et instaurateur du règne de Yahvé. Sur cette espérance judaïque s'est greffée la mission de Jésus, que ses disciples ont appelé Christ, du mot *khristos* qui signifie « oint » et qui est la traduction grecque de l'hébreu *mashiah,* d'où vient le terme de « messie ». Le christianisme, en invitant ses fidèles à préparer le « second avènement » du Christ, entretient une espérance messianique.

L'islam a connu périodiquement une forme aiguë de messianisme qui consiste dans l'accueil parfois exalté du Mahdi attendu. On trouve des cas similaires d'attente collective d'une libération dans le harrisme en Côte d'Ivoire ou dans le culte africain des « Christs noirs ».

De ce phénomène du messianisme on peut rapprocher celui du millénarisme, qui revêt une dimension eschatologique et qui, moins tourné vers le Messie que vers le Royaume à instaurer, se représente celui-ci comme le Paradis retrouvé, comme une nouvelle ère de paix et de repos, d'une durée de « mille ans » *(millenium).* Ainsi, au XIIIe siècle, Joachim de Flore prêche l'avènement de l'âge de l'Esprit et, au XVIe, les anabaptistes de Westphalie font advenir à Münster le « royaume de la Nouvelle Jérusalem ». Du millénarisme relèvent encore le culte mélanésien du cargo et le récent mouvement d'origine américaine connu sous le nom de « New Age ».

MESSIDOR n.m. (du lat. *messis,* moisson, et gr. *dôron,* don). Dixième mois du calendrier républicain, commençant le 19 ou le 20 juin et finissant le 18 ou le 19 juillet.

MESSIE n.m. (lat. *messias,* araméen *meshiḥā,* oint, sacré par le Seigneur). **-1.** Celui dont on attend le salut, personnage providentiel. **-2.** (Avec une majusc.). Dans le judaïsme, envoyé de Dieu qui rétablira Israël dans ses droits et inaugurera l'ère de la justice. **-3.** (Avec une majusc.). Chez les chrétiens, le Christ.

MESSIER (Charles), astronome français (Badonviller 1730 - Paris 1817). Il découvrit 16 comètes et en observa 41, mais il reste surtout célèbre pour son catalogue de 103 nébulosités galactiques ou extragalactiques (1781).

MESSINE, v. d'Italie (Sicile), ch.-l. de prov., sur le *détroit de Messine,* qui, séparant l'Italie péninsulaire et la Sicile, relie les mers Tyrrhénienne et Ionienne ; 272 461 hab. — La ville tire son nom des Messéniens, Grecs chassés de leur patrie en 486 av. J.-C. Son alliance avec Rome (264 av. J.-C.) fut à l'origine de la première guerre punique. Messine fut détruite en 1908 par un tremblement de terre. — Cathédrale remontant à l'époque normande (XIIᵉ s.), mais plusieurs fois rebâtie. Musée régional.

MESSIRE n.m. Titre d'honneur donné autref. aux personnes nobles et plus tard réservé au chancelier de France.

MESSMER (Pierre), homme politique français (Vincennes 1916), Premier ministre de 1972 à 1974.

MESSNER (Reinhold), alpiniste italien (Bolzano 1944). Il a gravi les 14 sommets de plus de 8 000 m entre 1970 et 1986.

MESTGHANEM, anc. Mostaganem, port d'Algérie, ch.-l. de wilaya ; 102 000 hab.

MESTRE ou **MEISTRE** n.m. *Mestre de camp,* commandant d'un régiment sous l'Ancien Régime.

MESURABLE adj. Que l'on peut mesurer.

MESURAGE n.m. Action de mesurer.

MESURE n.f. **-1.** Action d'évaluer une grandeur d'après son rapport avec une grandeur de même espèce prise comme unité et comme référence. (V. ENCYCL.) **-2.** Quantité servant d'unité de base pour une évaluation : *Mesures légales* (→ UNITÉ). **-3.** Récipient de contenance déterminée servant à mesurer des volumes. **-4.** Modération, retenue dans l'action, le comportement, le jugement. **-5.** Moyen(s) mis en œuvre en vue d'un résultat déterminé : *Des mesures s'imposent.* **6.** *Prendre les mesures de qqn,* mesurer son corps ou une partie de son corps en vue de confectionner ou de choisir un vêtement. ‖ *Sur mesure,* confectionné d'après des mesures prises sur la personne même. **LITTÉR.** Quantité de syllabes exigée par le rythme du vers. **MUS.** Division du temps musical en unités égales, matérialisées dans la partition par des barres verticales dites *barres de mesure.* ‖ *Battre la mesure,* indiquer le rythme, la cadence par des gestes convenus. ‖ *En mesure,* dans la cadence convenable à l'exécution du morceau.

ENCYCL. Une mesure s'effectue à l'aide d'un instrument de comparaison et d'une série d'objets étalonnés, réalisant une série de rapports connus à l'unité (balance et masses marquées, boîtes de résistances, etc.), ou avec un instrument à échelle graduée et étalonnée (pied à coulisse, balance automatique, voltmètre, etc.). Les causes d'erreur étant multiples, on utilise, pour en réduire l'importance, des méthodes appropriées (double pesée) et on applique des corrections de compensation (correction d'étalonnage, de température, etc.). Les erreurs résiduelles et aléatoires sont étudiées par une approche statistique ; on les caractérise par une marge d'incertitude.

MESURER v.t. **-1.** Déterminer une quantité par le moyen d'une mesure. **-2.** Donner qqch avec parcimonie : *Mesurer la nourriture à qqn.* **-3.** Déterminer l'importance de qqch : *Mesurer les pertes subies.* **-4.** Déterminer qqch avec modération : *Mesurer ses paroles.*

MESUREUR n.m. **-1.** Agent préposé à la mensuration et à la pesée d'objets divers. **-2.** Appareil ou instrument permettant d'effectuer diverses mesures ou analyses.

MÉTA n.m. (nom déposé). Métaldéhyde, employé en tablettes comme combustible solide.

MÉTABOLE adj. Se dit d'un insecte qui subit une métamorphose.

MÉTABOLIQUE adj. Relatif au métabolisme.

MÉTABOLISER v.t. Transformer une substance dans un organisme vivant, au cours du métabolisme.

MÉTABOLISME n.m. (gr. *metabolê,* changement). **-1.** Ensemble des processus complexes et incessants de transformation de matière et d'énergie par la cellule ou l'organisme, au cours des phénomènes d'édification et de dégradation organiques (anabolisme et catabolisme). **-2.** *Métabolisme de base,* quantité de chaleur, exprimée en Calories, produite par le corps humain, par heure et par mètre carré de la surface du corps, au repos.

MÉTABOLITE n.m. Produit de transformation d'un corps organique au sein d'une cellule, d'un tissu ou du milieu sanguin.

MÉTACARPE n.m. Ensemble des os constituant le squelette de la paume de la main, compris entre le carpe et les phalanges.

MÉTACARPIEN, ENNE adj. Relatif au métacarpe. ◆ **métacarpien** n.m. Chacun des cinq os du métacarpe.

MÉTACENTRE n.m. Point d'intersection de l'axe longitudinal d'un navire et de la verticale passant par le centre de carène lorsque le navire est incliné.

MÉTACENTRIQUE adj. *Courbe métacentrique,* lieu des métacentres d'un navire dans toutes les inclinaisons possibles. ‖ *Hauteur* ou *distance métacentrique,* hauteur du métacentre au-dessus du centre de gravité correspondant à une inclinaison nulle du navire.

MÉTACHLAMYDÉE n.f. *Métachlamydées,* sous-classe de plantes dicotylédones dont les pétales sont soudés entre eux. SYN. (anc.) : gamopétale.

MÉTAIRIE n.f. -1. Propriété foncière exploitée selon un contrat de métayage. -2. Les bâtiments de la métairie.

MÉTAL n.m. (du lat. *metallum,* mine). -1. Corps simple caractérisé par un éclat particulier dit « éclat métallique », une aptitude à la déformation, une tendance marquée à former des cations et, génér., bon conducteur de la chaleur et de l'électricité. (V. ENCYCL.) -2. Matériau constitué d'un de ces éléments chimiques ou de leur mélange (alliage). -3. En héraldique, l'or ou l'argent, par opp. aux *couleurs* et aux *fourrures.* -4. *Métaux précieux,* l'or, l'argent, le platine.

ENCYCL. Les métaux constituent plus des deux tiers des éléments de la classification périodique. Ils se présentent sous forme de solides cristallins ayant en commun des propriétés physiques et chimiques intéressantes liées à leur structure cristalline et électronique.

Les familles de métaux. Les deux premières familles font partie des métaux dits « normaux », dont les atomes possèdent des couches électroniques internes complètes. Par opposition aux familles suivantes, *métaux de transition* ou *métaux nobles* (cuivre, argent, or), les métaux normaux (tels le sodium, le magnésium, l'aluminium) ont des électrons de valence qui constituent un gaz d'électrons

d'énergie bien séparée de celle du cœur formant l'ion.

Les *métaux alcalins* (colonne I A de la classification) sont d'excellents réducteurs, de couleur blanc argent, présentant l'éclat métallique et des propriétés thermiques et électriques intéressantes. Ils n'ont cependant pas de propriétés mécaniques remarquables : ils sont mous, peu denses, malléables et ductiles. Ils ont un bas point de fusion. Ce sont les métaux les plus électropositifs et donc chimiquement les plus réactifs en raison de leur facilité à fournir des électrons par ionisation.

Les *métaux alcalinoterreux* (colonne II A) sont des éléments très réactifs présentant l'éclat métallique et de bonnes propriétés électriques et thermiques. Leurs propriétés sont moins marquées que celles des alcalins et ils sont moins réducteurs. Toutefois, ils sont plus durs.

Les *métaux de transition* (en lignes dans le tableau des éléments) sont caractérisés par un remplissage des couches électroniques qui s'effectue préférentiellement dans des couches autres que les couches externes. Ils présentent un caractère métallique marqué.

Les alliages : préparation, mise en œuvre, propriétés. En modifiant le nombre, la nature et les proportions des éléments présents dans un alliage, ou en faisant subir à celui-ci différents traitements thermiques, on cherche à améliorer ses propriétés physiques, mécaniques et chimiques. Presque tous les éléments recensés peuvent entrer dans la composition d'un alliage. Il en résulte l'existence théorique d'environ 5 000 alliages à deux constituants *(alliages binaires)* et de plus de 100 000 à trois constituants *(alliages ternaires).*

Lors des opérations métallurgiques de préparation des alliages, on utilise principalement la fusion et la coulée sous vide, ou sous flux gazeux ou liquide. Certains alliages sont utilisés directement en raison de leur aptitude à remplir les moules : ce sont les *alliages de fonderie.* Ces opérations se réalisent soit dans des cavités limitées par du sable *(moulage en sable),* soit dans des moules métalliques ayant la forme de la pièce à obtenir *(coulée en coquille).* [→ FORMAGE, MOULAGE.]

Une autre méthode, de principe complètement différent, a été particulièrement développée : il s'agit du *frittage,* en phase solide ou partiellement liquide, de poudres métalliques compactées. Ainsi furent développés les *alliages durs frittés* au carbure de tungstène. À ce corps ont été associés d'autres carbures réfractaires (carbure de titane, de molybdène, de tantale), le liant le plus utilisé étant le cobalt, dans la proportion de 5 à 10 %. La dureté de ces alliages est de l'ordre de 16 fois celle d'un acier doux.

De même, les *alliages diamantés* sont obtenus par le procédé de métallurgie des poudres, en mélangeant la poudre de diamant aux poudres métalliques qui servent à constituer la matrice d'alliage.

Les propriétés des alliages ne sont pas intermédiaires entre celles de leurs différents constituants. Par exemple, le point de fusion d'un alliage est toujours inférieur à celui des métaux purs qui le constituent. En revanche, les alliages sont souvent plus durs, moins malléables et moins ductiles que les matériaux de base. De même, ils sont en général nettement moins bons conducteurs de l'électricité que leurs constituants. Mais certains nouveaux alliages (Invar, Constantan) offrent des exceptions courantes à ces constatations générales. L'intérêt principal des alliages est qu'ils présentent des propriétés physiques (masse volumique, conductivité thermique, conductibilité électrique, propriétés magnétiques, couleur), mécaniques (résistance à la traction, à la dureté, au fluage, à la résilience) ou chimiques (résistance à la corrosion) différentes de celles des métaux purs. Leurs propriétés usuelles dépendent de nombreux facteurs : composition nominale et équilibre entre les différentes phases solides, structure micrographique, mécanismes de durcissement employés lors de la fabrication. (→ MÉTALLURGIE, SIDÉRURGIE.)

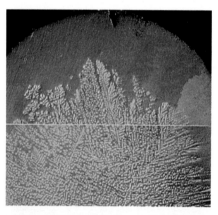

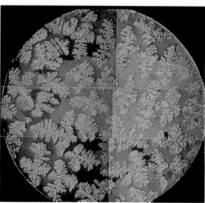

MÉTAL : différence entre une structure dendritique d'un alliage Al/Cu solidifié au sol (en haut) et celle du même alliage solidifié en microgravité (ci-dessus ; grossi 11 fois)

MÉTALANGAGE n.m. ou **MÉTALANGUE** n.f. -1. Langage permettant de décrire une langue naturelle. -2. Langage de description d'un autre langage formel ou informatique.

MÉTALDÉHYDE n.m. Polymère de l'aldéhyde acétique, corps solide blanc, employé comme combustible et pour détruire les limaces.

MÉTALINGUISTIQUE adj. Qui concerne le métalangage ou la métalangue.

MÉTALLERIE n.f. Fabrication et pose des ouvrages métalliques pour le bâtiment. ◆ **métallier, ère** n.

MÉTALLIFÈRE adj. Qui renferme un métal.

MÉTALLIFÈRES *(monts),* nom de plusieurs massifs montagneux riches en minerais : en Toscane (1 059 m) ; en Slovaquie, au sud des Tatras (1 480 m) ; aux confins de l'Allemagne et de la République tchèque (Erzgebirge).

MÉTALLIQUE adj. -1. Constitué par du métal. -2. Qui a l'apparence du métal, qui évoque le métal par sa dureté, sa sonorité, son éclat, etc. : *Voix métallique.*

MÉTALLISATION n.f. Action de métalliser.

MÉTALLISER v.t. -1. Revêtir une surface d'une mince couche de métal ou d'alliage aux fins de protection ou de traitement. -2. Donner un éclat métallique à qqch.

MÉTALLISEUR adj.m. Se dit d'un appareil qui sert à métalliser : *Pistolet métalliseur.* ◆ n.m. Ouvrier pratiquant la métallisation.

MÉTALLOCHROMIE [metalɔkrɔmi] n.f. Technique de coloration de la surface des métaux.

MÉTALLOGÉNIE n.f. Étude de la formation des gîtes métallifères.

MÉTALLOGRAPHIE n.f. Étude de la structure et des propriétés des métaux et de leurs alliages.

MÉTALLOÏDE n.m. vx. Non-métal.

MÉTALLOPLASTIQUE adj. *Joint métalloplastique,* joint composé d'une feuille d'amiante serrée entre deux minces feuilles de cuivre.

MÉTALLOPROTÉINE n.f. Protéine associée à des composés contenant des métaux.

MÉTALLURGIE n.f. (du gr. *metallourgeîn,* exploiter une mine). -1. Ensemble des procédés et des techniques d'extraction, d'élaboration, de formage et de traitement des métaux et des alliages. -2. *Métallurgie des poudres,* ensemble des procédés de la métallurgie permettant d'obtenir des produits ou des pièces par compression et frittage à chaud à partir de poudres métalliques.
→ ● **DOSSIER** LA MÉTALLURGIE *page 3527.*

MÉTALLURGIQUE adj. Relatif à la métallurgie.

MÉTALLURGISTE n.m. -1. Dirigeant d'une entreprise de métallurgie. -2. Ouvrier qui travaille les métaux.

MÉTALOGIQUE n.f. Description des propriétés d'une théorie logique. ◆ adj. Relatif à la métalogique.

MÉTAMATHÉMATIQUE n.f. Théorie déductive qui a pour objet d'établir certaines propriétés des théories mathématiques déjà formalisées. ◆ adj. Relatif à la métamathématique.

MÉTAMÈRE n.m. -1. Segment primitif de l'embryon. SYN. : somite. -2. En zoologie, anneau, segment : *Les métamères du ténia, du lombric.*

MÉTAMÉRIE n.f. Caractère des animaux dont le corps est formé d'une suite de métamères.

MÉTAMÉRISÉ, E adj. Divisé en métamères.

MÉTAMORPHIQUE adj. -1. Relatif au métamorphisme. -2. *Roche métamorphique,* qui a subi un ou plusieurs métamorphismes.

MÉTAMORPHISER v.t. Transformer une roche par métamorphisme.

MÉTAMORPHISME n.m. (du préf. *méta-* et du gr. *morphê,* forme). Dans la croûte terrestre, transformation à l'état solide d'une roche préexistante sous l'effet de la température, de la pression.

ENCYCL. Le métamorphisme peut être lié à des conditions locales, par exemple le *métamorphisme de contact* provoqué par une intrusion magmatique. Mais, le plus souvent, il affecte de vastes portions de la croûte terrestre, en liaison avec l'orogenèse *(métamorphisme régional).* La transformation des roches est purement mécanique ou se traduit par la cristallisation de nouveaux minéraux, stables dans les nouvelles conditions, qui remplacent les anciens. Il en résulte une modification de la texture, accompagnée parfois du développement d'une schistosité. La composition chimique originelle est généralement conservée.

Les associations minérales des roches métamorphiques sont fonction, d'une part, de la composition chimique de la roche et, d'autre part, de la pression et de la température. D'une manière générale, le

MÉTAMORPHISME : gneiss, équivalent métamorphique du granite, présentant une alternance de lits sombres et de lits clairs (quartz, feldspaths) déformés par des plissements

lame mince de roche métamorphique (micaschiste à amphiboles) vue au microscope polarisant

degré de métamorphisme augmente avec la profondeur. À des conditions thermodynamiques données correspond un *faciès métamorphique,* caractérisé par une association minérale constante pour telle composition chimique. La série de faciès métamorphiques qui caractérise une région dépend du rapport température/pression (gradient géothermique) qui reflète le contexte géotectonique (zone de subduction, collision, etc.). [→ MONTAGNE, ROCHE.]

MÉTAMORPHOSE n.f. **-1.** Transformation d'un être en un autre. **-2.** Changement complet dans l'état, le caractère d'une personne, dans l'aspect des choses. **-3.** Transformation importante du corps et du mode de vie, au cours du développement, de certains animaux, comme les amphibiens et certains insectes.

ENCYCL. Dans la métamorphose, on observe un changement radical de la forme de l'animal au cours de sa croissance. Elle s'oppose ainsi au développement direct, sans variation importante de forme, tel qu'on l'observe chez les escargots, les céphalopodes et la grande majorité des vertébrés. La *larve* est la première forme de l'animal après l'éclosion, souvent très différente de l'adulte tant par sa morphologie que par son mode de vie et sa physiologie. Elle peut traverser plusieurs stades de développement dont la durée excède parfois celle de la vie de l'adulte. Pour les insectes, la métamorphose est précédée d'une période de vie ralentie, la *nymphose.* Chez les vertébrés, la métamorphose ne se rencontre que chez les amphibiens et quelques poissons tels que l'anguille. Pour certaines espèces, l'axolotl en particulier, l'animal se reproduit en conservant sa forme larvaire ; il s'agit du phénomène de *néoténie.*

MÉTAMORPHOSER v.t. **-1.** Changer la forme, la nature ou l'individualité d'un être. **-2.** Changer profondément l'aspect ou le caractère de qqn, de qqch. ◆ **se métamorphoser** v.pr. Changer complètement de forme, d'état.

Métamorphoses (les), poème mythologique en 15 livres d'Ovide (an 1 ou 2 apr. J.-C.), rassemblant environ 250 fables, consacrées aux transformations de héros mythologiques en plantes, animaux ou minéraux.

MÉTAMYÉLOCYTE n.m. Cellule de la moelle osseuse qui, dans la lignée des polynucléaires, fait suite au myélocyte et précède immédiatement le granulocyte adulte.

MÉTAPHASE n.f. Deuxième phase de la division cellulaire par mitose.

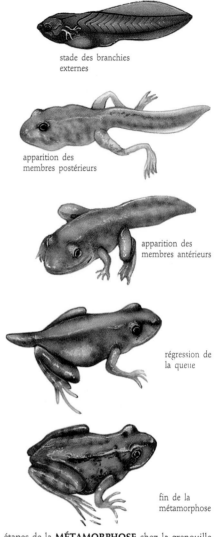

stade des branchies externes

apparition des membres postérieurs

apparition des membres antérieurs

régression de la queue

fin de la métamorphose

étapes de la **MÉTAMORPHOSE** chez la grenouille

MÉTAPHORE n.f. (gr. *metaphora,* transport). Procédé par lequel on transporte la signification propre d'un mot à une autre signification qui ne lui convient qu'en vertu d'une comparaison sous-entendue. (Ex. : *la lumière de l'esprit.*)

MÉTAPHORIQUE adj. Qui relève de la métaphore. ◆ **métaphoriquement** adv.

MÉTAPHOSPHORIQUE adj. Se dit de l'acide HPO_3, dérivé du phosphore.

MÉTAPHYSE n.f. Partie des os longs située entre la diaphyse et l'épiphyse.

LA MÉTALLURGIE

La métallurgie est l'une des plus anciennes industries de l'humanité. Elle recouvre un vaste ensemble de techniques qui vont de la purification des métaux, depuis leur état de minerai, à leur mise en forme par forgeage, laminage ou autres méthodes en passant par les différents traitements thermiques ou mécaniques qui leur sont appliqués.

Historique.

En plus du cuivre, de l'or et du fer, qui furent employés aux âges préhistoriques, l'argent, le plomb, le mercure, l'antimoine puis l'étain étaient extraits, 5 000 ans avant l'ère chrétienne, par les Chaldéens, les Assyriens et les Égyptiens. Dans l'Antiquité grecque et romaine, le bronze (airain), puis le laiton sont utilisés couramment, contrairement au fer et à ses alliages, qui présentent des difficultés d'élaboration et de conservation. La plupart des autres métaux ne seront extraits qu'à partir du XVIᵉ siècle. Jusqu'au Moyen Âge, les procédés métallurgiques n'ont évolué que très peu. Seules quelques « recettes », en particulier pour le traitement du fer ou de la fonte, font la fortune de certaines régions. À partir de la fin du XVIIIᵉ siècle, la métallurgie est dominée par l'essor de la sidérurgie. (→ SIDÉRURGIE.) Dans la seconde moitié du XIXᵉ siècle, Sainte-Claire Deville met au point les fours à électrolyse pour l'aluminium. La connaissance des métaux et des alliages prend un caractère théorique et scientifique avec les travaux de Réaumur (1722). Mais c'est à la fin du XIXᵉ siècle et au début du XXᵉ que la métallographie se développe, en France (Charpy, Osmond, Le Chatelier) ainsi qu'en Grande-Bretagne ou en Allemagne. Les traitements thermiques sont mieux connus et de nouveaux alliages sont créés. La préparation de métaux de plus en plus purs progresse au XXᵉ siècle grâce à de nouvelles méthodes de raffinage : méthodes physiques (sublimation, distillation), chimiques ou électrochimiques (pour le cuivre ou l'aluminium). On élabore enfin des matériaux d'une pureté ultime (silicium, germanium, notamment).

Les techniques métallurgiques.

Bien que certains métaux existent à l'état natif, la plupart sont combinés dans des minerais sous forme de composés : oxydes, sulfures, carbonates, silicates, chlorures, etc. Ceux-ci sont mêlés à des produits stériles formant la gangue, qu'il faut séparer. Aussi, avant tout traitement métallurgique, le minerai est-il, après son extraction de la mine, soumis à un ensemble d'opérations minéralurgiques. (→ MINE.)

Les opérations d'élaboration des métaux. Les *opérations par voie sèche* comprennent la fusion et la calcination (toutes deux, soit simple, soit avec modifications chimiques), à des températures qui vont de 100 °C à plus de 3 000 °C.

— La *fusion simple* permet d'extraire directement le métal de son minerai (métal natif) ou de séparer de sa gangue un minerai facilement fusible, afin de le concentrer. La *fusion avec modifications chimiques* est l'opération la plus fréquente. Elle peut être réductrice, oxydante, sulfurante, etc., ou donner lieu à une précipitation.

— La *calcination simple* peut avoir, par exemple, pour objet la désagrégation d'un minerai afin de le diviser ou d'augmenter sa perméabilité aux gaz. La *calcination avec modifications chimiques,* ou *grillage,* est une importante opération métallurgique, utilisée dans les stades intermédiaires de l'élaboration de nombreux métaux.

Les *opérations par voie humide,* moins couramment utilisées que les précédentes, constituent des étapes de la récupération ou de l'affinage de certains métaux. Ainsi, l'amalgamation est réservée au traitement par le mercure des minerais contenant de l'or ou de l'argent à l'état natif.

Dans les *opérations par volatilisation,* la réaction permet, par ébullition, d'obtenir le métal (zinc, magnésium) à l'état de vapeurs qui sont ensuite condensées. On peut ainsi isoler des métaux purs par distillation, en exploitant les points d'ébullition différents des métaux présents.

L'*électrométallurgie* consiste à utiliser les propriétés thermiques et électrolytiques de l'électricité pour la production et l'affinage des métaux.

La mise en forme des produits. Les métaux et leurs alliages sont amenés, après élaboration, soit à l'état de demi-produits (barres, tôles, etc.), soit à l'état de produits finis.

La *fonderie* permet la fusion et la coulée dans des moules en forme ou en continu. La plupart des alliages (aciers, fontes, bronzes, alliages légers, etc.) servent à l'obtention de pièces moulées. Les *traitements mécaniques de déformation,* exécutés à chaud ou à froid (laminage, forgeage, filage, matriçage, emboutissage, estampage, étirage, profilage, tréfilage) mettent en jeu des tonnages importants de métaux. Le *frittage de poudres métalliques* permet, à partir de métaux en poudre ou/et de matériaux réfractaires (carbures, borures), d'obtenir de petits lingots ou des pièces finies difficiles à élaborer par

LA MÉTALLURGIE

fusion, en métaux réfractaires, en carbures métalliques ou en cermet. Le *soudage* permet l'assemblage d'éléments métalliques par fusion localisée. Le *collage structural*, plus récent, permet l'assemblage de pièces métalliques en feuilles, à l'aide d'adhésif.

Les traitements. Afin de donner aux métaux et aux alliages certaines caractéristiques, on peut leur faire subir, soit en cours de transformation, soit la pièce terminée, des *traitements thermiques* tels que le recuit, la trempe (suivie ou non de revenu), le durcissement structural, qui, modifiant profondément la structure de l'alliage, permettent de jouer sur les propriétés mécaniques. Ces traitements sont souvent conduits sous atmosphère contrôlée. Les *traitements thermochimiques* provoquent une modification superficielle de la nature d'un métal ou d'un alliage. On peut alors combiner des propriétés différentes à cœur et en surface d'une même pièce. Les procédés de cémentation sont les plus répandus. On peut fixer superficiellement des éléments, tels que l'azote (nitruration et carbonitruration), l'aluminium (calorisation), le chrome (chromisation), le zinc (sherardisation). Les *traitements chimiques* ou *électrochimiques* permettent de décaper le métal, par exemple à l'aide d'acides, ou de le recouvrir d'une couche protectrice, par réaction chimique (phosphatation de l'acier, chromatation des alliages légers) ou par dépôt électrolytique (chromage, nickelage, étamage, etc.).

Voir aussi : ACIER, MÉTAL.

❶ Billes de poudre de nickel.
(Ci-dessous, à gauche.)

❷ Microstructure du superalliage (1 cm = 5 μm).
[Ci-dessous, à droite.]

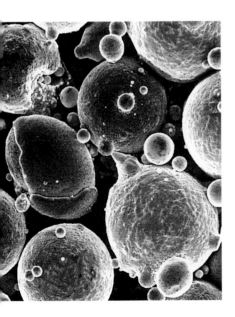

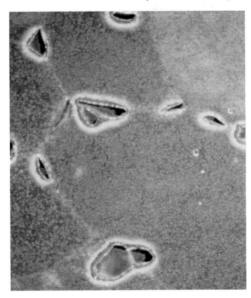

MÉTAPHYSIQUE n.f. -1. Partie de la réflexion philosophique qui a pour objet la connaissance de l'être, la recherche des premiers principes et des causes premières. -2. Conception propre à un philosophe dans ce domaine : *La métaphysique de Descartes.* ◆ adj. -1. Qui appartient à la métaphysique. -2. Qui a un caractère trop abstrait. -3. *Peinture métaphysique,* courant pictural italien du début du xxᵉ s., illustré par De Chirico, Carrà, Morandi et caractérisé par une transposition onirique de la réalité et un climat de tension et d'« inquiétante étrangeté ». ◆ **métaphysiquement** adv. D'un point de vue métaphysique. ◆ **métaphysicien, enne** n.

MÉTAPLASIE n.f. Transformation d'un tissu vivant en un autre, de structure et de fonction différentes. (Les métaplasies s'observent au cours des processus inflammatoires ou tumoraux.)

MÉTAPSYCHOLOGIE n.f. Partie de la doctrine freudienne qui se présente comme devant éclairer l'expérience à partir de principes généraux.

MÉTASTABLE adj. Se dit d'un système qui n'est pas stable en théorie, mais qui paraît tel en raison d'une vitesse de transformation très faible.

MÉTASTASE n.f. (gr. *metastasis,* changement). -1. Apparition, en un point de l'organisme, d'un phénomène pathologique déjà présent ailleurs. -2. Localisation à distance d'une tumeur cancéreuse propagée par voie sanguine ou lymphatique.

MÉTASTASE (Pierre), nom francisé de **Pietro** Trapassi, dit **Metastasio,** poète, librettiste et compositeur italien (Rome 1698 - Vienne 1782). Ses livrets d'*opera seria,* plusieurs fois mis en musique, lui valurent une célébrité immense. Mozart en utilisa certains *(Il re pastore, La clemenza di Tito).*

MÉTASTASER v.t. et i. Produire des métastases dans un organe, un organisme.

MÉTATARSE n.m. (du gr. *meta,* après, et *tarsos,* plat du pied). Partie du squelette du pied comprise entre le tarse et les orteils, et qui reste verticale dans la marche chez les vertébrés onguligrades ou digitigrades.

MÉTATARSIEN, ENNE adj. et n.m. Se dit des cinq os du métatarse.

MÉTATHÉORIE n.f. Étude des propriétés d'un système formel au moyen d'une métalangue.

MÉTATHÉRIEN n.m. *Métathériens,* marsupiaux.

MÉTATHÈSE n.f. (gr. *metathesis,* déplacement). Déplacement de voyelles, de consonnes ou de syllabes à l'intérieur d'un mot. (Ainsi, l'anc. fr. *formage* est devenu *fromage.*)

MÉTATHORAX n.m. Troisième division du thorax des insectes, qui porte les ailes postérieures.

METAXÁS (Ioánnis), général et homme politique grec (Ithaque 1871 - Athènes 1941). Président du Conseil en 1936, il assuma, jusqu'à sa mort, des pouvoirs dictatoriaux.

MÉTAYAGE n.m. Contrat d'exploitation agricole dans lequel le propriétaire d'un domaine rural le loue au métayer en échange d'une partie des fruits et récoltes.

MÉTAYER, ÈRE n. (de *meitié,* forme anc. de *moitié*). Exploitant agricole lié au propriétaire foncier par un contrat de métayage.

MÉTAZOAIRE n.m. (du gr. *meta,* après, et *zôon,* animal). Animal pluricellulaire, par opp. à *protozoaire.*

METCHNIKOV ou **METCHNIKOFF** (Ilia ou Élie), zoologiste et microbiologiste russe (Ivanovka, près de Kharkov, 1845 - Paris 1916). Sous-directeur de l'Institut Pasteur, il a découvert le phénomène de la phagocytose et écrit *l'Immunité dans les maladies infectieuses* (1901). [Prix Nobel 1908.]

MÉTEIL n.m. Mélange de seigle et de froment semés et récoltés ensemble.

MÉTEMPSYCOSE [metãpsikoz] n.f. Réincarnation de l'âme après la mort dans un corps humain, dans celui d'un animal ou dans un végétal.

MÉTENCÉPHALE n.m. Troisième vésicule de l'encéphale embryonnaire, d'où dérivent le cervelet, la protubérance annulaire, le bulbe rachidien et dont la cavité forme le quatrième ventricule.

MÉTÉO n.f. (abrév.). -1. FAM. Météorologie. -2. Bulletin météorologique.

MÉTÉORE n.m. (gr. *meteôra,* choses élevées dans les airs). Phénomène lumineux qui résulte de l'entrée dans l'atmosphère terrestre d'un objet solide venant de l'espace. SYN. (cour.) : étoile filante.

MÉTÉORES, en gr. Meteóra, cité monastique de Thessalie, dominant la vallée du Pénée, fondée au xiiᵉ siècle. Érigés au sommet de hauts pitons de tuf, difficiles d'accès, les monastères actuels remontent au xivᵉ-xvᵉ siècle et perpétuent les traditions architecturales et picturales byzantines. (Collections d'icônes et de manuscrits.)

MÉTÉORES :
le monastère de la Sainte-Trinité (1438).

MÉTÉORIQUE adj. -1. Qui appartient ou a trait à un météore. -2. *Eaux météoriques,* eaux de pluie.

1. **MÉTÉORISATION** n.f. Modifications subies par les roches au contact de l'atmosphère.

2. **MÉTÉORISATION** n.f. → MÉTÉORISME.

MÉTÉORISME n.m. ou **MÉTÉORISATION** n.f. Ballonnement du ventre dû à des gaz.

MÉTÉORITE n.f. Objet solide se mouvant dans l'espace interplanétaire et qui atteint la surface de la Terre ou d'un astre quelconque sans être complètement désintégré.

ENCYCL.

Les classes de météorites. On divise les météorites en trois grandes classes : les *sidérites,* qui contiennent principalement du fer et du nickel, mélangés à de petites quantités de minéraux ; les *météorites pierreuses,* composées surtout de silicates ; et les *sidérolithes* (ou *lithosidérites*), contenant en quantités à peu près égales du fer-nickel et des silicates. Les météorites pierreuses se divisent en *chondrites* et *achondrites,* suivant qu'elles contiennent ou

non des chondres, petites inclusions sphériques de silicates inconnues dans les roches terrestres. Il existe aussi une classe plus rare de météorites qui se rattachent aux chondrites, mais qui contiennent du carbone, les *météorites carbonées.*

Le bombardement météoritique. On estime que la Terre balaie chaque année sur son orbite plus de 200 000 t de matière météoritique, dont 1/100 environ seulement parviendrait au sol. Lorsqu'elles explosent dans l'atmosphère, les grosses météorites peuvent engendrer des pluies de fragments. Celles qui parviennent au sol y creusent des cratères d'impact : le plus grand connu sur la Terre est le Meteor Crater, dans l'Arizona, qui a 1 200 m de diamètre. La surface des astres du système solaire dépourvus d'atmosphère (comme la Lune) porte la marque du bombardement météoritique intensif qu'elle a subi depuis sa formation. Sur la Terre, les processus de sédimentation et d'érosion contribuent à effacer progressivement les cratères météoritiques. Les météorites constituent des sources d'information très précieuses sur la matière du système solaire primitif.

fragment de la **MÉTÉORITE** d'Allende tombée au Mexique en février 1969 (Muséum national d'histoire naturelle, Paris)

MÉTÉORITIQUE adj. -1. Relatif à une météorite, aux météorites. -2. *Cratère météoritique,* dépression creusée à la surface de la Terre ou d'un astre quelconque par l'impact d'une météorite.

MÉTÉOROLOGIE n.f. -1. Branche de la géophysique qui se consacre à l'observation des éléments du temps (températures, précipitations, vents, pression, etc.) et à la recherche des lois des mouvements de l'atmosphère, notamm. en vue de la prévision du temps. -2. Organisme chargé de ces études. Abrév. (fam.) : *météo*. ◆ **météorologue** ou **météorologiste** n.

→ ● DOSSIER LA MÉTÉOROLOGIE *page 3534.*

MÉTÉOROLOGIQUE adj. Qui concerne la météorologie, le temps qu'il fait.

MÉTÈQUE n.m. -1. Dans une cité grecque, étranger domicilié dans une cité et jouissant d'un statut particulier. -2. PÉJOR. Étranger établi en France et dont le comportement est jugé défavorablement.

MÉTEZEAU, famille d'architectes français des XVIᵉ et XVIIᵉ siècles, qui furent associés aux grands chantiers royaux (Louvre, etc.). Le plus connu d'entre eux est **Clément II** (Dreux 1581 - Paris 1652), qui dessina la place Ducale de Charleville (1611), travailla à Paris au palais du Luxembourg, sous la direction de S. de Brosse, à la façade de St-Gervais, où se superposent les trois ordres classiques (1616-1621), à l'Oratoire (1621) et dirigea en 1627 la construction de la digue de La Rochelle.

MÉTHACRYLATE n.m. Ester de l'acide méthacrylique.

MÉTHACRYLIQUE adj. Se dit d'un acide carboxylique et de résines qui en dérivent et qui servent à la fabrication de verres de sécurité.

MÉTHADONE n.f. Substance morphinique de synthèse, utilisée comme succédané de la morphine dans certaines cures de désintoxication de toxicomanes.

MÉTHANAL n.m. (pl. méthanals). Aldéhyde formique.

MÉTHANE n.m. (du gr. *methu,* boisson fermentée). Gaz incolore (CH_4), de densité 0,554, brûlant à l'air avec une flamme pâle. (Il se dégage des matières en putréfaction et constitue le gaz des marais et le grisou. C'est le constituant essentiel du gaz naturel.)

MÉTHANIER n.m. Navire conçu pour transporter le gaz naturel (méthane) liquéfié.

MÉTHANISER v.t. Transformer des déchets, des ordures en méthane.

MÉTHANOÏQUE adj. *Acide méthanoïque,* acide formique.

MÉTHANOL n.m. Alcool méthylique.

MÉTHÉMOGLOBINE n.f. Hémoglobine dont le fer ferreux a été oxydé en fer ferrique, ce qui la rend impropre au transport de l'oxygène.

MÉTHÉMOGLOBINÉMIE n.f. Accumulation pathologique de méthémoglobine dans les hématies, au-delà de 1,5 g par litre, s'observant princip. lors d'intoxications accidentelles ou médicamenteuses.

MÉTHIONINE n.f. Acide aminé soufré, indispensable à la croissance et à l'équilibre de l'organisme, présent dans les œufs, la caséine et le lait.

MÉTHODE n.f. -1. Marche rationnelle de l'esprit pour arriver à la connaissance ou à la démonstration d'une vérité. -2. Ensemble ordonné de manière logique de principes, de règles, d'étapes permettant de parvenir à un résultat ; technique, procédé. -3. Manière ordonnée de mener qqch : *Procéder avec méthode.* -4. Ensemble des règles qui permettent l'apprentissage d'une technique, d'une science. -5. Ouvrage groupant logiquement les éléments d'une science, d'un enseignement : *Méthode de lecture.* - 6.*Méthode expérimentale,* procédure qui consiste à observer les phénomènes, à en tirer des hypothèses et à vérifier les conséquences de ces hypothèses par une expérimentation scientifique.

MÉTHODE *(saint)* → CYRILLE ET MÉTHODE.

MÉTHODIQUE adj. -1. Qui procède d'une méthode : *Vérifications méthodiques.* -2. Qui agit avec méthode : *Esprit méthodique.* -3. *Doute méthodique,* première démarche de Descartes dans la recherche de la vérité, qui consiste à rejeter toutes les connaissances déjà acquises comme l'ayant été sans fondement. ◆ **méthodiquement** adv.

MÉTHODISME n.m. Mouvement religieux protestant fondé en Angleterre au XVIIIᵉ s. par John Wesley en réaction contre le ritualisme de l'Église anglicane.

ENCYCL. L'appellation de « méthodistes » fut donnée en 1729 à de jeunes théologiens d'Oxford réunis dans un cénacle qui comprenait John Wesley (1703-1791), son frère Charles (1707-1788) et George Whitefield (1714-1770). Le « réveil » religieux que les méthodistes tentaient de promouvoir s'étendit très rapidement à tout le monde anglo-saxon. Il se caractérisa d'emblée par la conversion et la sanctification personnelles, l'évangélisation des foules (particulièrement du monde ouvrier), l'indifférence à l'égard des formes cultuelles et un « sacerdoce universel » permettant aux laïques d'accéder au ministère.

Le méthodisme religieux, qui est, avec le luthéranisme et le calvinisme, un des trois principaux mouvements issus de la Réforme, a connu de nombreuses subdivisions. L'une d'entre elles est le « méthodisme épiscopal » d'Amérique, qui admet des évêques. Les autres branches sont du type non conformiste. Les méthodistes sont aujourd'hui environ 30 millions, répandus dans de nombreux pays (notamment par des missions et des œuvres sociales). Fédérés depuis 1951 dans un Conseil méthodiste mondial, ils sont très actifs au sein du Conseil œcuménique des Églises.

MÉTHODISTE adj. et n. Relatif au méthodisme ; qui le professe.

MÉTHODOLOGIE n.f. **-1.** Étude systématique de la pratique scientifique, des principes qui la fondent et des méthodes de recherche qu'elle utilise. **-2.** Ensemble des méthodes et des techniques d'un domaine particulier. **-3.** COUR. (abusif en sciences). Manière de faire, de procéder ; méthode.

MÉTHODOLOGIQUE adj. Relatif à la méthodologie.

Methuen *(traité de)* [27 déc. 1703], traité anglo-portugais qui organisait le commerce du vin portugais et des textiles anglais. Ce traité, qui porte le nom du diplomate anglais John Methuen (1650-1706), servit de base aux relations commerciales anglo-portugaises jusqu'en 1836.

MÉTHYLE n.m. **-1.** Radical univalent (CH_3) dérivé du méthane. **-2.** *Chlorure de méthyle* (CH_3Cl), liquide dont l'évaporation abaisse la température à - 55 ^{0}C et qui est employé dans plusieurs industries et en médecine.

MÉTHYLÈNE n.m. (du gr. *methu*, boisson fermentée, et *hulê*, bois). **-1.** Radical bivalent CH_2 : *Chlorure de méthylène (CH_2Cl_2)*. **-2.** Alcool méthylique. **-3.** *Bleu de méthylène*, colorant et désinfectant extrait de la houille.

MÉTHYLIQUE adj. **-1.** Se dit de composés dérivés du méthane. **-2.** *Alcool méthylique*, alcool CH_3OH extrait des goudrons de bois ou préparé synthétiquement et utilisé comme solvant, combustible et intermédiaire dans certaines synthèses. SYN. : méthanol, méthylène.

MÉTHYLORANGE n.m. Hélianthine.

METICAL n.m. (pl. meticals). Unité monétaire principale du Mozambique.

MÉTICULEUX, EUSE adj. **-1.** Qui apporte beaucoup d'attention, de soin à ce qu'il fait. **-2.** Qui manifeste ce soin : *Propreté méticuleuse.* ◆ **méticuleusement** adv.

MÉTIER n.m. (du lat. *ministerium,* service). **-1.** Profession caractérisée par une spécificité exigeant un apprentissage et entrant dans un cadre légal. **-2.** Savoir-faire, habileté technique résultant de l'expérience, d'une longue pratique ; secteur d'activité dans lequel une entreprise a acquis ce savoir-faire : *Avoir du métier.* BROD. Cadre rigide sur lequel on tend un ouvrage à broder. HIST. Groupement dont les membres sont soumis à une discipline collective pour l'exercice d'une profession. SYN. : corporation. TEXT. Machine servant à la fabrication des textiles.

MÉTIS, ISSE [metis] adj. et n. (lat. *mixtus,* mélangé). **-1.** Qui est issu de l'union de deux personnes de couleur de peau différente. **-2.** Se dit d'un hybride obtenu à partir de deux variétés différentes de la même espèce. **-3.** *Toile métisse* ou *métis,* n.m., toile dont la chaîne est en coton et la trame en lin : *Draps de métis.*

MÉTISSAGE n.m. **-1.** Union féconde entre hommes et femmes de groupes humains présentant un certain degré de différenciation génétique. **-2.** Croisement de variétés végétales différentes mais appartenant à la même espèce. **-3.** Croisement entre animaux de la même espèce mais de races différentes, destiné à créer au bout de quelques générations une race aux caractéristiques intermédiaires. **-4.** *Métissage culturel,* production culturelle (musique, littérature, etc.) résultant de l'influence mutuelle de civilisations en contact.

MÉTISSER v.t. Croiser par métissage.

MÉTONYMIE n.f. (gr. *metônumia,* changement de nom). Phénomène par lequel un concept est désigné par un terme désignant un autre concept qui lui est relié par une relation nécessaire (l'effet par la cause, le contenu par le contenant, le tout par la partie, etc.). [Ex. : *il s'est fait* refroidir (tuer) ; *toute la ville dort* (les habitants) ; *une fine* lame (escrimeur).]

MÉTONYMIQUE adj. Qui relève de la métonymie.

MÉTOPE n.f. (du gr. *meta,* après, et *opê,* ouverture). Partie de la frise dorique entre deux triglyphes ; panneau sculpté remplissant cet espace.

MÉTRAGE n.m. **-1.** Action de métrer. **-2.** Longueur en mètres (notamm. d'un coupon d'étoffe, d'un film). **-3.** *Court, long, moyen métrage,* v. à leur ordre alphab.

MÉTRAUX (Alfred), anthropologue français d'origine suisse (Lausanne 1902 - Paris 1963). Il s'est intéressé aux mythologies des Indiens d'Amérique du Sud.

LA MÉTÉOROLOGIE

**L'OBSERVATION
ET LA PRÉVISION**
Pour effectuer leurs prévisions, les services météorologiques mettent en œuvre tout un réseau ❶. Le service central d'exploitation de la météorologie (S. C. E. M.) reçoit des informations et des données de provenances variées : centres départementaux de la météorologie (C. D. M.), données numériques de satellites (NOAA et Meteosat), qu'il transforme en images ❷, données traitées par le Centre européen de recherche et de formation avancée en calcul scientifique (Cerfacs), etc. Il retourne des modèles de prévision aux C. D. M. par l'intermédiaire du satellite Eutelsat 2.

Science des processus qui déterminent l'évolution de l'atmosphère, la météorologie peut être rattachée à la *géophysique* au sens large : étude, par les moyens de la physique, de la structure d'ensemble de la Terre et des mouvements qui l'affectent. Elle est l'une des branches principales de la *géophysique externe* (avec l'hydrologie et l'océanographie physique), l'atmosphère devant être considérée comme la dernière enveloppe de la Terre. En météorologie, la théorie est fondée essentiellement sur l'*hydrodynamique* et la *thermodynamique*, avec une finalité fondamentalement appliquée : la prévision du temps.

Historique et fonctions.

Le 14 novembre 1854, la flotte anglo-française est en partie détruite par une forte tempête devant Sébastopol. L'astronome U. Le Verrier s'aperçoit que l'on aurait pu suivre sa trajectoire à travers l'Europe et qu'elle était donc sans doute prévisible. Deux ans plus tard, la France crée le premier service météorologique national et, en 1873, l'Organisation météorologique internationale est fondée à Vienne. Des réseaux de mesures sont progressivement installés et la météorologie se développe. À partir de 1950, les premiers ordinateurs permettent d'associer mesures, théorie et gros calculs. C'est le début

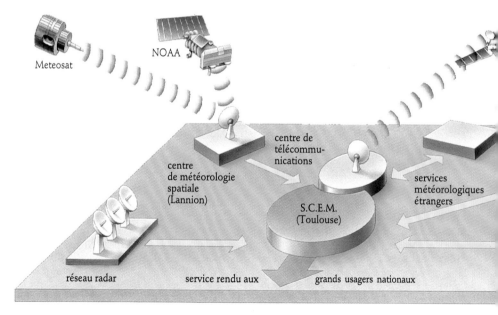

Meteosat — NOAA — centre de télécommunications — centre de météorologie spatiale (Lannion) — S.C.E.M. (Toulouse) — services météorologiques étrangers — réseau radar — service rendu aux — grands usagers nationaux

de la prévision numérique du temps. Les tâches de la météorologie sont multiples et variées : observations et mesures à la surface de la Terre et dans l'atmosphère ; transmission des données au niveau international ; archivage climatologique ; analyse des données et prévision du temps ; diffusion des prévisions et des statistiques climatiques ; analyses hydrologiques ; étude des pollutions atmosphériques, recherches sur les techniques instrumentales et spatiales, les modèles de prévision, le climat, l'océan, etc. La science météorologique progresse grâce à l'amélioration de la télédétection satellitaire et de la coopération internationale. Celle-ci s'exerce au sein de l'Organisation météorologique mondiale (O. M. M.), qui a la responsabilité de la Veille météorologique mondiale, et du Centre européen de prévision météorologique à moyen terme.

Les outils de la météorologie.

L'outil de base est un réseau de mesures effectuées simultanément et rassemblées rapidement de façon à connaître la situation atmosphérique sur une zone étendue. Les mesures au sol (ou au niveau de la mer) de pression, température, vent, humidité, précipitations, insolation, etc., sont réalisées, toutes les 3 h, chaque jour, selon des normes fixées par l'O. M. M. dans environ 14 000 stations, qui constituent le réseau international ; 9 000 (dont 240 en France) de ces stations sont terrestres, 5 000 (dont 40 françaises) sont situées sur des navires ou des bouées. Les données sont aussitôt diffusées et échangées. Elles présentent

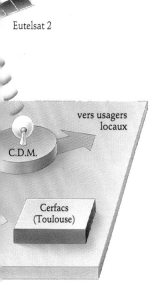

Eutelsat 2

C.D.M.

vers usagers locaux

Cerfacs (Toulouse)

❶ Réseau d'observations et de prévisions météorologiques.

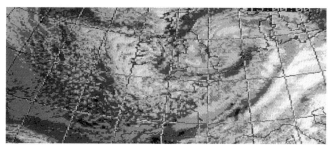

❷ Image infrarouge d'une perturbation nuageuse sur l'Europe.

de grandes lacunes, notamment sur les océans, dans l'hémisphère Sud, en Afrique, sur les régions polaires.

Parallèlement à ce premier réseau, un réseau mondial de radiosondages détermine direction et vitesse du vent, température, humidité et pression à des niveaux définis de l'atmosphère jusqu'à 25 km d'altitude. Les mesures sont réalisées par des instruments emportés par des ballons, deux fois par jour à partir de 1 500 stations, dont 6 en France métropolitaine. Elles alimentent les modèles numériques de prévision et sont complétées par les observations nécessaires à la prévision à très courte échéance. Celles-ci sont réalisées par des radars, qui détectent les chutes de pluie, de grêle ou de neige, et, depuis 1960, par des satellites géostationnaires, situés à l'aplomb de l'équateur (par ex. la famille Meteosat), et des satellites à défilement (la série des NOAA lancés par la *National Oceanic and Atmospheric Administration*). Ils fournissent une image de la couverture nuageuse (toutes les 30 min pour les Meteosat), ce qui permet de surveiller l'apparition et l'évolution des zones de mauvais temps. (→ SATELLITE.)

Les applications.

L'assistance aéronautique, tant civile que militaire, est l'une des plus anciennes et des plus importantes applications de la météorologie depuis le développement des vols transcontinentaux puis transocéaniques ; en effet, 40 % des accidents aériens mortels sont encore provoqués par des phénomènes météorologiques ou, du moins, y sont liés. L'assistance marine est opérationnelle dans des domaines variés comme la pêche, le remorquage des plates-formes pétrolières, les courses de voiliers, etc.

L'assistance agricole est ancienne et les agriculteurs sont intéressés par les échéances de prévision, depuis les plus courtes, pour prendre des précautions en cas de tempête ou d'orage, jusqu'au moyen terme, pour prévoir labours, épandages d'engrais, traitements, etc. Les études d'*agroclimatologie* permettent, en début de saison végétative, de choisir des espèces ou des variétés adaptées aux conditions locales et de mettre au point une stratégie de production.

Les prévisions servent aussi à la planification et à la gestion des chantiers, aux transports routiers, à la gestion du potentiel de production d'électricité, aux compétitions sportives de plein air. Des prévisions spécialisées concernent les risques d'avalanches, de feux de forêt, de pollution, de crues et de cyclones.

Voir aussi : AIR, ATMOSPHÈRE, CLIMAT, OCÉAN, TÉLÉDÉTECTION.

1. **MÈTRE** n.m. (lat. *metrum*, mesure, gr. *metron*). -1. Unité SI de longueur (symb. m), égale à la longueur du trajet parcouru dans le vide par la lumière pendant une durée de 1/299 792 458 de seconde. (V. ENCYCL.) -2. Objet servant à mesurer et ayant la longueur d'un mètre. -3. *Mètre carré,* unité SI de superficie. ‖ *Mètre carré par seconde,* unité SI de viscosité cinématique. ‖ *Mètre cube,* unité SI de volume. ‖ *Mètre cube par kilogramme,* unité SI de volume massique. ‖ *Mètre (à la puissance) moins un,* unité SI de nombre d'ondes ; syn. de *dioptrie.* ‖ *Mètre par seconde,* unité SI de vitesse. ‖ *Mètre par seconde carrée,* unité SI d'accélération.

ENCYCL. Décidée sous Louis XVI par Lavoisier et Condorcet, la définition d'une nouvelle unité de mesure de longueur se fit pendant la Révolution française. Le mètre étant posé comme la « dix millionième partie du quart de méridien terrestre », il fallait mesurer une portion de méridien pour le définir exactement. Les astronomes J.-B. Delambre et P. Méchain, l'un partant de Dunkerque, l'autre de Barcelone, se rejoignirent au bout de sept ans après quelques milliers d'observations astronomiques et géodésiques. Le résultat de cet énorme travail fut le *mètre étalon,* qui n'est plus aujourd'hui qu'une pièce de musée.

Entre la 1re Conférence générale des poids et mesures (Paris, 1889) et octobre 1960, le mètre fut ensuite représenté par la distance, à la température de 0 °C, entre deux traits parallèles tracés sur le prototype international en platine iridié, toujours déposé au pavillon de Breteuil, à Sèvres. On obtint une précision cent fois supérieure, en 1960, en définissant le mètre à partir d'une des radiations émises par une lampe à décharge contenant l'isotope 86 du krypton. En utilisant des lasers convenablement asservis, on est arrivé à mesurer la fréquence de certaines radiations, en même temps que leur longueur d'onde, ce qui a conduit aux meilleures déterminations de la vitesse de la lumière. Il est devenu, dès lors, plus simple et plus efficace de fonder la définition du mètre non pas sur la longueur d'onde d'une radiation particulière, mais sur le trajet parcouru par une radiation quelconque pendant la durée donnée de 1/299 792 458 de seconde. Cela revient à adopter, par convention, exactement la valeur $c = 299\ 792\ 458$ m/s pour la vitesse de la lumière.

laser hélium-néon servant — avec une incertitude sur la fréquence de 100 à 1 000 fois plus faible qu'une lampe à krypton — à la définition du **MÈTRE** fondée sur la vitesse de la lumière dans le vide

2. **MÈTRE** n.m. (lat. *metrum*, gr. *metron*, vers). -1. Dans les prosodies grecque et latine, groupe déterminé de syllabes longues ou brèves, comprenant deux temps marqués. -2. Forme rythmique d'une œuvre poétique ; vers.

MÉTRÉ n.m. -1. Mesure d'un terrain, d'une construction. -2. Devis détaillé de tous travaux dans le bâtiment.

MÉTRER v.t. [18]. Mesurer en mètres.

MÉTREUR, EUSE n. -1. Technicien chargé de contrôler l'état d'avancement d'un travail de construction par la mesure des éléments réalisés. -2. Employé d'un architecte ou d'un entrepreneur qui établit des métrés.

MÉTRICIEN, ENNE n. Spécialiste de la versification.

1. **MÉTRIQUE** adj. -1. Relatif au mètre. -2. Relatif aux mesures, aux distances. -3. *Espace métrique,* ensemble muni d'une distance. ‖ *Géométrie métrique,* géométrie qui étudie les propriétés des figures invariantes par les isométries. ‖ *Propriété métrique,* propriété liée à la mesure d'une grandeur. ‖ *Quintal métrique,* poids de 100 kg (symb. q). ‖ *Relations métriques,* relations entre les valeurs des segments d'une

figure. ∥ *Système métrique,* ensemble, système de poids, mesures et monnaies ayant pour base le mètre. ∥ *Tonne métrique,* poids de 1 000 kg (symb. t).

2. **MÉTRIQUE** adj. Relatif à la mesure du vers. ◆ n.f. -1. Science qui étudie les éléments dont sont formés les vers. -2. Système de versification propre à un poète, à un pays, à une langue.

MÉTRISATION n.f. Conversion des mesures au système métrique.

MÉTRITE n.f. (du gr. *mêtra,* matrice). -1. Inflammation de l'utérus. -2. *Métrite du col,* cervicite.

1. **MÉTRO** n.m. (abrév. de *chemin de fer métropolitain*). -1. Chemin de fer souterrain ou aérien qui dessert les quartiers d'une grande ville et de sa banlieue ; ensemble des installations de ce moyen de transport. SYN. (vieilli ou admin.) : métropolitain. -2. Rame d'un tel chemin de fer : *Rater le dernier métro.*

2. **MÉTRO** adj. et n. (abrév.). FAM. De la métropole, qui vient de la métropole, dans les départements et territoires français d'outre-mer.

3. **MÉTRO** n.m. AFRIQUE. Franc français.

Metro-Goldwyn-Mayer (MGM), firme américaine de production et de distribution de films, fondée en 1924 par fusion de la Metro Picture Corporation, de la Goldwyn Picture Corporation et de Louis B. Mayer Pictures. Sous la direction de Louis B. Mayer et de son assistant I. Thalberg, la MGM fut la plus puissante compagnie américaine de cinéma des années 30.

MÉTROLOGIE n.f. (du gr. *metron,* mesure, et *logos,* science). Science des mesures. ◆ **métrologiste** ou **métrologue** n.

ENCYCL. La métrologie englobe les connaissances qui permettent d'attacher au résultat d'une mesure la signification exacte qu'on peut en attendre dans des conditions de mesure données. Elle s'intéresse à tous les éléments qui entrent en jeu et s'attache particulièrement à analyser les causes d'erreur.

La métrologie joue un rôle important dans toutes les activités techniques, en particulier dans l'industrie. Elle permet, par exemple, d'assurer l'assemblage des pièces mécaniques, la surveillance des procédés de fabrication, le contrôle de qualité des produits, etc. Du côté des activités scientifiques, la physique expérimentale, en particulier, dont l'objet est, notamment, d'infirmer ou de confirmer les théories ou les hypothèses nouvelles, fait appel à une métrologie d'autant plus poussée que les

expériences sont plus sophistiquées, le matériel plus complexe et que la précision des mesures ne cesse d'augmenter. Dans cette « course à la précision », physique de la mesure et physique théorique, a priori très éloignées l'une de l'autre, se voient converger sur la définition des unités de mesure et la question des constantes fondamentales. (→ CONSTANTE, SYSTÈME.)

MÉTRONOME n.m. (du gr. *metron,* mesure, et *nomos,* règle). Appareil servant à marquer la pulsation rythmique d'un morceau de musique. (Il contrôle la régularité des temps et précise la vitesse d'exécution des différents temps. Le métronome mécanique, inventé par D.N. Winkel, a été breveté en 1816 par J. Maelzel.)

MÉTROPOLE n.f. (du gr. *mêtêr,* mère, et *polis,* ville). -1. État considéré par rapport à ses colonies, ses territoires extérieurs. -2. Capitale politique ou économique d'une région, d'un État. -3. Centre le plus important dans un domaine particulier : *Hollywood, la métropole du cinéma.* -4. Chef-lieu d'une province ecclésiastique et siège de l'archevêque métropolitain. SYN. : archevêché. -5. *Métropole d'équilibre,* en France, grand centre urbain provincial devant contribuer à contrebalancer l'influence de Paris pour en limiter la croissance.

Metropolis → LANG.

1. **MÉTROPOLITAIN, E** adj. -1. Qui appartient à une métropole, à la mère patrie. -2. Qui appartient à une métropole ecclésiastique : *Église métropolitaine.* ◆ adj. et n. De la métropole. Abrév. (fam.) : *métro.* ◆ **métropolitain** n.m. Archevêque qui a juridiction sur une province ecclésiastique.

2. **MÉTROPOLITAIN** n.m. VIEILLI OU ADMIN. Métro.

Metropolitan Museum of Art, à New York, vaste musée consacré aux beaux-arts, à l'archéologie et aux arts décoratifs de tous pays. Il a pour complément le « musée des Cloîtres » (Moyen Âge européen).

MÉTROPOLITE n.m. Prélat orthodoxe qui occupe un rang intermédiaire entre le patriarche et les archevêques.

MÉTRORRAGIE n.f. (du gr. *mêtra,* matrice, et *rhagê,* rupture). Hémorragie utérine survenant en dehors des périodes menstruelles.

METS [mɛ] n.m. Tout aliment apprêté qui entre dans la composition d'un repas.

METSU (Gabriel), peintre néerlandais (Leyde 1629 - Amsterdam 1667). Formé probablement par G. Dou, il est un des meilleurs peintres de la vie hollandaise. Citons *l'Enfant malade* et *le Repas* (Rijksmuseum d'Amsterdam), *le Marché aux herbes d'Amsterdam* (Louvre).

METSYS, METSIJS ou **MASSYS** (Quinten ou Quentin), peintre flamand (Louvain v. 1466 - Anvers 1530). Installé à Anvers, auteur de grands retables, puis portraitiste et promoteur du sujet de genre (*le Prêteur et sa femme*, Louvre), il réalise un compromis entre l'art flamand du xve siècle et les influences italiennes. Il eut deux fils peintres, **Jan** (Anvers 1509 - *id.* v. 1573), qui s'imprégna d'esprit maniériste en Italie (*Loth et ses filles*, Bruxelles), et **Cornelis** (Anvers 1510 - ? apr. 1562), observateur de la vie populaire et des paysages ruraux.

METTERNICH-WINNEBURG (Klemens, *prince* von), homme d'État autrichien (Coblence 1773 - Vienne 1859). Ambassadeur à Paris (1806) puis ministre des Affaires extérieures (1809), il négocie le mariage de Marie-Louise avec Napoléon Ier (1810). En 1813, il fait entrer l'Autriche dans la coalition contre la France. Âme du congrès de Vienne (1814-15), il restaure l'équilibre européen et la puissance autrichienne en Allemagne et en Italie. Grâce à la Quadruple-Alliance (1815) et au système des congrès européens, il peut intervenir partout où l'ordre établi est menacé par le libéralisme. Chancelier depuis 1821, il est renversé par la révolution de mars 1848.

Klemens, prince von **METTERNICH-WINNEBURG**, homme d'État autrichien. Détail d'un portrait de T. Lawrence. (Chancellerie, Vienne.)

METTEUR n.m. *Metteur en œuvre,* celui qui met en œuvre, utilise qqch. ‖ *Metteur en ondes,* spécialiste de la mise en ondes d'émissions radiophoniques.‖*Metteur en pages,* typographe qui effectue la mise en pages d'un ouvrage. ‖ *Metteur en scène,* personne qui règle la réalisation scénique d'une œuvre dramatique ou lyrique en dirigeant les acteurs et en harmonisant les divers éléments de cette

réalisation (texte, décor, musique, etc.) ; réalisateur d'un film.

METTRE v.t. [84]. -1. Placer qqch ou qqn dans un endroit déterminé. -2. Enfiler un vêtement ; porter un objet ; se passer un produit sur le corps : *Mettre un chapeau.* -3. Inclure, mêler, introduire : *Mettre du sel.* -4. Provoquer ; faire naître : *Mettre du désordre.* -5. Placer qqn, qqch dans une certaine position, une certaine situation : *Mettre à l'envers.* -6. Faire consister ; fonder : *Chacun met son bonheur où il lui plaît.* -7. Consacrer, investir : *Mettre tout son cœur dans un travail.* -8. Dépenser : *Mettre mille francs dans un tableau.* -9. Employer, utiliser un certain temps pour faire qqch : *Mettre six mois à répondre à une lettre.* -10. Disposer un appareil, un mécanisme de manière qu'il fonctionne : *Mettre la radio.* -11. Faire passer qqn ou qqch dans un certain état : *Mettre qqn en colère.* -12. Soumettre qqch à une action : *Mettre de l'eau à chauffer.* ◆ **se mettre** v.pr. -1. Se placer dans un endroit donné, dans une situation, une fonction, une position données : *Se mettre à table.* -2. Prendre une certaine position : *Se mettre debout.* -3. Entrer dans un état, une situation déterminés : *Se mettre en frais.* -4. Entreprendre, commencer : *Se mettre à fumer.* -5. S'habiller de telle manière, avec tel vêtement : *Se mettre en uniforme.*

METZ, ch.-l. de la Région Lorraine et du dép. de la Moselle, sur la Moselle, à 329 km à l'est-nord-est de Paris ; 123 920 hab. *(Messins)* [près de 200 000 hab. dans l'agglomération]. Évêché. Cour d'appel. Siège de la région militaire Nord-Est. Académie et université. Centre industriel (industrie automobile).

Nef de la cathédrale Saint-Étienne à **METZ.**

HIST. Sous les Mérovingiens, Metz fut la capitale de l'Austrasie. Elle fut acquise par la France en fait en 1559 (traité du Cateau-Cambrésis), en droit en 1648 (traités de Westphalie). Bazaine y capitula en 1870. Metz fut annexée par l'Allemagne de 1871 à 1918 et de 1940 à 1944. **ARTS.** Ancienne église St-Pierre-aux-Nonnains (VIIe s. ?) ayant pour origine une basilique civile romaine du début du IVe siècle. Diverses églises romanes et gothiques. Vaste cathédrale reconstruite du XIIIe au XVIe siècle, pourvue de magnifiques vitraux (notamm. des XIVe, XVIe [Valentin Bousch] et XXe s. [Villon, Chagall]). Place d'Armes du XVIIIe siècle. Musée (collections archéologiques dans les restes de thermes romains, coll. médiévales au « Grenier de Chèvremont », du XVe s. ; beaux-arts ; etc.).

MEUBLANT, E adj. *Meubles meublants,* objets qui servent à meubler et à garnir un logement.

1. **MEUBLE** adj. -1. Qui se fragmente, se laboure facilement : *Terre meuble.* -2. Se dit d'une formation géologique dont les éléments ont peu de cohésion ou n'en ont pas (limons, vases, sables, cendres volcaniques, etc.).

2. **MEUBLE** adj. -1. Se dit d'un bien corporel susceptible d'être déplacé, par opp. à *bien immeuble* [meuble par nature]. -2. Se dit d'un bien incorporel que la loi assimile aux précédents (créances, hypothèques, etc.) [meuble par détermination de la loi].

3. **MEUBLE** n.m. -1. Objet mobile servant à l'aménagement ou à la décoration d'un lieu (lit, chaise, table, armoire, etc.). -2. Bien meuble. -3. En héraldique, toute pièce qui figure sur l'écu. SYN. : **pièce.**

MEUBLÉ, E adj. et n.m. Se dit d'un appartement loué avec le mobilier.

MEUBLER v.t. -1. Garnir, équiper un local de meubles. -2. Remplir un vide ; occuper une période de temps : *Meubler ses loisirs.*

MEUDON, ch.-l. de c. des Hauts-de-Seine, au sud-ouest de Paris, en bordure de la forêt (ou bois) de Meudon ; 46 173 hab. *(Meudonnais).* Soufflerie aérodynamique (Chalais-Meudon). Agglomération résidentielle à Meudon-la-Forêt. Constructions mécaniques dans le bas Meudon. — Restes du château du XVIIIe siècle, abritant un observatoire d'astrophysique. Musée d'Art et d'Histoire et musée Rodin (villa des Brillants).

MEUGLEMENT n.m. Cri sourd et prolongé des bovins ; beuglement.

MEUGLER v.i. Pousser des meuglements ; beugler.

MEULAGE n.m. Action de meuler.

1. **MEULE** n.f. -1. Lourd cylindre, génér. en pierre, servant à écraser, à broyer, à moudre : *La meule d'un moulin.* -2. Corps solide de forme circulaire constitué de matière abrasive, qui sert à aiguiser, à polir. -3. Grande pièce cylindrique de fromage : *Meule de gruyère.* -4. SUISSE. FAM. *Faire la meule,* rabâcher, ressasser ; harceler qqn pour obtenir qqch.

2. **MEULE** n.f. -1. Tas de gerbes de céréales, ou tas de paille ou de foin, lié ou en vrac, constitué pour la conservation de ces produits. -2. ANC. Tas de bois recouvert de gazon, que l'on carbonise en plein air.

MEULER v.t. Usiner ou dresser à la meule.

MEULIER, ÈRE adj. -1. Relatif aux meules à moudre : *Silex meulier.* -2. *Pierre meulière* ou *meulière,* n.f., roche sédimentaire siliceuse et calcaire, abondante dans les couches tertiaires du Bassin parisien, utilisée autref. pour la fabrication des meules. (La *meulière caverneuse,* partiellement décalcifiée, sert souvent en construction.)

MEUNERIE n.f. -1. Usine pour la transformation des grains en farine. -2. Commerce, industrie de la transformation des grains en farine. SYN. : **minoterie.**

MEUNG (Jean de) → JEAN DE MEUNG.

MEUNIER, ÈRE adj. Qui concerne la meunerie. ◆ n. -1. Personne qui dirige une meunerie ou un moulin. SYN. : **minotier.** -2. *Échelle de meunier* → ÉCHELLE. ‖ *Truite, sole, etc. (à la) meunière,* farinée, cuite au beurre à la poêle, citronnée et servie dans son jus de cuisson. ◆ **meunier** n.m. -1. Mousseron. -2. Pinot noir servant à préparer les vins de Champagne. -3. Chevaine. -4. Blatte. ◆ **meunière** n.f. Mésange à longue queue.

MEUNIER (Constantin), peintre et sculpteur belge (Etterbeek, Bruxelles, 1831 - Ixelles, *id.,* 1905). Ses toiles et surtout ses sculptures (à partir de 1885) constituent une sorte d'épopée naturaliste de l'homme au travail, souffrant, esclave ou révolté. L'univers de la Belgique industrielle lui a fourni les thèmes dont il a donné une synthèse, tant plastique que symbolique, avec son *Monument au Travail,* inauguré à Bruxelles bien après sa mort.

MEURETTE n.f. Sauce au vin rouge, avec des croûtons, accompagnant les œufs, le poisson, etc.

MEURSAULT n.m. Vin de Bourgogne réputé, issu du cépage chardonnay.

MEURTHE (la), riv. de Lorraine, affl. de la Moselle (r. dr.) ; 170 km. Née dans les Vosges, elle passe à Saint-Dié, à Lunéville et à Nancy.

MEURTHE (*département de la*), ancien département français, aujourd'hui partagé entre la Meurthe-et-Moselle et la Moselle, à laquelle ont été rattachés les arrondissements de Sarrebourg et de Château-Salins, cédés à l'Allemagne en 1871 et redevenus français en 1919.

MEURTHE-ET-MOSELLE [54], dép. de la Région Lorraine, formé en 1871 avec les deux fractions des dép. de la Meurthe et de la Moselle laissées à la France par le traité de Francfort ; ch.-l. de dép. *Nancy* ; ch.-l. d'arr. *Briey, Lunéville, Toul* ; 4 arr., 41 cant., 593 comm. ; 5 241 km² ; 711 822 hab. Il est rattaché à l'académie de Nancy-Metz, à la cour d'appel de Nancy et à la région militaire Nord-Est.

MEURTRE n.m. Action de tuer volontairement un être humain.

MEURTRIER, ÈRE n. Personne qui commet ou qui a commis un meurtre. ◆ adj. Propre à causer la mort ; qui fait mourir beaucoup de monde : *Épidémie meurtrière.*

MEURTRIÈRE n.f. Ouverture étroite pratiquée dans le mur d'un ouvrage fortifié pour lancer des projectiles et observer.

MEURTRIR v.t. -1. Contusionner, serrer le corps de qqn, au point d'y laisser une marque bleuâtre. -2. Endommager un fruit par choc ou par contact. -3. Blesser moralement qqn.

MEURTRISSURE n.f. -1. Contusion marquée par une tache bleuâtre. -2. Partie d'un fruit endommagée par un choc.

MEUSE (la), en néerl. **Maas**, fl. de France, de Belgique et des Pays-Bas ; 950 km. Née dans le Bassigny (au pied du plateau de Langres), elle passe à Verdun, à Sedan et à Charleville-Mézières, traverse l'Ardenne au fond d'une vallée encaissée. En Belgique, elle passe à Namur et à Liège. Son cours inférieur, à travers les Pays-Bas, s'achève par un delta dont les branches se mêlent à celui du Rhin. Fleuve international, c'est une importante voie navigable, accessible jusqu'à Givet (en amont) aux chalands de 1 350 t.

MEUSE [55], dép. de la Région Lorraine ; ch.-l. de dép. *Bar-le-Duc* ; ch.-l. d'arr. *Commercy, Verdun* ; 3 arr., 31 cant., 499 comm. ; 6 216 km² ; 196 344 hab. *(Meusiens)*. Il est rattaché à l'académie de Nancy-Metz, à la cour d'appel de Nancy et à la région militaire Nord-Est.

MEUTE n.f. -1. Troupe de chiens courants dressés pour la chasse. -2. Foule, bande de gens acharnés contre qqn : *Une meute de créanciers.*

MeV, symbole de mégaélectronvolt (un million d'électronvolts), unité pratique d'énergie utilisée en physique des particules.

MÉVENTE n.f. Vente inférieure aux prévisions, ou notablement en baisse.

MEXICALI, v. du Mexique, cap. de la Basse-Californie du Nord, à la frontière des États-Unis ; 511 000 hab.

MEXICO, cap. du Mexique et ch.-l. d'un district fédéral sur le haut plateau de l'Anáhuac, à 2 250 m d'altitude.

La place des Trois Cultures (aztèque, coloniale, moderne) à **MEXICO,** aménagée sur une partie de l'ancienne cité aztèque Tlatelolco.

GÉOGRAPHIE

Avec 8 236 960 habitants dans la ville et 13 636 127 pour l'agglomération, Mexico est une des plus grandes cités du monde. Sa croissance tient à la fois à un taux de natalité élevé et à un fort exode rural. De grands bidonvilles se sont créés et les problèmes de circulation (malgré un métro), de pollution de l'air, d'alimentation en eau (captée à plus de 200 km), d'évacuation des détritus sont considérables. Du fait de la centralisation politique et économique, la ville regroupe la plupart des établissements universitaires, concentre la moitié de la production industrielle du pays et la majeure partie des emplois tertiaires.

HISTOIRE

Fondée en 1325 (ou 1345), la ville a été capitale de l'Empire aztèque sous le nom de Tenochtitlán. L'essor de ce petit village lacustre est dû à la consolidation de l'État aztèque, particulièrement à partir du xve siècle. Conquise par Cortés (1521), détruite, puis reconstruite selon un plan en damier, Mexico fut la métropole de la Nouvelle-Espagne avant de devenir la capitale du Mexique indépendant (1824).

ARCHÉOLOGIE

La Tenochtitlán des Mexica (nom que se donnaient les Aztèques), installée sur quelques îlots d'une lagune, devint une énorme cité lacustre et verdoyante grâce aux *chinampas,* jardins flottants constitués de radeaux recouverts de terreau où poussaient fleurs, fruits et légumes. Un réseau de canaux, de chaussées et de ponts réunissait les îlots entre eux. La ville était dominée par la haute pyramide qui supportait le grand temple (le *Temple Mayor*) inauguré en 1370. Il était constitué de deux sanctuaires jumeaux consacrés l'un à Tlaloc, le dieu de la Pluie, l'autre à Huitzilopochtli, le dieu tribal des Mexica. Les fouilles archéologiques ont permis la mise en valeur du site du grand temple et la création d'un musée. Cet ensemble reste, avec la place des *Trois Cultures,* où se trouvent les vestiges de Tlatelolco, la ville satellite de Tenochtitlán, l'un des plus impressionnants de l'actuel Mexico.

ARTS

La ville est riche en monuments de l'époque coloniale : cathédrale (xvie-xviiie s.) et son Sagrario churrigueresque (par Lorenzo Rodríguez, 1749) sur la grande place du Zócalo ; sanctuaire de Guadalupe (1695) et sa chapelle du Pocito (par Francisco Guerrero y Torres, 1777) admirablement décorée ; couvents,

« Teocalli de la Guerre Sacrée ». Bloc de pierre en forme de temple pyramidal orné de reliefs, commémorant la rénovation du grand temple de **MEXICO** en 1507. (Musée national d'Anthropologie, Mexico.)

églises, palais, comme le palais National (anc. résidence des vice-rois) et le palais des Mines (1797, chef-d'œuvre néoclassique de Manuel Tolsá). Après l'éclectisme du xixe siècle, un renouveau s'affirme en architecture à partir de 1920-1930. En 1949 est entreprise la nouvelle Cité universitaire ; en 1963 est construit le musée national d'Anthropologie (au parc de Chapultepec), cadre remarquable conçu par Pedro Ramírez Vázquez pour de fabuleuses collections précolombiennes et indiennes. Autres musées, dont le musée national d'Histoire, la Pinacothèque vice-royale, le musée d'Art moderne.

MEXIQUE, en esp. México ou Méjico, État d'Amérique.

→ ● DOSSIER LE MEXIQUE *page 3544.*

Mexique *(guerre du)* [1862-1867], intervention militaire décidée par Napoléon III, avec l'appui initial de la Grande-Bretagne et de l'Espagne, pour obliger le Mexique à reprendre le paiement de sa dette extérieure et pour créer un empire équilibrant la puissance croissante des États-Unis, déchirés alors par la guerre de Sécession. Le président Juárez désintéressa rapidement Anglais et Espagnols et la France mena seule une coûteuse campagne (combats de Camerone, Puebla) et fit proclamer, en 1864, l'archiduc Maximilien d'Autriche empereur du Mexique. Mais la guérilla mexicaine, soutenue par les États-Unis, et la lassitude de l'opinion française contraignirent Napoléon III à abandonner Maximilien, qui fut fusillé à Querétaro le 19 juin 1867.

MEXIQUE *(golfe du)*, golfe à l'extrémité occidentale de l'océan Atlantique, entre les États-Unis, le Mexique et Cuba. Il communique avec la mer des Antilles par le détroit du Yucatán, avec l'Atlantique par le détroit de Floride. Hydrocarbures.

MEYER (Conrad Ferdinand), écrivain suisse d'expression allemande (Zurich 1825 - Kilchberg 1898). Il écrivit des nouvelles d'une grande rigueur formelle (*le Saint,* 1879). Ses poèmes expriment la hantise de la mort.

MEYER (Viktor), chimiste allemand (Berlin 1848 - Heidelberg 1897). Ses recherches concernent les densités des vapeurs et la chimie organique.

MEYERBEER (Jakob Beer, dit **Giacomo**), compositeur allemand (Berlin 1791 - Paris 1864). Il vécut à Paris et se consacra au grand opéra historique. Il est l'auteur de *Robert le Diable* (1831), des *Huguenots* (1836), etc.

MEYERHOF (Otto), physiologiste allemand (Hanovre 1884 - Philadelphie 1951). Il est connu pour ses découvertes dans le domaine de la biochimie du glucose et sur la production d'énergie dans le muscle. (Prix Nobel 1922.)

MEYERHOLD (Vsevolod Emilievitch), metteur en scène soviétique (Penza 1874 - Moscou 1940). Il débuta avec Stanislavski puis fut metteur en scène des théâtres impériaux avant de devenir le premier animateur du théâtre révolutionnaire, affirmant son constructivisme et sa conception « biomécanique » de la vie scénique.

MEYERSON (Émile), philosophe français d'origine polonaise (Lublin 1859 - Paris 1933). Il affirme que le progrès scientifique repose sur la découverte de l'identité des phénomènes découverts (*Identité et Réalité,* 1908 ; *De l'explication dans les sciences,* 1921).

MEYERSON (Ignace) psychologue français d'origine polonaise (Varsovie 1888 - Boulogne-Billancourt 1983), neveu d'Émile Meyerson. Révoqué en 1940, il entre dans la Résistance. Il s'est intéressé aux problèmes de la perception des œuvres d'art. Il est surtout à l'origine d'une voie nouvelle en psychologie, « la psychologie historique et comparative » (*les Fonctions psychologiques et les œuvres,* 1948).

MEYRINK (Gustav), écrivain autrichien (Vienne 1868 - Starnberg 1932). Prague, et notamment son ghetto (*le Golem,* 1915), lui fournit la matière de son inspiration occultiste et fantastique (*la Nuit de Walpurgis,* 1917).

MÉZENC *(mont)*, massif volcanique, aux confins du Velay et du Vivarais ; 1 753 m.

MEZZANINE [mɛdzanin] n.f. (it. *mezzanino,* entresol). -**1.** Petit étage situé entre deux grands. -**2.** Niveau intermédiaire ménagé dans une pièce haute de plafond. -**3.** Petite fenêtre d'entresol. -**4.** Étage compris entre le parterre et le balcon, dans un théâtre.

MEZZOGIORNO, ensemble des régions continentales et insulaires de l'Italie du Sud. Commençant aux portes de Rome, il comprend le Latium méridional, les Abruzzes, le Molise, la Campanie, la Calabre, le Basilicate, la Pouille, la Sardaigne et la Sicile. Malgré d'importants investissements depuis les années 1950, ces régions (131 000 km^2 ; 20 millions d'hab.) ont en commun un sous-développement par rapport à l'Italie du Nord, avec un taux de sous-emploi de l'ordre de 20 %. Les infrastructures (routes, téléphone, périmètres irrigués) ont été améliorées, des progrès sociaux (lutte contre l'analphabétisme, amélioration de l'habitat) réalisés. Néanmoins, des zones rurales se sont vidées et les implantations industrielles, très localisées (Naples, Bari, Brindisi, Tarente), n'ont pas eu l'effet d'entraînement souhaité. Le revenu moyen demeure très largement inférieur à celui de l'Italie du Nord.

MEZZO-SOPRANO [mɛdzosɔprano] n.m. ou f. (pl. mezzo-sopranos). Voix de femme plus grave et plus étendue que le soprano ; chanteuse qui a cette voix.

MEZZOTINTO [mɛdzotinto] n.m. inv. (it. *mezzo tinto,* demi-teinte). Manière noire.

Mg, symbole chimique du magnésium.

MGM, sigle de Metro-Goldwyn-Mayer.

MI-, préf. inv. qui se joint à certains mots par un trait d'union pour indiquer la moitié, le milieu ou un état intermédiaire : *À mi-jambe. Toile mi-fil, mi-coton. Mi-figue, mi-raisin. La mi-août.*

MI n.m. inv. Note de musique, troisième degré de la gamme de *do.*

MIAJA MENANT (José), général espagnol (Oviedo 1878 - Mexico 1958). Commandant en chef des forces républicaines pendant la guerre civile (1936-1939), il dirigea la défense de Madrid.

LE MEXIQUE

NOM OFFICIEL : États-Unis du Mexique.
CAPITALE : Mexico.
SUPERFICIE : 1 970 000 km².
POPULATION : 95 000 000 hab. *(Mexicains)*.
LANGUE : espagnol.
RELIGION : catholicisme.
MONNAIE : peso mexicain.
RÉGIME : présidentiel.
CHEF DE L'ÉTAT ET DU

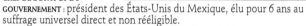

GOUVERNEMENT : président des États-Unis du Mexique, élu pour 6 ans au suffrage universel direct et non rééligible.
LÉGISLATIF : Congrès général, composé d'un Sénat (128 sénateurs, soit 4 par État et 4 pour le district fédéral, élus au suffrage universel direct pour 6 ans) et d'une Chambre des députés (500 députés élus au suffrage universel pour 3 ans : 300 députés à la majorité simple et 200 à la proportionnelle).
PARTICULARITÉS : le Mexique est une fédération composée de 31 États (dotés chacun d'un gouverneur et d'une Assemblée) et d'un district fédéral où se trouve la capitale, Mexico.

Le Mexique est l'un des grands pays d'Amérique latine : il se classe au troisième rang par sa superficie et au deuxième par sa population (le premier rang étant tenu par le Brésil).

■ GÉOGRAPHIE
Le milieu naturel et la population.

Trois vastes régions s'individualisent. Au N., deux chaînes, la Sierra Madre occidentale et la Sierra Madre orientale, enca-

❶ Le Citlaltépetl (ou volcan d'Orizaba).

drent un plateau central. L'ensemble, couvrant plus de la moitié de la superficie du pays, se caractérise par un climat aride, sauf la bordure nord-est (pluies d'été). Le centre est la partie vitale ; les bassins du plateau central y sont dominés par des volcans très élevés. L'étagement climatique dû à l'altitude offre des possibilités agricoles variées. Le Sud a un climat tropical humide avec un relief morcelé, juxtaposant montagnes, bassins, plaines littorales.

La population est en majorité métissée (env. 55 %), les Indiens représentent à peine 30 %. La croissance démographique rapide (plus de 2 millions d'hab. par an) est à peine freinée par l'émigration vers les États-Unis (en partie clandestine). Les villes, grossies aussi par l'exode rural, regroupent plus des deux tiers des Mexicains.

L'agriculture.

L'agriculture emploie encore plus du tiers de la population active, mais elle procure moins de 10 % du P. I. B. La réforme agraire a été un échec, et les grandes propriétés privées, avec

SITES NATURELS ET INDUSTRIE

Le Mexique est un pays de hautes terres, où les plateaux centraux sont hérissés de sommets souvent volcaniques. Le Citlaltépetl, atteignant 5 700 m, est le point culminant du pays ❶. Mais ce dernier est aussi le voisin des puissants États-Unis, qui trouvent ainsi à proximité une main-d'œuvre bon marché ❷ pour nombre d'usines implantées le long de la frontière. Ces maquiladoras se sont multipliées et le traité commercial conclu avec les États-Unis doit encore accroître leur nombre.

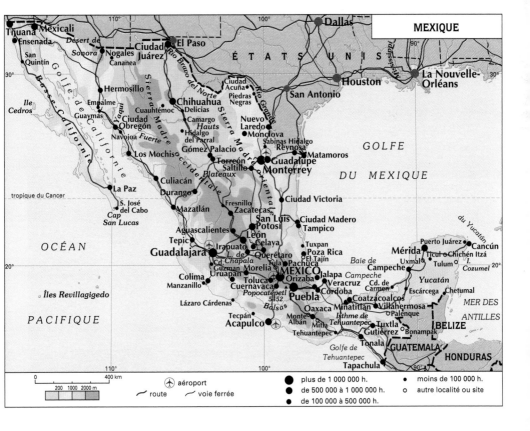

LE MEXIQUE

10 % des terres, fournissent plus de la moitié de la production. Une part égale de celle-ci provient de secteurs irrigués. Le maïs est, de loin, la principale céréale. Parmi les cultures commerciales émergent les agrumes, la canne à sucre, le café et le coton. Les pâturages couvrent un tiers du territoire et l'élevage bovin est important. La forêt, qui occupe aussi le tiers du Mexique, est peu exploitée. La pêche a progressé. Mais la production alimentaire ne satisfait pas des besoins croissants, et des importations de céréales et de sucre sont nécessaires.

L'industrie.

Le secteur secondaire (activités extractives incluses) assure plus de 30 % du P. I. B. et emploie moins de 20 % de la population active. Les hydrocarbures procurent au pays d'importantes ressources, représentant en valeur la majeure partie des exportations (le Mexique est l'un des grands producteurs mondiaux de pétrole). Le sous-sol fournit de l'argent, du plomb, du zinc et du fer, qui alimente une sidérurgie déjà notable. La production industrielle s'est diversifiée, valorisant les matières premières locales, cherchant également à satisfaire le marché intérieur dans le domaine des biens de consommation (constructions mécaniques et électriques, textile, etc.). L'industrie, à vocation aussi exportatrice, s'est implantée également le long de la frontière américaine, stimulée par une main-d'œuvre bon marché. Le secteur tertiaire, avec une importante branche touristique, fournit 65 % du P. I. B. et occupe 48 % de la population active.

Les problèmes.

La baisse des revenus pétroliers a entraîné la dégradation de la balance des paiements, la dépréciation de la monnaie et un

❷ Usine de jouets américaine à Matamoros.

LE MEXIQUE

endettement extérieur préoccupant. La crise de décembre 1994 a sanctionné cette évolution. L'aide financière internationale et la volonté d'entreprendre de nombreux Mexicains ont permis de la surmonter. Mais les inégalités entre régions et entre riches et pauvres continuent de se creuser. L'intégration dans un marché commun nord-américain (Canada-États-Unis-Mexique) accroît la dépendance à l'égard des États-Unis.

■ HISTOIRE

La domination espagnole.

1519 : Hernán Cortés aborde les côtes du Mexique.

Allié aux tribus rivales, il soumet l'empereur aztèque Moctezuma II. Mais la cupidité et l'intolérance des Espagnols provoquent un soulèvement (« noche triste », juin 1520). Mexico n'est reprise qu'en 1521. Le centre et le sud du pays (notamment le Yucatán, où résident les Mayas) sont conquis mais, dans le nord, certaines tribus résisteront jusqu'à la fin du XIXe siècle. La conquête va de pair avec la colonisation et la christianisation, tandis qu'une partie de la population indienne est réduite au travail forcé. Le Mexique devient une vice-royauté (Nouvelle-Espagne), à la société strictement hiérarchisée, qui exporte des matières premières, surtout de l'argent, vers l'Espagne. Les épidémies et le travail forcé déciment la population indienne, qui, de 15 millions en 1520, tombe à 2 millions en 1600 tandis qu'immigrent de nombreux Espagnols.

1810-1815 : la lutte d'indépendance, sous la direction de deux prêtres, Hidalgo (fusillé en 1811) puis Morelos (exécuté en 1815), échoue, car le soulèvement des Indiens effraie les créoles.

Ceux-ci se rallieront à la cause de l'indépendance quand le général Iturbide, passé à l'insurrection, garantira le maintien des privilèges du clergé et des grands propriétaires.

1821 : proclamation de l'indépendance du Mexique.

Les débuts de l'indépendance.

1822 : Iturbide se fait proclamer empereur.

1823 : le général Santa Anna instaure la république.

Celle-ci est marquée par une instabilité permanente en raison des luttes entre centralistes et fédéralistes, cléricaux et anticléricaux.

1836 : le Texas fait sécession.

1846-1848 : guerre avec les États-Unis, auxquels le Mexique cède la Californie, le Nouveau-Mexique et l'Arizona.

LE MEXIQUE

1855 : le mécontentement populaire permet à l'avocat Juárez et aux libéraux de prendre le pouvoir.

Les réformes entreprises entraînent l'opposition de l'Église, qui perd ses biens, puis la guerre civile et l'intervention étrangère.

1862 : début de l'intervention française au Mexique. Napoléon III y crée un empire catholique au profit de Maximilien d'Autriche (1864).

1867 : restauration de la république.

1876 : le général Porfirio Díaz s'empare du pouvoir.

Sa politique favorise l'essor économique du pays, avec l'appui des capitaux étrangers, mais accentue les inégalités sociales.

Le xxᵉ siècle.

1910 : soulèvement de Francisco Madero.

1911 : Porfirio Díaz abandonne le pouvoir.

LES INTERVENTIONS ÉTRANGÈRES AU MEXIQUE

Au xvıᵉ siècle, la conquête espagnole ❸ précipite la chute de l'Empire aztèque. En 1862, les Français interviennent militairement au profit de l'empereur Maximilien. La guérilla mexicaine finit par l'emporter et l'empereur est fusillé en 1867 ❺. Au début du xıxᵉ siècle, la guerre civile oppose révolutionnaires ❹ et constitutionnalistes. Ces derniers en sortent finalement vainqueurs avec l'appui des États-Unis.

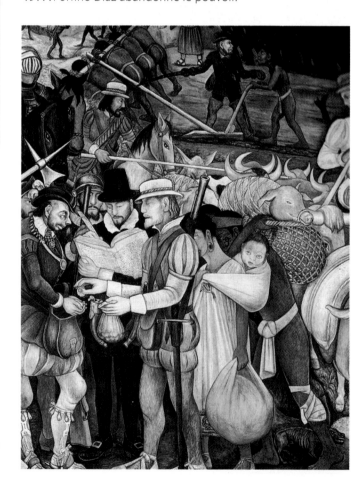

❸ *Le débarquement des Espagnols à Vera Cruz.* Détail d'une fresque de Diego Rivera, 1951. (Palais national, Mexico.)

LE MEXIQUE

La révolution ouvre une longue période de troubles où des revendications agraires, ouvrières et nationalistes se mêlent à la lutte pour le pouvoir que se livrent les différents chefs de factions : Pancho Villa, Emiliano Zapata, Venustiano Carranza et Álvaro Obregón.

1917 : adoption d'une constitution anticléricale, qui jette les bases d'une réforme agraire modérée. V. Carranza est élu président.

❹ Pancho Villa en 1913.

❺ Exécution de l'empereur Maximilien en 1867. Peinture d'Odilón Ríos. (Musée national d'histoire, Mexico.)

LE MEXIQUE

1920 : Carranza est assassiné par Obregón, qui est élu président.

La vie politique est dominée jusqu'en 1935 par le général Plutarco Elías Calles, président de 1924 à 1928.

1934-1940 : présidence de Lázaro Cárdenas.

Il étend la réforme agraire et nationalise la production pétrolière. Sous sa présidence sont établies les bases d'un système politique au centre duquel se trouve le parti dénommé, depuis 1946, Parti révolutionnaire institutionnel (P. R. I.).

Après la Seconde Guerre mondiale, la politique mexicaine se fait plus conservatrice, tandis que les capitaux des États-Unis affluent. L'agitation étudiante, particulièrement forte en 1968, amène le président Echeverría (1970-1976) à donner à la politique mexicaine une orientation plus libérale et plus nationaliste.

1982 : krach économique.

Malgré le boom pétrolier des années 1975-1980, les déséquilibres économiques conduisent le pays à la cessation de paiements. Le président Miguel de la Madrid (1982-1988) mène une politique d'austérité et prend à partir de 1986 une orientation libérale en ouvrant le pays sur l'extérieur, politique que poursuit le président Carlos Salinas de Gortari (1988-1994).

1994 : tandis que la zone de libre-échange (ALENA ou NAFTA), créée avec les États-Unis et le Canada en 1992, est instaurée, le gouvernement est confronté à la révolte « zapatiste » des paysans indiens de l'État de Chiapas. Ernesto Zedillo est élu à la présidence de la République. Aussitôt, il doit faire face à une grave crise économique et financière.

1997 : les succès remportés par les partis d'opposition aux élections législatives mettent fin à la position hégémonique qui était celle du P.R.I.

L'ÉVOLUTION DE LA POPULATION.

Les estimations du nombre d'Indiens peuplant le territoire mexicain au début du XVIᵉ siècle varient de 2 à 20 millions d'habitants. **1800 :** 6 M d'hab. (dont 780 000 Espagnols) ; **1876 :** env. 9 M d'hab. (frontières actuelles) ; **1900 :** 13,6 M ; **1950 :** 25,8 M ; **1960 :** 34,9 M ; **1970 :** 48,2 M ; **1980 :** 66,8 M ; **1990 :** 81,1 M.

L'ÉVOLUTION DU DROIT DE VOTE.

1824 : suffrage universel masculin.

1835 : suffrage censitaire.

1857 : suffrage universel masculin.

1958 : extension du droit de vote aux femmes.

MIAMI, v. des États-Unis (Floride) ; 358 548 hab. (1 937 094 hab. dans l'agglomération). Grande station balnéaire et tourisme d'hiver. Aéroport. — Musées.

MIAO ou **MEO,** peuple de Chine, de Thaïlande, du Laos du Nord et du Viêt Nam, parlant une langue du groupe sino-tibétain.

MIASME n.m. (gr. *miasma,* souillure). [Surtout au pl.]. Émanation dangereuse de matières putrides dégageant une odeur désagréable.

MIAULEMENT n.m. Cri du chat et de certains carnassiers.

MIAULER v.i. Pousser le cri propre à son espèce, en parlant du chat et de certains carnassiers.

MI-BAS n.m. inv. Longue chaussette fine, s'arrêtant au-dessous du genou. SYN. : **demi-bas.**

MI-BOIS (A) loc. adv. *Assemblage à mi-bois,* assemblage réalisé en entaillant deux pièces de bois sur la moitié de leur épaisseur.

MICA n.m. (mot lat., *parcelle*). -1. Minéral brillant et clivable, abondant dans les roches éruptives et métamorphiques, formé de silicate d'aluminium et de potassium. (On utilise le mica blanc pour sa transparence et son infusibilité.) -2. *Mica noir,* mica qui se présente en lamelles hexagonales de couleur noire. SYN. : **biotite.**

MICACÉ, E adj. Qui contient du mica.

MI-CARÊME n.f. (pl. mi-carêmes). Jeudi de la troisième semaine du carême, que l'on célèbre par des fêtes.

MICASCHISTE [mikaʃist] n.m. Roche métamorphique feuilletée, formée de lits de mica séparés par de petits cristaux de quartz.

MICELLAIRE adj. Constitué de micelles.

MICELLE n.f. (lat. *mica,* parcelle). Particule mesurant entre 0,001 et 0,3 micromètre, formée d'un agrégat de molécules semblables et donnant un système colloïdal.

MICHALET (Charles Albert), économiste français (Dijon 1938). Son principal ouvrage, *le Capitalisme mondial* (1976, 2ᵉ éd., 1985), exprime la problématique de l'économie mondiale : la multinationalisation des firmes et des banques engendre un nouveau mode de fonctionnement des économies qui ne peut être analysé dans le cadre traditionnel des États-nations.

MICHALS (Duane), photographe américain (McKeesport, Pennsylvanie, 1932). Reflets, transparences, superpositions, textes, dessins,

rehauts peints, « séquences » façonnent son univers onirique (*Vrais Rêves,* 1977).

MICHAUX (Henri), poète et peintre français d'origine belge (Namur 1899 - Paris 1984). Son expérience poétique est inséparable de la seule certitude possible, celle de la négativité du monde. La crise de l'identité, la volonté d'analyser l'être, l'attrait du voyage réel ou imaginaire marquent ses premiers recueils (*Qui je fus,* 1927 ; *Mes propriétés,* 1929 ; *Un barbare en Asie,* 1933 ; *Voyage en Grande Garabagne,* 1936 ; *Plume,* 1938). Mais d'autres formes de voyage se présentent : le dessin et la peinture, qui lui donnent la liberté et un moyen d'échapper aux mots (*Meidosems,* 1948), et la drogue, qui lui permet une plongée dans l'espace du dedans (*Misérable Miracle,* 1956 ; *l'Infini turbulent,* 1957 ; *Connaissance par les gouffres,* 1961) et à plus long terme un peu de paix (*le Jardin exalté,* 1983). Les dernières œuvres prolongent l'exploration singulière du poète et du peintre (*Par la voie des rythmes,* 1974 ; *Idéogrammes en Chine,* 1975 ; *Poteaux d'angle,* 1981).

Henri
MICHAUX,
poète
et peintre
français
d'origine belge.

MICHAUX (Pierre), mécanicien français (Bar-le-Duc 1813 - Bicêtre 1883). Il conçut le principe du pédalier de la bicyclette ; son fils Ernest (1842-1882) réalisa en 1861 ce dispositif, créant ainsi le vélocipède.

MICHE n.f. (lat. *mica,* parcelle). -1. Gros pain rond. -2. SUISSE. Petit pain.

MICHÉE, prophète biblique, contemporain d'Isaïe. Exerçant son ministère entre 740 et 687 av. J.-C., il annonce pour Samarie et Jérusalem le jugement de Yahvé, qui châtiera les infidélités du peuple élu.

SAINT
MICHEL *(saint),* un des anges de la littérature apocalyptique du judaïsme tardif et du Nouveau Testament (livre de Daniel et Apocalypse

de Jean). Vainqueur de Satan, chef des armées célestes et protecteur d'Israël, il devient l'archange qui veille sur l'Église romaine. Son culte se répandra spécialement en Orient et en France.

EMPIRE BYZANTIN

Michel Ier Rangabé (m. apr. 840), empereur byzantin (811-813). Favorable au culte des images, il provoqua l'opposition du parti iconoclaste. Vaincu par les Bulgares, il fut déposé. **Michel II le Bègue** (Amorion ? -829), empereur byzantin (820-829), fondateur de la dynastie d'Amorion. **Michel III l'Ivrogne** (838-867), empereur byzantin (842-867). Il obtint la conversion des Bulgares. Son règne fut marqué par le schisme avec Rome (concile de Constantinople, 869-870). **Michel VIII Paléologue** (1224-1282), empereur byzantin à Nicée (1258-1261) puis à Constantinople (1261-1282). Il détruisit l'Empire latin de Constantinople (1261) et mit en échec les projets de restauration de cet empire par Charles Ier d'Anjou.

PORTUGAL

Michel ou **Dom Miguel** (Queluz 1802 - Brombach, Allemagne, 1866), roi de Portugal (1828-1834). Il fut contraint de s'exiler après deux ans de guerre civile.

ROUMANIE

Michel Ier (Sinaia 1921), roi de Roumanie (1927-1930 et 1940-1947).

RUSSIE

Michel Fedorovitch (Moscou 1596 - *id.* 1645), tsar de Russie (1613-1645), fondateur de la dynastie des Romanov, élu en 1613 par le *zemski sobor* (assemblée représentative).

VALACHIE

Michel le Brave (1557-1601), prince de Valachie (1593-1601). Il défit les Turcs (1595) et réunit sous son autorité la Moldavie et la Transylvanie (1599-1600).

Michel (Louise), anarchiste française (Vroncourt-la-Côte, Haute-Marne, 1830 - Marseille 1905). Institutrice, membre de l'Internationale, elle prit part à la Commune (1871) et fut déportée en Nouvelle-Calédonie (1873-1880).

Michel-Ange (Michelangelo Buonarroti, dit en fr.), sculpteur, peintre, architecte et poète italien (Caprese, près d'Arezzo, 1475 - Rome 1564).

→ • **DOSSIER** MICHEL-ANGE *page 3556.*

Michelet (Jules), historien français (Paris 1798 - Hyères 1874). Chef de la section histori-

que aux Archives nationales (1831), professeur au Collège de France (1838), il fait de son enseignement une tribune pour ses idées libérales et anticléricales. Parallèlement, il amorce sa monumentale *Histoire de France* (1833-1846 ; 1855-1867) et son *Histoire de la Révolution française* (1847-1853). Suspendu en janvier 1848, privé de sa chaire et de son poste aux Archives après le coup d'État du 2 décembre, il complète son œuvre historique tout en multipliant les ouvrages consacrés aux mystères de la nature et à l'âme humaine (*l'Insecte,* 1857 ; *la Sorcière,* 1862).

Jules **MICHELET,** historien français. Détail d'un portrait par T. Couture. (Musée Renan, Paris.)

Michelin, société française dont les origines remontent à 1863 et qui aborda dès 1894 la production de pneumatiques pour les automobiles. Elle est un des leaders sur le plan mondial des fabricants de pneumatiques.

Michelin (les frères), industriels français. **André** (Paris 1853 - *id.* 1931) et **Édouard** (Clermont-Ferrand 1859 - Orcines, Puy-de-Dôme, 1940) ont lié leur nom à l'application du pneumatique aux cycles et à l'automobile. Édouard inventa en 1891 le pneumatique démontable pour les bicyclettes, adapté en 1894 aux automobiles. André créa en 1900 le *Guide Michelin,* puis les cartes routières Michelin.

MICHELINE n.f. (de *Michelin,* n. pr.). **-1.** Autorail qui était monté sur pneumatiques spéciaux (1932-1953). **-2.** COUR. Tout autorail.

MICHELOZZO (Michelozzo di Bartolomeo, dit), architecte et sculpteur italien (Florence 1396 - *id.* 1472). Assistant de Ghiberti puis de Donatello, il fut ensuite un grand bâtisseur au service des Médicis à Florence : couvent de S. Marco (1437-1452), rénovation de S. Annunziata (avec une rotonde à l'antique en guise de chœur), construction du palais Médicis, prototype des palais toscans du quattrocento

(1444), plusieurs villas. Il travailla aussi pour Pistoia, Milan, Dubrovnik, vulgarisant la leçon de Brunelleschi tout en élaborant une syntaxe décorative d'une grande élégance.

MICHELSON (Albert Abraham), physicien américain (Strelno, auj. Strzelno, Pologne, 1852 - Pasadena, Californie, 1931). Grâce à l'interféromètre très sensible qu'il mit au point, il montra dans des expériences célèbres (Berlin, 1881, puis Cleveland, 1887, en collaboration avec E. W. Morley [1838-1923]) qu'il était impossible de mettre en évidence le déplacement de la Terre par rapport à l'éther (milieu hypothétique où les ondes lumineuses étaient censées se propager), les vitesses relatives de la lumière dans différentes directions étant égales. Le résultat de ces expériences, longtemps inexpliqué, a joué un rôle dans l'élaboration de la théorie de la relativité. Michelson évalua aussi la dimension du mètre en longueurs d'onde lumineuse (1894) et effectua des mesures géophysiques et astronomiques par interférométrie. (Prix Nobel 1907.)

MI-CHEMIN (À) loc. adv. et prép. -1. Vers le milieu du chemin qui mène qqpart. -2. Entre deux choses, à une étape intermédiaire.

MICHIGAN, un des cinq Grands Lacs d'Amérique du Nord ; 58 300 km². Il est pratiquement libre de glaces en hiver. Activité économique concentrée à Chicago et à Milwaukee.

MICHIGAN, État du centre-nord-est des États-Unis ; 150 780 km² ; 9 295 297 hab. Cap. *Lansing.* V. princ. *Detroit.* L'État, coupé en deux par le lac Michigan, a un climat continental à hivers rigoureux. Les forêts couvrent la moitié de sa superficie. Les activités minières (fer surtout) et industrielles (automobile, chimie, bois, papier, alimentation) des villes (Detroit) dépassent de loin l'agriculture (céréales, soja, betterave, élevage), localisée dans le Sud.

MICHOACÁN, État du Mexique, sur le Pacifique ; 3 281 000 hab. Cap. *Morelia.*

Mickey Mouse, personnage de dessin animé créé par Walt Disney en 1928 : petite souris anthropomorphe, espiègle et rusée, dont la carrière se poursuivit dans la bande dessinée.

MICKIEWICZ (Adam), poète polonais (Zaosie, auj. Novogroudok, 1798 - Constantinople 1855). Il fut le représentant le plus prestigieux du romantisme polonais (*Ode à la jeunesse,* 1820 ; *Pan Tadeusz,* 1834) et de la lutte pour l'indépendance nationale (*Konrad Wallenrod,* 1828).

MI-CLOS, E adj. À moitié fermé : *Yeux mi-clos.*

MICMAC n.m. FAM. Situation suspecte et embrouillée ; imbroglio.

MICOCOULIER n.m. Arbre ou arbuste des régions tempérées et tropicales, abondant dans le midi de la France, dont le bois sert à faire des manches d'outils, des cannes. (Haut. jusqu'à 25 m ; famille des ulmacées.)

MICOQUIEN n.m. (du gisement de *la Micoque,* aux Eyzies-de-Tayac). Faciès industriel correspondant à l'acheuléen final et marquant la transition avec le paléolithique moyen. ◆ **micoquien, enne** adj. Qui appartient au micoquien ; qui s'y rapporte.

MI-CORPS (À) loc. adv. Au milieu du corps.

MI-CÔTE (À) loc. adv. À la moitié de la côte.

MI-COURSE (À) loc. adv. Vers le milieu de la course.

MICR-, MICRO- (du gr. *mikros,* petit), préf. (symb. μ) qui, placé devant une unité, la multiplie par 10^{-6}.

MICRO n.m. (abrév. de *microphone*). -1. Appareil qui transforme les vibrations sonores en oscillations électriques. -2. *Micro baladeur* → BALADEUR.

MICROANALYSE n.f. Analyse chimique portant sur des masses de substance extrêmement faibles, par convention de 0,1 à 5 mg.

MICROBALANCE n.f. Balance utilisée pour comparer de très petites masses, de l'ordre du millionième de gramme.

MICROBE n.m. (de *micro-* et gr. *bios,* vie). Micro-organisme.

MICROBIEN, ENNE adj. Relatif aux micro-organismes.

MICROBILLE n.f. Particule de pigment, d'agent abrasif, de charge inerte, obtenue par micronisation.

MICROBIOLOGIE n.f. Ensemble des disciplines biologiques (bactériologie, mycologie, virologie et parasitologie) qui s'occupent de tous les organismes microscopiques et ultramicroscopiques. ◆ **microbiologiste** n.

MICROBOUTURAGE n.m. Technique de multiplication végétative qui consiste à prélever des fragments d'une plante et à les cultiver en flacons fermés pour régénérer un seul ou un grand nombre d'individus.

MICROBUS [-bys] n.m. Véhicule pour le transport des personnes, d'une dizaine de places, destiné aux déplacements rapides.

MICROCALORIMÈTRE n.m. Appareil servant aux mesures de microcalorimétrie.

MICROCALORIMÉTRIE n.f. Technique de mesure des très faibles quantités de chaleur.

MICROCASSETTE n.f. Cassette magnétique de format réduit.

MICROCÉPHALE adj. et n. (du gr. *mikros,* petit, et *kephalê,* tête). Atteint de microcéphalie.

MICROCÉPHALIE n.f. Anomalie morphologique du crâne dont le volume est réduit.

MICROCHIMIE n.f. Chimie portant sur des quantités de matière de l'ordre du milligramme.

MICROCHIRURGIE n.f. Chirurgie pratiquée sous le contrôle du microscope, avec des instruments miniaturisés spéciaux.

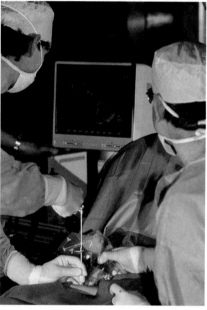

MICROCHIRURGIE
(biopsie embryonnaire chez une femme enceinte)

MICROCIRCUIT n.m. Circuit électronique de très petites dimensions, composé de circuits intégrés, de transistors, de diodes, de résistances, de condensateurs et enfermé dans un boîtier étanche.

MICROCLIMAT n.m. Ensemble des conditions de température, d'humidité, de vent particulières à un espace homogène de faible étendue à la surface du sol.

MICROCLINE n.m. Feldspath potassique.

MICROCOQUE n.m. (du gr. *mikros,* petit, et *kokkos,* graine). Bactérie de forme ronde, non ciliée et immobile, Gram positif.

MICROCOSME n.m. (du gr. *mikros,* petit, et *kosmos,* monde). -1. Milieu social replié sur lui-même. -2. Dans les doctrines ésotériques, être constituant un monde en petit dont la structure reflète le monde *(macrocosme)* auquel il appartient ; partic., l'homme ainsi considéré par rapport à l'Univers. -3. Ascidie à peau violette, comestible, de la Méditerranée, appelée couramment *figue de mer.*

MICRO-CRAVATE n.m. (pl. micros-cravates). Micro miniaturisé, que l'on peut accrocher aux vêtements.

MICROCRISTAL n.m. Cristal microscopique formant la structure des principaux alliages.

MICROCUVETTE n.f. Creux ovale de largeur constante imprimé dans un disque à lecture laser et contenant toute l'information nécessaire au stockage du son et de l'image. (→ DISQUE.)

MICRODÉCISION n.f. Décision prise par un sujet économique sur des paramètres le concernant personnellement (son revenu, son emploi, etc.).

MICRODISSECTION n.f. Dissection faite sous le microscope sur des cellules ou des êtres de petite taille.

MICROÉCONOMIE n.f. Branche de la science économique étudiant les comportements individuels des agents économiques.

MICROÉCONOMIQUE adj. Relatif à la micro-économie.

MICROÉDITION n.f. Publication assistée par ordinateur (P. A. O.).

MICROÉLECTRONIQUE n.f. Technologie des composants, des circuits, des assemblages électroniques miniaturisés.

MICROFIBRE n.f. Fibre textile dont le titre est inférieur à 1 décitex. (Les microfibres sont utilisées soit pour conférer au produit des propriétés particulières, soit pour abaisser les limites d'aptitude à la filature.)

MICROFICHE n.f. Film en feuilles rectangulaires comportant une ou plusieurs images de dimensions très réduites.

MICROFILM n.m. Film en rouleau ou en bande composé d'une série d'images de dimensions très réduites.

MICROFILMER v.t. Reproduire des documents sur microfilm.

MICROFLORE n.f. Flore microbienne d'un milieu donné.

MICROFORME n.f. Tout support d'information comportant des images de dimensions très réduites.

MICROGLIE n.f. Partie de la glie dont les petites cellules sont mobiles et douées de phagocytose.

MICROGLOSSAIRE n.m. Vocabulaire spécifique d'une activité, qui est relativement indépendant du vocabulaire général.

MICROGRAPHIE n.f. -1. Photographie prise au microscope. -2. Ensemble des opérations liées à l'utilisation des microformes. -3. Étude au microscope de très petits objets, notamm. de la structure des métaux et alliages.

MICROGRAPHIQUE adj. Relatif à la micrographie.

MICROGRENU, E adj. Se dit des roches magmatiques filoniennes caractérisées par une texture en petits grains visibles seulement au microscope.

MICRO-INFORMATIQUE n.f. (pl. micro-informatiques). Domaine de l'informatique relatif à la fabrication et à l'utilisation des micro-ordinateurs.

MICRO-INTERVALLE n.m. (pl. micro-intervalles). Intervalle musical inférieur à un demi-ton.

MICROLITE n.m. Dans une roche volcanique, petit cristal visible seulement au microscope.

MICROLITHE n.m. (du gr. *mikros,* petit, et *lithos,* pierre). Petit silex taillé, composante d'un outillage préhistorique.

MICROLITHIQUE adj. Se dit de l'outillage préhistorique constitué de microlithes.

MICROLITIQUE adj. Se dit d'une roche volcanique formée de microlites.

MICROMANIPULATEUR n.m. Appareil permettant d'effectuer diverses interventions (usinage, assemblage, etc.) sur de très petites pièces observées au microscope.

MICROMÉCANIQUE n.f. Ensemble des techniques concernant la conception, la fabrication et le fonctionnement des objets mécaniques de très petites dimensions.

MICROMÉTÉORITE n.f. Météorite de très petites dimensions.

MICROMÈTRE n.m. -1. Instrument permettant de mesurer avec une grande précision des longueurs ou des angles très petits.

-2. Unité de mesure de longueur (symb. μm) égale à un millionième de mètre. SYN. (anc.) : micron.

MICROMÉTRIE n.f. Mesure des dimensions très petites à l'aide du micromètre.

MICROMÉTRIQUE adj. -1. Relatif au micromètre. -2. *Vis micrométrique,* vis à pas très fin et à tête graduée, permettant de réaliser des réglages très précis.

MICRON n.m. ANC. Micromètre.

MICRONÉSIE, ensemble d'archipels du Pacifique, entre l'équateur et le tropique du Cancer, à l'E. des Philippines. GÉOGR. Très nombreuses (plus de 2 500), les îles, coralliennes ou volcaniques, ne totalisent que 3 300 km² de terres émergées sur une surface océanique de plus de 8 millions de km². La Micronésie comprend notamment les Mariannes, les Carolines, les Marshall, Palau, Nauru et Kiribati.

MICRONÉSIE *(États fédérés de),* archipel du Pacifique formé de 607 îles et regroupant 4 États (Yap, Kosrae, Chuuk, Ponhpei). [*V. carte Océanie.*]

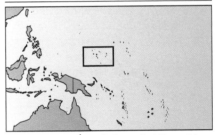

NOM OFFICIEL : États fédérés de Micronésie.
CAPITALE : Palikir.
SUPERFICIE : 707 km².
POPULATION : 130 000 hab. *(Micronésiens).*
LANGUE OFFICIELLE : anglais.
RELIGION : christianisme.
MONNAIE : dollar.
RÉGIME : parlementaire.

HISTOIRE

Placé sous tutelle américaine de 1947 à 1986, l'archipel devient ensuite un « État librement associé » aux États-Unis et entre à l'O. N. U. en 1991.

MICRONISATION n.f. Réduction d'un corps solide (pigment ou abrasif) en particules ayant des dimensions de l'ordre du micromètre.

MICRO-ONDE n.f. (pl. micro-ondes). Onde électromagnétique d'une longueur comprise entre 1 m et 1 mm.

MICHEL-ANGE

Dans l'art de la Renaissance, Michel-Ange apparaît comme le maître du sublime et des effets grandioses. Le sentiment aigu des contradictions entre la matière et l'esprit, entre la détresse humaine et le monde divin, les doutes et les souffrances, l'exigence de perfection, enfin, donnent à son œuvre une humanité et une force qui ont fait de lui l'incarnation même du génie.

Débuts et premiers chefs-d'œuvre à Florence.

L'exemple de Donatello et l'étude de la sculpture antique sont décisifs dans la formation florentine de l'artiste, né près d'Arezzo en 1475. Il fait ses premières études dans l'atelier de Ghirlandaio puis travaille au « casino » de S. Marco, musée des antiques réunis par les Médicis. À la chute des Médicis (1496), il s'enfuit à Venise, séjourne à Bologne, où il étudie l'œuvre de Jacopo della Quercia. De son premier séjour à Rome date la *Pietà* de la basilique Saint-Pierre, d'une admirable pureté. Rentré à Florence en 1501, il reçoit commande du grand *David* de marbre, symbole des vertus civiques, ainsi que d'une fresque, *la Bataille de Cascina,* qui devait répondre à celle de Léonard *(Bataille d'Anghiari)* dans la salle du grand conseil au Palazzo Vecchio. De l'œuvre, qui ne verra jamais le jour, on connaît des esquisses aux nus mouvementés. En même temps, Michel-Ange compose de grands médaillons, soit sculptés *(Madone Pitti,* Bargello), soit peints : *Sainte Famille,* ou *Tondo Doni* (Offices), dont l'enchaînement des figures en un bloc puissant relève de la sculpture.

Rome : la Sixtine, le tombeau de Jules II.

En 1505, il se rend à Rome, à l'appel du pape Jules II, qui lui commande son tombeau, mais le projet est suspendu et le pape occupe l'artiste au décor de la voûte de la chapelle Sixtine. L'immense fresque sera achevée en 1512. Les scènes de la Genèse, surgissant au plat de la voûte comme des visions célestes, les figures de sibylles et de prophètes, les étonnants *ignudi* (nus adolescents) représentent le plus haut accomplissement du dessin linéaire des Florentins, amplifié par la monumentalité romaine. Michel-

Ange avait conçu pour le tombeau de Jules II un monument grandiose, dont les projets seront sans cesse amoindris par les héritiers du pape. On se décidera finalement pour un tombeau pariétal (église S. Pietro in Vincoli, 1533-1545), variante très restreinte du grand ensemble prévu, qui utilise certains des marbres déjà sculptés, dont le *Moïse*. L'artiste ressentira durement cet échec.

De la chapelle des Médicis
au « Jugement dernier ».

En 1515, Michel-Ange revient à Florence. À la demande de Léon X, il aménage la chapelle funéraire des Médicis et entreprend les deux tombeaux des ducs Julien et Laurent, dont les statues trônent au-dessus des sarcophages où sont couchés le Jour et la Nuit, l'Aurore et le Crépuscule, symboles du monde périssable. Tous les éléments décoratifs et les figures gisantes sont empruntés au répertoire antique ; mais jamais l'autorité

❶ Section de la voûte
de la chapelle Sixtine,
au Vatican,
avec *la Création
d'Adam* ; v. 1509-1512.

de la composition et du style moderne n'a été plus manifeste. En 1524, l'artiste construit, dans le couvent de S. Lorenzo, la « bibliothèque Laurentienne », son entrée et l'escalier. De 1517 à 1529, il participe comme ingénieur à la défense de la ville.

En 1534, Michel-Ange se fixe définitivement à Rome. Dominé par sa passion pour le jeune patricien Tommaso Cavalieri, par son culte de la beauté terrestre, reflet du divin, il compose des poèmes éperdus, des dessins très soignés sur des thèmes mythologiques. Il revient à la peinture pour le *Jugement dernier* de la chapelle Sixtine (1536-1541), qu'il déploie dans un espace visionnaire où tourbillonnent les corps nus. Le style classique est oublié : l'artiste anticipe l'ample pulsation du baroque, mais avec un accent de désespoir, une atmosphère d'orage qui lui sont personnels.

Les travaux d'architecture ; les « Pietà » finales.

C'est surtout à partir de 1546 que Michel-Ange se consacre à l'architecture. Il prend la succession d'A. da Sangallo à Saint-Pierre pour les croisillons, l'abside et la coupole, qu'il n'achèvera pas, et au palais Farnèse, où il exécute l'étage et la corniche, accusant ici et là une grandeur abstraite poussée jusqu'au colossal. Ses autres travaux tendent de même à accroître la valeur surhumaine de l'architecture : études dès 1546 pour l'ordonnance de la place du Capitole, projet d'aménagement de l'église S. Maria degli Angeli dans les thermes de

Dioclétien, impressionnante Porta Pia (v. 1560). Ses dernières sculptures sont trois *Pietà* : celle de la cathédrale de Florence, la *Pietà da Palestrina* (Académie de Florence), enfin la *Pietà Rondanini* (Castello Sforzesco, Milan), inachevée, qui répudie beauté, voire même réalité physique au profit de la seule spiritualité.

Une gloire jamais démentie.

À la fin de sa vie, Michel-Ange, lié aux spéculations de la Réforme catholique, exprime dans ses

❷ Ébauche d'*Esclave,* pour le tombeau de Jules II, v. 1527-1534 ? (Académie des Beaux-Arts, Florence.)

MICHEL-ANGE

poèmes une foi douloureuse. Il était un ami de la marquise Vittoria Colonna, retirée dans un couvent, dont l'affection illumina sa vieillesse. Dès les années 1550, plusieurs publications (Vasari notamment) consacrent sa gloire. Mort à Rome en 1564, il est enterré à Florence, à S. Croce, après de solennelles funérailles.

Issu de la vigueur plastique des Toscans, l'art du maître n'a cessé d'évoluer, en accroissant toujours sa puissance pathétique. Il domine le XVIe siècle, qui s'est alimenté aussi bien à la pureté de son classicisme qu'à une certaine complication faite pour attirer les maniéristes ; le XVIIe siècle baroque se réclamera de son énergie tumultueuse : Michel-Ange est le type du génie supérieur à son temps.

❸ Tombeau de Julien de Médicis dans la chapelle Médicis de l'église S. Lorenzo à Florence ; v. 1520-1533.

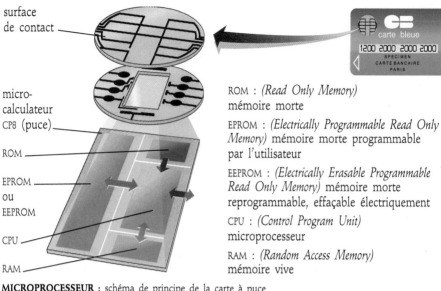

surface
de contact

micro-
calculateur
CP8 (puce)

ROM

EPROM
ou
EEPROM

CPU

RAM

ROM : *(Read Only Memory)*
mémoire morte

EPROM : *(Electrically Programmable Read Only Memory)* mémoire morte programmable par l'utilisateur

EEPROM : *(Electrically Erasable Programmable Read Only Memory)* mémoire morte reprogrammable, effaçable électriquement

CPU : *(Control Program Unit)* microprocesseur

RAM : *(Random Access Memory)* mémoire vive

MICROPROCESSEUR : schéma de principe de la carte à puce

MICRO-ONDES n.m. inv. Four à micro-ondes.

MICRO-ORDINATEUR n.m. (pl. micro-ordinateurs). Petit ordinateur construit autour d'un microprocesseur auquel on adjoint l'environnement logiciel et matériel (écran, clavier) nécessaire au traitement complet de l'information.

ENCYCL. Depuis leur apparition, au cours des années 70, les micro-ordinateurs n'ont cessé de croître en puissance et de gagner en simplicité d'utilisation tout en devenant moins coûteux, ce qui explique le développement remarquable de la micro-informatique.

L'unité centrale. Physiquement, un micro-ordinateur se présente le plus souvent comme un boîtier électronique de dimensions réduites formant l'unité centrale, connecté à un écran de visualisation, à un clavier alphanumérique et à certains périphériques supplémentaires, par exemple une « souris ». L'unité centrale du micro-ordinateur est organisée autour d'un *microprocesseur,* organe de traitement des informations avec des instructions de format de plus en plus long : 8, 16 et maintenant 32 ou 64 bits ; d'une *horloge* qui cadence l'exécution des instructions avec une vitesse de plus en plus rapide, qui atteint plusieurs centaines de mégaherz, d'une *mémoire centrale* à semiconducteurs dont la capacité ne cesse d'augmenter et se compte en mégaoctets.

La mémoire auxiliaire. Un élément essentiel est la mémoire auxiliaire. Celle-ci peut comprendre un disque dur qui mémorise de façon non volatile les informations traitées ; sa capacité atteint plusieurs gigaoctets. Outre un disque dur, le micro-ordinateur comprend toujours une unité de disquettes sur lesquelles on stocke des fichiers ou des progiciels, ainsi qu'un lecteur de cédéroms et des extensions multimédia. Les disquettes ont un diamètre normalisé de 3 pouces 1/2 et une capacité de stockage de 1,44 Mo.

Les autres périphériques. Outre l'écran de visualisation (noir et blanc ou couleur), une imprimante permet de sortir sur papier les informations traitées. Selon le coût et la performance recherchée, on peut choisir, pour l'impression en noir et blanc, entre une imprimante à impact (imprimante matricielle) ou sans impact (utilisant un laser ou un jet de goutelettes d'encre) et, pour l'impression en couleur, entre une imprimante à jet d'encre couleur ou à sublimation thermique. Enfin, grâce à un modem, on peut relier le micro-ordinateur avec d'autres ordinateurs ou des banques de données en utilisant le réseau téléphonique.

Le micro-ordinateur, outil professionnel. La connexion d'un ensemble de micro-ordinateurs implantés en un même site, pour constituer un réseau local, permet de reculer les limites de ces machines et de les employer comme instruments de communication entre leurs utilisateurs.

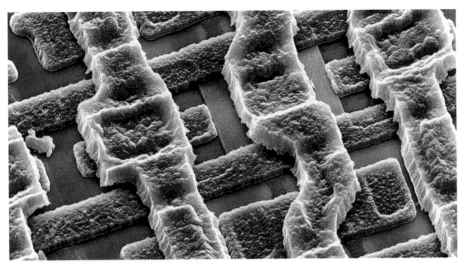

MICROPROCESSEUR : micrographie de la surface d'une mémoire DRAM

MICRO-ORGANISME n.m. (pl. micro-organismes). Être vivant microscopique, génér. constitué d'une seule cellule. SYN. : **microbe**.

MICROPHAGE n.m. Cellule qui effectue la phagocytose d'éléments très petits, telles les bactéries.

MICROPHONE n.m. VIEILLI. Micro.

MICROPHONIQUE adj. Relatif à un micro.

MICROPHOTOGRAPHIE n.f. Photographie des préparations microscopiques.

MICROPHYSIQUE n.f. Partie de la physique qui étudie les atomes, les noyaux et les particules élémentaires.

MICROPILULE n.f. Pilule contraceptive ne contenant que des progestatifs.

MICROPODIFORME n.m. *Micropodiformes,* ordre d'oiseaux aux pattes très courtes, incapables de s'envoler du sol, tels que le martinet ou l'engoulevent.

MICROPROCESSEUR n.m. Processeur miniaturisé dont tous les éléments sont rassemblés en un seul circuit intégré.

ENCYCL. Conçu pour répondre aux besoins d'un fabricant de calculettes, le premier microprocesseur *(Intel 4004)* a été commercialisé au début des années 70. Regroupant 2 300 transistors sur une plaquette de silicium de 7 mm de côté, il ne pouvait traiter que des mots de 4 bits.

Aujourd'hui, les microprocesseurs savent traiter les informations sur 32, voire 64 bits, et la distance qui sépare l'informatique de la micro-informatique ne cesse de se réduire. Les microprocesseurs ne jouent plus seulement le rôle d'unité centrale des micro-ordinateurs : les plus perfectionnés d'entre eux intègrent également des fonctions qui nécessitent, pour d'autres, l'usage de circuits séparés, tels que coprocesseur arithmétique ou unité de gestion de la mémoire. Parallèlement, on a mis au point des circuits capables, tout comme les microprocesseurs, de traiter les informations, mais bénéficiant en supplément d'une mémoire dans laquelle le programme dictant la conduite à tenir est stocké : baptisés *microcontrôleurs,* ils sont essentiellement utilisés dans des applications industrielles et grand public. Certains microprocesseurs sont désormais bâtis sur une architecture dite « RISC » *(Reduced Instruction Set Computer),* qui permet de réaliser des puces puissantes mais plus simples, autorisant l'intégration d'un plus grand nombre de fonctions sur une même surface de silicium.

MICROPROGRAMMATION n.f. Mode d'organisation de la commande d'un ordinateur dans lequel les instructions du programme sont exécutées par une suite d'instructions élémentaires.

MICROPSIE n.f. (du gr. *mikros,* petit, et *opsis,* vue). Illusion visuelle dans laquelle les objets paraissent avoir une taille plus petite qu'ils n'ont en réalité.

MICROPYLE n.m. Petit orifice dans les téguments de l'ovule des végétaux phanérogames, permettant la fécondation.

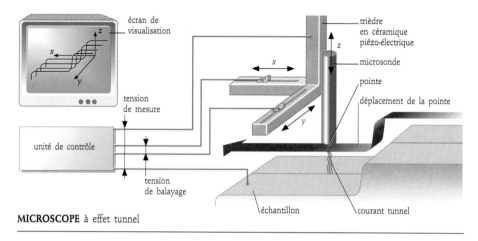

écran de
visualisation

trièdre
en céramique
piézo-électrique

microsonde

pointe

déplacement de la pointe

tension
de mesure

unité de contrôle

tension
de balayage

échantillon

courant tunnel

MICROSCOPE à effet tunnel

MICROSCOPE n.m. (du gr. *mikros,* petit, et *skopein,* observer). **-1.** Instrument d'optique composé de plusieurs lentilles, qui sert à regarder les objets très petits. (V. ENCYCL.) **-2.** *Microscope électronique,* appareil analogue au microscope mais dans lequel les rayons lumineux sont remplacés par un faisceau d'électrons. **-3.** *Microscope à effet tunnel,* microsonde permettant d'explorer une surface à l'échelle atomique et utilisant l'*effet tunnel.*

ENCYCL. Alors que les meilleurs microscopes optiques ne grossissent que 2 000 fois et que les microscopes électroniques ne peuvent grossir que jusqu'à 500 000 fois, le microscope à effet tunnel atteint le dix milliardième de mètre.

Le microscope optique. Il comprend un *objectif* et un *oculaire.* Le premier est constitué par un ensemble de petites lentilles, de très courte distance focale, qui donne, d'un petit objet placé très près du foyer, une image réelle agrandie. L'oculaire est souvent formé de deux lentilles convergentes. Il fonctionne comme une loupe et donne de l'image réelle fournie par l'objectif une image virtuelle agrandie. La distance de l'objectif à l'oculaire est invariable. Le *pouvoir séparateur* d'un microscope optique, distance minimale de deux points dont les images sont distinctes, est limité par la diffusion de la lumière. Il peut être amélioré par l'interposition d'une goutte de liquide réfringent entre la préparation et l'objectif *(objectif à immersion).* Le *microscope polarisant* permet d'observer les substances biréfringentes ou possédant un pouvoir rotatoire. Le *microscope à contraste de phase,* très employé en biologie, permet de déceler les variations d'indice de réfraction d'une substance. (→ OPTIQUE.)

Le microscope électronique. L'image agrandie d'un objet est obtenue en utilisant son interaction avec des électrons. En effet, les travaux de L. de Broglie ont mis en évidence que, si la lumière possède un caractère corpusculaire, des particules comme les électrons peuvent manifester des propriétés ondulatoires. La longueur d'onde associée à un faisceau d'électrons est du même ordre que celle des rayons X ; comme, de plus, et contrairement à ces derniers, les électrons ont une charge électrique, on peut les dévier et les focaliser au moyen de « lentilles » magnétiques ou électrostatiques. (→ ÉLECTRON, LUMIÈRE.) Parmi toute la gamme existante, la famille des microscopes électroniques comporte, entre autres, le *microscope à balayage,* dont l'image, visualisée sur un écran de télévision, permet l'observation en relief de surfaces biologiques, de défauts superficiels de métaux, etc.

Le microscope à effet tunnel. Il n'a plus de microscope que le nom, car son principe repose sur la possibilité de contrôler, avec une précision de 10 nanomètres, la position d'une microsonde promenée sur la surface étudiée. À des distances de cet ordre, les électrons peuvent traverser l'intervalle entre la couche atomique superficielle et la sonde, mais ne peuvent pas « remonter » de la couche sous-jacente. L'amplification du parcours de la microsonde au-dessus de la surface de l'objet permet, de la sorte, de visualiser la topographie de l'échantillon et d'en restituer une image à l'échelle atomique. (→ ATOME.)

MICROSCOPIE n.f. Examen au microscope.
MICROSCOPIQUE adj. **-1.** Fait au moyen du microscope. **-2.** Qui ne peut être vu qu'avec un microscope : *Particules microscopiques.*

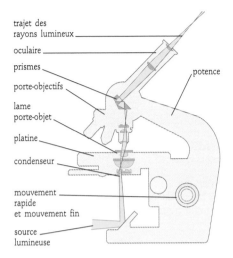

trajet des
rayons lumineux
oculaire
prismes
porte-objectifs
lame
porte-objet
platine
condenseur
mouvement
rapide
et mouvement fin
source
lumineuse
potence

MICROSCOPE optique

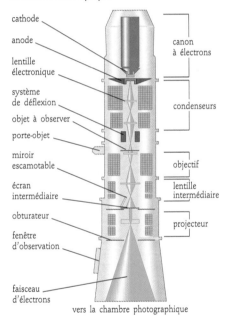

cathode
anode
lentille
électronique
système
de déflexion
objet à observer
porte-objet
miroir
escamotable
écran
intermédiaire
obturateur
fenêtre
d'observation
faisceau
d'électrons
canon
à électrons
condenseurs
objectif
lentille
intermédiaire
projecteur
vers la chambre photographique

MICROSCOPE électronique

MICROSÉISME n.m. Chacun des séismes de très faible amplitude, détectables seul. au moyen d'instruments, qui agitent la Terre de manière plus ou moins permanente.

MICROSILLON [-si-] n.m. Disque phonographique sur lequel un très fin sillon gravé comporte l'enregistrement des sons. (→ DISQUE.)

MICROSOCIOLOGIE n.f. Étude des formes de la sociabilité au sein des petits groupes.

Microsoft, firme américaine spécialisée dans la fabrication de logiciels pour micro-ordinateurs, fondée en 1975 par Bill Gates. On lui doit notamment le système d'exploitation *MS/DOS* et les logiciels *Windows* et *Windows 95*.

MICROSONDE n.f. Appareil qui permet, grâce à l'impact d'un faisceau d'électrons sur une lame mince, de doser les éléments que contient cette lame.

MICROSPORANGE n.m. Sporange produisant des microspores.

MICROSPORE n.f. Spore fournie par certains cryptogames, plus petite que la spore femelle et qui germe en donnant un prothalle mâle.

MICROSTRUCTURE n.f. Structure dépendant d'une structure plus vaste.

MICROTECHNIQUE n.f. Technique de la conception, de la fabrication et de la réparation des objets de petites dimensions (tels que montres, machines à écrire, périphériques d'ordinateurs, etc.).

MICROTOME n.m. Instrument pour découper dans les tissus animaux ou végétaux de minces tranches en vue d'un examen au microscope.

MICROTRACTEUR n.m. Petit tracteur agricole pour le jardinage et le maraîchage.

MICROTRAUMATISME n.m. Traumatisme très léger, sans conséquence lorsqu'il est unique, mais dont la répétition peut entraîner des manifestations pathologiques.

MICROTUBULE n.m. Fine structure cytoplasmique constituant une partie du squelette cellulaire et jouant un rôle dans les changements de forme des cellules.

MICTION [miksjɔ̃] n.f. Action d'uriner.

MIDAS, roi de Phrygie (738-696 ou 675 av. J.-C.), personnage de plusieurs légendes dont l'une veut qu'il ait reçu de Dionysos le pouvoir de changer en or tout ce qu'il touchait. D'autre part, choisi comme juge dans un concours musical où jouait Apollon, il aurait préféré la flûte à la lyre du dieu. Apollon, irrité, lui fit pousser des oreilles d'âne. Son royaume fut détruit par les Cimmériens.

MIDDELBURG, v. des Pays-Bas, ch.-l. de la Zélande ; 39 617 hab. — Ancienne abbaye remontant au XIIe siècle (musée de Zélande), bel hôtel de ville gothique des XVe et XVIe siècles, autres monuments et demeures anciennes.

MIDDLE JAZZ [midəldʒaz] n.m. inv. Ensemble des styles de jazz qui succédèrent à ceux de La Nouvelle-Orléans et de Chicago, et restèrent en vogue jusqu'à l'apparition du be-bop, au début des années 40, sans pour autant disparaître complètement.

MIDDLESBROUGH, port de Grande-Bretagne (Cleveland), sur l'estuaire de la Tees ; 141 100 hab. Métallurgie.

MIDDLETON (Thomas), écrivain anglais (Londres v. 1570 - Newington Butts 1627). Il écrivit seul ou en collaboration avec W. Rowley (1585-1642) des comédies et des drames réalistes (*Que les femmes se défient des femmes,* v. 1621 ; *l'Innocent,* 1622).

MIDDLE WEST → MIDWEST.

MIDGLEY (Thomas), ingénieur chimiste américain (Beaver Falls, Pennsylvanie, 1889 - Worthington, Ohio, 1944). Il résout, en 1921, le problème du cliquetis des moteurs en découvrant le pouvoir antidétonant du plomb-tétraéthyle. En 1930, il découvre un C. F. C., le dichlorodifluorométhane (Fréon 12), puis d'autres composés organométalliques, utilisés comme réfrigérants ou comme gaz propulseurs d'aérosols.

MIDI n.m. **-1.** Milieu du jour ; heure, moment du milieu du jour (douzième heure). **-2.** Le sud comme point cardinal ; la direction sud du

Midi-Pyrénées

- ● plus de 100 000 h.
- ● de 20 000 à 100 000 h.
- ● de 5 000 à 20 000 h.
- ● moins de 5 000 h.
- ○ autre localité ou site

Rodez ch.-l. de département
Figeac ch.-l. d'arrondissement
Lavaur ch.-l. de canton
Cauterets commune ou autre site

autoroute
route
voie ferrée

200 500 1000 m

40 km

Soleil : *Exposition au midi.* **-3.** (Avec une majusc.). Région sud de la France.

MIDI *(aiguille du),* sommet du massif du Mont-Blanc (Haute-Savoie), au nord du mont Blanc proprement dit ; 3 842 m. Téléphérique.

MIDI *(canal du),* canal de navigation reliant par la Garonne (et le canal latéral à la Garonne) l'Atlantique à la Méditerranée. Il commence à Toulouse et aboutit, après Agde, à l'étang de Thau ; 241 km. Le canal du Midi fut creusé par Paul Riquet de 1666 à 1681.

MIDI *(dents du),* massif des Alpes suisses, dans le Valais ; 3 257 m.

MIDI *(pic du),* nom de deux sommets des Pyrénées : le *pic du Midi de Bigorre* (Hautes-Pyrénées) [2 865 m], où se trouve un observatoire, et le *pic du Midi d'Ossau* (Pyrénées-Atlantiques) [2 884 m].

Midi libre (le), quotidien régional français, créé à Montpellier en 1944.

MIDI-PYRÉNÉES, Région administrative groupant les dép. suivants : Ariège, Aveyron, Haute-Garonne, Gers, Lot, Hautes-Pyrénées, Tarn, Tarn-et-Garonne ; 45 348 km² ; 2 430 663 hab. ; Ch.-l. *Toulouse.* **GÉOGR.** La Région couvre plus de 8 % de la superficie mais compte moins de 5 % de la population de la France. Seule grande agglomération, Toulouse concentre environ le quart de la population régionale. La Région possède quelques villes « moyennes » (Tarbes, Montauban, Albi), mais beaucoup d'espaces, souvent périphériques, faiblement peuplés (causses du Quercy et de l'Aveyron, collines de Gascogne, montagne pyrénéenne), parfois revivifiés par le tourisme estival ou hivernal. La population s'est accrue récemment à un rythme proche de la moyenne nationale, mais en fait le dynamisme de la Haute-Garonne a masqué la persistance du dépeuplement dans l'Aveyron ou les Hautes-Pyrénées.

L'agriculture, avec une proportion d'actifs supérieure à la moyenne nationale, est représentée par l'élevage (extrémités nord et sud de la Région) et la céréaliculture (blé et maïs essentiellement) ; le vignoble est localement présent. L'industrie (bâtiment inclus) n'emploie guère plus de 25 % des actifs. Elle est dominée par la métallurgie de transformation (aéronautique notamment), devant le textile et l'agroalimentaire, et concentrée surtout à Toulouse. Mais l'industrie et les services n'assurent pas le plein emploi, d'autant que beaucoup de branches (textile, mégisserie, petite métallurgie et même, au début des années 1990, construction aéro-

nautique) sont en difficulté. La Région est encore largement enclavée, adossée aux Pyrénées, qui, ici, constituent toujours une frontière.

Toulouse n'absorbe pas la totalité d'un exode rural, traditionnel, qui se poursuit. Déjà la population est vieillie et, pour l'ensemble de Midi-Pyrénées, les décès sont plus nombreux que les naissances.

MIDLANDS, région du centre de l'Angleterre, entre le pays de Galles, la chaîne pennine et la région londonienne. V. princ. *Birmingham.*

MIDRASH [midraʃ] n.m. (mot hébr., de *darash,* scruter). Méthode d'exégèse rabbinique de la Bible qui, au-delà du sens littéral fixé à partir d'un certain moment de l'histoire, tend à rechercher dans les écrits bibliques une signification plus profonde.

Midway *(bataille de)* [3-5 juin 1942], victoire aéronavale américaine sur les Japonais au large de l'archipel des Midway, au N.-O. des îles Hawaii. La défaite de la flotte japonaise marqua un tournant de la guerre du Pacifique.

MIDWEST ou **MIDDLE WEST,** vaste région des États-Unis, entre les Appalaches et les Rocheuses.

MIE n.f. Partie intérieure du pain.

MIEL n.m. Substance sucrée et parfumée produite par les abeilles à partir du nectar des fleurs, qu'elles récoltent dans leur jabot et entreposent dans les alvéoles de la ruche.

MIELLAT n.m. Produit sucré élaboré par divers pucerons à partir de la sève des végétaux et dont se nourrissent les fourmis et les abeilles.

MIELLÉ, E adj. Propre au miel ; qui rappelle le miel : *Odeur miellée.*

MIELLÉE n.f. Production saisonnière intense du nectar par les fleurs.

MIELLEUX, EUSE adj. D'une douceur hypocrite : *Paroles mielleuses.* ➧ **mielleusement** adv.

MIEN, ENNE pron. poss. (précédé de *le, la, les*). Ce qui est à moi : *C'est votre opinion, ce n'est pas la mienne.* ➧ **mien** n.m. **-1.** Ce qui m'appartient : *Le tien et le mien.* **-2.** *Les miens,* ma famille, mes proches.

MIESCHER (Johannes Friedrich), biochimiste et nutritionniste suisse (Bâle 1844 - Davos 1895). On lui doit la découverte des acides nucléiques ; de plus, il pressentit le rôle de l'A. D. N. dans la transmission des caractères héréditaires.

MIES VAN DER ROHE (Ludwig), architecte allemand (Aix-la-Chapelle 1886 - Chicago 1969), naturalisé américain en 1944. Organisa-

Le Crown Hall (acier et verre, 1950) de l'Illinois Institute of Technology de Chicago, par **MIES VAN DER ROHE.**

teur en 1927 de l'exposition de logements du Weissenhof à Stuttgart (à laquelle participent des architectes comme Gropius ou Le Corbusier), il en fait la première réalisation d'urbanisme du style international. Le principe de l'espace continu ainsi que le plan libre, dégagé de la contrainte des structures porteuses, trouvent leur meilleure expression dans le pavillon de l'Allemagne à l'Exposition internationale de Barcelone (1929), dont la perfection se retrouvera à la villa Tugendhat à Brno (1930), au musée d'Art moderne de Houston (1942) ou à la Galerie nationale de Berlin (1962). Après avoir dirigé le Bauhaus de 1930 à 1933, Mies émigre aux États-Unis (1937), où il est nommé directeur de la section d'architecture de l'Institut de technologie de l'Illinois (IIT). Il réalise alors quelques-unes des œuvres les plus significatives et influentes de l'architecture moderne, avec leur ossature de métal, leur façade de verre et leurs volumes très simples : Crown Hall de l'IIT (1950) à Chicago, Seagram Building (1954) à New York, etc. Par ailleurs, ses recherches sur le mobilier ont abouti, en 1926, à la première chaise en tube d'acier à porte-à-faux.

MIESZKO Ier (m. en 992), duc de Pologne (v. 960-992). Par son baptême (966), il fit entrer la Pologne dans la chrétienté romaine. Il donna à son État les frontières que la Pologne a approximativement retrouvées en 1945.

MIETTE n.f. -1. Petit fragment qui tombe du pain, d'un gâteau quand on le coupe. -2. Parcelle, débris, ce qui reste de qqch ; bribe.

MIEUX adv. (lat. *melius*). -1. (Sert de comparatif à *bien*). De façon plus convenable, plus avantageuse, plus favorable : *Il se porte mieux.* -2. (Avec l'article *le*). Sert de superlatif à *bien* : *C'est la mieux faite.* ◆ n.m. -1. Ce qui est préférable, plus avantageux : *Le mieux est d'y aller.* -2. État meilleur : *Constater un mieux.*

MIEUX-ÊTRE n.m. inv. Amélioration du confort, de la santé, etc.

MIÈVRE adj. Qui est d'une grâce affectée et fade ; qui manque de vigueur, d'accent.

MIÈVRERIE n.f. Caractère de qqn, de qqch qui est fade, affecté, mièvre ; action, propos mièvres, insipides.

MI-FER (À) loc. adv. Se dit d'un assemblage mécanique réalisé en entaillant deux pièces de fer sur la moitié de leur épaisseur.

MI FU ou **MI FOU,** calligraphe, peintre et collectionneur chinois (1051-1107). Sa calligraphie héritée des Tang et son art subjectif et dépouillé du paysage ont été le ferment de la peinture dite « de lettrés ».

MIFUNE TOSHIRO, acteur de cinéma japonais (Jingdao, Chine, 1920 - Tokyo 1997). Révélé par Kurosawa (*Rashomon,* 1950 ; *l'Idiot,* 1951 ; *les Sept Samouraïs,* 1954), il était devenu l'un des plus célèbres acteurs japonais.

MIGENNES, ch.-l. de c. de l'Yonne ; 8 338 hab. Nœud ferroviaire, dit « de Laroche-Migennes », vers Auxerre.

MIGMATITE n.f. (du gr. *migma,* mélange). Roche métamorphique profonde ayant subi un début d'anatexie et dans laquelle des bandes de gneiss sont séparées par des zones granitiques.

MIGNARD (Nicolas), dit Mignard d'Avignon, peintre français (Troyes 1606 - Paris 1668). Il travailla surtout en Avignon puis fut appelé à décorer un appartement du roi aux Tuileries. Son frère **Pierre,** dit le Romain (Troyes 1612 - Paris 1695), travailla plus de vingt ans à Rome avant de s'installer à Paris. Il peignit la coupole du Val-de-Grâce (1663), devint un des portraitistes favoris de la noblesse et succéda à Le Brun dans toutes ses charges (1690).

MIGNARDISE n.f. Œillet vivace très utilisé pour la garniture des bordures.

MIGNON, ONNE adj. -1. Qui a de la grâce, de la délicatesse. -2. Gentil, aimable, complaisant. -3. *Filet mignon,* morceau de viande coupé dans la pointe du filet. ◆ n. Terme de tendresse en parlant à un enfant. ◆ **mignon** n.m. Nom donné aux favoris d'Henri III, très efféminés.

MIGNONNETTE n.f. -1. Petit gravillon roulé donnant un fin gravier. -2. Nom usuel commun au réséda, à une saxifrage, à l'œillet mignardise et à d'autres petites fleurs. -3. Poivre grossièrement moulu.

MIGRAINE n.f. (du gr. *hêmi,* à demi, et *kranion,* crâne). -1. Douleur violente qui affecte un côté de la tête et qui s'accompagne souvent de nausées et de vomissements. -2. COUR. (abusif en méd.). Mal de tête.

ENCYCL. La fréquence de l'aspect familial fait penser qu'il existe à l'origine de la migraine une anomalie héréditaire, mais elle n'a pas encore été découverte. Par contre, les facteurs favorisants sont bien connus : stress, aliments particuliers, règles.

Les signes. Ils sont variables mais l'évolution par accès de plusieurs heures est très caractéristique, ainsi que la sensation de pulsation. La migraine peut être bénigne ou bien violente et fréquente.

Le traitement. Il existe de nombreux médicaments, certains pour raccourcir les crises, d'autres pour les empêcher de se répéter (traitement de fond).

MIGRAINEUX, EUSE adj. et n. Relatif à la migraine ; sujet à la migraine.

MIGRANT, E adj. et n. Se dit de qqn qui effectue une migration.

MIGRATEUR, TRICE adj. et n.m. Se dit d'un animal qui effectue des migrations.

MIGRATION n.f. -1. Déplacement de population, de groupe, d'un pays dans un autre pour s'y établir, sous l'influence de facteurs économiques ou politiques. -2. Déplacement en groupe et dans une direction déterminée, que certains animaux entreprennent à certaines saisons. -3. Déplacement d'un organisme, d'une molécule, etc. MÉD. *Migration larvaire,* phase au cours de laquelle les larves de parasites se déplacent dans l'organisme de l'hôte afin d'y trouver les conditions optimales à leur développement. PÉDOL. Entraînement, par les eaux, de diverses substances du sol.

MIGRATOIRE adj. Relatif aux migrations.

MIGRER v.i. Effectuer une migration.

MIHAILOVIĆ (Draža), officier serbe (Ivanjica 1893 - Belgrade 1946). Il lutta contre les Allemands après la défaite de 1941 en organisant le mouvement de résistance serbe des *tchetniks* et s'opposa aussi aux partisans de Tito. Accusé de trahison, il fut fusillé.

MIHRAB [mirab] n.m. Dans une mosquée, niche creusée dans le mur indiquant la direction *(qibla)* de La Mecque.

MI-JAMBE (À) loc. adv. À la hauteur du milieu de la jambe.

MIJAURÉE n.f. Femme, jeune fille aux manières affectées et ridicules.

MIJOTER v.t. Faire cuire un aliment lentement et à petit feu. ◆ v.i. Cuire lentement : *Faire mijoter un ragoût.*

MIJOTEUSE n.f. (nom déposé). Cocotte électrique permettant une cuisson à feu doux et prolongé.

MIKADO n.m. (mot jap., *souverain*). -1. Empereur du Japon. -2. Jeu de jonchets dans lequel on utilise de longues et fines baguettes de bois diversement colorées.

MIKHALKOV (Nikita), cinéaste et acteur russe (Moscou 1945). Acteur dans de nombreux films, il s'est fait connaître internationalement dès son deuxième long métrage (*l'Esclave de l'amour,* 1975). Il a réalisé ensuite des films d'inspiration intimiste ou des adaptations d'œuvres littéraires : *Partition inachevée pour piano mécanique* (1976), *Cinq Soirées* (1978), *Quelques jours de la vie d'Oblomov*

Nikita **MIKHALKOV** dans une scène de son film *Partition inachevée pour piano mécanique* (1976).

(1979), *les Yeux noirs* (1987), *Urga* (1991), *Soleil trompeur* (1994), *Anna* (1995).

MIKHALKOV-KONTCHALOVSKI (Andreï), cinéaste russe (Moscou 1937), frère du précédent. Assistant de Tarkovski pour *l'Enfance d'Ivan,* et son scénariste pour *Andreï Roublev,* il met en scène son premier long métrage, *le Premier Maître,* en 1965, qui marque par son ton et sa facture le début de la « nouvelle vague » soviétique. Il tourne ensuite *le Bonheur d'Assia* (1967), *Oncle Vania* (1971), *Sibériade* (1978). À partir de 1984, il commence une nouvelle carrière aux États-Unis et signe *Maria's Lovers* (1984), *le Bayou* (1987), *le Cercle des intimes* (1992), *Riaba ma poule* (1994).

1. **MIL** adj. num. → 1. MILLE.

2. **MIL** n.m. Céréale à petit grain, telle que le millet et le sorgho, cultivée en zone tropicale sèche.

MILAN n.m. Oiseau rapace diurne des régions chaudes et tempérées, à queue longue et fourchue, chassant le menu gibier et les petits rongeurs. (Envergure jusqu'à 1,50 m.)

MILAN, en ital. Milano, v. d'Italie, cap. de la Lombardie et ch.-l. de prov. ; 1 371 008 hab. *(Milanais)* [près de 4 millions d'hab. dans l'agglomération]. **GÉOGR.** Au cœur de la plaine du Pô, sur la voie de passage entre l'Europe du Nord et l'espace méditerranéen, Milan a été très tôt un centre d'échanges. Capitale régionale, elle est la métropole économique de l'Italie. C'est un grand centre commercial, financier, culturel (universités, théâtre de la Scala, édition) et surtout industriel (constructions mécaniques et électriques, textile et chimie). **HIST.** Fondée v. 400 av. J.-C. par les Gaulois, romaine dès 222 av. J.-C., Milan fut, au Bas-Empire, résidence impériale et métropole religieuse. Ravagée par les Barbares et par les luttes du Sacerdoce et de l'Empire, elle devint indépendante en 1183. Aux XIVe-XVIe siècles, elle connut une grande prospérité sous les Visconti et les Sforza. L'occupation espagnole provoqua ensuite son déclin. Capitale du royaume d'Italie (1805-1814) puis du royaume lombard-vénitien (1815), elle entra en 1861

La gare centrale (1925-1931 ; architecte Ulisse Stacchini), place du Duc-d'Aoste, à **MILAN.**

dans le royaume d'Italie. **ARTS.** Vaste cathédrale gothique entreprise à la fin du XIVe siècle, achevée au début du XIXe. Églises d'origine paléochrétienne (S. Ambrogio) ou médiévale. Ensemble de S. Maria delle Grazie, en partie de Bramante (*Cène* de Léonard de Vinci). Château des Sforza (XIVe-XVe s. ; musées). Théâtre de la Scala (XVIIIe s.). Bibliothèque et pinacothèque Ambrosiennes. Riche pinacothèque de Brera et autres musées, dont celui d'Architecture moderne. Depuis la fin de la Seconde Guerre mondiale, la ville est un foyer du design international.

MILANAIS, E adj. et n. -1. De Milan. -2. *Escalope milanaise,* escalope panée à l'œuf et frite.

MILANAIS (le), région du nord de l'Italie, autour de Milan. Le domaine que se constitue Milan à partir du XIIe siècle, aux dépens des autres villes lombardes, s'affirme politiquement sous les Visconti (XIVe s.). Jean-Galéas Visconti reçoit de l'empereur le titre de duc de Lombardie en 1397. Les Sforza poursuivent au XVe siècle l'œuvre des Visconti (agrandissements territoriaux et unification de l'État). Après les échecs de Louis XII et de François Ier, le Milanais passe en 1540 aux Habsbourg d'Espagne. Cédé à l'Autriche en 1714, il est sous domination française de 1796 à 1814. En 1815, il forme, avec la Vénétie, le royaume lombard-vénitien, sous tutelle autrichienne.

MILANKOVIĆ (Milutin), astronome yougoslave (Dalj, Croatie, 1879 - Belgrade 1958). Il formule en 1941 la théorie, qui porte son nom, selon laquelle ses fluctuations à long terme du climat sont liées à des variations cycliques de trois paramètres orbitaux de la Terre. Celles-ci, avec chacune une périodicité différente, se combineraient pour provoquer au cours du temps des modifications sensibles de l'ensoleillement, suffisantes pour déclencher les glaciations.

MILDIOU n.m. Maladie des plantes cultivées (vigne, pomme de terre, céréales, etc.), provoquée par des champignons microscopiques, affectant surtout les jeunes pousses et les feuilles.

MILE [majl] n.m. Mesure itinéraire anglo-saxonne valant environ 1 609 m.

MILER [majlœr] n.m. -1. Athlète spécialiste du demi-fond (1 500 m, mile). -2. Cheval qui court sur de petites distances (mile).

MILET, cité ionienne de l'Asie Mineure, qui fut, à partir du VIIIe s. av. J.-C., un important centre de commerce et un foyer de culture grecque (école philosophique). **ARCHÉOL.** Le cœur monumental de la cité témoigne d'un véritable souci d'urbanisme selon les théories d'Hippodamos. Imposants vestiges des époques hellénistique et romaine, dont certains, comme la grande porte de l'Agora sud, ont été reconstruits au musée de Berlin.

MILHAUD (Darius), compositeur français (Marseille 1892 - Genève 1974). Membre du groupe des Six, il en illustre l'esthétique avec *le Bœuf sur le toit* (1920). Son œuvre prolifique aborde tous les genres : opéras (*Christophe Colomb,* 1930), cantates, ballets (*la Création du monde,* 1923), symphonies, musique de chambre et le célèbre *Scaramouche* pour deux pianos (1937).

MILIAIRE adj. (lat. *miliarus,* de *milium,* millet). -1. Qui ressemble à un grain de mil : *Glandes miliaires.* -2. *Fièvre miliaire* ou **miliaire,** n.f., éruption cutanée due à une distension des glandes sudoripares et qui se manifeste au cours de divers états infectieux. ‖ *Tuberculose miliaire,* granulie.

MILICE n.f. -1. Du Moyen Âge au XVIIIe s., troupe levée dans les villes ou les paroisses pour renforcer l'armée régulière. -2. Organisation paramilitaire constituant l'élément de base de certains partis totalitaires ou de certaines dictatures. -3. **BELGIQUE.** Service militaire ; armée. -4. **SUISSE.** *Armée de milice,* armée composée de citoyens soldats rapidement mobilisables grâce à de fréquentes périodes d'instruction.

Milice (la), formation paramilitaire créée par le gouvernement de Vichy en janvier 1943 et qui collabora avec les Allemands aux diverses opérations de répression et de lutte contre la Résistance.

MILICIEN, ENNE n. Personne appartenant à une milice. ◆ **milicien** n.m. **BELGIQUE.** Jeune homme qui accomplit son service militaire ; appelé.

MILIEU n.m. -1. Lieu également éloigné de tous les points du pourtour ou des extrémités de qqch. -2. Moment également éloigné du début et de la fin d'une période de temps : *Le milieu de la nuit.* -3. Position modérée entre deux partis extrêmes : *Juste milieu.* -4. Espace matériel dans lequel un corps est placé. -5. Ensemble des facteurs extérieurs qui agissent de façon permanente ou durable sur les êtres vivants. -6. Entourage social, groupe de personnes parmi lesquelles qqn vit habituellement ; la société dont il est issu : *Milieu populaire.* -7. *Le milieu,* l'ensemble des personnes en marge de la loi, qui vivent de trafics illicites, des revenus de la prostitution. **BACTÉRIOL.** *Milieu de culture,* produit nutritif artificiel qui permet la croissance plus ou moins rapide des populations bactériennes ou l'isolement de celles-ci en colonies séparées, dans un dessein diagnostique. **BIOL.** Biotope, site où vit ordinairement une espèce. ‖ *Milieu intérieur,* milieu dans lequel baignent directement les cellules vivantes chez les animaux supérieurs, c'est-à-dire le sang et la lymphe. **CHORÉGR.** Exercices que l'on exécute au centre de la classe, sans appui à la barre. **GÉOGR.** *Milieu géographique,* ensemble des caractéristiques physiques (relief, climat, etc.) et humaines (environnement politique, économique, etc.) influant sur la vie des hommes. **MATH.** *Milieu d'un segment,* point situé à égale distance des extrémités. **SPORTS.** *Milieu de terrain,* au football, joueur chargé d'assurer la liaison entre défenseurs et attaquants ; ensemble des joueurs tenant ce rôle dans une équipe.

MILIEU *(empire du),* nom donné jadis à la Chine (considérée comme le centre du monde).

MILIOUKOV (Pavel Nikolaïevitch), historien et homme politique russe (Moscou 1859 - Aix-les-Bains 1943). L'un des principaux leaders du Parti constitutionnel-démocrate, il fut ministre des Affaires étrangères (mars-mai 1917) du gouvernement provisoire.

MILITAIRE adj. -1. Qui concerne les armées, leurs membres, les opérations de guerre : *Camp militaire.* -2. Considéré comme propre à l'armée : *Exactitude militaire.* ◆ n. Personne qui fait partie des forces armées. ◆ **militairement** adv. De façon militaire ; par la force armée.

MILITANT, E adj. Qui lutte, combat pour une idée, une opinion, un parti. ◆ n. Adhérent d'une organisation politique, syndicale, sociale, qui participe activement à la vie de cette organisation.

MILITANTISME n.m. Attitude, activité du militant.

MILITARISATION n.f. Action de militariser.

MILITARISER v.t. -1. Donner à qqch un caractère, une structure militaire. -2. Pourvoir de forces armées.

MILITARISME n.m. -1. Système politique fondé sur la prépondérance de l'armée. -2. Exaltation des valeurs militaires et du rôle de l'armée, considérés comme garants de l'ordre.

MILITARISTE adj. et n. Relatif au militarisme ; qui en est partisan.

Military Cross, Military Medal, décorations militaires britanniques créées respectivement en 1914 et en 1916.

MILITER v.i. Participer d'une manière active à la vie d'un parti politique, d'un syndicat, d'une organisation.

MILK-SHAKE [milkʃɛk] n.m. (pl. milk-shakes). Boisson frappée, à base de lait aromatisé.

MILL (James), philosophe et économiste britannique (Northwater Bridge, Écosse, 1773 - Londres 1836), continuateur de Hume et de Bentham (*Principes d'économie politique,* 1821).

MILL (John Stuart), philosophe et économiste britannique (Londres 1806 - Avignon 1873), fils de James Mill. Il considère la logique comme une science de la vérité et non comme une science de la déduction. Il est l'un des représentants les plus marquants de l'utilitarisme. En économie, il se rattache au courant libéral (*Principes d'économie politique,* 1848 ; *l'Utilitarisme,* 1863).

MILLAGE [milaʒ] n.m. **CANADA.** Distance comptée en miles.

MILLAIS (*sir* John Everett), peintre britannique (Southampton 1829 - Londres 1896). Précocement doué, membre de la confrérie préraphaélite, il devint une des personnalités les plus en vue de l'art victorien. Auteur de peintures de genre de tendance souvent moralisatrice et sentimentale, il a su parfois les enrichir d'un contenu émotionnel subtil (*Ophélie,* 1852, Tate Gallery).

MILLARDET (Alexis), botaniste français (Montmirey-la-Ville 1838 - Bordeaux 1902). On lui doit la première idée de l'hybridation des cépages français et américains ainsi que le traitement cuprique du mildiou.

MILLAU, ch.-l. d'arr. de l'Aveyron, sur le Tarn ; 22 458 hab. *(Millavois).* Mégisserie et ganterie. — Beffroi et église Notre-Dame, des XIIᵉ-XVIIᵉ siècles. Musée archéologique (poterie sigillée) ; maison de la Peau et du Gant.

1. **MILLE** adj. num. et n.m. inv. -1. Dix fois cent : *Deux mille hommes. L'an deux mille.* (Dans les dates, on écrit aussi *mil.*) -2. Millième, dans l'expression d'un rang : *Numéro mille.* -3. Nombre indéterminé mais considérable.

2. **MILLE** n.m. -1. Mesure itinéraire romaine, qui valait mille pas (1481,5 m). -2. Unité de mesure internationale pour les distances en

navigation aérienne ou maritime, correspondant à la distance de deux points de la Terre ayant même longitude et dont les latitudes diffèrent de une minute. (Le mille vaut, par convention, 1 852 m, sauf dans les pays du Commonwealth, où il vaut 1 853,18 m.) [On dit aussi *mille marin* ou *mille nautique*.] -3. CA-NADA. Équivalent du mile anglo-saxon.

mille *(an)*, année que les historiens du XVIIe au XIXe siècle ont présentée comme ayant été attendue par les chrétiens d'Occident dans la terreur de la fin du monde et du Jugement dernier. Les historiens contemporains ont dénoncé cette légende. (On écrit aussi an mil.)

MILLE (De) → DE MILLE.

Mille *(expédition des)*, expédition menée, en 1860, par Garibaldi et ses compagnons, contre le royaume des Deux-Siciles, dont elle provoqua l'effondrement.

Mille et Une Nuits (les), recueil de contes arabes d'origine persane, traduits en français par A. Galland (1704-1717) et par J. C. Mardrus (1899-1904). Le roi de Perse Chahriyar a décidé de prendre chaque soir une nouvelle épouse et de la faire étrangler le lendemain. La fille de son vizir, Schéhérazade, s'offre pour cette union mais, au milieu de la nuit, commence un conte qui passionne le roi au point qu'il remet l'exécution au lendemain pour connaître la suite de l'histoire : les contes d'Aladin, d'Ali Baba, de Sindbad charmeront le monarque pendant mille autres nuits et le feront renoncer à son dessein cruel.

1. **MILLE-FEUILLE** n.f. (pl. mille-feuilles). Plante à feuilles très découpées et à capitules de petites fleurs blanchâtres groupées en corymbes. (Famille des composées.) SYN. : achillée.

2. **MILLE-FEUILLE** n.m. (pl. mille-feuilles). Gâteau de pâte feuilletée garni de crème pâtissière.

MILLEFIORI [millefjɔri] n.m. inv. Objet de verre (souvent : presse-papiers) décoré intérieurement d'une mosaïque formée de sections de baguettes de verre de plusieurs couleurs.

MILLE-FLEURS n.f. inv. Tapisserie du XVe ou du début du XVIe s., dont le fond est semé de petites plantes fleuries.

MILLE-ÎLES, archipel du Canada, dans le Saint-Laurent, à sa sortie du lac Ontario. Treize de ses îles constituent un parc national.

MILLÉNAIRE adj. Qui a mille ans au moins. ◆ n.m. -1. Dix siècles ou mille ans. -2. Millième anniversaire d'un événement.

MILLÉNARISME n.m. -1. Ensemble de croyances à un règne terrestre eschatologique du Messie et de ses élus, censé devoir durer mille ans. (→ MESSIANISME.) -2. Mouvement ou système de pensée contestant l'ordre social et politique existant, réputé décadent et perverti, et attendant la rédemption collective, le retour à un paradis perdu ou l'avènement d'un homme charismatique.

MILLÉNARISTE adj. et n. Qui appartient au millénarisme ; qui en est partisan.

MILLENIUM [milenjɔm] n.m. L'Âge d'or attendu par les millénaristes.

MILLE-PATTES n.m. inv. Arthropode terrestre dont le corps, formé d'anneaux, porte de nombreuses pattes semblables. (Les mille-pattes forment une classe comprenant l'iule, la scolopendre, le géophile.) SYN. : myriapode.

MILLEPERTUIS n.m. Plante aux fleurs à nombreuses étamines et dont les feuilles contiennent de nombreuses petites glandes translucides qui les font croire criblées de trous. (Famille des hypéricacées. On a utilisé leurs fleurs jaunes en infusions vulnéraires et balsamiques.)

MILLÉPORE n.m. Animal marin colonial du groupe des cnidaires, formant des ensembles calcaires massifs qui participent à la constitution des récifs coralliens. (Ordre des hydrocoralliaires.)

MILLER (Arthur), auteur dramatique américain (New York 1915). Ses drames, d'inspiration sociale, dénoncent l'illusion du rêve américain (*Mort d'un commis voyageur,* 1949) et décrivent sans indulgence les obsessions de la société américaine (*les Sorcières de Salem,* 1953 ; *Vu du pont,* 1955). Son scénario *les Désaxés* (*The Misfits,* 1961) fut inspiré par son mariage avec Marilyn Monroe.

MILLER (Henry), écrivain américain (New York 1891 - Los Angeles 1980). L'exil à Paris marque le début de la création, placée sous le signe du roman autobiographique et du refus de la culture américaine. Deux trilogies (*Tropique du Cancer* [1934], *Printemps noir* [1936], *Tropique du Capricorne* [1939] ; *la Crucifixion en rose,* qui rassemble *Sexus* [1949], *Plexus* [1952] et *Nexus* [1960]) dressent le portrait d'un écrivain obsédé du négatif, dont la référence sexuelle et ses métaphores constituent l'expression constante (*Big Sur et les Oranges de Jérôme Bosch,* 1956 ; *Virage à 80,* 1973).

MILLER (Merton), économiste américain (Boston 1923). Il a obtenu en 1990 le prix

Nobel de sciences économiques avec Harry Markowitz et William Sharpe pour leurs travaux novateurs sur la théorie économique financière et le financement des entreprises.

MILLERAND (Alexandre), chef d'État français (Paris 1859 - Versailles 1943). Député socialiste, il accomplit, comme ministre du Commerce et de l'Industrie (1899-1902), d'importantes réformes sociales. Ministre de la Guerre (1912-13, 1914-15), président du Conseil (1920), il fut président de la République (1920-1924), fonction dont il chercha à renforcer le rôle. Il démissionna devant l'opposition du Cartel des gauches.

MILLERANDAGE n.m. Accident occasionné par la coulure et qui entraîne un avortement des grains de raisin.

MILLÉSIME n.m. Chiffres indiquant l'année d'émission d'une pièce de monnaie, de la récolte du raisin ayant servi à faire un vin, de la production d'une voiture, etc.

MILLÉSIMER v.t. Attribuer un millésime à.

MILLET [mijɛ] n.m. Nom donné à quelques graminées, partic. à une céréale qui n'est plus cultivée que localement en France mais qui reste d'un grand usage en Afrique, notamm. dans la zone sahélienne.

MILLET (Jean-François), peintre, dessinateur et graveur français (Gruchy, près de Gréville-Hague, Manche, 1814 - Barbizon 1875). C'est un des maîtres de l'école de Barbizon, d'un réalisme plein de sensibilité. La puissance farouche de son *Semeur* du Salon de 1850 (Philadelphie, réplique à Boston) suscita une controverse de caractère politico-social. Au musée d'Orsay sont notamment conservés *les Glaneuses* et *l'Angélus* (1857), *la Grande Bergère* (1863), *le Printemps* (1868-1873).

MILLEVACHES *(plateau de),* haut plateau boisé ou couvert de landes, partie la plus élevée du Limousin, culminant à 977 m, où naissent la Vienne, la Creuse, la Vézère et la Corrèze.

MILLEVOYE (Charles Hubert), poète français (Abbeville 1782 - Paris 1816), auteur d'élégies (*la Chute des feuilles,* 1811).

MILLI- préf. (symb. m) qui, placé devant une unité, la multiplie par 10^{-3}.

MILLIAIRE adj. Se disait des bornes placées au bord des voies romaines pour indiquer les milles.

MILLIAMPÈREMÈTRE n.m. Ampèremètre gradué en milliampères.

MILLIARD n.m. Mille millions.

MILLIARDAIRE adj. et n. -**1.** Riche d'au moins un milliard de francs ou d'une autre unité monétaire. -**2.** Très riche.

MILLIARDIÈME adj. num. ord. et n. -**1.** Qui occupe le rang marqué par un milliard. -**2.** Qui est contenu un milliard de fois dans un tout.

MILLIBAR n.m. Unité de pression atmosphérique, remplacée auj. par l'hectopascal, équivalant à un millième de bar, soit environ 3/4 de millimètre de mercure.

MILLIÈME adj. num. ord. et n. -**1.** Qui occupe un rang marqué par le numéro mille. -**2.** Qui se trouve mille fois dans le tout. ◆ n.m. Unité d'angle utilisée pour le tir et égale à l'angle sous lequel on voit une longueur de 1 m à 1 000 m.

MILLIER n.m. -**1.** Quantité, nombre de mille, d'environ mille. -**2.** Grand nombre indéterminé.

MILLIGRAMME n.m. Millième partie du gramme (mg).

MILLIKAN (Robert Andrews), physicien américain (Morrison, Illinois, 1868 - San Marino, Californie, 1953). Il mesura la charge de l'électron en 1911. En 1916, il détermina la constante de Planck en étudiant les électrons libérés dans l'effet photoélectrique puis mesura l'intensité du rayonnement cosmique à diverses altitudes. (Prix Nobel 1923.)

MILLILITRE n.m. Millième partie du litre (ml).

MILLIMÈTRE n.m. Millième partie du mètre (mm).

MILLIMÉTRIQUE ou **MILLIMÉTRÉ, E** adj. Relatif au millimètre ; gradué en millimètres.

MILLION n.m. Mille fois mille.

MILLIONIÈME adj. num. ord. et n. -**1.** Qui occupe un rang marqué par le nombre de un million. -**2.** Qui se trouve un million de fois dans le tout.

MILLIONNAIRE adj. Se dit d'une ville ou d'une agglomération dont la population atteint ou dépasse le million d'habitants. ◆ adj. et n. Riche de un ou de plusieurs millions de francs ou d'une autre unité monétaire.

MILLIVOLTMÈTRE n.m. Appareil, gradué en millivolts, servant à mesurer de très faibles différences de potentiel.

MILNE (Edward Arthur), astronome et mathématicien britannique (Hull 1896 - Dublin 1950). Ses travaux concernent surtout l'astrophysique théorique et la relativité. Il étudia la thermodynamique des étoiles, la structure de la matière stellaire, les variations des céphéides, qu'il expliqua par des pulsations régulières, et l'atmosphère solaire (1921).

MILNE-EDWARDS (Henri), naturaliste et physiologiste français (Bruges 1800 - Paris 1885), auteur de travaux sur les mollusques et les crustacés. Son fils **Alphonse,** naturaliste (Paris 1835 - *id.* 1900), a étudié les mammifères et la faune abyssale.

MILO, en gr. Mílos, île grecque de la mer Égée, une des Cyclades ; 161 km² ; 86 000 hab. Ch.-l. *Mílos.* — Près du chef-lieu, ruines antiques où l'on a découvert la Vénus de Milo, statue en marbre de la déesse Aphrodite, œuvre hellénistique du IIᵉ s. av. J.-C.

Aphrodite, dite **VÉNUS DE MILO** ; marbre grec, IIᵉ s. av. J.-C. (Louvre, Paris.)

MILON, en lat. Titus Annius Papianus Milo, homme politique romain (Lanuvium v. 95 - Compsa 48 av. J.-C.). Gendre de Sulla, il contribua comme tribun (57) au retour d'exil de Cicéron. Accusé du meurtre de Clodius en 52, il fut défendu par Cicéron *(Pro Milone).*

MILON de Crotone, athlète grec (Crotone fin du VIᵉ s. av. J.-C.), disciple et gendre de Pythagore, célèbre pour ses nombreuses victoires aux jeux Olympiques. N'ayant pu dégager son bras de la fente d'un tronc d'arbre qu'il tentait d'arracher, il serait mort dévoré par des bêtes sauvages (sujet d'un marbre célèbre de Puget).

MILONGA n.f. Danse populaire de l'Argentine, proche du tango.

MILOŠEVIĆ (Slobodan), homme d'État yougoslave (Požarevac, Serbie, 1941). Membre de la Ligue communiste yougoslave à partir de 1959, il a été président de la République de Serbie de 1990 à 1997. En 1995, il a cosigné l'accord de paix sur la Bosnie-Herzégovine. En 1997, il est élu à la présidence de la République fédérale de Yougoslavie.

MIŁOSZ (Czesław), écrivain polonais naturalisé américain (Szetejnie, Lituanie, 1911). Exilé aux États-Unis depuis 1951, ce poète *(le Salut,* 1945) et romancier *(la Prise du pouvoir,* 1953) doit sa célébrité à ses essais, notamment *la Pensée captive* (1953), sur la position des intellectuels face au pouvoir communiste dans son pays. (Prix Nobel 1980.)

MILOSZ (Oscar Vladislas de Lubicz-Milosz, dit O. V. de L.), écrivain français d'origine lituanienne (Tchereïa 1877 - Fontainebleau 1939). Auteur de poèmes d'inspiration élégiaque et mystique *(la Confession de Lemuel,* 1922), de drames *(Miguel Mañara,* 1911-12) et d'œuvres métaphysiques *(Ars magna,* 1924), il révéla au public occidental le folklore lituanien *(Contes et fabliaux de la vieille Lituanie,* 1930).

MILOUIN n.m. (du lat. *miluus,* milan). Canard qu'on trouve en hiver sur les lacs et les cours d'eau lents d'Europe occidentale. (La femelle est gris-brun, le mâle gris clair avec la tête rousse et la poitrine noire ; long. 45 cm.)

MI-LOURD adj.m. et n.m. (pl. mi-lourds). Dans certains sports (boxe, judo, haltérophilie), qualifie une catégorie de poids intermédiaire entre les poids moyens et les poids lourds.

MILTIADE, général athénien (540 - Athènes v. 489 av. J.-C.). Vassal de Darios Iᵉʳ, il participa en 499 av. J.-C. à la révolte des villes grecques d'Ionie puis se réfugia à Athènes (492). Commandant les Athéniens, il fut vainqueur des Perses à Marathon.

MILTON (John), poète, homme d'État et théologien anglais (Londres 1608 - Chalfont Saint Giles, Buckinghamshire, 1674). Partisan d'un humanisme sans compromission, il illustre sa foi dans des poèmes philosophiques *(Allegro, Il Penseroso,* 1631-32) et pastoraux *(Comus,* 1634 ; *Lycidas,* 1637). Après un voyage en Italie, il regagne Londres dès le début de la guerre civile et devient le polémiste attitré de la révolution *(Areopagitica,* 1644). Après la

Restauration (1660), il revient à la poésie mais, aveugle depuis 1652, il dicte son épopée *le Paradis perdu* (1667), continuée par *le Paradis reconquis* (1671). [→ PARADIS.]

Milvius *(pont)*, pont sur le Tibre, à 3 km au N. de Rome, où Constantin battit Maxence (312 apr. J.-C.).

MILWAUKEE, port des États-Unis (Wisconsin), sur le lac Michigan ; 628 088 hab. (1 432 149 avec les banlieues). Il expédie les produits agricoles du Midwest. Milwaukee est le centre de la culture allemande aux États-Unis.

MIME n.m. -1. Dans les littératures grecque et latine, pièce de théâtre de caractère comique et de thème souvent pastoral où le geste avait une part prépondérante. -2. Genre de comédie où l'acteur représente par gestes l'action, les sentiments. ◆ n. -1. Acteur spécialisé dans le genre du mime. -2. Personne qui imite bien les gestes, les attitudes, le parler d'autrui ; imitateur.

MIMER v.t. et i. -1. Exprimer une attitude, un sentiment, une action par les gestes, par les jeux de physionomie, sans utiliser la parole : *Mimer la douleur.* -2. Imiter d'une façon plaisante une personne, ses gestes, ses manières.

MIMÉTIQUE adj. Relatif au mimétisme.

MIMÉTISME n.m. (du gr. *mimeisthai,* imiter). -1. Particularité de certaines espèces vivantes de se confondre par la forme ou par la couleur *(homochromie)* avec l'environnement ou avec les individus d'une autre espèce : *Le mimétisme du caméléon.* (V. ENCYCL.) -2. Reproduction machinale des gestes, des attitudes d'autrui.

ENCYCL. Le mimétisme se rencontre chez les animaux et les végétaux. Il regroupe, chez l'animal, toutes les formes d'imitation morphologique ou comportementale. Si le mimétisme est utilisé par l'animal pour dissimuler sa présence, on parle de *camouflage.* Le phénomène d'*homochromie* permet à certains animaux de se confondre avec le support. L'homochromie peut être durable, toute la vie de l'animal, saisonnière ou uniquement présente chez les jeunes, plus vulnérables que les adultes. Enfin, elle peut être transitoire lorsque l'animal est capable de changer rapidement de couleur, comme on l'observe chez les caméléons ou les seiches. Le *mimétisme batésien* se rencontre chez les espèces qui en imitent une autre réputée pour son agressivité ou sa toxicité. Une autre forme de mimétisme, l'*imitation comportementale,* est utilisée dans les stratégies de reproduction. Cette tactique est souvent employée par

MIMÉTISME : exemple d'homochromie chez la phyllie (insecte chéleutoptère imitant la feuille de l'arbre sur lequel il vit)

les salamandres, par exemple, pour détourner les mâles concurrents d'une femelle.

MIMIQUE adj. Qui mime ; qui exprime par le geste : *Langage mimique.* ◆ n.f. -1. Expression de la pensée par le geste, les jeux de physionomie. -2. Ensemble d'expressions du visage.

MIMODRAME n.m. Action dramatique représentée en pantomime.

MIMOLETTE n.f. (de *mollet,* un peu mou). Fromage voisin de l'édam mais plus gros, fabriqué en France.

MIMOSA n.m. -1. Plante légumineuse originaire du Brésil et appelée usuellement *sensitive,* car ses feuilles se replient au moindre contact. (Une espèce de mimosa fournit le bois d'amourette, utilisé notamm. en tabletterie. Le mimosa des fleuristes, dont les fleurs jaunes sont réunies en petites sphères, appartient au genre *Acacia.*) -2. *Œuf mimosa,* œuf dur dont chaque moitié est farcie d'une mayonnaise épaissie du jaune écrasé.

MIMOSACÉE n.f. *Mimosacées,* famille de légumineuses comprenant l'acacia, le mimosa des fleuristes et la sensitive.

MI-MOYEN adj.m. et n.m. (pl. mi-moyens). Dans certains sports (boxe, judo), qualifie une catégorie de poids immédiatement inférieure à celle des poids moyens.

min, symbole de la minute, unité de temps.

MIN [min] n.m. Dialecte chinois parlé au Fujian, à Taïwan et à Hainan.

MINABLE adj. et n. FAM. D'une pauvreté, d'une médiocrité pitoyables : *Un résultat minable.* ◆ **minablement** adv.

MINAGE n.m. Action de miner.

MINAMOTO, famille japonaise qui fonda en 1192 le shogunat de Kamakura.

MINARET [minarɛ] n.m. Tour d'une mosquée, du haut de laquelle le muezzin fait les cinq appels quotidiens à la prière.

MINAS GERAIS, État du Brésil oriental ; 587 172 km² ; 15 746 200 hab. Cap. *Belo Horizonte.* État de hautes terres tropicales au sud (d'où est issu notamment le São Francisco) et de plateaux à l'ouest et au nord, où le climat devient semi-aride. Il a été peuplé au XVIIIᵉ siècle, au moment de la découverte de l'or et des diamants. C'est maintenant une région industrielle (sidérurgie, mécanique, raffinerie de pétrole) exploitant d'importantes mines de fer (à Itabira notamment). L'élevage bovin, les cultures du café et du manioc demeurent les principales activités agricoles.

MINATITLÁN, port du Mexique, sur le golfe de Campeche ; 199 840 hab. Raffinage du pétrole. Pétrochimie.

MINAUDER v.i. Faire des mines, des manières pour séduire.

MINAUDIER, ÈRE adj. et n. Qui minaude ; qui fait des mines.

MINBAR (IXᵉ s.) de la Grande Mosquée de Sidi Uqba à Kairouan (Tunisie)

MINBAR [minbar] n.m. Chaire à prêcher, dans une mosquée.

1. **MINCE** adj. -1. Qui est peu épais : *Des tranches minces.* -2. Qui a peu de largeur, qui est fin :

Taille mince. -3. Qui a peu d'importance ; insignifiant : *Un mérite bien mince.*

2. **MINCE** interj. FAM. Marque l'admiration ou le mécontentement.

MINCEUR n.f. État, caractère de qqn, de qqch qui est mince.

MINCIR v.i. Devenir plus mince. ◆ v.t. Faire paraître qqn plus mince ; amincir.

MINDANAO, deuxième île de l'archipel des Philippines par la superficie (99 000 km²) et la population (10,4 millions d'hab., en majeure partie musulmans), à l'extrémité sud de celui-ci. C'est une île montagneuse, dont la population s'est accrue au XXᵉ siècle par immigration. Les cultures vivrières sont complétées par des cultures d'exportation (cocotier, abaca, ananas, bananier). Extraction de charbon. Métallurgie. Les principales villes sont des ports : Davao, Zamboanga et Cagayan.

MINDEL [mindɛl] n.m. Deuxième glaciation alpine, datée de 500 000 ans environ.

MINDEN, v. d'Allemagne (Rhénanie-du-Nord-Westphalie), sur la Weser ; 76 321 hab. — Cathédrale romane et gothique, autres monuments et maisons anciennes.

MINDORO, île montagneuse et volcanique des Philippines ; 10 000 km² ; 472 000 hab.

1. **MINE** n.f. -1. Aspect de la physionomie indiquant certains sentiments ou l'état du corps : *Mine réjouie.* -2. Apparence, aspect extérieur : *Juger sur la mine.*

2. **MINE** n.f. -1. Gisement de substance minérale ou fossile, renfermée dans le sein de la terre ou existant à la surface. (V. ENCYCL.) -2. Cavité creusée dans le sol pour extraire le charbon ou le minerai. -3. Ensemble des installations nécessaires à l'exploitation d'un gisement. -4. Petit bâton de graphite ou de toute autre matière formant l'axe d'un crayon et qui laisse une trace sur le papier. -5. Charge explosive sur le sol, sous terre ou dans l'eau, qui agit soit directement par explosion, soit indirectement par éclats ou effets de souffle : *Mines terrestres* (antichars, antipersonnel, fixes, bondissantes), *marines* (acoustiques, à dépression, magnétiques, etc.). -6. Galerie souterraine pratiquée en vue de détruire au moyen d'une charge explosive un ouvrage fortifié ennemi. -7. *Métaux de la mine de platine,* métaux rares (palladium, iridium, rhodium et ruthénium) qui accompagnent le platine dans ses minerais. SYN. : **platinoïde.**

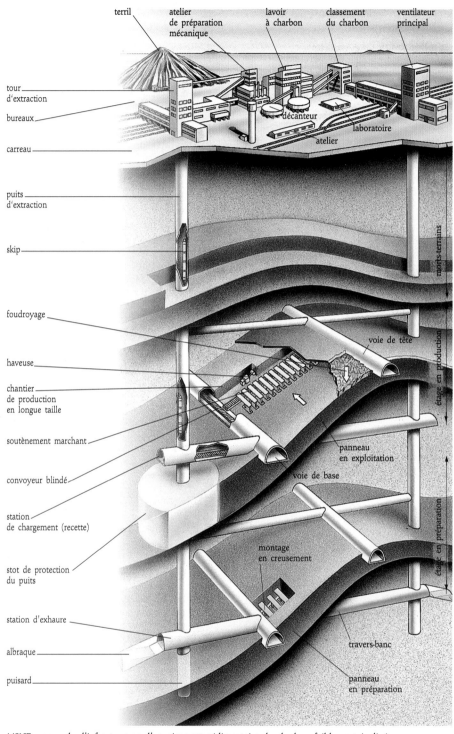

terril
atelier de préparation mécanique
lavoir à charbon
classement du charbon
ventilateur principal

tour d'extraction
bureaux
décanteur
laboratoire
atelier

carreau

puits d'extraction

skip

morts-terrains

foudroyage
voie de tête

haveuse

chantier de production en longue taille

soutènement marchant

panneau en exploitation

convoyeur blindé

voie de base

station de chargement (recette)

étage en production

stot de protection du puits

montage en creusement

station d'exhaure

albraque

travers-banc

puisard

panneau en préparation

étage en préparation

MINE : exemple d'infrastructure d'un gisement sédimentaire de charbon faiblement incliné

ENCYCL.

Les modalités de l'extraction. En France, le Code minier distingue, parmi les gîtes de substances minérales, les *mines* et les *carrières*. Est considérée comme carrière toute exploitation de matériaux destinés à la construction : pierres à bâtir, ardoises, calcaires, gypses, sables, etc. Les carrières sont à ciel ouvert ou souterraines. À la différence des mines, les carrières sont en principe laissées à la disposition du propriétaire du sol. Toutefois, l'Administration peut imposer des modalités d'exploitation et de remise en état. D'un point de vue technique, il n'y a pas de différence liée au fait qu'on exploite une mine ou une carrière. La technique employée est d'abord fonction de la substance et de sa profondeur de gisement, qui conditionnera le choix d'une exploitation souterraine ou à ciel ouvert.

Les mines à ciel ouvert. Les chantiers d'exploitation sont constitués par les gradins découpés dans le minerai ; on y procède aux opérations d'abattage du minerai après avoir enlevé les stériles sus-jacents. Les infrastructures d'accès se limitent à des routes ou à des pistes qui permettent la circulation des engins entre les ateliers d'entretien, les fronts d'abattage et les points de déchargement. Le minerai est évacué soit par des convoyeurs, soit par des camions. De même, les stériles de couverture sont évacués à partir des fronts jusqu'aux zones de décharge. Ils serviront à remblayer l'excavation, une fois l'exploitation du gisement achevée, de façon à remettre le site en état.

Les mines souterraines. Les chantiers d'exploitation sont soit des *galeries,* soit des *chambres* (avec piliers), soit des *tailles* où sont réalisées les opérations d'abattage, d'évacuation, de soutènement et éventuellement de remblayage. Les accès au gisement sont plus complexes qu'à ciel ouvert : des *puits* ou des *descenderies* s'enfoncent dans le sol jusqu'au niveau le plus bas à exploiter ; à partir de ces ouvrages, des voies de niveau (parallèles aux couches) ou des travers-bancs (qui recoupent les couches) permettent d'arriver jusqu'au minerai. Les produits abattus (par abattage mécanique, hydraulique ou à l'explosif) sont évacués jusqu'au puits d'extraction (ou jusqu'à la base de la descenderie) par convoyeurs, par trains de berlines ou par camions ; enfin, ces produits sont remontés jusqu'à la surface soit par un ascenseur dans le puits (cage d'extraction qui reçoit les berlines ou skip

chargé en vrac), soit par un convoyeur dans la descenderie.

Pour permettre le fonctionnement régulier du cycle productif, divers services généraux sont nécessaires au fond : ventilation, *exhaure* (pompage des eaux souterraines), approvisionnement des chantiers en matériel, circulation du personnel, entretien du matériel.

Les opérations après extraction. Le minerai extrait doit être préparé en vue de sa commercialisation. On fait pour cela appel aux techniques de *minéralurgie,* appelées aussi « valorisation des minerais », afin d'obtenir des produits directement utilisables par l'industrie ou transformables par la métallurgie. Selon les substances, il peut s'agir d'une simple préparation mécanique (concassage, lavage, classement granulométrique), d'une concentration en minéral utile par des procédés physiques (gravimétrie, séparation magnétique, lavage en milieu dense) ou d'un traitement plus complexe, physico-chimique (grillage dans le cas des carbonates, séparation par flottation dans le cas des sulfures, etc.). Afin d'éviter de transporter la partie stérile du minerai, ces opérations sont réalisées sur le *carreau* de la mine : dans un lavoir (charbon), une laverie (minerais métallifères), une fabrique (potasse).

3. MINE n.f. Unité de poids de l'Antiquité valant entre 400 et 600 grammes.

4. MINE n.f. Anc. mesure de capacité pour les graines, valant en France 78 litres environ.

MINER v.t. -1. Creuser lentement qqch par en dessous, à la base : *L'eau mine la pierre.* -2. Attaquer, ruiner peu à peu, lentement qqn ou qqch. -3. Poser des mines explosives.

MINERAI n.m. Roche contenant en proportion notable des minéraux utiles que l'on peut isoler pour les utiliser dans l'industrie. (La plupart des minerais métallifères sont des oxydes [bauxite, limonite], des sulfures [galène, blende], des carbonates [malachite, sidérite] ou des silicates [garniérite].)

MINÉRAL n.m. (du lat. *minera,* mine) [pl. minéraux]. Corps inorganique, solide à la température ordinaire, constituant les roches de l'écorce terrestre. (On distingue les *minéraux amorphes,* où les molécules sont disposées sans ordre, comme dans l'opale, et les *minéraux cristallisés,* où les molécules ou les atomes sont régulièrement distribués, comme dans le quartz, le mica.) ◆ **minéral, e, aux** adj. -1. Qui appartient aux minéraux. -2. *Chimie minérale,* partie de la chimie qui traite des corps tirés du règne minéral, par opp. à *chimie organique.* ‖*Eau* *minérale,* eau qui contient des minéraux en solution et qu'on emploie, en boisson ou en bains, à des fins thérapeutiques. ‖ VIEILLI. *Règne minéral,* ensemble des minéraux, par opp. à *règne animal* et à *règne végétal.*

→ ● DOSSIER LES MINÉRAUX *page suivante.*

MINÉRALIER n.m. Cargo conçu pour le transport des cargaisons en vrac, notamm. des minerais.

MINÉRALIER-PÉTROLIER n.m. (pl. minéraliers-pétroliers). Navire conçu pour transporter indifféremment des minerais et du pétrole.

MINÉRALISATEUR, TRICE adj. et n.m. Se dit d'un élément qui transforme un métal en minerai en se combinant avec lui : *Le chlore, le fluor, le soufre, le bore sont des minéralisateurs.*

MINÉRALISATION n.f. -1. Transformation d'un métal en minerai par sa combinaison avec une substance minéralisatrice. -2. État d'une eau chargée d'éléments minéraux solubles.

MINÉRALISÉ, E adj. Qui contient des matières minérales : *Eau faiblement minéralisée.*

MINÉRALISER v.t. Transformer un métal en minerai.

MINÉRALOGIE n.f. Branche de la géologie qui traite des minéraux, de leurs propriétés physiques et chimiques et de leur formation. ◆ **minéralogiste** n.

MINÉRALOGIQUE adj. -1. Relatif à la minéralogie. -2. Qui concerne les mines. -3. *Numéro, plaque minéralogiques,* numéro, plaque d'immatriculation des véhicules automobiles enregistrés par l'administration des Mines, en France. (Cette dénomination, officielle jusqu'en 1929, est restée en usage dans la langue courante.)

MINÉRALURGIE n.f. Ensemble des procédés et des techniques d'extraction des minéraux à partir de minerais bruts extraits des mines. (→ MINE.)

MINERVAL n.m. (pl. minervals). BELGIQUE, CONGO (anc. ZAÏRE). Frais de scolarité, dans l'enseignement secondaire.

MINERVE n.f. Appareil orthopédique placé autour du cou et destiné à maintenir la tête en extension et en rectitude.

MINERVE, déesse romaine, assimilée à l'Athéna grecque ; c'est par les Étrusques que son culte fut introduit à Rome, dont elle devint la protectrice. Avec Jupiter et Junon, elle fait partie de la triade à laquelle un temple est dédié sur le Capitole.

MINERVOIS n.m. Vin rouge récolté dans le Minervois.

MINERVOIS (le), région du Languedoc (Aude et Hérault) au pied méridional de la Montagne Noire. Vignobles.

MINESTRONE n.m. Soupe aux légumes et au lard additionnée de petites pâtes ou de riz. (Cuisine italienne.)

MINET, ETTE n. -1. FAM. Chat. -2. Jeune homme, jeune fille à la mode, d'allure affectée.

1. **MINETTE** n.f. Minerai de fer lorrain assez pauvre en fer (28 à 34 %), phosphoreux mais se traitant bien en haut-fourneau.

2. **MINETTE** n.f. Lupuline (plante).

1. **MINEUR** n.m. et adj.m. -1. Ouvrier qui travaille à la mine. -2. Militaire qui pose des mines.

2. **MINEUR, E** adj. -1. D'une importance, d'un intérêt secondaires, accessoires : *Problème mineur.* -2. Se dit de l'intervalle musical qui est plus petit d'un demi-ton chromatique que l'intervalle majeur formé du même nombre de degrés. -3. *Mode mineur* ou *mineur,* n.m., mode dans lequel les intervalles formés à partir de la tonique sont mineurs, ou justes, et caractérisé par un demi-ton entre, respectivement, les 2e et 3e, les 5e et 6e degrés. ◆ **mineure** n.f. Seconde proposition d'un syllogisme.

3. **MINEUR, E** adj. et n. -1. Qui n'a pas encore atteint l'âge de la majorité légale. (En France, 18 ans.) -2. *Détournement* ou *enlèvement de mineur,* fait d'enlever ou de faire enlever un mineur à l'autorité à laquelle il est confié.

MING, dynastie impériale chinoise (1368-1644). Fondée par Zhu Yuanzhang (Hongwu de son nom posthume), qui régna de 1368 à 1398, elle installa sa capitale à Pékin (1409) et eut comme principaux représentants Yongle (1403-1424) et Wanli (1573-1620). Elle déclina après le règne de ce dernier et fut remplacée par la dynastie mandchoue des Qing.

MINGUS (Charles, dit **Charlie**), contrebassiste, compositeur et chef d'orchestre de jazz américain (Nogales, Arizona, 1922 - Cuernavaca, Mexique, 1979). Il participa à la révolution du be-bop. En 1956, il forma son premier « Jazz Workshop », un atelier musical qui vit éclore ou se développer de nombreux jeunes talents. Sa musique est fortement inspirée de l'âme du chant religieux noir.

MINHO (le), en esp. **Miño,** fl. du nord-ouest de la péninsule Ibérique, qui constitue la frontière entre l'Espagne et le Portugal avant de rejoindre l'Atlantique ; 310 km.

LES MINÉRAUX

Un minéral est un solide naturel, homogène (d'une seule phase), possédant une composition chimique précise et constitué par un arrangement périodique d'atomes. Fortement dépendante de la température, de la pression et de la composition chimique, la présence ou l'absence de telle ou telle forme minérale renseigne sur les conditions de formation de la roche qui les contient. Le nombre d'espèces minérales est relativement limité (environ 2 750), mais une même espèce, de composition chimique donnée, peut posséder plusieurs structures minérales (on retrouve, par exemple, la silice dans le quartz et l'opale), rendant l'identification très difficile. L'abondance de l'oxygène et du silicium dans la croûte terrestre explique une division des minéraux en silicates et non-silicates.

Les silicates.

Ils sont classés d'après l'agencement des tétraèdres $(SiO_4)^{4-}$, formés d'un ion Si^{4+} entouré de quatre ions O^{2-}. Les charges négatives sont neutralisées soit par des cations qui relient les tétraèdres entre eux, soit par polymérisation (« accrochage » des tétraèdres les uns aux autres).

Les *nésosilicates* ont des tétraèdres isolés les uns des autres. La charge négative est neutralisée par des cations comme Mg^{2+}, Fe^{2+}, Ca^{2+}, etc. À cette famille appartiennent l'olivine, les grenats, le zircon, le disthène, la topaze...

Dans les *sorosilicates,* les tétraèdres s'associent deux à deux, en mettant un sommet en commun, pour constituer des groupements $(Si_2O_7)^{6-}$. Ces structures se retrouvent dans des minéraux comme les épidotes.

Une polymérisation plus importante conduit aux *cyclosilicates.* Dans cette famille, les tétraèdres mettent deux sommets en commun pour constituer des anneaux de 3, 4 ou 6 tétraèdres : $(Si_3O_9)^{6-}$, $(Si_4O_{12})^{8-}$, $(Si_6O_{18})^{12-}$ (tourmaline). On rattache également à cette famille les béryls (émeraude, aigue-marine...) et la cordiérite.

Les *inosilicates* regroupent les structures formées soit de chaînes simples de tétraèdres, soit de rubans de tétraèdres. Les premières peuvent être de plusieurs types avec une période dépendant de la disposition successive des tétraèdres le long de la chaîne. La chaîne $(Si_2O_6)^{4-}$ est la plus courante ; c'est celle des pyroxènes comme la jadéite. Les rubans sont obtenus par juxtaposition de deux des chaînes précédentes ; le ruban $(Si_4O_{11})^{6-}$ constitue la structure des amphiboles (trémolite, actinote, hornblende...).

LA MINÉRALOGIE

Elle fut d'abord une science d'observation, en particulier par l'examen des propriétés visibles et sensibles des minéraux : couleur, éclat, dureté, etc. Avec l'extraordinaire développement de la chimie au début du XIXe siècle, la notion d'espèce minérale a été clairement définie. Si R. J. Haüy a montré, en 1784, l'existence d'un réseau cristallin périodique, la réalisation, en 1912, par M. von Laue de la diffraction d'un faisceau de rayons X par un cristal prouve, à la fois, la nature électromagnétique des rayons X et la structure périodique de la matière. À partir de ce moment, une classification rationnelle des espèces est réalisée. Depuis, outre l'étude des propriétés optiques des minéraux et leur analyse chimique, de nombreuses techniques sont venues s'ajouter : spectrographie infrarouge, nouvelles méthodes de diffraction et, surtout, microsonde électronique permettant une analyse non destructrice d'un infime échantillon.

LES MINÉRAUX

Les *phyllosilicates,* de structure lamellaire, sont constitués de couches de tétraèdres unis entre eux par les trois sommets d'une base. La plus commune de ces couches, de composition $(Si_4O_{10})^{4-}$, est formée par la juxtaposition dans un plan de rubans $(Si_4O_{11})^{6-}$ du type amphibole. Cette couche constitue l'élément structural de base des micas, des chlorites et des argiles notamment.

Les *tectosilicates* présentent une charpente tridimensionnelle de tétraèdres liés par tous leurs sommets. La formule du groupement de base est donc SiO_2, celle du quartz et des autres minéraux du groupe de la silice. Le remplacement du silicium par de l'aluminium introduit des charges négatives pouvant être neutralisées par des cations comme Na^+, K^+, Ca^{2+}... À ce groupe appartiennent les feldspaths, les feldspathoïdes, les zéolites...

Les non-silicates.

Ils sont classés en fonction de leur composition chimique : les *halogénures,* dont le plus commun dans la nature est le sel gemme, $NaCl$; les *sulfures* et les *sulfosels,* qui constituent très souvent des minerais, contenant un bon nombre de métaux (pyrite, FeS_2 ; chalcopyrite, $CuFeS_2$; galène, PbS ; blende, ZnS) ; les *carbonates,* qui sont représentés principalement par la calcite ($CaCO_3$) ; les *sulfates,* avec trois espèces communes, le gypse ($CaSO_4$, $2H_2O$), l'anhydrite ($CaSO_4$) et la barytine ($BaSO_4$) ; les *phosphates,* dont une seule espèce est véritablement commune, l'apatite $[Ca_5(PO_4)_3(OH, F, Cl)]$; enfin, les *oxydes* et *hydroxydes,* avec le groupe des spinelles, l'ilménite ($FeTiO_3$), le rutile (TiO_2), etc.

Voir aussi : CRISTAL, GÉOLOGIE, ROCHE, TERRE.

❶ Topaze.

❷ Aigue-marine
(ci-dessous, à gauche).

❸ Tourmaline
(ci-dessous, à droite).

MINI adj. inv. Qui est très court, en parlant d'une robe, d'une jupe. ◆ n.m. Vêtements féminins particulièrement courts : *La mode du mini.*

MINIATURE n.f. (du lat. *miniare,* enduire au minium). -1. Image peinte participant à l'enluminure d'un manuscrit. (V. ENCYCL.) -2. Peinture de petites dimensions et de facture délicate, telle que scène gracieuse ou portrait, soit encadrée, soit traitée en médaillon, soit employée pour décorer une boîte, une tabatière. ◆ adj. Extrêmement petit ; qui est la réduction de qqch : *Autos miniatures.*

ENCYCL.

De Byzance à l'époque romane. Les images en pleine page apparaissent dès le haut Moyen Âge occidental dans les livres enluminés, à côté des lettrines ornées. La tradition de cet art vient de Byzance, dont la miniature connaît un âge d'or à l'époque justinienne (*Évangéliaire* de Rossano) et s'inspire, du IXe au XIIe siècle, de la peinture romaine (somptueux *Psautier* de la B. N., Paris). La miniature irlandaise donne au contraire la prééminence à l'entrelacs décoratif, issu de l'art celte (*Livre de Kells,* VIIIe s., Dublin). L'époque carolingienne voit se développer les *scriptoriums* monastiques, qui combinent influences barbares et volonté antiquisante pour aboutir au style illusionniste et frémissant des dessins du *Psautier d'Utrecht* (835, bibliothèque de cette ville).

À l'époque romane, grâce aux réseaux des relations monastiques, une certaine unification stylistique se fait jour à travers les différents foyers : nord de l'Espagne (les *beatus*), Gascogne (*Apocalypse de Saint-Sever,* XIe s., B. N.), Bourgogne (*Bible de Souvigny,* XIIe s., bibl. de Moulins), Normandie, Angleterre (*Bibles* de Bury et de Winchester), Allemagne, Flandre, Italie...

La miniature gothique. Dès le début de la période gothique, la miniature connaît en France un grand éclat. Sa production comme son usage se laïcisent, liés au développement de la vie urbaine. Paris est un centre majeur de la miniature au XIIIe siècle (*Psautier de Saint Louis,* B. N.). Au XIVe siècle, fonds d'or et cadres architecturaux cèdent la place aux fonds de couleur ou à des paysages ; maître Honoré est le peintre du *Décret de Gratien* (Tours) ; J. Pucelle développe dans les marges un décor aigu et foisonnant. À la suite de Charles V, des collectionneurs mécènes vont susciter des illustrations d'une audacieuse nouveauté, oscillant entre naturalisme et maniérisme, soit anonymes (*Térence des ducs,* bibl. de l'Arsenal,

Paris ; *Heures de Bedford,* British Museum ; *Heures de Rohan,* B. N. ; *le Cœur d'Amour épris,* Vienne), soit attribuables à des maîtres comme Beauneveu, Jacquemart de Hesdin, les Limbourg, J. Fouquet...

La miniature italienne est notamment illustrée par les noms de S. Martini, de Taddeo Crivelli au XVe siècle, d'Attavante degli Attavanti (qui travaille pour Mathias Ier Corvin) et du Dalmate Giulio Clovio au XVIe siècle. Mais, dès cette époque, la miniature est en voie de disparition en tant qu'illustration de manuscrits, la gravure sur bois la remplaçant dans les livres imprimés. Elle sera surtout, désormais, un art menu tourné vers le portrait (notamment sur ivoire ou émaillé) et vers le décor de petits objets tels que tabatières, boîtes et étuis divers.

La miniature islamique. Malgré l'interdit coranique, l'art de la miniature a été florissant dans le monde islamique. Les *écoles arabes* se développent dès le XIe siècle (fatimide au Caire ; mésopotamienne, avec Bagdad pour centre principal au XIIe siècle, sous la direction de Yahya al-Wasiti). Leur style, empreint de liberté et de fantaisie, rehaussé par la richesse de la palette, ne manque pas de réalisme. Traités de médecine, recueils de fables et « séances » d'al-Hariri sont les thèmes favoris.

saint Matthieu, **MINIATURE** des *Évangiles de Saint-Riquier ;* art carolingien, v. 800 (Bibliothèque municipale, Abbeville)

À la Fontaine de Fortune, une des **MINIATURES** ilustrant le manuscrit du *Cœur d'amour épris,* roman allégorique de René d'Anjou ; v. 1465 ? (B. N., Vienne)

La *miniature iranienne,* dès le XIVe siècle, à Tabriz, allie subtilement les influences chinoises aux traditions nationales (Chah-namè de Ferdowsi) et le paysage devient fréquent. Fondée en 1420 par les Timurides, l'académie d'Harat s'attache avec Behzad — l'un de ses membres éminents — au rendu des mouvements et à l'équilibre de la composition. La destruction d'Harat (1510) est à l'origine de l'école de Boukhara ; Behzad, lui, se réfugie à Tabriz et donne une impulsion décisive à l'école séfévide, qui déploie ensuite sa magnificence à Ispahan sous le règne de Chah Abbas. Déjà enrichie sous les Timurides, la palette est de nouveau élargie. Reza Abbasi, grand observateur de la nature, préside aux destinées de l'école entre 1618 et 1634 et on lui doit l'introduction, sous l'ascendant de l'Occident, d'un certain réalisme qui modifie les valeurs typiquement iraniennes.

En *Turquie,* la miniature connaît un brillant essor au XVe siècle. En Inde, sous le règne des princes *moghols,* les traditions nationales, subtilement alliées à l'influence iranienne, confèrent son originalité à une production de qualité. (→ BEHZAD, WASITI.)

MINIATURÉ, E adj. Enjolivé de miniatures.

MINIATURISATION n.f. Action de miniaturiser ; fait d'être miniaturisé.

MINIATURE d'al-Wasiti illustrant un manuscrit du XIIIe siècle du *Livre des Séances* d'al-Hariri (XIIe s.) [B. N., Paris]

MINIATURISER v.t. Donner de très petites dimensions à un appareil, à un élément fonctionnel, etc.

MINIATURISTE n. Peintre en miniatures.

MINIBUS ou **MINICAR** n.m. Petit autocar.

MINICASSETTE n.f. (nom déposé). Cassette de petit format. ◆ n.m. Magnétophone utilisant ce type de cassette.

MINICHAÎNE n.f. Chaîne haute fidélité très compacte.

MINIER, ÈRE adj. Relatif aux mines.

MINIJUPE n.f. Jupe très courte, s'arrêtant à mi-cuisse.

1. **MINIMA (A)** loc. adj. inv. *Appel a minima,* appel que le ministère public interjette quand il estime la peine insuffisante.

2. **MINIMA** n.m. pl. → MINIMUM.

MINIMAL, E, AUX adj. -1. Qui a atteint son minimum : *Température minimale.* -2. Se dit d'une tendance de l'art contemporain qui réduit l'œuvre à des formes géométriques strictes, à des modalités élémentaires de matière ou de couleur. (V. ENCYCL.) -3. *Élément minimal,* élément d'un ensemble ordonné tel qu'il n'existe aucun autre élément qui lui soit inférieur.

ENCYCL. Apparu aux États-Unis durant les années 60, l'*art minimal* (angl. *minimal art*) s'est opposé à l'expressionnisme abstrait en s'appuyant sur l'exemple d'artistes comme Ellsworth Kelly (né en 1923, peinture « hard edge », c'est-à-dire en aplats de couleurs avec contours tranchés) ou B. Newman. Il se manifeste par des travaux en trois dimensions (« structures primaires ») d'un dépouillement non dénué de puritanisme, souvent à base de matériaux industriels : œuvres de Carl Andre

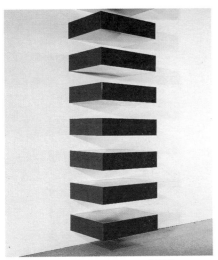

art **MINIMAL** : œuvre sans titre (1979)
de Don Judd (M. N. A. M., C. N. A. C. G.-P., Paris)

(né en 1935 ; éléments sériels en bois, carrelages de métal...), Dan Flavin (1933 ; tubes au néon), Don Judd (1928 - 1994), Sol LeWitt (1928 ; dessins et peintures muraux), R. Morris (« Feutres », œuvres en métal...), qui en général visent plus à une action sur l'environnement qu'à une expression plastique propre.

MINIMALISER v.t. Réduire qqch jusqu'au seuil minimal : *Minimaliser les frais.*

MINIMALISME n.m. -1. Art minimal ; caractère de cet art. -2. Recherche des solutions requérant le minimum de moyens, d'efforts, par opp. à *maximalisme.*

MINIMALISTE adj. et n. -1. Qui relève du minimalisme ; qui en est partisan. -2. Qui se rapporte ou appartient à l'art minimal.

MINIME adj. Qui est très petit, peu important, peu considérable. ◆ n. Jeune sportif de 11 à 13 ans. ◆ n.m. Religieux membre d'un ordre mendiant institué au XVe s. par saint François de Paule, à Cosenza (Italie).

MINIMISER v.t. Accorder une moindre importance à qqch, en réduire l'importance : *Minimiser un incident.*

MINIMUM [minimɔm] n.m. (pl. minimums ou minima). Le plus petit degré auquel qqch peut être réduit : *Le minimum de risques.* **DR.** Peine la plus faible qui puisse être appliquée pour un cas déterminé. ‖ *Minimum vieillesse,* montant au-dessous duquel ne peut être liquidé un avantage de l'assurance vieillesse, en fonction de certaines conditions d'âge et d'activité. **MATH.** Plus petit élément (s'il existe) d'un ensemble ordonné. ‖ *Minimum d'une fonction,* minimum des valeurs prises par cette fonction dans un intervalle donné ou dans son domaine de définition.

MINI-ORDINATEUR n.m. (pl. mini-ordinateurs). Ordinateur de faible volume, d'une capacité moyenne de mémoire, de bonne performance, utilisé de manière autonome ou comme élément périphérique d'un ordinateur central ou d'un réseau informatique.

MINISTÈRE n.m. (lat. *ministerium,* service). -1. Fonction, charge de ministre ; temps pendant lequel on l'exerce. -2. Ensemble des ministres qui composent le gouvernement d'un État ; cabinet. -3. Administration dépendant d'un ministre ; bâtiment où se trouvent ses services. **DR.** *Ministère public,* magistrature établie près d'une juridiction et requérant l'application des lois au nom de la société. (On dit aussi *magistrature debout, parquet.*) **RELIG.** Fonctions, charges que l'on exerce (se dit spécial. du sacerdoce).

MINISTÉRIEL, ELLE adj. Relatif au ministre ou au ministère : *Fonctions ministérielles.*

MINISTRE n.m. (lat. *minister,* serviteur). -1. Membre du gouvernement d'un État à la tête d'un département ministériel. (S'emploie couramment au fém. : *la ministre.*) -2. VIEILLI. Pasteur du culte réformé. -3. *Ministre du culte,* prêtre ou pasteur chargé d'un service paroissial. ‖ *Ministre délégué,* ministre chargé d'exercer pour le compte du Premier ministre certaines missions de ce dernier. ‖ *Ministre d'État,* titre honorifique attribué à certains ministres en raison de leur personnalité ou de l'importance que l'on veut donner à leur domaine. (Le ministre d'État est génér. chargé d'une mission particulière.)

MINITEL n.m. (nom déposé). Terminal d'interrogation vidéotex français.

MINIUM [minjɔm] n.m. -1. Pigment rouge-orangé obtenu par oxydation du plomb fondu. -2. Peinture antirouille au minium.

MINKOWSKI (Alexandre), médecin français (Paris 1915). Il a étudié la physiologie chez le nouveau-né normal, le prématuré et le fœtus. Il est aussi connu pour ses ouvrages de réflexion sur la médecine.

MINKOWSKI (Hermann), mathématicien allemand (Kovno 1864 - Göttingen 1909). Sa conception de l'*espace-temps* quadridimensionnel, qui porte son nom, fournit une interprétation géométrique de la relativité restreinte de son ancien élève A. Einstein.

MINNE (George, *baron*), sculpteur et dessinateur belge (Gand 1866 - Laethem-Saint-Martin 1941). Il est l'auteur d'ouvrages à la fois symbolistes et d'accent monumental (*Fontaine aux agenouillés* [1898], marbre au musée d'Essen, bronze à Bruxelles).

MINNEAPOLIS, v. des États-Unis (Minnesota), sur le Mississippi ; 368 383 hab. Université. Musées. Centre tertiaire et industriel. Avec Saint Paul, sur l'autre rive du fleuve, elle constitue (banlieues incluses) une agglomération de 2 464 124 hab. — Importants musées.

MINNELLI (Vincente), cinéaste américain (Chicago v. 1910 - Los Angeles 1986). Venu du théâtre, il devient l'un des meilleurs spécialistes (avec Stanley Donen) de la comédie musicale : *Ziegfeld Follies* (1946), *Un Américain à Paris* (1951), *Tous en scène* (1953), *Brigadoon* (1954). On lui doit également d'autres films, comédies ou drames psychologiques (*la Femme modèle,* 1957 ; *le Chevalier des sables,* 1965).

MINNESANG [minəsaŋ] n.m. sing. (mot all., de *Minne,* amour, et *Sang,* chanson). Poésie courtoise allemande des XIIᵉ et XIIIᵉ s.

MINNESÄNGER [minəsɛnger] n.m. inv. Dans la littérature allemande, poète courtois du Moyen Âge.

MINNESOTA, État du centre-nord des États-Unis ; 217 735 km² ; 4 375 099 hab. Cap. *Saint Paul.* Les forêts du Nord sont parsemées de nombreux lacs tandis que le Sud et l'Ouest, colonisés principalement par des Scandinaves et des Allemands, produisent des céréales (maïs, avoine, orge, soja) et fournissent des produits laitiers. Dans le Nord-Est, on extrait du minerai de fer.

MINO da Fiesole, sculpteur italien (Fiesole 1429 - Florence 1484). Maître d'une manière épurée et délicate, auteur de bustes et de tombeaux monumentaux, il a partagé son activité entre la Toscane et Rome (tombeau du comte Ugo, église de la Badia, Florence).

MINOEN [minɔɛ̃] n.m. (de *Minos,* n.pr.). Période de l'histoire de la Crète préhellénique, depuis le IIIᵉ millénaire jusqu'à 1100 av. J.-C. ◆ **minoen, enne** adj. Du minoen.

ENCYCL. La civilisation minoenne apparaît à la suite d'un néolithique à évolution relativement lente (6000-v. 2600 av. J.-C.). Vers le milieu du IIIᵉ millénaire intervient en Crète la « révolution du bronze » ; sans marquer de rupture, elle semble liée à un apport de population nouvelle.

Une scène de *Un Américain à Paris* (1951), film de Vincente **MINNELLI,** avec G. Kelly et L. Caron.

art **MINOEN** : escalier, véranda et puits de lumière des appartements royaux du palais de Cnossos (v. 1500 av. J.-C. ; reconstitution partielle)

l'*Oiseau bleu* (v. 1500 av. J.-C.), détail d'une fresque provenant de la « maison des fresques » à Cnossos (musée d'Héraklion)

La chronologie. Le *minoen ancien,* ou *prépalatial* (env. 2600-2000). Dans une Crète villageoise, les céramiques anciennes sont associées à d'autres formes influencées par les modèles en métal d'Anatolie, alors que la vaisselle de pierre reste abondante ; on note la présence de poignards en cuivre et de bijoux d'or ainsi que l'usage de sceaux.

Le *minoen moyen,* ou *protopalatial* (2000-1600). Évolution sociale, nouvelle forme de vie religieuse, expansion commerciale sont à l'origine de l'épanouissement artistique. Les premiers complexes palatiaux sont construits dans des agglomérations sans fortification (Malia, Cnossos, Phaistos). Anéantie v. 1700 av. J.-C., cette civilisation connaît ensuite une splendeur nouvelle. Les grands palais au plan canonique sont construits autour d'une cour centrale, utilisée pour les fêtes du taureau, et d'un sanctuaire dédié à une déesse mère ; corridors et puits de lumière créent des liens entre les divers niveaux. La complexité de cette architecture est sans doute à l'origine de la légende de Dédale. Vers 1600, la plupart des ensembles palatiaux sont ornés de fresques.

Le *minoen récent,* ou *néopalatial* (env. 1600-1100 av. J.-C.). Observation de la nature et liberté d'expression caractérisent les peintures murales des palais (musée d'Héraklion). Des scènes de tauromachie, peintes, confirment l'importance religieuse du fauve. Statuettes d'orants et doubles haches exécutées en bronze sont d'autres témoignages de la vie religieuse.

Le monde minoen survécut à grand-peine à la destruction (v. 1450) simultanée des grands

art **MINOEN** : rhyton en forme de tête de taureau (stéatite et or ; v. 1600 av. J.-C.) provenant de Cnossos (musée d'Héraklion)

centres palatiaux, due à une éruption volcanique, puis Cnossos succomba à un raid (v. 1375 av. J.-C.) venu de Grèce.

MINOIS n.m. Visage délicat et gracieux.

MINORANT adj.m. et n.m. *Élément minorant d'une partie d'un ensemble ordonné E* ou *minorant,* n.m., élément de E inférieur à tous les éléments de cette partie.

MINORATION n.f. Action de minorer.

MINORER v.t. -1. Diminuer l'importance de qqch, le minimiser : *Minorer un incident.* -2. Porter qqch à un chiffre inférieur : *Minorer les prix de 10 p. 100.* -3. Déterminer un minorant.

MINORITAIRE adj. et n. Qui appartient à la minorité ; qui s'appuie sur une minorité.

1. **MINORITÉ** n.f. -1. État d'une personne qui n'a pas atteint l'âge de la majorité. -2. Période de la vie de qqn pendant laquelle il n'est pas légalement responsable de ses actes et n'a pas l'exercice de ses droits.

2. **MINORITÉ** n.f. -1. Ensemble de personnes, de choses inférieures en nombre par rapport à un autre ensemble. -2. Ensemble de ceux qui se différencient au sein d'un même groupe, par opp. à *majorité.* -3. Groupe de personnes réunissant le moins de voix dans une élection, un vote. -4. *Minorité nationale,* groupe se distinguant de la majorité de la population par ses particularités ethniques, sa religion, sa langue ou ses traditions.

MINORQUE, en esp. Menorca, l'une des îles Baléares, séparée de Majorque par un étroit bras de mer ; 702 km² ; 60 000 hab. Ch.-l.

Mahón. Tourisme. — L'île fut britannique de 1713 à 1756 et de 1799 à 1802.

MINOS, roi légendaire de Crète, fils de Zeus et d'Europe, époux de Pasiphaé et père d'Ariane. Ayant remporté une victoire contre les Athéniens, il leur impose d'envoyer chaque année sept jeunes gens et sept jeunes filles à donner en pâture au Minotaure. Son rôle civilisateur lui valut, après sa mort, d'être, avec Rhadamanthe et Éaque, l'un des trois juges des Enfers.

MINOT n.m. Farine de blé dur utilisée pour la fabrication des pâtes ou pour l'alimentation du bétail.

MINOTAURE, monstre de la mythologie grecque, né des amours de Pasiphaé, la femme de Minos, et d'un taureau envoyé par Poséidon. Minos l'enferma dans le Labyrinthe construit par Dédale. Le Minotaure fut tué par Thésée.

MINOTERIE n.f. Meunerie.

MINOTIER n.m. Industriel exploitant une minoterie.

MINQUE n.f. BELGIQUE. Halle aux poissons, dans les localités côtières.

MINSK, cap. de la Biélorussie ; 1 589 000 hab. Cité marchande et vieux foyer culturel, Minsk est aussi un centre industriel (automobiles, tracteurs). — Rares monuments anciens ; musées.

Minsk *(bataille de)* [28 juin-3 juill. 1941], lors de l'offensive allemande contre l'U. R. S. S., combats au cours desquels le général von Bock s'empara de 300 000 prisonniers, de

Vue de **MINSK.**

3 000 chars et de 3 000 canons de l'Armée rouge.

MINUIT n.m. -1. Milieu de la nuit. -2. Douzième heure après midi ; instant marqué vingt-quatre heures ou zéro heure.

MINUSCULE adj. Très petit. ◆ adj. *Lettre minuscule* ou *minuscule,* n.f., petite lettre, par opp. à *majuscule.*

MINUTAGE n.m. Action de minuter.

MINUTAIRE adj. Qui a le caractère d'un original : *Acte minutaire.*

1. **MINUTE** n.f. -1. Unité de mesure du temps (symb. min) valant 60 secondes. -2. Court espace de temps : *Je reviens dans une minute.* -3. Unité de mesure d'angle (symb. ') valant 1/60 de degré, soit $\pi/10\,800$ radian. (On l'appelle parfois *minute sexagésimale.*) -4. *La minute de vérité,* le moment où il n'est plus possible à qqn de donner le change. ‖ *Minute centésimale,* sous-multiple du grade valant $\pi/20\,000$ radian.

2. **MINUTE** n.f. Écrit original d'un jugement ou d'un acte notarié, dont il ne peut être délivré aux intéressés que des copies (*grosses* ou *expéditions*) ou des extraits.

MINUTER v.t. Fixer avec précision la durée, le déroulement de qqch : *Minuter un spectacle.*

MINUTERIE n.f. -1. Appareil électrique à mouvement d'horlogerie destiné à assurer un contact pendant un laps de temps déterminé. -2. Partie du mouvement d'une horloge qui sert à marquer les divisions de l'heure.

MINUTEUR n.m. Appareil à mouvement d'horlogerie permettant de régler la durée d'une opération ménagère.

MINUTIE [minysi] n.f. Application attentive et scrupuleuse aux détails.

MINUTIER [-tje] n.m. Registre contenant les minutes des actes d'un notaire.

MINUTIEUX, EUSE adj. -1. Qui s'attache aux petits détails ; scrupuleux, pointilleux. -2. Fait avec minutie ; méticuleux : *Observation minutieuse.* ◆ **minutieusement** adv.

MIOCÈNE n.m. et adj. (du gr. *meiôn,* moins, et *kainos,* récent). Troisième période de l'ère tertiaire, entre l'oligocène et le pliocène, qui a vu l'apparition des mammifères évolués (singes, ruminants, mastodontes, dinothériums).

MI-PARTI, E adj. -1. Composé de deux parties égales mais dissemblables : *Costume mi-parti jaune et vert.* -2. *Chambres mi-parties,* aux XVIe et XVIIe s., chambres des parlements composées par moitié de juges protestants et de juges catholiques.

MIQUE (Richard), architecte français (Nancy 1728 - Paris 1794). Il succéda à Gabriel comme premier architecte de Louis XVI et créa le Hameau de la reine (1783-1786) dans le parc du Petit Trianon, à Versailles.

MIQUELON → SAINT-PIERRE-ET-MIQUELON.

MIR n.m. En Russie, assemblée gérant les affaires d'une commune paysanne, qui avait notamm. pour tâche de répartir les terres par lots entre les familles pour un temps donné ; la commune paysanne elle-même. (Le statut de 1861, abolissant le servage, conféra au mir le droit d'acheter le terroir qu'il détenait jusqu'alors.)

MIRABEAU (Honoré Gabriel **Riqueti**, *comte* de), homme politique français (Le Bignon, Loiret, 1749 - Paris 1791). Il eut une jeunesse orageuse qui lui valut plusieurs séjours en prison. Bien qu'appartenant à la noblesse, il fut élu député du tiers état d'Aix-en-Provence aux États généraux (1789). Orateur prestigieux, il laissa une célèbre phrase à la postérité : « Allez dire au roi que nous sommes ici par la volonté du peuple et que nous n'en sortirons que par la force des baïonnettes. » Il contribua à la nationalisation des biens du clergé. Partisan d'une monarchie constitutionnelle où le roi conserverait de grandes prérogatives, il entra secrètement au service de Louis XVI (mai 1790), qui le pensionna sans tenir grand compte de ses conseils.

Honoré Gabriel Riqueti, comte de **MIRABEAU**, homme politique français. Détail d'un portrait par J. Boze. (Château de Versailles.)

MIRABEAU (Victor **Riqueti**, *marquis* de), économiste français (Pertuis, Vaucluse, 1715 - Argenteuil 1789), père du précédent, disciple de Quesnay et de l'école physiocratique, auteur de *l'Ami des hommes ou Traité sur la population* (1756).

MIRABEL, v. du Canada (Québec) ; 6 067 hab. Aéroport international de Montréal.

MIRABELLE n.f. -1. Petite prune jaune, douce et parfumée. -2. Eau-de-vie faite avec ce fruit.

MIRABELLIER n.m. Prunier cultivé qui produit les mirabelles. (Famille des rosacées.)

MIRABILIS [mirabilis] n.m. (mot lat., *admirable*). Plante herbacée, originaire d'Afrique et d'Amérique, souvent cultivée pour ses grandes fleurs colorées qui s'ouvrent la nuit (d'où son nom usuel de *belle-de-nuit*). [Famille des nyctaginacées.]

MIRACIDIUM [mirasidjɔm] n.m. Première forme larvaire des vers trématodes (douves, bilharzies).

MIRACLE n.m. -1. Phénomène interprété comme une intervention divine. -2. Fait, résultat étonnant, extraordinaire ; hasard merveilleux, chance exceptionnelle. -3. (En app.). D'une efficacité surprenante ; exceptionnel : *Un médicament miracle*. -4. Drame religieux du Moyen Âge, mettant en scène une intervention miraculeuse d'un saint ou de la Vierge.

MIRACULÉ, E adj. et n. -1. Se dit de qqn qui a été l'objet d'un miracle. -2. Qui a échappé, par une chance exceptionnelle, à une catastrophe.

MIRACULEUX, EUSE adj. -1. Qui tient du miracle : *Guérison miraculeuse*. -2. Étonnant, extraordinaire par ses effets : *Remède miraculeux*. ◆ **miraculeusement** adv.

MIRADOR n.m. (mot esp., de *mirar*, regarder). Tour d'observation ou de surveillance, pour la garde d'un camp de prisonniers, d'un dépôt, etc.

MIRAGE n.m. -1. Phénomène d'optique observable dans les régions où se trouvent superposées des couches d'air de températures différentes (déserts, banquise), s'expliquant par le fait que les objets éloignés ont une ou plusieurs images diversement inversées et superposées. (Ce phénomène est dû à la densité inégale des couches de l'air et, par suite, à la réflexion totale des rayons lumineux.) -2. Apparence trompeuse qui séduit quelques instants. -3. Action de mirer un œuf.

MIRANDA (Francisco de), général vénézuélien (Caracas 1750 - Cadix 1816). Il fit voter en 1811 la Déclaration d'indépendance. Battu par les Espagnols (1812), il fut emprisonné à Cadix.

MIRANDE, ch.-l. d'arr. du Gers, en Gascogne, sur la Baïse ; 3 940 hab. *(Mirandais)*. Eaux-de-vie d'Armagnac. — Bastide du XIIIᵉ siècle, avec église du XVᵉ. Musée (peintures des écoles française, hollandaise, etc. ; céramiques).

MIRANDOLE (Pic de La) → PIC DE LA MIRANDOLE.

MIRBANE n.f. *Essence de mirbane,* en parfumerie, nitrobenzène.

MIRBEAU (Octave), écrivain français (Trévières 1848 - Paris 1917). Auteur de romans (*Journal d'une femme de chambre,* 1900) et de comédies réalistes (*Les affaires sont les affaires,* 1903), il créa le « roman de l'automobile » avec *la 628-E8* (1907).

MIRCEA le Vieux (m. en 1418), prince de Valachie (1386-1418). Grand chef militaire, il participa à la bataille de Nicopolis (1396) contre les Ottomans.

MIRE n.f. -1. Règle graduée ou signal fixe utilisés pour le nivellement en géodésie ou en topographie. -2. Dessin de traits de largeurs et d'orientations différentes, servant à étudier les limites de netteté d'un objectif photographique ou d'une surface sensible. -3. Image comportant divers motifs géométriques, qui permet d'optimiser le réglage des téléviseurs. -4. *Cran de mire,* échancrure pratiquée dans la hausse d'une arme à feu et servant à la visée. ‖ *Ligne de mire,* ligne droite déterminée par le milieu du cran de mire ou de l'œilleton et par le sommet du guidon d'une arme à feu. ‖ *Point de mire,* point que l'on veut atteindre en tirant avec une arme à feu.

MIRE-ŒUFS n.m. inv. Appareil qui sert à observer par transparence l'intérieur des œufs au moyen de la lumière électrique.

MIREPOIX adj. et n.f. Préparation d'oignons, de carottes, de jambon ou de lard de poitrine que l'on ajoute à certains plats ou à certaines sauces pour en relever la saveur.

MIRER v.t. -1. LITT. Refléter. -2. Observer un œuf à contre-jour ou au moyen d'un mire-œufs afin de s'assurer de l'état de son contenu. ◆ **se mirer** v.pr. LITT. -1. Se regarder dans un miroir. -2. Se refléter.

MIREUR, EUSE n. Personne qui effectue le mirage des œufs.

MIRIFIQUE adj. FAM. Étonnant, merveilleux, surprenant.

MIRLITON n.m. -1. Instrument de musique dans lequel le souffle humain fait vibrer une membrane modifiant la voix qui parle ou chante devant. -2. Shako sans visière porté par certains cavaliers sous la Iʳᵉ République.

MIRMILLON n.m. Gladiateur romain, armé d'un bouclier, d'une courte épée et d'un casque, qui luttait habituellement contre le rétiaire.

MIRÓ (Joan), peintre, graveur et sculpteur espagnol (Barcelone 1893 - Palma de Majorque 1983). Surréaliste, il a mis au jour, par la pratique de l'automatisme, un monde d'une liberté, d'un dynamisme et d'un humour exemplaires. Il est bien représenté, notamment, au M. A. M. de New York (*Intérieur hollandais,* 1928), à la Fondation Miró, Barcelone (*Escargot, femme, fleur, étoile,* 1934), et ses sculptures des années 60 sont exposées à la Fondation Maeght à Saint-Paul-de-Vence.

MIROBOLANT, E adj. FAM. Qui est trop beau pour pouvoir se réaliser : *Promesses mirobolantes.*

MIROIR n.m. -1. Verre poli et métallisé (génér. avec de l'argent, de l'étain ou de l'aluminium) qui réfléchit les rayons lumineux. -2. Surface polie, métallique, ayant les mêmes usages que le verre poli. -3. *Miroir aux alouettes,* instrument monté sur un pivot et garni de petits morceaux de miroir qu'on fait tourner au soleil pour attirer les alouettes et d'autres petits oiseaux. AÉRON. *Miroir d'appontage,* système optique permettant aux pilotes d'effectuer seuls leur manœuvre d'appontage sur un porte-avions. JARD. *Miroir d'eau,* bassin sans jet d'eau ni fontaine. OPT. *Miroir ardent,* miroir à surface concave qui fait converger les rayons lumineux.

MIROITANT, E adj. LITT. Qui miroite.

MIROITÉ, E adj. Se dit d'un cheval bai à croupe marquée de taches plus brunes ou plus claires que le fond.

MIROITEMENT n.m. LITT. Éclat, reflet produit par une surface qui miroite.

MIROITER v.i. Réfléchir la lumière avec scintillement.

MIROITERIE n.f. -1. Industrie de l'argenture et de l'étamage des glaces. -2. Atelier de miroitier.

MIROITIER, ÈRE n. Personne qui coupe, encadre, pose ou vend des glaces.

MIROTON ou **MIRONTON** n.m. Plat de tranches de bœuf bouilli accommodé avec des oignons et du vin blanc.

Joan **MIRÓ** : *Composition* (1933). [Kunstmuseum, Berne.]

MIRV [mirv] n.m. inv. (sigle de *multiple independently [targetable] reentry vehicle*). Charge nucléaire multiple emportée par un missile et dont les éléments peuvent être guidés chacun sur un objectif particulier.

MISAINE n.f. *Mât de misaine*, mât vertical de l'avant d'un navire, situé entre le grand mât et le beaupré. ‖ *Voile de misaine* ou *misaine,* basse voile du mât de misaine.

MISANDRE adj. et n. (du gr. *miseîn,* haïr, et *andros,* homme). Qui éprouve du mépris pour les hommes, par opp. à *misogyne.*

MISANTHROPE adj. et n. (du gr. *miseîn,* haïr, et *anthrôpos,* homme). Qui manifeste de l'aversion pour tout le genre humain ; qui est d'humeur constamment maussade.

Misanthrope (le) → MOLIÈRE.

MISANTHROPIE n.f. Disposition d'esprit qui pousse à fuir la société.

MISANTHROPIQUE adj. Qui a le caractère de la misanthropie.

MISCIBILITÉ n.f. Caractère de ce qui est miscible.

MISCIBLE [misibl] adj. (du lat. *miscere,* mêler). Qui peut former avec un autre corps un mélange homogène.

MISE n.f. -1. Action de placer qqch, qqn dans un lieu particulier, dans telle position : *Mise en bouteilles. Mise à la porte.* -2. Action de faire passer qqch dans un état ou une situation nouvelle ; son résultat : *Mise en gerbe.* -3. Action d'organiser, de disposer des choses selon un certain ordre, pour une certaine finalité : *Mise en ordre alphabétique.* -4. Action de donner l'impulsion initiale à une action ou à un mécanisme et de les faire fonctionner : *Mise en chantier.* -5. Action de faire apparaître qqch d'une certaine manière : *Mise en évidence.* -6. Action d'établir certaines relations entre des choses ou des personnes : *Mise en contact.* -7. Action d'amener une personne à une situation déterminée : *Mise à la retraite.* -8. Action de risquer de l'argent au jeu ou dans une affaire ; cet argent : *Doubler sa mise.* -9. Manière de se vêtir, d'être habillé : *Une mise élégante.* -10. *Mise au point,* opération qui consiste, dans un instrument d'optique, à rendre l'image nette ; assemblage, mise en place et réglage d'éléments mécaniques ou électriques ; rectification d'une erreur d'imprimerie ; explication destinée à éclaircir, à régler des questions restées jusque-là dans le vague. ‖ *Mise à prix,* détermination du prix de ce que l'on vend (ou, parfois, de ce que l'on se propose d'acheter) ;

somme à partir de laquelle démarrent les enchères dans une vente publique ; en Suisse, vente aux enchères. ‖ *Mise en scène,* réalisation scénique ou cinématographique d'une œuvre lyrique ou dramatique, d'un scénario. ‖ *Mise en service,* opération par laquelle une installation, une machine neuve, etc., est utilisée pour la première fois en service normal. AUDIOVIS. *Mise en ondes,* réalisation radiophonique d'une œuvre, d'une émission. COIFF. *Mise en plis,* opération qui consiste à mettre en boucles les cheveux mouillés en vue de la coiffure à réaliser après le séchage. COMM. *Mise en avant d'un produit,* manière de le présenter dans le magasin de telle manière qu'il se distingue bien des autres produits, qu'il ressorte. DÉF. *Mise en garde,* menace de défense, décrétée en cas de menace de conflit, pour assurer la sécurité du pays. DR. *Mise en état,* préparation d'une affaire sous le contrôle d'un juge en vue de sa venue à l'audience pour y être jugée. ‖ *Mise à pied,* mesure disciplinaire consistant à priver, pendant une courte durée, un salarié de son emploi et du salaire correspondant. ÉLECTR. *Mise sous tension,* alimentation d'une installation électrique. IMPR. *Mise en page(s),* assemblage, d'après la maquette, des diverses compositions et des clichés d'un livre, d'un journal, etc., pour obtenir des pages d'un format déterminé, en vue de l'impression. ‖ *Mise en train,* réglage de la forme imprimante sur la presse. SCULPT. *Mise aux points,* technique de reproduction d'un modèle en ronde bosse par report sur l'ébauche des points les plus caractéristiques du volume à reproduire. TECHN. *Mise en forme,* ensemble des opérations permettant d'obtenir un produit de forme donnée (par déformation plastique, par enlèvement de matière ou par assemblage d'éléments différents). THERM. *Mise à feu,* ensemble des opérations d'allumage d'un foyer, d'une chaudière, d'un four, d'un haut-fourneau, etc. TRAV. PUBL. *Mise en eau d'un barrage,* action de laisser s'accumuler derrière ce barrage les eaux qu'il est appelé à retenir.

MISÈNE, ancienne base navale de l'Empire romain, située à l'abri du cap Misène, promontoire italien fermant à l'ouest le golfe de Naples.

MISER v.t. Déposer une mise, un enjeu : *Miser une grosse somme.* ◆ v.t. ind. (**sur**). -1. Parier sur qqn, qqch. -2. Compter sur qqch, sur son existence, pour aboutir au résultat : *Miser sur la Bourse pour s'enrichir.* ◆ v.i. SUISSE. Vendre ou acheter dans une vente aux enchères.

MISÉRABILISME n.m. Tendance littéraire et artistique caractérisée par un goût systématique pour la représentation de la misère humaine.

MISÉRABILISTE adj. et n. Qui relève du misérabilisme ; qui le pratique.

MISÉRABLE adj. et n. -1. De nature à exciter la pitié ; déplorable : *Fin misérable*. -2. Qui manque de ressources ; indigent, nécessiteux. -3. Digne de mépris ; sans valeur : *Un misérable acte de vengeance.* ◆ adj. Qui a peu de prix, peu de valeur ; minime : *Salaire misérable.* ◆**misérablement** adv.

Misérables (les) → HUGO.

MISÈRE n.f. -1. Événement douloureux ; malheur. -2. État d'extrême pauvreté, de faiblesse, d'impuissance ; manque grave de qqch. -3. Tradescantia (plante).

MISERERE [mizerere] n.m. inv. ou **MISÉRÉRÉ** n.m. (lat. *miserere,* aie pitié). -1. Psaume dont la traduction dans la Vulgate commence par ce mot, l'un des sept psaumes de la pénitence ; pièce de musique chantée, composée sur les paroles de ce psaume. -2.vx. *Colique de miserere,* occlusion intestinale.

MISÉREUX, EUSE adj. et n. Qui est dans la misère ; pauvre. ◆ adj. Qui donne l'impression de la misère : *Un quartier miséreux.*

MISÉRICORDE n.f. -1. LITT. Pitié qui pousse à pardonner à un coupable, à faire grâce à un vaincu ; pardon accordé par pure bonté. -2. Console placée sous le siège relevable d'une stalle d'église et servant, quand ce siège est relevé, à s'appuyer tout en ayant l'air d'être debout.

MISÉRICORDIEUX, EUSE adj. Enclin à la miséricorde, au pardon.

MISHIMA YUKIO (Hiraoka Kimitake, dit), écrivain japonais (Tokyo 1925 - *id.* 1970). Romancier (*la Forêt tout en fleur,* 1944 ; *le Marin rejeté par la mer,* 1963 ; *la Mer de la fécondité,* 1970) et auteur dramatique (*Cinq Nô modernes,* 1956 ; *Madame de Sade,* 1966), il trouva dans la création artistique un moyen d'échapper au néant et à la destruction. Désireux de restaurer la tradition nationale, il fonda la Société du bouclier et se suicida publiquement après une tentative de coup d'État avortée.

Mishna, compilation de commentaires rabbiniques sur la Torah. On lui a donné le nom de « loi orale » en la considérant comme faisant partie de la révélation mosaïque aux côtés de la « loi écrite » qu'est la Torah. (→ JUDAÏSME.)

MISKITO → MOSQUITO.

MISKOLC, v. du nord-est de la Hongrie ; 196 442 hab. Métallurgie. — Monuments gothiques, baroques et néoclassiques.

MISNIE, en all. Meissen, ancien margraviat allemand, intégré à la Saxe en 1423.

MISOGYNE adj. et n. (du gr. *miseîn,* haïr, et *gunê,* femme). Qui a une hostilité manifeste à l'égard des femmes.

MISOGYNIE n.f. Haine, mépris pour les femmes.

MI SON, site archéologique du centre du Viêt Nam (prov. de Quang Nam). Entre 400 et 1402, il a été le centre religieux le plus important du Champa et reste célèbre pour ses sculptures des VIIᵉ et Xᵉ siècles. L'ensemble a beaucoup souffert pendant la guerre du Viêt Nam.

MISOURATA ou **MISURATA,** port de Libye, à l'est de Tripoli ; 285 000 hab.

MISPICKEL n.m. Sulfure naturel de fer et d'arsenic (FeAsS).

MISS [mis] n.f. -1. FAM. Jeune fille. -2. Reine de beauté : *Miss France.*

MISSEL n.m. Livre qui contient les textes de la liturgie de la messe.

MISSI DOMINICI n.m. pl. (mots lat., *envoyés du maître*). Agents nommés par Charlemagne, qui allaient deux par deux, un clerc et un laïc, pour assurer le contrôle et la surveillance des autorités locales.

MISSILE n.m. (mot lat., *arme de jet*). Projectile faisant partie d'un système d'arme à charge militaire classique ou nucléaire, doté d'un système de propulsion automatique et guidé sur toute ou partie de sa trajectoire par autoguidage ou téléguidage.
→ ● DOSSIER LES MISSILES *page 3594.*

MISSILIER n.m. Militaire spécialisé dans le service des missiles.

MISSION n.f. -1. Charge donnée à qqn d'accomplir une tâche définie : *Remplir une mission.* -2. Fonction temporaire et déterminée dont un gouvernement, une organisation chargent qqn, un groupe : *Parlementaire en mission.* -3. Ensemble des personnes ayant reçu cette charge : *Mission scientifique.* -4. But élevé, devoir inhérent à une fonction, à une profession, à une activité et au rôle social qu'on lui attribue. **MIL.** But à atteindre fixé par une autorité à son subordonné. (La mission engage la responsabilité du chef qui la donne ; elle est impérative pour celui qui la reçoit.) **RELIG.** Organisation visant à la propagation de la foi. (V. ENCYCL.) ‖ Établissement de missionnaires. ‖ Suite de prédications pour la conversion des infidèles ou des pécheurs.

ENCYCL. RELIGION

Dans le christianisme, les missions procèdent de la charge, confiée par Jésus-Christ à ses disciples, de l'évangélisation des non-chrétiens. Ce terme désigne plus précisément les formes d'organisation prises par un tel projet, surtout à la fin du XVIe siècle pour l'Amérique et l'Asie, puis au XIXe siècle pour l'Afrique et l'Océanie.

Les missions catholiques. Ces « missions étrangères » se développèrent grâce à une multiplicité de nouveaux ordres ou congrégations, dits « missionnaires ». Longtemps marquées par l'esprit de la colonisation, avec lequel leur action était généralement jumelée, les missions sont devenues, notamment à la suite du IIe concile du Vatican (1965), des facteurs de progrès et de prise de conscience des jeunes nations : d'une part, le clergé autochtone remplace le clergé d'origine européenne ; d'autre part, l'évangélisation est désormais conçue sur le mode d'une « inculturation », c'est-à-dire d'un échange réciproque entre le message chrétien et les cultures locales.

Les missions protestantes. L'activité missionnaire s'est développée aussi avec intensité dans les Églises protestantes, surtout à partir du XIXe siècle, accompagnant généralement les avancées de l'Empire britannique et recevant une impulsion nouvelle de l'expansion américaine dans le monde. Les missions protestantes furent souvent en concurrence avec les missions catholiques. Cette rivalité, qui s'était estompée avec les progrès de l'œcuménisme, se ravive aujourd'hui dans certaines régions.

MISSIONNAIRE n. Prêtre, pasteur, religieux employé soit aux missions étrangères, soit aux missions intérieures. ◆ adj. Relatif aux missions, à la propagation de la foi.

MISSISSAUGA, v. du Canada (Ontario), banlieue de Toronto ; 430 770 hab.

MISSISSIPPI, fl. drainant la partie centrale des États-Unis. Né au Minnesota, il coule vers le S., avec une faible pente et de nombreux méandres, passe à Minneapolis et Saint Paul, Saint Louis, Memphis, La Nouvelle-Orléans et se termine par un vaste delta dans le golfe du Mexique. Sa longueur est de 3 780 km ou de 6 210 km avec le Missouri, son principal affluent ; l'ensemble draine un bassin de 3 222 000 km² (6 fois la France). Il a un débit assez abondant (20 000 m³/s en moyenne à la tête du delta) avec des hautes eaux de fin d'hiver et de printemps. C'est, avec ses grands affluents (Missouri et Ohio), une importante artère fluviale.

MISSISSIPPI, État du sud des États-Unis, sur le golfe du Mexique, sur la rive gauche du fleuve du même nom ; 123 584 km² ; 2 573 216 hab. Cap. *Jackson.* Peuplé pour un tiers de Noirs, l'État est formé surtout de plaines, sous un climat subtropical. Aux ressources agricoles (coton, soja, maïs, riz, éle-

Le **MISSISSIPPI** en Louisiane.

vage bovin) et à la pêche (port de Pascagoula) s'ajoutent l'extraction et le raffinage du pétrole, et le gaz naturel.

Mississippi *(tradition du),* séquence culturelle des régions de l'est des États-Unis, qui s'étend de 700 à 1700 de notre ère. Elle est fortement influencée par le site mexicain de Teotihuacán, les tertres funéraires faisant place à de hautes pyramides en terre ; Cahokia (à l'est de l'actuelle Saint Louis), véritable métropole religieuse, témoigne de la période d'apogée, vers 1200-1300.

MISSIVE n.f. et adj. *Lettre missive,* en droit, tout écrit confié à un particulier ou à la poste pour le faire parvenir.

MISSOLONGHI, v. de Grèce, sur la mer Ionienne (golfe de Patras) ; 12 674 hab. — Elle est célèbre par la défense héroïque qu'elle opposa aux Turcs en 1822-23 et en 1826.

MISSOURI (le), riv. des États-Unis, principal affl. du Mississippi (r. dr.), dont le cours est régularisé par des barrages ; 4 370 km.

MISSOURI, État du centre des États-Unis ; 180 486 km² ; 5 117 073 hab. Cap. *Jefferson City.* Agricole dans le Nord (soja, maïs, blé, coton, élevage), l'État est forestier et minier (plomb et zinc, notamment) dans le Sud (monts Ozark). Saint Louis et Kansas City concentrent les activités commerciales et industrielles.

MISTASSINI *(lac),* lac du Canada (Québec) ; 2 335 km². Il se déverse par le Rupert dans la baie James.

MISTELLE n.f. Moût de raisin auquel on a ajouté de l'alcool pour en arrêter la fermentation.

MISTI, volcan du Pérou, près d'Arequipa ; 5 822 m.

MISTIGRI n.m. Valet de trèfle, à certains jeux de cartes.

MISTINGUETT (Jeanne Bourgeois, dite), actrice de music-hall française (Enghien-les-Bains 1875 - Bougival 1956). Elle triompha dans plusieurs revues au Moulin-Rouge, aux Folies-Bergère et au Casino de Paris. Elle interpréta de nombreuses chansons à succès (*Mon homme,* 1920 ; *la Java,* 1922 ; *C'est vrai,* 1935).

MISTRA, village de Grèce (Péloponnèse), ancienne capitale du despotat de Mistra, qui conserve des monuments de l'époque des Paléologues, parmi lesquels des monastères et surtout des églises ornés de fresques (St-Démétrios, fin XIIIᵉ s., Afendikó, 1311 ;

Péribleptos, début XIVᵉ s., Pantánassa, 1420). Vestiges du palais des Despotes.

MISTRA *(despotat de)* ou **DESPOTAT DE MORÉE,** principauté fondée en 1348 par l'empereur Jean VI Cantacuzène au profit de son fils cadet, Manuel, et qui comprenait tout le Péloponnèse byzantin. En 1383, le despotat tomba entre les mains des Paléologues, qui le gardèrent jusqu'en 1460, date de la prise de Mistra par Mehmed II.

MISTRAL n.m. (pl. mistrals). Vent violent, froid, turbulent et sec, qui souffle du secteur nord, sur la France méditerranéenne, entre les méridiens de Sète et de Toulon. (À l'ouest de Sète, le même vent porte le nom de *tramontane.*)

MISTRAL (Frédéric), écrivain français d'expression occitane (Maillane, Bouches-du-Rhône, 1830 - *id.* 1914). Passionné par la langue et les traditions provençales, il fonde à Font-Ségugne, en 1854, avec six autres poètes provençaux, le félibrige, qu'il illustre par son chef-d'œuvre *Mireille* (1859) puis par *Calendal* (1867) et *les Îles d'or* (1875). [Prix Nobel 1904.]

MISTRAL (Lucila Godoy Alcayaga, dite **Gabriela**), poétesse chilienne (Vicuña 1889 - Hempstead, près de New York, 1957), auteur de recueils d'inspiration chrétienne et populaire (*Sonnets de la mort,* 1914 ; *Desolación,* 1922). [Prix Nobel 1945.]

MITAINE n.f. -1. Gant s'arrêtant aux premières phalanges. -2. CANADA, SUISSE. Moufle.

MITANNI, Empire hourrite qui, du XVIᵉ au XIVᵉ s. av. J.-C., domina la haute Mésopotamie et la Syrie du Nord. Il disparut sous les coups des Hittites et des Assyriens (XIIIᵉ s. av. J.-C.).

MITCHELL *(mont),* point culminant des Appalaches (Caroline du Nord) ; 2 037 m.

MITCHELL (Margaret), romancière américaine (Atlanta 1900 - *id.* 1949), auteur d'*Autant en emporte le vent* (1936). [→ AUTANT.]

MITCHUM (Robert), acteur américain (Bridgeport, Connecticut, 1917 - près de Santa Barbara, Californie, 1997). Il a imposé de film en film son personnage d'aventurier désabusé, fataliste ou cynique : *Feux croisés* (E. Dmytryk, 1947), *la Nuit du chasseur* (C. Laughton, 1955), *la Fille de Ryan* (D. Lean, 1970).

MITE n.f. -1. Petit papillon dont les chenilles rongent et minent les tissus de laine. SYN. : teigne. -2. *Mite du fromage,* petit acarien qui vit sur la croûte de certains fromages.

MITÉ, E adj. Troué par les mites.

LES MISSILES

Depuis la Seconde Guerre mondiale, une nouvelle arme a fait son apparition sur le champ de bataille et dans l'arsenal d'un nombre croissant de pays : le missile. Sa capacité de destruction et sa diversité en font un élément essentiel du conflit moderne.

MISSILES TACTIQUES ET STRATÉGIQUES
Les premiers, tel le Pershing 2 américain ❶, sont les armes du combat terrestre, naval ou aérien, et leur portée est inférieure à 1 500 km. Les seconds, de type IRBM ou ICBM, sont lancés de silos ou de sous-marins, comme le M 45 ❷ embarqué sur le « Triomphant » que la France a mis en service en 1996. Leur portée, supérieure à 1 500 km, peut atteindre 12 000 km.

Les différents types de missiles.

Un missile est caractérisé par son point de lancement et son objectif (sol-sol, air-sol, air-mer, etc.), sa portée (courte, moyenne ou intercontinentale, soit plus de 5 500 km), sa trajectoire (balistique ou non) et les qualités de la charge qu'il emporte : explosif conventionnel, chimique, bactériologique, nucléaire. Le combustible utilisé est le propergol sous forme solide (poudres) ou liquide, d'un usage plus souple mais beaucoup plus cher.

Les missiles balistiques. Ils font leur apparition en 1944 avec le V2 allemand. Propulsés par des moteurs-fusées, ils décrivent une trajectoire ascendante jusqu'à leur point d'apogée puis retombent librement suivant les lois de la gravitation universelle à une vitesse qui, selon la nature du missile, est de l'ordre de 4 à 7 km/s. Lorsque la trajectoire du missile est extra-atmosphérique, la tête nucléaire est logée dans un véhicule de rentrée qui doit être capable de résister aux effets thermiques propres au retour dans l'atmosphère (environ 2 000 °C sur le cône du missile). À partir du début des années 1970, on a commencé d'expérimenter des véhicules équipés de têtes multiples indépendamment guidées (MIRV).

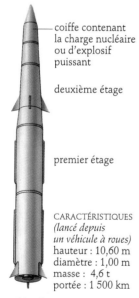

coiffe contenant la charge nucléaire ou d'explosif puissant

deuxième étage

premier étage

CARACTÉRISTIQUES
(lancé depuis un véhicule à roues)
hauteur : 10,60 m
diamètre : 1,00 m
masse : 4,6 t
portée : 1 500 km

❶ Missile tactique Pershing 2 (É.-U.) sol-sol.

Les missiles de croisière. Leur ancêtre est le V1. Ils circulent à vitesse subsonique et à faible altitude, ce qui permet de déjouer certains systèmes de surveillance radar. Le *Tomahawk* américain est guidé sur cible par comparaison de terrain, c'est-à-dire en établissant la relation entre l'image de terrain mémorisée sous forme numérique par l'ordinateur de bord et l'image réelle obtenue par radar, par satellite ou par une caméra embarquée.

Les autres missiles. Il existe en outre de nombreux missiles de courte portée, destinés au champ de bataille terrestre, aérien ou maritime, dont la trajectoire n'est pas balistique et qui disposent d'un guidage terminal sur cible. Certains, à grande vitesse, sont dits « hypervéloces » (Mach 5 à 7). Enfin, des roquettes améliorées (FROG soviétiques ou lance-roquettes multiples occidentaux [MLRS]) sont parfois apparentées abusivement à la catégorie des missiles.

Le guidage et la précision.

Le guidage. Le procédé de guidage utilisé de nos jours est la centrale inertielle, constituée d'accéléromètres gyroscopiques ou à fibres optiques, qui mesurent les accélérations du missile. En fonction de ces données, un ordinateur de bord détermine sa vitesse et sa position, élabore les ordres de navigation, indique les corrections de pilotage et détermine le moment de l'arrêt du moteur-fusée. Toutefois, la dérive affectant les gyroscopes entraîne, au-delà d'un certain temps de vol, des erreurs de navigation qui doivent être corrigées soit au moyen d'un télescope embarqué, soit en effectuant des recalages grâce aux données fournies par un satellite de navigation (réseau américain NAVSTAR).

La précision. La précision d'un missile balistique est donnée par le rayon de son cercle d'erreur probable (C. E. P.), cercle centré sur l'objectif et qui contient 50 % des impacts. Elle s'est considérablement accrue durant ces dernières années, le C. E. P. passant de la centaine à la dizaine de mètres. Les missiles de croisière et surtout les missiles de très courte portée ont reçu des systèmes de guidages infrarouge ou laser qui permettent de toucher la cible avec une redoutable efficacité. Cette dernière notion s'évalue en comparant le C. E. P. au rayon d'efficacité de la charge militaire. Ainsi, le Scud-B soviétique, dont la précision est kilométrique pour une charge de 500 kg de T. N. T., provoque de sérieux dégâts aux immeubles dans un rayon de 50 mètres et la mort des personnes non protégées dans un rayon d'environ 100 mètres.

La défense antimissile.

Souvent divisée en *défense stratégique* (extra-atmosphérique) et *défense du théâtre* (d'opérations), elle pose des problèmes considérables de coût-efficacité. En effet, bien que l'interception puisse théoriquement se produire durant les trois phases du vol, elle ne dispose en fait que de temps très courts. En outre, un missile peut être doté de leurres qui compliqueront considérablement l'interception. Il en résulte que celle-ci ne peut être effectuée à 100 % et que les taux probables de réussite oscillent généralement entre 50 et 80 %. Dans le cas de charges conventionnelles ou même chimiques, de tels résultats présentent un réel intérêt puisqu'ils augmentent la protection de façon significative. Mais, dans le cas de têtes nucléaires, l'explosion d'une quantité réduite de

coiffe contenant la charge nucléaire à têtes multiples

troisième étage

deuxième étage

premier étage

CARACTÉRISTIQUES
*(lancé depuis
un sous-marin)*
hauteur : 11,05 m
diamètre : 1,93 m
masse : 35 t
portée : > 4 000 km

❷ Missile
stratégique M 45 (Fr.) mer-sol.

charges suffit à produire des effets irrémédiables. L'Initiative de défense stratégique (I. D. S.) du président américain Reagan envisageait le déploiement dans l'espace de différents types d'intercepteurs qui eussent augmenté l'efficacité des systèmes d'interception terrestres. Néanmoins, même ces armes futuristes d'un coût extraordinairement élevé n'auraient pas été capables d'assurer une protection totale. Aussi ces grands programmes sont-ils réduits, voire abandonnés, et l'intérêt se porte davantage sur le développement des missiles antibalistiques de théâtre (ATBM) du type du *Patriot,* utilisé par les États-Unis durant la guerre contre l'Iraq en 1991. Toutefois, pour tenir leur rôle de manière efficace, ces systèmes de défense recourent à une information recueillie par les satellites d'alerte avancée, situés en orbite géostationnaire, dont seules peuvent disposer de très grandes puissances (États-Unis, ex-U. R. S. S.).

La prolifération des missiles.

Cette extrême difficulté de parer l'attaque par missile a conduit les principales puissances occidentales à s'efforcer de limiter la diffusion des technologies permettant leur fabrication. En 1987, sept États (Canada, États-Unis, France, Italie, Japon, R. F. A., Royaume-Uni) établissaient une convention dite « Missile Technology Control Regime » (MTCR), par laquelle ils s'interdisaient de vendre des missiles capables d'emporter plus de 500 kg de charge utile au-delà de 300 km. En 1993, ces normes ont été modifiées de façon à prendre en compte des charges plus légères mais pouvant correspondre à des agents chimiques ou biologiques. Un nombre croissant de pays (28 en 1996) a rejoint cette convention, qui cherche à dépasser le contexte de guerre froide pour lequel elle a été créée.

Voir aussi : DÉSARMEMENT.

❸ Missile antiaérien français *Crotale.* *(Ci-dessous, à gauche.)*

❹ Lancement d'un missile stratégique de croisière américain *Tomahawk.* *(Ci-dessous, à droite.)*

MI-TEMPS n.f. inv. Chacune des deux périodes d'égale durée que comportent certains sports d'équipe comme le football, le rugby, etc. ; temps d'arrêt qui sépare ces deux périodes. ◆ loc. adv. *À mi-temps,* pendant la moitié de la durée normale du travail. ◆ n.m. inv. Travail à mi-temps.

MITEUX, EUSE adj. et n. D'apparence misérable, pitoyable.

MITHRA, dieu de l'Iran ancien, dont on retrouve sous le nom de Mitra un équivalent dans le panthéon de l'Inde, à la période védique (v. 1300 av. J.-C.). Son culte, déjà très populaire dans l'Iran occidental, se répandit à l'époque hellénistique en Asie Mineure, d'où il passa, au Ier s. av. J.-C., à Rome, pour y connaître un succès considérable. Mithra apparaît comme une divinité astrale plus ou moins identifiée au Soleil et ainsi au dieu Shamash ; il mène contre les forces du Mal un combat qui s'achèvera à la fin des temps par le triomphe du Bien. Les éléments essentiels du culte de Mithra sont l'initiation, qui comprend sept degrés en rapport avec les sept planètes, le banquet sacré et les sacrifices d'animaux, notamment d'un taureau, dont l'immolation était un gage d'immortalité.

MITHRIACISME ou **MITHRAÏSME** n.m. Culte de Mithra.

MITHRIDATE VI Eupator, dit le Grand (v. 132 - Panticapée 63 av. J.-C.), dernier roi du Pont (111-63 av. J.-C.). Le plus grand souverain du royaume du Pont, il lutta contre la domination romaine en Asie : ses trois guerres (88-85 ; 83-81 ; 74-66) furent des échecs ; il fut finalement défait par Pompée. Il tenta de s'empoisonner mais, accoutumé aux poisons, il dut se faire tuer par l'un de ses hommes.

MITHRIDATISER v.t. Immuniser qqn contre un poison par une accoutumance progressive.

MITHRIDATISME n.m. ou **MITHRIDATISATION** n.f. (de *Mithridate VI*). Immunité à l'égard d'une substance toxique, acquise par l'ingestion de doses progressivement croissantes de cette substance.

MITIDJA, plaine de l'Algérie centrale s'étirant en arrière des collines et du cordon littoral, au S. d'Alger (agrumes, tabac, fourrages).

MITIGATION n.f. (du lat. *mitigare,* adoucir). *Mitigation des peines,* substitution d'une peine plus douce à la peine infligée par les juges en raison de la faiblesse physique du condamné.

MITIGÉ, E adj. **-1.** Nuancé, tiède, incertain : *Un accueil mitigé.* **-2.** Relâché, peu rigoureux : *Un zèle mitigé.*

MITIGEUR n.m. Appareil de robinetterie permettant un réglage manuel ou thermostatique de la température de l'eau.

MITLA, centre cérémoniel préhispanique du Mexique, à 40 km au S.-E. de Monte Albán (État de Oaxaca), construit par les Zapotèques au postclassique ancien (950-1250 apr. J.-C.). Murs extérieurs ornés de mosaïques de pierre.

MITO, v. du Japon (Honshu), au N.-E. de Tokyo ; 234 968 hab.

MITOCHONDRIE [mitɔkɔ̃dri] n.f. (du gr. *mitos,* filament, et *khondros,* grain). Organite cytoplasmique de la cellule, de 0,5 μm de large et de 2 à 5 μm de long, qui synthétise l'adénosine triphosphate utilisée comme source d'énergie.

MITONNER v.i. Mijoter, en parlant d'aliments. ◆ v.t. Faire mijoter un aliment.

MITOSE n.f. (du gr. *mitos,* filament). Mode usuel de division de la cellule vivante, assurant le maintien d'un nombre constant de chromosomes. (La mitose comporte quatre phases : prophase, métaphase, anaphase et télophase.) SYN. : **caryocinèse, division indirecte.**

MITOTIQUE adj. Relatif à la mitose.

MITOYEN, ENNE adj. (de *moitié*). Qui appartient à deux personnes et sépare leurs propriétés : *Mur mitoyen.*

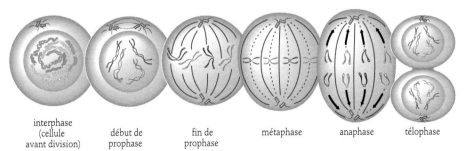

| interphase (cellule avant division) | début de prophase | fin de prophase | métaphase | anaphase | télophase |

différentes phases d'une **MITOSE**

MITOYENNETÉ n.f. État de ce qui est mitoyen.

MITRAILLADE n.f. Décharge simultanée de nombreuses armes à feu.

MITRAILLAGE n.m. Action de mitrailler.

MITRAILLE n.f. -1. ANC. Amas de ferrailles dont on chargeait les canons. -2. Décharge d'obus, de balles. -3. Ensemble de fragments métalliques divisés, provenant génér. de récupération, pour l'élaboration des alliages. -4. *Obus à mitraille,* obus rempli de galettes de fonte, qui se morcellent à l'éclatement du projectile.

MITRAILLER v.t. Tirer par rafales sur qqn ou qqch.

MITRAILLETTE n.f. Pistolet-mitrailleur.

MITRAILLEUR n.m. Servant d'une mitrailleuse.

MITRAILLEUSE n.f. Arme automatique de petit calibre (inférieur à 20 mm), à tir tendu et par rafales, montée sur un affût. (Mise au point à la fin du XIXᵉ s., douée d'une grande précision, elle arme les unités d'infanterie, les engins blindés, les avions, etc.)

MITRAL, E, AUX adj. -1. Relatif à la valvule mitrale : *Insuffisance mitrale. Rétrécissement mitral.* -2. *Valvule mitrale,* valvule située entre l'oreillette et le ventricule gauches du cœur.

MITRE n.f. (lat. *mitra,* bandeau, du gr.). -1. Coiffure liturgique de l'officiant (évêque, abbé) dans les cérémonies pontificales. -2. Ornement en forme de bandeau triangulaire de la tiare assyrienne. -3. Appareil ou construction coiffant l'extrémité d'un conduit de cheminée pour empêcher la pluie ou le vent d'y pénétrer.

MITRE (Bartolomé), homme d'État argentin (Buenos Aires 1821 - *id.* 1906). Président de la République (1862-1868), il favorisa le développement économique.

MITRÉ, E adj. Qui a droit à la mitre ; qui porte la mitre.

MITRON n.m. -1. Apprenti boulanger ou pâtissier. -2. Extrémité supérieure d'un conduit de cheminée, sur laquelle repose la mitre.

MITSCHERLICH (Alexander), médecin et psychanalyste allemand (Munich 1908 - Francfort-sur-le-Main 1982). Il est l'un des fondateurs de la médecine psychosomatique. Il s'est intéressé aux liens entre l'individu et la société (*Vers la société sans pères,* 1963).

MITSCHERLICH (Eilhard), chimiste allemand (Neuende, Oldenburg, 1794 - Schöneberg, auj. dans Berlin, 1863). Il a énoncé la loi de l'isomorphisme, suivant laquelle deux corps possédant des formes cristallines semblables ont des structures chimiques analogues.

MITSOTÁKIS (Konstandínos), homme politique grec (Khaniá 1918). Président de la Nouvelle Démocratie (1984 - 1993), il est Premier ministre de 1990 à 1993.

Mitsubishi, trust japonais créé en 1870, spécialisé dès son origine dans les transports, les mines et les chantiers navals. Reconstitué après la Seconde Guerre mondiale, il occupe dans l'industrie japonaise une place de premier plan (constructions mécaniques, navales et aéronautiques, chimie, automobiles, etc.).

MITTELLAND → PLATEAU.

MITTERRAND (François), homme d'État français (Jarnac 1916 - Paris 1996). Plusieurs fois ministre sous la IVᵉ République, il est en 1965 candidat de la gauche à la présidence de la République et met en ballottage le général de Gaulle. Premier secrétaire du Parti socialiste (1971) et l'un des instigateurs de l'union de la gauche, il est élu président de la République en mai 1981. Son premier septennat commence avec des gouvernements socialistes et s'achève par une période de cohabitation avec la droite (1986-1988). Réélu en 1988, il nomme de nouveau des Premiers ministres socialistes et s'engage, à partir de 1993, dans une seconde période de cohabitation, qui se termine avec la fin de son mandat en 1995.

François
MITTERRAND,
homme d'État
français.

MI-VOIX (À) loc. adv. En émettant un faible son de voix.

MIXAGE n.m. -1. Mélange de choses dans un ordre déterminé. -2. Mélange de plusieurs bandes de signaux sonores ; adaptation de ces bandes magnétiques à un film.

1. **MIXER** v.t. Procéder à un mixage.

2. **MIXER** [miksœr] ou **MIXEUR** n.m. Appareil électrique servant à broyer et à mélanger des denrées alimentaires.

MIXITÉ n.f. Caractère mixte d'un groupe, d'une équipe, d'un établissement scolaire.

MIXTE adj. -1. Formé d'éléments de nature, d'origine différentes. -2. Qui comprend des personnes des deux sexes ou appartenant à des origines ou à des formations différentes : *École mixte. Mariage mixte.* -3. *Produit mixte de trois vecteurs,* produit scalaire du premier par le produit vectoriel des deux autres.

MIXTÈQUES, Indiens occupant le territoire situé au nord et à l'ouest de l'État d'Oaxaca (Mexique), estimés à 275 000 individus parlant les nombreux dialectes de la langue mixtèque, ainsi que l'espagnol. Ils se répandirent dans la vallée d'Oaxaca vers le XIIIᵉ siècle et conquièrent le territoire de leurs voisins Zapotèques et les villes de Monte Albán, puis Mitla. Leurs créations artistiques (peintures murales, sculpture, céramique, codex, etc.) influencèrent l'art aztèque.

MIXTION [mikstjɔ̃] n.f. Action de mélanger des substances dans un liquide pour la composition d'un médicament ; ce médicament.

MIXTURE n.f. -1. Mélange de solutions alcooliques (teintures), de drogues pharmaceutiques, etc. -2. Mélange quelconque dont le goût est désagréable.

MIYAZAKI, v. du Japon (Kyushu) ; 287 352 hab.

MIZOGUCHI KENJI, cinéaste japonais (Tokyo 1898 - Kyoto 1956). Considéré comme l'un des maîtres du cinéma japonais, ce réalisateur prolixe débute en 1922. Déjà apparaissent les thèmes de ses films : l'onirisme, l'humanisme social, la condition de la femme, la critique incisive du Japon contemporain. Avec un grand sens esthétique de l'image et du décor, il expérimente la technique du planséquence qui contribuera à sa renommée. Deux films de 1936, *l'Élégie de Naniwa/l'Élégie d'Osaka* et *les Sœurs de Gion,* plébiscités par le public et la critique, sont condamnés par le nouveau régime militaire. Le cinéaste réalise alors des œuvres à sujets historiques, tout en portant son style à la perfection : *les Contes des chrysanthèmes tardifs* (1939), *les 47 Ronin* (1941-42). Après la guerre, il revient à des films plus « engagés » socialement et politiquement, donnant à l'actrice Tanaka Kinuyo (1909-1977) ses plus beaux rôles, notamment dans *la Vie d'Oharu femme galante* (1952). Ce film,

couronné à Venise, sera suivi d'œuvres tout aussi magistrales : *les Contes de la lune vague après la pluie* (1953) [→ CONTES], *l'Intendant Sansho* (1954), *les Amants crucifiés* (id.), *l'Impératrice Yang Kwei-fei* (1955), *la Rue de la honte* (1956).

Une scène du film de **MIZOGUCHI KENJI**
les Contes de la lune vague après la pluie (1953).

MIZORAM, État du nord-est de l'Inde ; 21 000 km² ; 686 217 hab. Cap. *Aijal.*

M.J.C. n.f. (sigle). Maison des jeunes et de la culture.

MJØSA, le plus grand lac de Norvège, au nord d'Oslo ; 360 km².

M. K. S. A. (sigle). Système d'unités dans lequel les unités fondamentales sont le mètre (longueur), le kilogramme (masse), la seconde (temps) et l'ampère (intensité électrique). [Auj. remplacé par le système SI.]

M le Maudit → LANG.

M. L. F. (Mouvement de libération des femmes), mouvement féministe français créé en 1968, qui lutte pour l'indépendance économique, sexuelle et culturelle des femmes.

Mn, symbole chimique du manganèse.

MNÉMONIQUE adj. Relatif à la mémoire.

MNÉMOSYNE, déesse grecque de la Mémoire ; Titanide, fille d'Ouranos et de Gaia, elle eut de Zeus les neuf Muses.

MNÉMOTECHNIQUE adj. (gr. *mnêmê,* mémoire, et *tekhnê,* art). -1. Relatif à la mnémotechnique. -2. Se dit d'un procédé capable d'aider la mémoire par des associations mentales. ◆ **mnémotechnique** n.f. Art de développer la mémoire par des exercices.

MNÉSICLÈS, architecte athénien (Vᵉ s. av. J.-C.). Il construisit les Propylées de l'Acropole d'Athènes de 437 à 432.

MNÉSIQUE adj. Mnémonique.

MNOUCHKINE (Ariane), actrice et directrice de théâtre française (Boulogne-sur-Seine 1939). Animatrice du Théâtre du Soleil, elle a renouvelé le rapport entre comédien et texte, public et scène (*1789,* 1971). Après un film sur Molière (1978), elle donne de nouvelles lectures des drames historiques de Shakespeare (1981-1984) et du cycle des Atrides (1990-1992) en s'inspirant du théâtre oriental.

Mo, symbole chimique du molybdène.

MOABITES, peuple nomade établi à l'est de la mer Morte (XIIIᵉ s. av. J.-C.) et apparenté aux Hébreux, avec lesquels ils entrèrent souvent en conflit. Ils furent absorbés au IIIᵉ-IIᵉ s. av. J.-C. par les Nabatéens.

1. **MOBILE** adj. -1. Qui peut se mouvoir ; qu'on peut enlever ou changer de position : *Cloison mobile.* -2. Qui est amené ou qui est prêt à se déplacer, à changer d'activité : *Une main-d'œuvre mobile.* -3. Qui peut se déplacer rapidement, en parlant de troupes. -4. Qui est animé d'un mouvement constant ou dont l'aspect change constamment : *Visage mobile.* -5. Dont la date, la valeur n'est pas fixe. -6. *Fêtes mobiles,* fêtes chrétiennes dont la date varie en fonction de la date de Pâques. -7. *Téléphone mobile,* téléphone à l'usage de piétons ou de personnes se déplaçant à bord de véhicules. **HIST.** *Garde nationale mobile,* formation militaire organisée de 1868 à 1871 avec les jeunes gens qui n'étaient pas appelés au service militaire. **IMPR.** *Caractère mobile,* élément d'un ensemble de caractères typographiques fondus séparément. **MIL.** *Garde mobile,* membre de la gendarmerie mobile. ‖ ANC. *Garde républicaine mobile,* gendarmerie mobile. ‖ *Gendarmerie mobile,* partie de la gendarmerie organisée en escadrons motorisés ou blindés. ◆ n.m. -1. Corps en mouvement : *La vitesse d'un mobile.* -2. Œuvre d'art composée d'éléments articulés et susceptible de mouvement (sous l'action de l'air, d'un moteur) : *Les premiers mobiles ont été conçus par Calder.* -3. Soldat de la garde nationale mobile.

2. **MOBILE** n.m. -1. Motif qui pousse qqn à agir, qui détermine certaines de ses conduites : *L'intérêt est son seul mobile.* -2. Motif qui conduit une personne à commettre une infraction : *Chercher le mobile d'un crime.*

MOBILE, port des États-Unis (Alabama), sur la baie de Mobile à l'E. de la Nouvelle-Orléans ; 196 278 hab. — Musées.

MOBILE HOME [mɔbilom] n.m. (pl. mobile homes). Très grande roulotte, tractable mais conçue surtout pour rester sur place. Recomm. off. : *auto-caravane.*

1. **MOBILIER, ÈRE** adj. Qui concerne les biens meubles : *Effets mobiliers. Valeurs mobilières.*

2. **MOBILIER** n.m. -1. Ensemble des meubles destinés à l'usage personnel et à l'aménagement d'une habitation. -2. Ensemble des meubles et objets d'équipement destinés à un usage particulier : *Mobilier scolaire.* -3. Ensemble des biens meubles qui dépendent d'un patrimoine. -4. *Mobilier national,* meubles meublants appartenant à l'État. ‖ *Mobilier urbain,* ensemble des équipements installés au bénéfice des usagers sur la voie publique et dans les lieux publics, notamm. les lieux publics de plein air.

MOBILISABLE adj. Qui peut être mobilisé.

MOBILISATEUR, TRICE adj. -1. Qui mobilise : *Mot d'ordre mobilisateur.* -2. *Centre mobilisateur,* organe de la mobilisation de l'armée.

MOBILISATION n.f. Action de mobiliser.

MOBILISER v.t. -1. Mettre sur pied de guerre les forces militaires d'un pays ; adapter la structure de son économie et de son administration aux nécessités du temps de guerre. -2. Faire appel à l'action de qqn, d'un groupe : *Mobiliser les adhérents d'une association.* -3. Être pour qqn, un groupe, d'un intérêt suffisant pour les faire agir. -4. Utiliser ses forces, y faire appel, les réunir en vue d'une action : *Mobiliser les ressources d'un pays.* **CHIR.** Libérer un organe de ses adhérences normales ou pathologiques. **DR.** Ameublir. **FIN.** Céder à terme une créance moyennant un prix donné. **MÉD.** Mettre en mouvement des articulations pour en rétablir la souplesse. ◆ **se mobiliser** v.pr. Rassembler toute son énergie pour l'accomplissement de qqch ; être motivé et prêt à agir.

MOBILITÉ n.f. -1. Facilité à se mouvoir, à être mis en mouvement, à changer, à se déplacer. -2. *Mobilité de la main-d'œuvre,* pour les salariés, passage d'une région d'emploi à une autre ou changement de profession, de qualification. ‖ *Mobilité sociale,* possibilité pour les individus ou les groupes de changer de position sur le plan social, professionnel, etc.

MÖBIUS (August Ferdinand), astronome et mathématicien allemand (Schulpforta 1790 - Leipzig 1868). Pionnier de la topologie, il découvrit une surface à un seul côté *(bande* ou *ruban de Möbius).*

MOBUTU *(lac),* redevenu (en 1997) lac Albert, lac de l'Afrique équatoriale, aux confins de l'Ouganda et du Congo (anc. Zaïre), à 618 m d'alt., traversé par le Nil ; 4 500 km².

MOBUTU (Sese Seko), maréchal et homme d'État congolais (Lisala 1930 - Rabat 1997). Colonel et chef d'état-major (1960), il prend le pouvoir lors d'un coup d'État (1965). À partir de cette date, il est président de la République, décrétant, en 1971, que le Congo devient le Zaïre. Son régime est renversé en mai 1997. Il meurt en exil.

MOBYLETTE n.f. (nom déposé). Nom d'une marque de cyclomoteur.

MOCASSIN n.m. -1. Chaussure des Indiens de l'Amérique du Nord, en peau non tannée. -2. Chaussure basse, souple et sans lacets. -3. Serpent américain, venimeux, voisin des crotales mais dépourvu de « sonnette » caudale.

MOCENIGO, famille vénitienne, qui a fourni cinq doges à la République de 1474 à 1778.

MOCHE adj. FAM. Laid ; mauvais.

MOCHE ou **MOCHICA,** peuple préhispanique (200 av. J.-C. – 700 apr. J.-C.) du Pérou septentrional, dont la culture s'est principalement développée dans les vallées de la Moche et de la Chicama (actuelle province de La Libertad). Très hiérarchisée, la société moche est dominée par une aristocratie théocratique. Mythologie et vie quotidienne inspirent l'iconographie d'une belle poterie.

MOCKY (Jean-Paul Mokiejewski, dit Jean-Pierre), cinéaste et acteur français (Nice 1929). Excellent directeur d'acteurs, il est l'auteur de nombreuses comédies satiriques (*les Dragueurs,* 1959 ; *la Grande Lessive,* 1968 ; *le Miraculé,* 1986 ; *Ville à vendre,* 1992 ; *Noir comme le souvenir,* 1995 ; *Alliance cherche doigt,* 1997).

MODAL, E, AUX adj. -1. Qui se rapporte aux modes du verbe : *Formes modales.* -2. Se dit d'une musique utilisant d'autres modes que le majeur et le mineur. -3. Relatif aux modes de la substance, de l'essence, en philosophie. -4. *Logique modale,* logique qui prend en compte la modalité des propositions. (→ LOGIQUE.)

MODALITÉ n.f. -1. Condition, particularité qui accompagne un fait, un acte juridique : *Fixer les modalités d'un paiement.* -2. Dans un jugement, dans une proposition logique, caractère qui fait qu'ils sont possibles ou impossibles, nécessaires ou contingents. -3. En linguistique, ensemble des formes permettant au locuteur d'indiquer la manière dont il considère le contenu de son énoncé. (La modalité se marque notamm., en français, par l'usage de *devoir* et de *pouvoir.*) -4. Échelle modale d'un morceau, par opp. à *tonalité.*

1. **MODE** n.f. -1. Manière passagère d'agir, de vivre, de penser, etc., liée à un milieu, à une époque déterminés. -2. Manière particulière de s'habiller conformément au goût d'une certaine société. -3. Commerce ; industrie de la toilette. -4. *Bœuf mode,* bœuf piqué de lard et cuit avec des carottes et des oignons.

2. **MODE** n.m. Manière générale dont un phénomène se présente, dont une action se fait ; méthode : *Mode de vie.* GRAMM. Manière dont le verbe exprime l'état ou l'action. (En français, il y a six modes : l'indicatif, le subjonctif, le conditionnel, l'impératif, l'infinitif et le participe.) MUS. Échelle à structure définie dans le cadre de l'octave et caractérisée par la disposition de ses intervalles. PHILOS. Détermination d'une substance, d'une essence. STAT. Valeur dominante correspondant au plus grand effectif, dans une distribution statistique.

MODEL (Elise Seybert, dite Lisette), photographe américaine d'origine autrichienne (Vienne 1906 - New York 1983). Elle démystifie le « rêve américain » en regardant, à la fois avec acuité et pudeur, les tares physiques des habitants de cette Amérique où vivre se confond souvent avec consommer.

MODEL (Walter), maréchal allemand (Genthin 1891 - près de Duisburg 1945). Commandant en chef du front ouest d'août à septembre 1944, puis d'un groupe d'armées de ce même front, il se suicida après avoir capitulé.

MODELAGE n.m. Action de modeler un objet, une figure ; la chose modelée.

MODÈLE n.m. -1. Ce qui est donné pour servir de référence, de type : *Modèle d'écriture.* -2. Personne ou objet qui représente idéalement une catégorie, un ordre, une qualité, etc. : *Un modèle de loyauté.* -3. Ce qui est donné, ou choisi, pour être reproduit : *Copier un modèle.* -4. Prototype d'un objet. -5. Représentation schématique d'un processus, d'une démarche raisonnée : *Modèle linguistique.* -6. Structure formalisée utilisée pour rendre compte d'un ensemble de phénomènes qui possèdent entre eux certaines relations. -7. Personne qui pose pour un photographe, un peintre, un sculpteur, etc. -8. *Modèle mathématique,* représentation mathématique d'un phénomène physique, économique, humain, etc., réalisée afin de pouvoir mieux étudier celui-ci. ‖ *Modèle réduit,* reproduction à petite échelle d'une machine, d'un véhicule, d'un navire, etc. **MÉTALL.** Pièce, génér. en bois, ayant, au retrait près, la même forme que les pièces à mouler et destinée à réaliser des moules de fonderie. **SCULPT.** Modelage (en terre, en cire, en plâtre, etc.) constituant le prototype d'une sculpture. ◆ adj. (seul. épithète). Parfait en son genre : *Un écolier modèle.*

MODELÉ n.m. -**1.** Relief des formes, en sculpture, en peinture. -**2.** Aspect que l'érosion donne au relief.

MODELER v.t. [25]. -**1.** Pétrir de la terre, de la cire, etc., pour obtenir une certaine forme. -**2.** Donner une forme, un relief particulier à qqch. -**3.** Fixer qqch, une action d'après un modèle ; conformer, régler : *Il modèle sa conduite sur celle de ses frères.*

MODELEUR, EUSE n. -**1.** Artiste qui exécute des sculptures en terre, en cire, en plâtre, etc. -**2.** Ouvrier qui fait des modèles en bois, en plâtre ou en cire pour le moulage des pièces coulées.

MODÉLISATION n.f. Établissement de modèles, notamm. des modèles utilisés en automatique, en informatique, en recherche opérationnelle et en économie.

MODÉLISER v.t. Procéder à une modélisation.

MODÉLISME n.m. Activité de celui qui fabrique des modèles réduits.

MODÉLISTE n. -**1.** Personne qui fabrique des modèles réduits. -**2.** Dessinateur de mode.

MODEM [mɔdɛm] n.m. (sigle de m*odulateur* dém*odulateur*). Appareil électronique utilisé dans les installations de traitement de l'information à distance, qui assure la modulation des signaux émis et la démodulation des signaux reçus.

MODÉNATURE n.f. Traitement ornemental (proportions, forme, galbe) de certains éléments en relief ou en creux d'un édifice, et partic. des moulures.

MODÈNE, v. d'Italie (Émilie), ch.-l. de prov. ; 176 148 hab. *(Modénais).* Université. Constructions mécaniques. — Le *duché de Modène,* érigé en 1452, fut supprimé par Bonaparte en 1796. Reconstitué en 1814 au profit d'un Habsbourg, il vota sa réunion au Piémont en 1860. — Importante cathédrale romane (sculptures). Autres monuments, notamment du XVIIIe siècle. Musées, dont la Galleria Estense.

MODÉRATEUR, TRICE adj. et n. -**1.** Qui retient dans les bornes de la modération : *Jouer un rôle modérateur.* -**2.** Se dit d'un nerf ou d'une substance qui ralentit l'activité d'un organe. -**3.** *Ticket modérateur,* quote-part du coût des soins que l'assurance maladie laisse à la charge de l'assuré. ◆ **modérateur** n.m. Substance qui, comme l'eau ordinaire, l'eau lourde ou le graphite, diminue la vitesse des neutrons résultant d'une fission nucléaire et permet une réaction en chaîne.

MODÉRATION n.f. -**1.** Caractère, comportement de qqn qui est éloigné de toute position excessive, qui fait preuve de pondération, de mesure dans sa conduite : *Réponse pleine de modération.* -**2.** Action de freiner, de tempérer qqch, de ralentir un mouvement. -**3.** Action de limiter, de réduire : *Modération d'un impôt.* -**4.** *Engagement de modération,* accord au terme duquel les entreprises conviennent avec les pouvoirs publics d'un pourcentage de hausse de prix maximal.

MODERATO [mɔderato] adv. Terme d'interprétation musicale indiquant un mouvement modéré : *Allegro moderato.*

MODÉRÉ, E adj. -**1.** Qui n'est pas exagéré, excessif : *Un prix modéré.* -**2.** Éloigné de tout excès, mesuré : *Être modéré dans ses paroles.* ◆ adj. et n. Partisan d'une politique génér. conservatrice éloignée des solutions extrêmes. ◆ **modérément** adv. Avec modération ; sans excès.

MODÉRER v.t. [18]. Diminuer la force, l'intensité excessive d'une action, d'un phénomène ; freiner, tempérer : *Modérer sa colère.* ◆ **se modérer** v.pr. Se contenir.

MODERN DANCE [mɔdɛrndãs] n.f. (pl. modern dances). Forme contemporaine prise par la danse traditionnelle, issue d'un refus de se plier aux règles de la danse académique, et qui se caractérise par une plus grande liberté d'expression et de mouvement.

MODERNE adj. -**1.** Qui appartient au temps présent ou à une époque relativement récente : *Peintures modernes.* -**2.** Qui bénéficie des progrès les plus récents : *Équipement moderne.* -**3.** Qui est fait selon les techniques et le goût contemporains : *Mobilier moderne.* -**4.** Qui a pour objet l'étude des langues et littératures vivantes : *Lettres modernes.* -**5.** Qui est conforme à l'usage actuel d'une langue : *Le français moderne.* -**6.** *Histoire moderne,* celle qui concerne la période qui va de la chute de Constantinople (1453) à la fin du XVIIIe siècle. ‖ *Mouvement moderne,* en architecture, style international. ◆ n.m. -**1.** Écrivain, artiste de l'époque contemporaine : *Les modernes. -2.* Ce qui est moderne.

MODERNISATEUR, TRICE adj. et n. Qui modernise.

MODERNISATION n.f. Action de moderniser.

MODERNISER v.t. Rajeunir qqch, lui donner une forme plus moderne, adaptée aux techniques présentes.

MODERNISME n.m. Goût, recherche de ce qui est moderne. **LITTÉR.** Mouvement littéraire hispano-américain de la fin du XIXᵉ s., qui a subi l'influence du Parnasse et du symbolisme français. ‖ Mouvement littéraire et artistique brésilien, né à São Paulo en 1922, et qui cherche ses thèmes dans la nature et la culture nationales. **RELIG. CATH.** Ensemble de doctrines et de tendances qui ont pour objet commun de renouveler l'exégèse, la doctrine sociale et le gouvernement de l'Église pour les mettre en accord avec les données de la critique historique moderne et avec les nécessités de l'époque où l'on vit.

ENCYCL. RELIGION

Les idées modernistes ont paru constituer un mouvement cohérent et ont provoqué une crise religieuse sous le pontificat de Pie X, qui les a condamnées. La crise moderniste se caractérisa, au début du XXᵉ siècle, par des prises de position d'avant-garde dans les domaines de l'exégèse biblique, de l'ecclésiologie, de la philosophie et de la doctrine sociale. Elles eurent pour promoteurs, en Italie, Antonio Fogazzaro, Romolo Murri, et, en Angleterre, le jésuite George Tyrrell et le baron Friedrich von Hügel. En France, la figure dominante du mouvement fut Alfred Loisy, qui engagea l'exégèse biblique sur la voie d'une critique autonome par rapport aux dogmes. On a rattaché aussi à ce mouvement l'historien Louis Duchesne, le théologien Louis Laberthonnière et le philosophe Édouard Le Roy. Le pape Pie X, soutenu par le camp des intégristes, s'opposa à ce mouvement d'ouverture en le condamnant solennellement en 1907 par le décret *Lamentabili* et l'encyclique *Pascendi,* et en excluant de l'Église plusieurs de ses partisans, notamment Loisy.

MODERNISTE adj. et n. **-1.** Se dit de ce qui se veut moderne, d'un partisan de ce qui est moderne. **-2.** Qui relève du modernisme.

MODERNITÉ n.f. Caractère de ce qui est moderne.

MODERN STYLE n.m. inv. et adj. inv. Art nouveau.

MODESTE adj. **-1.** Modéré, éloigné de l'exagération : *Des prétentions modestes. -2.* Qui pense ou parle de soi-même sans orgueil. **-3.** Qui manifeste l'absence d'orgueil : *Maintien modeste.* **-4.** D'une grande simplicité ; sans faste : *Un modeste repas.* ◆ **modestement** adv.

MODESTIE n.f. Qualité qui consiste à penser à soi ou à parler de soi sans orgueil.

MODIANO (Patrick), écrivain français (Boulogne-Billancourt 1945). Ses romans forment une quête de l'identité à travers un passé douloureux ou énigmatique (*la Place de l'Étoile,* 1968 ; *Rue des boutiques obscures,* 1978 ; *Fleurs de ruine,* 1991 ; *Du plus loin de l'oubli,* 1995 ; *Dora Bruder,* 1997).

MODICITÉ n.f. Caractère de ce qui est modique, peu considérable en quantité, en valeur.

MODIFIABLE adj. Qui peut être modifié.

MODIFICATEUR, TRICE adj. Propre à modifier.

MODIFICATIF, IVE adj. Qui modifie : *Avis modificatif.*

MODIFICATION n.f. Changement, transformation, évolution de qqch.

MODIFIER v.t. **-1.** Changer, sans en altérer la nature essentielle, la forme, la qualité, etc., de qqch. **-2.** En parlant d'un adverbe, déterminer ou préciser le sens d'un verbe, d'un adjectif ou d'un autre adverbe.

MODIGLIANI (Amedeo), peintre et sculpteur italien de l'école de Paris (Livourne 1884 - Paris 1920). Son œuvre, vouée à la figure humaine, se distingue par la hardiesse et la pureté de la ligne (*Portrait de Paul Guillaume,* 1916, gal. d'Art mod., Milan ; *Hanka Zborowska,* 1917, gal. nat. d'Art mod., Rome ; *Grand Nu couché,* 1919, M. A. M., New York ; nombreux portraits de *Jeanne Hébuterne*).

(Voir illustration p. suivante.)

MODIGLIANI (Franco), économiste américain d'origine italienne (Rome 1918). On lui doit une contribution à la révision de la théorie keynésienne, ainsi que la théorie du cycle de vie de l'épargne et, avec Merton Miller, un théorème de politique financière de l'entreprise. (Prix Nobel de sciences économiques 1985.)

MODILLON n.m. Ornement saillant répété de proche en proche sous une corniche, comme s'il la soutenait.

MODIQUE adj. De peu d'importance ; de faible valeur : *Une modique somme.*

MODISTE n. Personne qui confectionne ou vend des chapeaux de femme.

Le peintre *Moïse Kisling* (1916), par Amedeo
MODIGLIANI. (M. A. M., Villeneuve-d'Ascq.)

MODULABLE adj. Qui peut être modulé.

MODULAIRE adj. -1. Qui est constitué d'un ensemble de modules. -2. Qui se conforme à un système dimensionnel ayant un module pour unité de base.

MODULATEUR, TRICE adj. Qui produit la modulation. ◆ **modulateur** n.m. Dispositif réalisant l'opération de modulation.

MODULATION n.f. -1. Chacun des changements de ton, d'accent, d'intensité dans l'émission d'un son, en partic. l'inflexion de la voix. -2. Variation recherchée dans le coloris, le modelé, les formes, les manières d'exprimer qqch dans une œuvre. -3. Variation, adaptation, modification de qqch selon certains critères ou certaines circonstances : *Modulation des prix.* MUS. Passage d'une tonalité à une autre au cours d'un morceau. PHYS. Variation dans le temps d'une caractéristique d'un phénomène (amplitude, fréquence, etc.) en fonction des valeurs d'une caractéristique d'un autre phénomène. TÉLÉCOMM. Processus par lequel une grandeur caractéristique d'une oscillation, dite porteuse, est astreinte à suivre les variations d'un signal, dit modulant. ‖ *Modulation d'amplitude,* modulation par laquelle on astreint l'amplitude d'une porteuse à varier proportionnellement aux valeurs instantanées d'un signal modulant. ‖ *Modulation de fréquence,* modulation par laquelle on astreint la fréquence d'une porteuse à varier proportionnellement aux valeurs instantanées d'un signal modulant ; bande de fréquences dans laquelle sont diffusées des émissions de radio selon ce procédé. ‖ *Modulation d'impulsion,* modulation faisant varier certaines caractéristiques d'impulsions qui, en l'absence de modulation, se suivent, identiques entre elles, à intervalles réguliers.

MODULE n.m. (lat. *modulus,* mesure). Unité fonctionnelle d'équipements susceptibles d'être utilisés conjointement à d'autres. ARCHIT. Dans l'architecture antique et classique, commune mesure conventionnelle d'une ordonnance, correspondant en général au demi-diamètre du fût de la colonne dans sa partie basse (au-dessus du congé). ASTRONAUT. Partie d'un véhicule spatial constituant une unité à la fois structurelle et fonctionnelle. BÂT. En préfabrication, unité de coordination. HYDROL. Débit moyen annuel d'un cours d'eau. (Le module spécifique ou relatif fournit le débit par km² de bassin.) MATH. *Module d'un nombre complexe* z = a + ib, nombre réel positif ayant pour carré $a^2 + b^2$. ‖ *Module d'un vecteur,* norme de ce vecteur. MÉCAN. Quotient du diamètre primitif d'un engrenage par le nombre de dents. NUMISM. Diamètre d'une monnaie.

MODULER v.t. -1. Exécuter avec des inflexions variées : *Moduler des sons, des couleurs.* -2. Adapter qqch d'une manière souple à des circonstances diverses. -3. Effectuer la modulation d'un signal. ◆ v.i. Passer d'une tonalité musicale à une autre, au cours d'un morceau.

MODULO prép. *Congruence modulo p,* relation d'équivalence entre deux entiers dont la différence est un multiple de *p.*

MODULOR n.m. (nom déposé ; de *module* et *nombre d'or*). Système de proportions architecturales, breveté en 1945 par Le Corbusier et fondé sur le nombre d'or.

MODUS VIVENDI [mɔdysvivɛ̃di] n.m. inv. (mots lat., *manière de vivre*). -1. Accord permettant à deux parties en litige de s'accommoder d'une situation en réservant la solution du litige sur le fond. -2. Accommodement, arrangement dans une relation, une manière de vivre ; compromis.

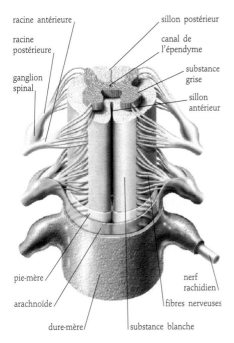

racine antérieure
racine postérieure
ganglion spinal
sillon postérieur
canal de l'épendyme
substance grise
sillon antérieur
pie-mère
arachnoïde
dure-mère
nerf rachidien
fibres nerveuses
substance blanche

détail de la structure de la **MOELLE** épinière

MOELLE [mwal] n.f. -**1.** Substance molle, graisseuse, qui remplit le canal médullaire et les alvéoles de la substance spongieuse des différents os. (La moelle osseuse se présente sous deux aspects principaux : la moelle rouge, riche en tissu hématopoïétique, et la moelle jaune, contenant surtout de la graisse.) -**2.** Région axiale du cylindre central de la tige et de la racine, occupée génér. par les grosses cellules, non chlorophylliennes. -**3.** *Moelle épinière,* centre nerveux situé dans le canal rachidien et qui assure la transmission de l'influx nerveux entre le cerveau, les organes du tronc et les membres, ainsi que certains réflexes.

MOELLEUX, EUSE [mwalø, øz] adj. -**1.** Doux et agréable au toucher, et comme élastique. -**2.** Agréable à goûter, à entendre, à voir. -**3.** *Vin moelleux,* vin qui n'est ni très doux ni très sec.

MOELLON [mwalɔ̃] n.m. Pierre, non taillée ou grossièrement taillée, de petites dimensions.

MOERE ou **MOËRE** [mur] ou [mwɛr] n.f. En Flandre, lagune asséchée et mise en culture.

MŒRIS, lac de l'Égypte ancienne, dans le Fayoum.

MOERO → MWERU.

MŒURS [mœr] ou [mœrs] n.f. pl. -**1.** Pratiques sociales, usages communs à un groupe, un peuple, une époque : *Les mœurs des Romains.* -**2.** Habitudes particulières à chaque espèce animale : *Les mœurs des abeilles.* -**3.** Habitudes de vie ; comportements individuels : *Avoir des mœurs simples.* -**4.** Ensemble des principes, des règles codifiées par la morale sociale, partic. sur le plan sexuel. -**5.** Conduites individuelles considérées par rapport à ces règles : *Femme de mœurs légères.* -**6.** *Attentat aux mœurs,* atteinte à la liberté d'autrui par un comportement sexuel imposé avec ou sans violence (viol, attentat à la pudeur), ou dont le caractère public heurte les conceptions morales (outrage public aux bonnes mœurs, à la pudeur).

MOFETTE n.f. -**1.** Émanation de gaz carbonique qui se produit dans les régions volcaniques. -**2.** → MOUFETTE.

MOFFLER v.t. BELGIQUE. FAM. Recaler à un examen.

MOGADISCIO, MOGADISHU → MUQDISHO.

MOGADOR → ESSAOUIRA.

MOGHOLS *(Grands),* dynastie musulmane, d'origine turque, qui régna sur l'Inde de 1526

L'EMPIRE DES GRANDS MOGHOLS

Kaboul
CACHEMIRE
AFGHANISTAN
TIBET
Lahore SIKHS
Indus
Delhi
Agra
Gange
RAJPUT
BENGALE
Calcutta
ORISSA
Bombay DECCAN
Poona
GOLCONDE
Goa
VIJAYANAGAR
Pondichéry
0 500 km
CEYLAN

L'Empire en 1605

Conquêtes jusqu'à la fin du XVIIe s.

Royaume marathe vers 1680

à 1857. Fondée par Baber, qui s'était emparé de Delhi, la dynastie compta deux empereurs exceptionnels, Akbar (1556-1605) et Aurangzeb (1658-1707). Elle domina à son apogée tout le sous-continent indien, de Kaboul à l'Inde du Sud. Son dernier empereur fut déposé par les Britanniques.

MOGODS *(monts des)*, région montagneuse et boisée de la Tunisie septentrionale.

MOGOLLON, tradition culturelle indienne (d'après un site du même nom à 270 km au S.-O. d'Albuquerque) qui s'est développée, de 300 av. notre ère à 1500 apr. J.-C., dans le S.-O. du Nouveau-Mexique et dans le S.-E. de l'Arizona. Cette culture reste célèbre pour l'architecture appareillée de ses villages aux vastes « kiva » et, dans sa phase finale, pour une céramique, dite « Mimbres », intentionnellement trouée avant de devenir offrande funéraire.

Plat à décor d'oiseau. Céramique « Mimbres ».
Culture **MOGOLLON**.
(Musées royaux d'Art et d'Histoire, Bruxelles.)

Mohács *(bataille de)* [29 août 1526], bataille au cours de laquelle Soliman le Magnifique anéantit les troupes de Louis II de Hongrie (tué au combat), à Mohács, ville de Hongrie, sur le Danube.

MOHAIR [mɔɛr] n.m. Poil de la chèvre angora, dont on fait des laines à tricoter ; étoffe faite avec cette laine.

MOHAMMAD REZA ou **MUHAMMAD RIZA** (Téhéran 1919 - Le Caire 1980), chah d'Iran (1941-1979), de la dynastie Pahlavi. Il établit un régime autoritaire et mo-

dernisa son pays avec l'aide des États-Unis. Il fut renversé par la révolution islamique (1979).

MOHAMMED → MUHAMMAD.

MOHAMMEDIA, anc. Fédala, port du Maroc (prov. de Casablanca) sur la côte de la Chaouïa ; 105 000 hab. Raffinerie de pétrole.

MOHAVE ou **MOJAVE** *(désert)*, région désertique des États-Unis, dans le sud-est de la Californie, en bordure du Mexique.

MOHAVE, peuple indien d'Amérique du Nord, parlant une langue uto-aztèque, habitant aujourd'hui des réserves en Californie et en Arizona.

MOHAWK, Indiens d'Amérique du Nord, qui appartenaient à la confédération iroquoise.

MOHENJO-DARO, site protohistorique du Sind (Pakistan), sur l'Indus. C'est l'une des villes les plus importantes de la *civilisation de l'Indus* (env. 2300-1750 av. J.-C.). Édifiée en brique, elle comportait une citadelle et une vaste zone résidentielle avec un véritable urbanisme.

MOHICAN, Indiens Algonquins établis autrefois dans la région du Connecticut et aujourd'hui disparus en tant que tribus.

MOHOLY-NAGY (László), plasticien hongrois (Bácsborsód 1895 - Chicago 1946). Professeur au Bauhaus de 1923 à 1928, il fonda en 1939 l'Institute of Design de Chicago. Constructiviste, précurseur du cinétisme, il a utilisé toutes les techniques (dessin, peinture, photo, collage, assemblage, cinéma).

MOHOROVIČIĆ (Andrija), géophysicien yougoslave (Volosko, près d'Opatija, 1857 - Zagreb 1936). Il a étudié la propagation des ondes sismiques et s'est attaché à préciser la localisation des épicentres. Il a découvert en 1909 l'existence d'une zone de transition entre la croûte et le manteau terrestres *(moho,* ou *discontinuité de Mohorovičić).*

MOI pron. pers. de la 1ʳᵉ pers. du sing. des deux genres. S'emploie comme sujet pour renforcer *je* ou comme complément après une préposition ou un impératif, ou comme attribut : *Elle pense comme moi. Regarde-moi ça.* ◆ n.m. inv. **-1.** Ce qui constitue l'individualité, la personnalité du sujet. **-2.** En philosophie, sujet pensant. **-3.** En psychanalyse, instance de l'appareil psychique, distinguée du ça et du surmoi, et permettant une défense de l'indi-

vidu contre la réalité et contre les pulsions.
-**5.** *Moi idéal,* formation psychique appartenant au registre de l'imaginaire.

MOI (Daniel Arap), homme d'État kenyan (Sacho 1924), président de la République depuis 1978.

Moï, peuple du Viêt Nam et du Laos. Habitants des montagnes et plateaux de la cordillère Annamitique, les Moï vivaient surtout de la culture itinérante sur brûlis, ou ray (riz, patates douces), et de l'élevage (porcs et volailles). Les guerres d'Indochine les ont décimés et ont ruiné les bases de leur culture.

MOIE n.f. → MOYE.

MOIGNON n.m. -**1.** Ce qui reste d'un membre coupé ou amputé. -**2.** Membre rudimentaire : *Les manchots n'ont qu'un moignon d'aile.* -**3.** Partie de la couronne de la dent, taillée afin de recevoir une prothèse fixe. -**4.** Ce qui reste d'une grosse branche cassée ou coupée. SYN. : chicot.

MOILI, anc. Mohéli, la plus petite île des Comores ; 290 km² ; 13 000 hab. Ch.-l. *Fomboni.*

MOINDRE adj. -**1.** Plus petit en dimensions, en quantité, en intensité : *Un moindre prix.* -**2.** (Avec l'art. déf.). Le plus petit ; le moins important ; le moins grand : *Le moindre bruit l'effraie.* -**3.** SUISSE. FAM. Maladif, affaibli. -**4.** *Méthode des moindres carrés,* méthode qui permet de trouver la moyenne la plus probable parmi les résultats de plusieurs observations.

MOINE n.m. (lat. ecclés. *monachus,* solitaire, du gr.). -**1.** Homme lié par un engagement religieux et menant une vie essentiellement spirituelle, le plus souvent en communauté dans un monastère. (→ MONACHISME.) -**2.** ANC. Récipient dans lequel on plaçait des braises pour chauffer un lit ; auj., bouillotte en terre, en céramique. -**3.** Phoque des mers chaudes à pelage gris tacheté.

MOINEAU n.m. Oiseau passereau abondant dans les villes (FAM., pierrot) et dans les champs (moineau friquet). [Genre *Passer ;* famille des plocéidés.] *Le moineau pépie,* pousse son cri.

MOINS adv. -**1.** Indique une infériorité de qualité, de quantité, de prix : *Moins beau. Moins d'hommes. Moins cher.* -**2.** Précédé de l'art. déf., sert de superlatif à l'adv. *peu : C'est la moins agréable des îles.* ◆ prép. Indique une soustraction : *8 moins 3 égale 5.* ◆ n.m. Signe noté « − » indiquant une soustraction ou un nombre négatif.

MOINS-DISANT n.m. (pl. moins-disants). Personne qui, dans une adjudication, fait l'offre de prix la plus basse.

MOINS-PERÇU n.m. (pl. moins-perçus). Ce qui est dû et n'a pas été perçu.

MOINS-VALUE n.f. (pl. moins-values). -**1.** Diminution de la valeur d'un objet ou d'un droit appréciée à deux moments différents. -**2.** Déficit éventuel des recettes fiscales sur les prévisions établies par la loi de finances. CONTR. : plus-value.

MOIRAGE n.m. Reflet chatoyant d'une substance ou d'un objet moiré.

MOIRE n.f. (angl. *mohair,* de l'ar.). Étoffe à reflet changeant, obtenue en écrasant le grain des étoffes avec une calandre spéciale ; ce reflet.

MOIRÉ, E adj. Qui offre les reflets de la moire. ◆ moiré n.m. Effet de la moire : *Le moiré d'une étoffe.*

MOIRE, en gr. Moira, personnification du Destin dans la mythologie grecque. Plutôt qu'une divinité anthropomorphique, elle représente une Loi, inconnue et incompréhensible. Les trois sœurs, Clotho, Lachésis et Atropos, qui président à la naissance, à la vie et à la mort des humains, sont aussi appelées les Moires ; elles correspondent aux Parques latines.

MOIRER v.t. Donner un aspect moiré à une étoffe.

MOIS n.m. -**1.** Chacune des douze divisions de l'année civile. -**2.** Espace de temps d'environ trente jours. -**3.** Unité de travail et de salaire correspondant à un mois légal ; ce salaire lui-même : *Toucher son mois.* -**4.** Somme due pour un mois de location, de services, etc.

MOISE n.f. Couple de deux pièces de charpente jumelles, assemblées de façon à enserrer et à maintenir d'autres pièces ; chacune des pièces de ce couple.

MOÏSE [mɔiz] n.m. Berceau portatif en osier capitonné.

MOÏSE, libérateur et législateur des Hébreux (XIIIᵉ s. av. J.-C.). Transfigurée par le style épique de la Bible (les événements miraculeux de sa naissance, des plaies d'Égypte, du passage de la mer Rouge, de la traversée du désert), son histoire est celle d'un chef charismatique qui a donné aux Hébreux leur patrie, leur religion, leur loi et sans lequel leur existence même resterait inexplicable. Moïse est l'âme de la résistance à l'oppression que subissent ses frères dans l'Égypte des pharaons, le guide qui les fait sortir de ce pays, le chef qui unifie les divers groupes des descendants de Jacob, le médiateur enfin qui parle au nom de Yahvé et qui remet au peuple élu les éléments fondamentaux de sa Loi.

MOÏSE. Sculpture de Michel-Ange (v. 1516) pour le tombeau du pape Jules II. (Église Saint-Pierre-aux-Liens, Rome.)

MOISI n.m. Partie moisie de qqch ; moisissure : *Enlever le moisi du pain.*

MOISIR v.i. Se couvrir de moisissure. ◆ v.t. Couvrir qqch de moisissure : *La pluie a moisi les raisins.*

MOISISSURE n.f. -**1.** Champignon de très petite taille qui provoque une modification chimique du milieu sur lequel il croît. (Quelques moisissures sont parasites de végétaux [mildiou, oïdium, rouille] ou d'animaux [muguet], mais la plupart sont saprophytes [mucor, pénicillium].) -**2.** Corruption de qqch sous l'effet de ces champignons ; partie moisie de qqch.

MOISSAC, ch.-l. de c. de Tarn-et-Garonne, sur le Tarn ; 12 213 hab. *(Moissagais).* Chasselas. Caoutchouc. **ARTS.** L'église St-Pierre, ancienne abbatiale des XIIᵉ et XVᵉ siècles, possède un célèbre portail sculpté de l'école romane languedocienne (v. 1130-1140, *Vision de l'Apocalypse* au tympan) et un cloître aux chapiteaux historiés précoces (fin du XIᵉ s.), remanié au

XIIIᵉ siècle. Petit musée des Arts et Traditions populaires.

MOISSAN (Henri), pharmacien et chimiste français (Paris 1852 - *id.* 1907). Il obtint, grâce au four électrique, la fusion de nombreux oxydes métalliques, élabora le chrome et le titane, des carbures, hydrures, nitrures, siliciures et borures cristallisés. Il isola le fluor, le silicium et le bore. (Prix Nobel 1906.)

MOISSINE n.f. Bout de sarment que l'on cueille avec la grappe quand on veut la conserver fraîche.

MOISSON n.f. -**1.** Action de récolter les blés, les céréales parvenus à maturité ; époque de cette récolte. -**2.** Ce qui est récolté ou à récolter : *Rentrer la moisson.* -**3.** Grande quantité de choses amassées, recueillies. *Une moisson de fiches.*

MOISSONNAGE n.m. Action, manière de moissonner.

MOISSONNER v.t. Faire la moisson.

MOISSONNEUR, EUSE n. Personne qui fait la moisson. ◆ **moissonneuse** n.f. Machine utilisée pour la moisson.

MOISSONNEUSE-BATTEUSE n.f. (pl. moissonneuses-batteuses). Machine servant à récolter les céréales, qui coupe, bat, trie et nettoie sommairement les grains.

MOISSONNEUSE-LIEUSE n.f. (pl. moissonneuses-lieuses). Machine qui coupe les céréales et les lie en gerbes.

MOITE adj. -**1.** Légèrement humide sous l'effet de la transpiration : *Avoir les mains moites.* -**2.** Imprégné d'humidité : *Chaleur moite.*

MOITEUR n.f. -**1.** Légère humidité de la peau. -**2.** État de ce qui est moite, humide.

MOITIÉ n.f. -**1.** Chacune des deux parties égales d'un tout divisé : *Cinq est la moitié de dix.* -**2.** Une des deux parties à peu près égales d'un espace, d'une durée, d'une action : *Faire la moitié du chemin.*

MOIVRE (Abraham de), mathématicien britannique d'origine française (Vitry-le-François 1667 - Londres 1754). Il a précisé les principes du calcul des probabilités, qu'il appliqua à de nombreux problèmes. Il introduisit la trigonométrie des quantités imaginaires, énonçant implicitement la *formule de Moivre.*

MOKA n.m. (de *Moka*, n. pr.). -**1.** Café d'une variété estimée, riche en caféine. -**2.** Infusion de ce café. -**3.** Gâteau fait d'une génoise fourrée d'une crème au beurre parfumée au café.

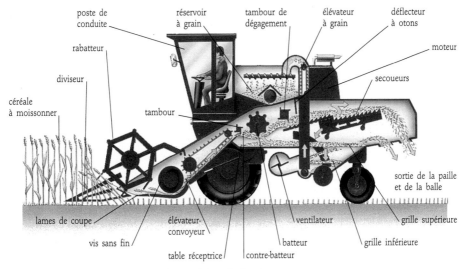

poste de conduite — réservoir à grain — tambour de dégagement — élévateur à grain — déflecteur à otons

rabatteur — moteur

diviseur — secoueurs

céréale à moissonner — tambour

sortie de la paille et de la balle

lames de coupe — élévateur-convoyeur — ventilateur — grille supérieure

vis sans fin — batteur — grille inférieure

table réceptrice — contre-batteur

MOISSONNEUSE-BATTEUSE : écorché et schéma de fonctionnement

MOKA, en ar. al-Mukhā, port du Yémen, sur la mer Rouge ; 6 000 hab. Il exportait un café renommé aux xviiᵉ et xviiiᵉ siècles.

MOKPO, port de la Corée du Sud, sur la mer Jaune ; 222 000 hab.

MOL adj.m. → MOU.

mol, symbole de la mole.

1. **MOLAIRE** adj. Relatif à une mole.

2. **MOLAIRE** n.f. (du lat. *mola,* meule). Grosse dent placée à la partie moyenne et postérieure des maxillaires, qui sert à broyer les aliments. (La forme des molaires, chez les mammifères, est en rapport avec le régime alimentaire.)

MÔLAIRE adj. Relatif à la môle, en médecine : *Grossesse môlaire.*

MOLALITÉ n.f. Concentration molaire massique.

MOLARITÉ n.f. Concentration molaire volumique.

MOLASSE n.f. Grès tendre, à ciment calcaire, se formant génér. dans les dépressions au pied des chaînes de montagne.

MOLDAU → VLTAVA.

MOLDAVIE, région historique de Roumanie, auj. partagée entre la Roumanie et la République de Moldavie. La marche de Moldavie, créée v. 1352-1354 par Louis Iᵉʳ d'Anjou, roi de Hongrie, s'émancipe en 1359 de la tutelle de la Hongrie. Devenue en 1538 un État autonome vassal de l'Empire ottoman, la

Moldavie est placée sous la protection de la Russie en 1774. L'Autriche annexe la Bucovine en 1775 et la Russie se fait céder la Bessarabie en 1812. L'union des principautés de Moldavie et de Valachie, réalisée en 1859, est proclamée définitive en 1862. Le nouvel État prendra le nom de Roumanie. De 1918 à 1940, la Bessarabie est rattachée à la Roumanie.

MOLDAVIE, État de l'Europe orientale, entre la Roumanie à l'O. et l'Ukraine à l'E.

NOM OFFICIEL : République de Moldavie.
CAPITALE : Chișinău.
SUPERFICIE : 34 000 km².
POPULATION : 4 450 000 hab. *(Moldaves).*
LANGUES : moldave et russe.
RELIGION : orthodoxie.
MONNAIE : leu.
RÉGIME : parlementaire.
CHEF DE L'ÉTAT : président de la République.
CHEF DU GOUVERNEMENT : Premier ministre.
LÉGISLATIF : le Parlement comprend 104 députés, élus pour 4 ans.

GÉOGRAPHIE

Le milieu et les ressources. La Moldavie présente un relief ondulé de collines et de plaines alluviales très fertiles, un climat doux et humide, des ressources en eau pour l'irrigation, conditions naturelles propices au développement de l'agriculture. Les campagnes, densément peuplées, produisent blé, maïs, canne à sucre, tabac, fruits et légumes, vins, et pratiquent un élevage intensif (bovins, porcins). L'agroalimentaire constitue le secteur industriel dominant.

La population. La République est peuplée pour les deux tiers de Moldaves de souche ; les minorités ukranienne, russe et gagaouze sont notablement représentées. La population urbaine, minoritaire, est concentrée dans les villes de Chişinău, Tiraspol, Tighina, Bălţi.

HISTOIRE

1940 : création au sein de l'U. R. S. S. de la république socialiste soviétique de Moldavie.

Elle est formée par le rattachement d'une partie de la Bessarabie, que les Soviétiques viennent de conquérir, à la république autonome de Moldavie (créée en 1924 sur la rive gauche du Dniestr et dépendant de l'Ukraine). **1991 :** la Moldavie proclame son indépendance et adhère à la C. E. I.

Le séparatisme des russophones de Transnistrie donne lieu à de violents combats.

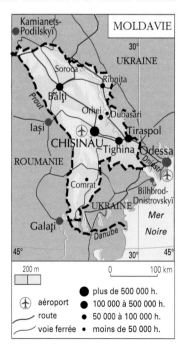

1994 : l'éventualité d'un rattachement à la Roumanie est rejetée par référendum. Une nouvelle Constitution confère l'autonomie aux régions gagaouze et de Transnistrie.

Nouveaux quartiers de Chişinău, capitale de la **MOLDAVIE.**

MOLE n.f. (de *molécule-gramme*). Unité SI de quantité de matière (symb. mol), équivalant à la quantité de matière d'un système contenant autant d'entités élémentaires qu'il y a d'atomes dans 0,012 kg de carbone 12.

1. **MÔLE** n.m. Ouvrage en maçonnerie qui protège l'entrée d'un port ou divise un bassin en darses.

2. **MÔLE** n.f. Gros poisson des mers d'Europe occidentale, appelé également *poisson-lune*. (Long. jusqu'à 2 m ; poids 1 000 kg.)

3. **MÔLE** n.f. Dégénérescence des villosités du placenta, qui sont transformées en vésicules ressemblant à des kystes hydatiques. (On dit génér. *môle hydatiforme*.)

MOLÉ (Louis Mathieu, *comte*), homme politique français (Paris 1781 - Champlâtreux 1855). Un des chefs du parti de la Résistance, il fut ministre des Affaires étrangères (1830) puis président du Conseil (1836-1839). [Acad. fr. 1840.]

MOLÉ (Mathieu), magistrat français (Paris 1584 - *id.* 1656). Président au parlement de Paris, garde des Sceaux, il joua le rôle de conciliateur entre la régente et le parlement pendant la Fronde.

MOLÉCULAIRE adj. Relatif aux molécules.

MOLÉCULE n.f. (lat. *moles,* masse). Groupement d'atomes qui représente, pour un corps pur qui en est constitué, la plus petite quantité de matière pouvant exister à l'état libre.

ENCYCL.

Découverte, caractérisation et propriétés. La première preuve expérimentale (indirecte) de l'existence des molécules n'a guère plus d'un siècle : en 1867, Tyndall montra que la couleur bleue de l'eau des lacs profonds ne pouvait être due qu'à la diffusion de la lumière par de très petites particules, en l'occurrence les molécules d'eau.

Tous les degrés de complexité moléculaire coexistent, des petites molécules d'oxygène ou d'azote, animées dans l'air de vitesses voisines de celle du son, aux longues hélices de l'A. D. N. présent au cœur des cellules. Mais les molécules sont bien plus que de simples assemblages d'atomes, dont l'arrangement spatial et la nature des liaisons chimiques modifient la répartition des électrons, abaissent l'énergie de l'ensemble et induisent des propriétés nouvelles. Due à la délocalisation d'un petit nombre d'électrons qui, au lieu de rester concentrés autour du noyau de leur atome d'origine, voient leur probabilité de présence s'étendre jusqu'à englober plusieurs noyaux, la liaison est donc d'une nature spécifiquement quantique.

La forme d'une molécule suffit parfois à expliquer ses propriétés. Ainsi, la perception d'une odeur est due à la réception d'un signal déclenché par l'insertion des molécules émises par la substance odorante dans un site du récepteur sensoriel ayant la même forme extérieure. Enfin, une différence de quelques atomes entre deux molécules suffit à changer du tout au tout leurs propriétés. En témoigne la différence minime entre la formule de l'œstradiol $C_{18}H_{24}O_2$, hormone sexuelle femelle, et celle de la testostérone $C_{19}H_{28}O_2$, hormone sexuelle mâle.

Mole et molécules. La notion de *mole* est rendue indispensable par la petitesse extrême des molécules. Elle est liée à la connaissance de leur formule chimique, qui renseigne sur la nature et le nombre de chacun des atomes constituant la molécule. La formule permet ainsi de calculer la masse de celle-ci à partir de celle de ses atomes. Grâce au choix judicieux de la mole, définie comme le nombre d'atomes de carbone contenus dans 12 g de carbone, la masse (en grammes) d'une mole d'un élément donné est égale au nombre de « nucléons »

(protons et neutrons) contenus dans le noyau de l'atome. Le noyau du carbone, par exemple, contient 12 nucléons ; la masse de $6 \cdot 10^{23}$ (en fait, $6,022\ 04 \cdot 10^{23}$) atomes de carbone est de 12 g. Les données du tableau périodique des éléments permettent ainsi de connaître la masse d'une mole de molécules. Ainsi, une mole de méthanol a une masse de 32 g $(12 + 4 + 16)$, une mole d'eau H_2O, une masse de 18 g, etc.

Dans le cas des gaz, le calcul est simplifié grâce à la loi d'Avogadro : « Des volumes égaux de différents gaz contiennent le même nombre de molécules. » Quand ces gaz sont dans les mêmes conditions de température et de pression (généralement 0 °C et 1 013 hPa), 32 g d'oxygène (O_2), 2 g d'hydrogène (H_2) ou 44 g de gaz carbonique (CO_2) occupent un volume, identique, de 22,4 l. ($\rightarrow$ CONSTANTE.) La mole est donc le facteur qui établit un lien entre les caractéristiques microscopiques des molécules et des quantités (masses ou volumes) macroscopiques plus perceptibles.

Les macromolécules. Assemblages atomiques dont les enchaînements ne sont pas limités, les macromolécules, ou polymères, sont aussi bien minérales qu'organiques. Leur masse molaire peut atteindre plusieurs kilogrammes, voire plusieurs tonnes, et, dans ce cas, ne peut être définie que de façon moyenne. Des substances macromoléculaires comme la cellulose, les silicates ou le caoutchouc existent à l'état naturel. Certaines, comme l'A. D. N., les polypeptides ou les protéines, jouent un rôle déterminant en biologie. D'autres, comme le diamant, peuvent être cristallines ; celui-ci forme un réseau tridimensionnel, où chaque atome est entouré de 4 voisins situés au sommet d'un tétraèdre.

Les macromolécules de synthèse, par exemple les polyéthylènes, sont obtenues par polycondensation à haute température et formation d'une chaîne linéaire de carbones saturés. De la même manière, on peut obtenir la plupart des polymères : polypropylène, polybutadiènes, polychlorure de vinyle (PVC), polystyrène, silicones, etc. Les Nylons résultent de la condensation d'un diacide (molécule portant deux fonctions acide) avec une diamine. La condensation se fait par les deux bouts des molécules et conduit à une chaîne très longue, dans laquelle le motif structural ($-CO-NH-$, ou *liaison peptidique*) se répète indéfiniment. On voit apparaître de nouveaux matériaux macromoléculaires possédant des fonctions spécifiques (biomatériaux, cristaux liquides, polymères conducteurs...), corps dont la plupart des propriétés physiques et chimiques sont liées à leur degré de polymérisation. (→ ATOME, CHIMIE, MATÉRIAU, PLASTIQUE, POLYMÈRE.)

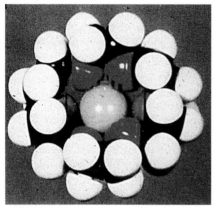

MOLÉCULE : modèle de macromolécule de synthèse (cryptate) qui peut transporter dans sa cavité centrale des ions métalliques pour leur faire franchir certaines membranes biologiques

MOLÉCULE-GRAMME n.f. (pl. molécules-grammes). **-1.** ANC. Mole d'une substance formée de molécules. **-2.** Masse molaire moléculaire.

MOLENBEEK-SAINT-JEAN, en néerl. Sint-Jans-Molenbeek, comm. de Belgique, banlieue ouest de Bruxelles ; 68 759 hab.

MOLÈNE n.f. Plante des lieux incultes, dont une espèce est le bouillon-blanc. (Famille des scrofulariacées.)

MOLÈNE *(île),* île et comm. du Finistère, entre Ouessant et la pointe Saint-Mathieu ; 330 hab.

MOLESKINE n.f. (angl. *moleskin,* peau de taupe). Toile de coton fin, recouverte d'un enduit flexible et d'un vernis souple imitant le grain du cuir.

MOLESTER v.t. Faire subir des violences physiques à qqn.

MOLETAGE n.m. **-1.** Action de réaliser au moyen de molettes des stries sur une surface de révolution d'une pièce. **-2.** L'ensemble de ces stries ; le dessin qu'elles forment.

MOLETER v.t. [27]. Travailler, orner, polir à la molette.

MOLETTE n.f. **-1.** Roulette striée servant à actionner un mécanisme mobile. **-2.** Petit disque en acier dur, servant à couper, graver,

travailler les corps durs, le verre, etc. ; outil muni d'un tel disque : *Molette de vitrier.* **-3.** Partie mobile, en forme de roue étoilée, de l'éperon dit « à molette ».

MOLFETTA, port d'Italie (Pouille), sur l'Adriatique ; 66 658 hab. — Cathédrale Ancienne (XIIᵉ-XIIIᵉ s.).

molière n.m. Distinction décernée annuellement, en France, dans le domaine du théâtre.

MOLIÈRE (Jean-Baptiste **Poquelin,** dit), auteur dramatique français (Paris 1622 - *id.* 1673).

→ ● DOSSIER MOLIÈRE *page suivante.*

MOLINA (Luis), théologien espagnol (Cuenca 1535 - Madrid 1601). Jésuite, il enseigna à Coimbra, Evora et Madrid, et devint célèbre par les vives controverses que suscitèrent son *Accord du libre arbitre avec la grâce* (1588) et ses thèses sur la prédestination.

MOLINISME n.m. Système élaboré par le jésuite Luis Molina.

ENCYCL. Les thèses de Molina tentaient de résoudre, sans porter atteinte à la liberté humaine, le problème posé par la grâce souveraine de Dieu et le secours tout-puissant que celui-ci apporte à l'homme. Elles furent attaquées par les théologiens dominicains, qui y voyaient une déviation contraire à la doctrine de saint Augustin. Le pape Paul V mit un terme, en 1611, à cette controverse. Mais celle-ci allait renaître avec l'augustinien Jansénius.

MOLINISTE adj. et n. Relatif à Molina ; partisan du molinisme.

MOLINOS (Miguel de), théologien espagnol (Muniesa, Teruel, 1628 - Rome 1696). Bénéficiant d'une grande réputation de directeur spirituel, il s'établit à Rome en 1663 et y devint le chef d'une école de spiritualité soupçonnée de tendances quiétistes. Son ouvrage principal, le *Guide spirituel* (1675), fut condamné en 1688, et lui-même mourut emprisonné.

MOLISE, région de l'Italie péninsulaire, correspondant aux prov. de Campobasso et d'Isernia ; 4 438 km² ; 327 893 hab. Cap. *Campobasso.*

MOLITOR (Gabriel Jean Joseph, *comte*), maréchal de France (Hayange 1770 - Paris 1849). Il défendit la Hollande en 1813, commanda en Espagne (1823) et fut fait maréchal par Louis XVIII.

MOLLAH [mɔla], **MULLA** ou **MULLAH** [mula] n.m. (ar. *mawlā,* seigneur). Dans l'islam chiite, titre donné aux personnalités religieuses, notamm. aux docteurs de la loi coranique.

D O S S I E R

MOLIÈRE

En élevant la comédie, reléguée avant lui au-dessous des genres majeurs, Molière a donné un élan vital au théâtre, bousculant à la fois l'esthétique classique et l'éthique noble, et se posant comme acteur, spectateur et critique de son époque.

Les années de formation.

Jean-Baptiste Poquelin naît en 1622 à Paris dans une famille bourgeoise, bientôt prospère, de tapissiers. Envoyé à Paris au collège jésuite de Clermont, il fait ensuite des études de droit. Puis, profitant de l'héritage maternel, il choisit le métier de comédien et fonde en 1643, notamment avec Madeleine Béjart, dont il est l'amant avant d'en épouser la fille (en 1662), la troupe de l'Illustre-Théâtre. En 1644, il adopte le pseudonyme de Molière. En butte à l'hostilité d'ennemis et de concurrents, la troupe se retire en province. Protégé par le gouverneur du Languedoc, Molière devient le chef de ce théâtre

TOUT LE THÉÂTRE

Acteur, chef de troupe, metteur en scène et auteur, Molière ❶ est l'homme de théâtre complet par excellence. Son activité créatrice multiforme - il renouvelle la commedia dell'arte ❷, édifie la grande comédie critique, invente le genre de la comédie-ballet - aurait bien pu se donner pour but de vérifier le propos de Montaigne : « Toutes nos vocations sont farcesques. »

❶ Molière
par P. Mignard.
(Musée Condé,
Chantilly.)

MOLIÈRE

itinérant et commence aussi à écrire (*l'Étourdi*, 1655 ; *le Dépit amoureux*, 1656). Mais son protecteur passe dans le camp des dévots et Molière s'exile d'abord à Rouen, puis à Paris. Dès 1659, il triomphe avec la farce des *Précieuses ridicules*. Il s'essaie dans le genre sérieux, sans succès, avec *Dom Garcie de Navarre* (1661) et fait jouer l'année suivante sa première grande comédie, *l'École des femmes*. En cinq actes et en vers, respectant les unités, cette comédie a de quoi inquiéter les rivaux de Molière (les comédiens de l'hôtel de Bourgogne) et de quoi déranger les ennemis du théâtre. Molière répond par de courtes pièces, *la Critique de l'École des femmes* et *l'Impromptu de Versailles* (1663), où il définit le principe de son esthétique, « le naturel », et la cible de son comique, les hypocrites. Dès lors, Molière va alterner dans sa production comédies légères, destinées à plaire au roi et au grand public, et quelques grandes comédies aux sujets graves, par goût de la satire.

Les grandes comédies.

Dom Juan ou le Festin de pierre (1665) : Molière reprend l'histoire du séducteur de Séville, mais accentue le cynisme du personnage. Avec lui, Dom Juan est un esthète qui domine son plaisir et le corse de cruauté et d'impiété jusqu'à voir en Dieu le seul adversaire dont il soit digne. Les raisonnements absurdes de Sganarelle, valet superstitieux, semblent n'être là que pour apporter de l'eau au moulin de son maître.

Le Misanthrope (1666) : l'atrabilaire Alceste, ne pouvant mettre en accord sa franchise avec le scepticisme souriant de Philinte, le bel esprit d'Oronte, la pruderie d'Arsinoé et la coquetterie de Célimène, décide d'aller vivre loin du monde. Le débat sur la nature, burlesque ou pathétique, de la pièce s'est ouvert très tôt. La mise en scène de Molière renforce l'aspect ridicule d'Alceste, complaisant envers soi-même, criant un peu trop fort son impatience : il est ainsi montré que la vertu peut être aussi vaine et critiquable que le vice.

Tartuffe (1664) : jouée en partie à Versailles, où elle suscite la colère de la reine mère, la pièce n'est définitivement autorisée qu'en 1669. Tartuffe, faux dévot, a obtenu la confiance d'Orgon et sa promesse d'épouser sa fille. Elmire réussit à prouver à son mari la duplicité du personnage. Mais Tartuffe a machiné la perte du bienfaiteur, et Orgon ne doit le salut qu'à l'intervention providentielle de la justice royale.

Les Femmes savantes (1672) synthétisent les différents thèmes du comique moliéresque : analyse de la condition féminine, critique du pouvoir parental, de la prétention aux beaux usages et satire de la pédanterie.

MOLIÈRE

Parmi ses grandes pièces, seul l'*Avare* (1668) est fondé sur la déviance pathologique d'un personnage.

Les autres pièces.

L'échec du *Misanthrope* et, plus encore, la bataille de *Tartuffe* ont contraint Molière à diversifier son génie comique : il introduit des éléments de la farce dans de nombreuses pièces, à commencer par le personnage de Sganarelle, auquel il reste fidèle du *Cocu imaginaire* (1660) aux *Fourberies de Scapin* (1671), en passant par le *Médecin malgré lui* (1666). Mais la moitié de son œuvre est consacrée à des comédies-ballets pour un public qui apprécie le mélange des genres (théâtre, musique, danse) et les pièces à machines, dont le *Bourgeois gentilhomme* (1670) constitue l'apothéose (*Mélicerte*, 1666 ; *Amphitryon*, 1668 ; *Monsieur de Pourceaugnac*, 1669 ; *Psyché*, 1671 ; *la Comtesse d'Escarbagnas*, 1671).

Affecté par le fait que le roi lui préfère Lully et terrassé par la maladie, Molière meurt quelques heures après la quatrième représentation de sa comédie-ballet, *le Malade imaginaire*, le 17 février 1673.

❷ *Le Médecin malgré lui,* dans une mise en scène de Dario Fo (Comédie-Française, 1990).

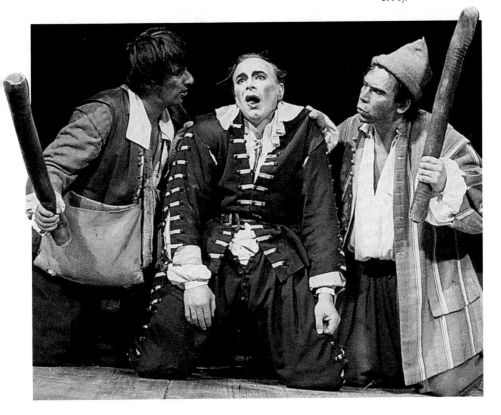

MOLLASSE adj. Qui est trop mou ; qui manque de consistance ; flasque : *Chairs mollasses.*
◆ adj. et n. FAM. Mou, apathique.

MOLLÉ n.m. Plante ornementale du midi de la France. (On utilise le suc résineux de sa tige sous le nom de *mastic d'Amérique,* ou *résine de mollé ;* famille des térébinthacées.)

MOLLEMENT adv. -1. Avec nonchalance, abandon. -2. Sans conviction, faiblement : *Protester mollement.*

MOLLESSE n.f. État, caractère de qqch, de qqn qui est mou.

1. **MOLLET** n.m. Saillie que font les muscles de la partie postérieure de la jambe, entre la cheville et le pli du genou.

2. **MOLLET, ETTE** adj. *Œuf mollet,* œuf bouilli peu de temps dans sa coque, dont le blanc est coagulé, le jaune restant liquide. ‖ *Pain mollet,* petit pain au lait.

MOLLET (Guy), homme politique français (Flers 1905 - Paris 1975). Secrétaire général de la S. F. I. O. de 1946 à 1969, il fut président du Conseil en 1956-57. Son gouvernement réalisa des réformes sociales et eut à faire face à l'aggravation de la situation en Algérie et à la crise de Suez. Ministre de De Gaulle (1958-59), il rentra ensuite dans l'opposition.

MOLLETIÈRE n.f. et adj.f. Bande de cuir ou de toile qui couvrait la jambe de la cheville au jarret.

MOLLETON n.m. Étoffe épaisse, cardée et foulée, de coton ou de laine, génér. moelleuse et chaude.

MOLLETONNER v.t. Garnir, doubler de molleton : *Molletonner un couvre-lit.*

MOLLIEN (François Nicolas, *comte*), homme politique français (Rouen 1758 - Paris 1850), ministre du Trésor sous l'Empire (1806-1814 et mars-juin 1815).

MOLLIR v.i. Devenir mou ; perdre de sa force, de son énergie, de sa vigueur : *Le vent mollit.*
◆ v.t. *Mollir un cordage,* le détendre.

MOLLUSCUM [mɔlyskɔm] n.m. (mot lat., *nœud de l'érable*). *Molluscum contagiosum,* petite tumeur cutanée bénigne, d'origine virale, atteignant surtout les enfants. ‖ *Molluscum pendulum,* fibrome cutané bénin relié à la peau par un pédicule.

MOLLUSQUE n.m. (lat. sc. *molluscum,* de *mollusca nux,* noix à écorce molle). *Mollusques,* embranchement d'animaux aquatiques ou des lieux humides, invertébrés, au corps mou, portant dorsalement un *manteau* souvent couvert d'une coquille et, plus ou moins ventralement, un *pied.*
→ ● DOSSIER LES MOLLUSQUES *page 3624.*

MOLNÁR (Ferenc), écrivain hongrois (Budapest 1878 - New York 1952), auteur de romans réalistes (*les Garçons de la rue Pál,* 1907) et de comédies (*Liliom,* 1909).

MOLOCH [mɔlɔk] n.m. Lézard épineux des déserts australiens atteignant 20 cm de long. (Famille des agamidés.)

MOLOCH, obscure divinité cananéenne mentionnée dans la Bible et liée à la pratique de sacrifices d'enfants. Les historiens croient aujourd'hui que ce nom désigne ces sacrifices mêmes plutôt qu'un dieu.

MOLOSSE n.m. Gros chien de garde.

MOLOSSES, peuple de l'Épire, au nord du golfe d'Ambracie. Leur centre était le sanctuaire de Dodone.

MOLOTOV (Viatcheslav Mikhaïlovitch **Skriabine,** dit), homme politique soviétique (Koukarki 1890 - Moscou 1986). Commissaire du peuple aux Affaires étrangères (1939-1949 et 1953-1957), il signa le pacte germano-soviétique (1939). Premier vice-président du Conseil (1941-1957), il fut écarté du pouvoir en 1957 après avoir participé à la tentative d'élimination de Khrouchtchev.

MOLSHEIM, ch.-l. d'arr. du Bas-Rhin, sur la Bruche ; 8 055 hab. Industrie aéronautique. — Metzig, ancien hôtel de la corporation des bouchers (XVIᵉ s. ; musée). Église construite par les jésuites en 1615.

MOLTKE (Helmuth, *comte* **von**), maréchal prussien (Parchim, Mecklembourg 1800 - Berlin 1891). Disciple de Clausewitz, chef du grand état-major de 1857 à 1888, il fut le créateur de la stratégie prussienne. Fortement influencé par les campagnes napoléoniennes et l'enseignement de Clausewitz, il est le premier grand stratège d'une époque où se combinent la maturité politique des États-nations et la maturité économique du capitalisme industriel. Sachant tirer le meilleur parti de l'organisation prussienne de l'état-major général, il fait porter l'accent sur la préparation des plans stratégiques et sur la logistique, recourant systématiquement aux possibilités nouvelles du chemin de fer. Stratège du temps plutôt que de l'espace, Molkte abandonne volontiers l'action sur le champ de bataille à l'initiative tactique des commandants des corps d'armée. Son action en 1864 lors de la guerre des Duchés, en 1866 durant la guerre austro-prussienne et en 1870-71 pendant la guerre franco-allemande, lui valut un prestige immense. Son neveu **Helmuth**, général (Gersdorff, Mecklembourg 1848 - Berlin 1916), chef de l'état-major allemand de 1906 à 1914, dirigea l'entrée en guerre des forces allemandes en 1914 mais fut battu sur la Marne.

Helmuth, comte von **MOLTKE**, maréchal prussien. Détail d'un portrait par F. Lenbach. (Kunsthalle, Hambourg.)

MOLTO adv. Terme d'interprétation musicale qui accentue une indication de nuance.

MOLUQUES *(îles)*, archipel d'Indonésie, séparé de Célèbes par la mer de Banda et la mer des Moluques ; 75 000 km² ; 1 589 000 hab. Les îles sont montagneuses, très arrosées et couvertes de forêts. Les principales sont *Halmahera, Ceram* et *Amboine.*

MOLURE n.m. Grand python de l'Asie du Sud-Est et de l'Indonésie.

MOLY n.m. Ail d'une espèce appelée aussi *ail doré.*

MOLYBDÈNE n.m. (du gr. *molubdos,* plomb). Métal blanc, dur, cassant et peu fusible ; élément chimique (Mo) de numéro atomique 42, de masse atomique 95,94.

MOLYBDÉNITE n.f. Sulfure naturel de molybdène (MoS_2), hexagonal.

MOLYBDIQUE adj. Se dit de l'anhydride MoO_3 et des acides correspondants.

MOMBASA ou **MOMBASSA**, principal port du Kenya, dans la petite île de Mombasa, à 800 m de la côte ; 341 000 hab.

MÔME n. FAM. Enfant. ◆ n.f. FAM. Jeune fille.

MOMENT n.m. -1. Espace de temps considéré dans sa durée plus ou moins brève : *Dans un moment.* -2. Espace de temps considéré du point de vue de son contenu, des événements qui s'y situent : *Un moment de panique.* -3. Temps

présent : *La mode du moment.* -4. Instant opportun ; occasion : *Le moment favorable.* CHORÉGR. *Moments essentiels,* étapes (au moins au nombre de deux) qui engendrent un mouvement, un pas. ÉLECTR., MAGNÉT. *Moment électrique, magnétique d'un dipôle,* produit de la charge (électrique, magnétique) d'un des deux pôles par la distance qui les sépare. MATH. *Moment d'un bipoint* (A, B) *par rapport à un point* O *de l'espace,* produit vectoriel de $\overrightarrow{OA}$ et $\overrightarrow{AB}$. (Ce vecteur ne varie pas si on fait glisser le vecteur $\overrightarrow{AB}$ sur la droite passant par A et B.) PHYS. *Moment cinétique,* vecteur égal au moment du vecteur quantité de mouvement. ‖ *Moment d'un couple de forces,* produit de l'une des forces du couple par le bras de levier de ce couple. ‖ *Moment d'une force par rapport à un point,* vecteur égal au moment du vecteur qui représente la force. STAT. *Moment (d'ordre* n) *d'une variable statistique,* moyenne des puissances nièmes de ces valeurs, pondérée par les effectifs de leurs classes respectives.

MOMENTANÉ, E adj. Qui ne dure qu'un moment, qu'un instant. ◆ **momentanément** adv. Temporairement, provisoirement.

MOMIE n.f. Cadavre conservé au moyen de matières balsamiques ou de l'embaumement.

MOMIFICATION n.f. Action de momifier ; fait de se momifier.

MOMIFIER v.t. Transformer un corps en momie.

MOMMSEN (Theodor), historien allemand (Garding 1817 - Charlottenburg 1903). Par ses études d'épigraphie et de philologie, et par son *Histoire romaine* (1854-1885), il a renouvelé l'étude de l'Antiquité latine. (Prix Nobel de littérature 1902.)

MOMORDIQUE n.f. Plante grimpante aux fruits colorés et ornementaux appelés *pommes de merveille.* (Famille des cucurbitacées.)

MON adj. poss. masc. sing., **MA** fém. sing., **MES** pl. des deux genres. -1. Qui est à moi, qui vient de moi, qui me concerne, qui m'est propre ou qui est tel par rapport à moi : *Mon stylo. Mes idées.* -2. Indique un rapport d'ordre social (parenté, relations affectives, titre, grade, etc.) : *Mon père. Mes amis. Mon général.*

MON, île danoise, au sud-est de l'île de Sjaelland, à laquelle la relie un pont ; 12 400 hab.

MONACAL, E, AUX adj. Propre au genre de vie des moines.

MONACHISME : cloître de l'abbaye cistercienne de Fontenay (Côte-d'Or), fondée par saint Bernard en 1119

MONACHISME [-ʃism] n.m. -**1**. Forme de vie — solitaire ou communautaire, itinérante ou sédentaire — en vertu de laquelle des moines ou religieux choisissent de concrétiser un idéal spirituel partic. exigeant (dans la pauvreté, la chasteté, la contemplation, l'obéissance). -**2**. Institution monastique.

ENCYCL.

Le monachisme chrétien. Dans le christianisme, l'idéal monastique se caractérise essentiellement par la recherche de la perfection évangélique et par la séparation d'avec la vie du monde.

Les moines dans l'Orient ancien. Les premiers moines chrétiens sont des fidèles fervents qui se retirent dans les déserts de la Haute-Égypte soit pour y pratiquer plus librement la vie parfaite, soit pour trouver, dans l'ascétisme, une sorte de substitut au martyre. Ce mouvement s'accélère à partir du règne de Constantin (premier tiers du IVe siècle), d'une part, dans le souci de fuir un certain relâchement des communautés consécutif aux succès du christianisme, d'autre part, en raison de l'attrait exercé par le « père » du monachisme, saint Antoine. Les disciples de celui-ci sont des *anachorètes,* moines isolés ou vivant en petits groupes, sans règle fixe. La formule *cénobitique,* ou communautaire, qui se constitue autour de saint Pacôme, repose sur l'appartenance à une collectivité structurée, la régularité des exercices de dévotion, l'obéissance au supérieur. Ce mouvement monastique aurait amené dans l'Égypte du Ve siècle environ 500 000 moines.

De là, il se répandit dans tout l'Orient, qui adopta l'organisation instituée par saint Basile (329-379).

Le monachisme chrétien occidental. Il s'inspire de l'exemple oriental primitif, d'abord de façon dispersée. C'est, au VIe siècle, grâce à la règle de l'abbé du Mont-Cassin, saint Benoît de Nursie, que le monachisme d'Occident trouve sa formule définitive. Mais le mouvement bénédictin ne parviendra à s'imposer qu'avec la congrégation de Cluny, qui, à partir du Xe siècle, connaît une expansion et une influence considérables, en multipliant, sous l'autorité unique de l'abbaye bourguignonne, des prieurés et des filiales dans toute l'Europe. Au XIIe siècle s'en détache la branche de Cîteaux, dont le prestige, notamment avec Bernard de Clairvaux, supplante bientôt celui des clunisiens. D'autres formes de vie monastique apparaissent alors (chartreux, chanoines réguliers, ermites), tandis que, au XIIIe siècle, les ordres dits « mendiants » proposent à leurs membres (surtout franciscains et dominicains) un idéal de perfection ouvert à la vie apostolique. Les ordres monastiques occidentaux, dont certains se sont réformés (comme le rameau cistercien des trappistes au XVIIe siècle) et qui ont presque toujours été fondés par des hommes et pour des hommes, en sont venus, généralement, à s'adjoindre une branche féminine, ainsi qu'une extension plus proche du siècle, appelée « tiers ordre ».

Le monachisme orthodoxe. L'Église orthodoxe ne connaît qu'un ordre monastique, uniquement contemplatif, celui qui a été marqué par Basile, Pacôme et Cassien. Chaque monastère byzantin, le plus célèbre étant celui du Mont-Athos, est soumis à l'évêque du lieu (à la différence des ordres monastiques occidentaux), avec ses traditions propres et une organisation très souple. Bien qu'il comporte de nombreuses communautés cénobitiques, le monachisme orthodoxe privilégie la vie érémitique ou semi-érémitique. Les moines orientaux ne sont pas des clercs ou des lettrés, comme en Occident, mais seulement des témoins d'une vie liturgique et d'une spiritualité plénières. C'est parmi ces moines célibataires que l'Église orthodoxe recrute ses évêques.

Le monachisme dans l'islam. Bien que l'islam ne connaisse pas d'institution proprement monastique, on y trouve des formes de vie qui s'y apparentent. Dès les premiers siècles de l'hégire, il a exalté l'ascèse, le recueillement dans la solitude, les exercices spirituels et autres pratiques traduisant un désir de perfection intérieure et un souci de suivre la « voie » (selon le sens premier du mot *tariqa*) de la sainteté. Ainsi apparurent des isolés ou des errants qui donnèrent naissance au vaste mouvement mystique du soufisme (→ SOUFISME).

L'érémitisme brahmanique et hindou. La seule forme de monachisme qu'ait connue la religion brahmanique la plus ancienne est l'*érémitisme,* pratiqué par des hommes ayant entièrement quitté la société religieuse séculière. Ces « renonçants » *(samnyasin)* étaient soit des ermites forestiers, soit des moines errants et mendiants. Dans l'hindouisme tardif, à partir du VIIIᵉ et du IXᵉ s. apr. J.-C., des renonçants, tels Shankara et Ramanuja, ont fondé des ordres monastiques. Ceux-ci, tantôt shivaïtes, tantôt vishnouites, suivent une règle de type communautaire.

Les moines bouddhistes. Le monachisme bouddhique, dont l'institution remonte au Bouddha lui-même, s'inspire directement de la tradition brahmanique. Comme l'ermite hindou, le moine bouddhiste est un ascète qui a renoncé aux plaisirs et aux obligations de la vie ordinaire. Mais il se distingue du premier en ce que, étant essentiellement mendiant et vivant d'aumônes, il prêche les rudiments de la doctrine du Bouddha et s'adonne à des méditations et à des exercices psychophysiologiques apparentés au yoga, en bannissant, parce que jugées stériles, les mortifications excessives.

MONACO, État sur la Riviera française, entre Nice et la frontière italienne.

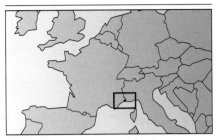

NOM OFFICIEL : principauté de Monaco.
CAPITALE : Monaco.
SUPERFICIE : 2 km².
POPULATION : 32 000 hab. *(Monégasques).*
LANGUE : français.
RELIGION : catholicisme.
MONNAIE : franc français.
RÉGIME : monarchie constitutionnelle mais non parlementaire.
CHEF DE L'ÉTAT ET DU GOUVERNEMENT : prince.
LÉGISLATIF : le prince partage le pouvoir législatif avec le Conseil national (18 conseillers, élus au suffrage universel pour 5 ans).

GÉOGRAPHIE

Monaco est l'un des États les plus petits du monde. Il se divise en 4 districts : Monaco-Ville, La Condamine, Monte-Carlo et Fontvieille. La fonction touristique, fondée initialement sur le casino de Monte-Carlo, reste l'activité principale (musées, grand prix automobile, port de plaisance). Plus récente, la fonction industrielle (bureaux d'études, laboratoires de recherches), favorisée par le régime fiscal, recrute son personnel dans les villes voisines, françaises ou italiennes. Les Monégasques « de souche » ne représentent qu'un sixième de la population totale. *(V. carte Provence-Alpes-Côte d'Azur.)*

HISTOIRE

Colonie phénicienne, la ville passe sous la domination de la colonie grecque de Marseille et prend le nom de *Monoïkos.* Échue en 1297 à la famille Grimaldi, enjeu des querelles génoises entre guelfes et gibelins, elle passe définitivement aux Grimaldi au début du XVᵉ siècle.

1512 : l'indépendance de Monaco est reconnue par la France.
1793-1814 : les Français annexent la principauté.
1865 : Monaco signe un traité d'union douanière avec la France.

1949 : Rainier III devient prince de Monaco.
1962 : réforme de la Constitution.
1993 : la principauté est admise à l'O. N. U.

ARTS

Palais construit principalement du XIIIᵉ au XVIIᵉ siècle (œuvres d'art ; Musée napoléonien). Musée océanographique. À Fontvieille, musée d'Anthropologie préhistorique et jardin exotique. À Monte-Carlo, opéra de Garnier (1879) dans l'ensemble du casino ; musée de Poupées et Automates.

MONADE n.f. (gr. *monas, -ados,* de *monos,* seul). Chez Leibniz, substance simple, active, indivisible, dont le nombre est infini et dont tous les êtres sont composés.

MONADELPHE adj. (du gr. *monos,* seul, et *adelphos,* frère). Se dit d'une fleur dont les étamines sont soudées entre elles, comme chez le genêt, la rose trémière.

MONADOLOGIE n.f. ou **MONADISME** n.m. Théorie de Leibniz, suivant laquelle l'univers est composé de monades. (→ LEIBNIZ.)

MONANDRE adj. (du gr. *monos,* seul, et *andros,* mâle). Se dit d'une fleur qui n'a qu'une étamine.

MONARCHIE n.f. (du gr. *monos,* seul, et *arkhein,* commander). **-1.** Régime politique dans lequel le chef de l'État est un roi ou un empereur héréditaire ; État ainsi gouverné. **-2.** *Monarchie absolue,* celle où le pouvoir du monarque n'est contrôlé par aucun autre. ‖*Monarchie d'Ancien Régime,* système politique en vigueur en France depuis le règne de François Iᵉʳ jusqu'à la Révolution et constituant une monarchie absolue. ‖ *Monarchie constitutionnelle,* celle où l'autorité du prince est limitée par une Constitution. ‖*Monarchie parlementaire,* monarchie constitutionnelle dans laquelle le gouvernement est responsable devant le Parlement.

ENCYCL.

Dans l'Antiquité. La monarchie semble être le système politique le plus ancien. Elle apparaît dès que se constituent des États stables dans le Proche-Orient, en Grèce, en Italie. Si d'autres régimes, opposés à la royauté, se développent en Grèce ou à Rome, la monarchie se maintient alors en Orient (monarchies hellénistiques, royaumes d'Asie Mineure) et s'impose à nouveau à Rome avec l'établissement de l'Empire. Le monarque antique, dieu lui-même ou élu de la divinité, est source de toutes lois, et sa personne est sacrée. Il exerce son autorité sans partage et s'appuie tout à la fois sur l'armée et sur une importante bureaucratie.

Au Moyen Âge. Au début du Moyen Âge, en Europe, les Barbares imposent d'abord leur conception de la monarchie, où le roi est avant tout un chef de guerre, dont l'origine est souvent élective. C'est cependant l'hérédité qui devient la règle. Surtout, la monarchie est profondément transformée par l'idéal chrétien et par les liens féodo-vassaliques, le roi médiéval devenant tout à la fois un personnage sacré tenant sa mission de Dieu (protéger l'Église, rendre la justice, faire régner la paix) et, du moins en théorie, le maillon principal de la chaîne vassalique, en tant que roi suzerain. Lorsque le droit romain est remis à l'honneur (notamment en France par les légistes de Philippe IV le Bel, afin de contrer les prétentions pontificales), le roi devient également le garant de l'État.

À l'époque moderne. Le régime monarchique connaît en Europe, à l'époque moderne, deux évolutions contradictoires. Tandis que l'idée d'une monarchie contractuelle, déjà présente au Moyen Âge, donne naissance, dans certains pays (notamment en Angleterre), à une monarchie parlementaire — où les pouvoirs du roi sont limités par une assemblée élue —, dans d'autres pays, le régime monarchique se transforme en une monarchie absolue. C'est le cas en France, où le roi reste cependant soumis aux « lois du royaume » (succession mâle, catholicité du roi, inaliénabilité du domaine royal, respect des privilèges et libertés établis, loi divine et naturelle).

Les monarchies contemporaines. À l'époque contemporaine, les mouvements révolutionnaires d'inspiration libérale ou de caractère plus radical aboutissent en Europe à la généralisation progressive des monarchies constitutionnelles (ne laissant aux rois que des pouvoirs réduits) ou à leur disparition, le plus souvent au profit de régimes républicains. Hors d'Europe, les monarchies, tout en se dotant le plus souvent de Constitutions (par ex., en Jordanie ou au Maroc), conservent des aspects traditionnels.

MONARCHIEN n.m. Dans l'Assemblée constituante (1789-1791), partisan d'une monarchie à l'anglaise.

MONARCHIQUE adj. Qui concerne la monarchie.

MONARCHISME n.m. Doctrine politique des partisans de la monarchie.

MONARCHISTE adj. et n. Qui est partisan de la monarchie.

MONARQUE n.m. Chef de l'État dans une monarchie ; roi, souverain.

MONASTÈRE n.m. Maison, ensemble des bâtiments qu'habitent des moines ou des moniales.

MONASTIQUE adj. Relatif aux moines ou aux moniales.

MONASTIR, port de Tunisie, sur le golfe de Hammamet ; 27 000 hab. Station balnéaire et touristique. — Le ribat (couvent fortifié) de 796 est l'une des grandes œuvres de l'islam primitif ; Grande Mosquée (IXe-XIe s.) ; remparts.

MONAURAL, E, AUX adj. (du lat. *auris,* oreille). -1. Qui ne concerne qu'une seule oreille (en tant qu'organe de l'audition) : *Excitation, sensation monaurale.* -2. Monophonique.

MONAZITE n.f. Phosphate naturel de cérium, de lanthane ou d'une autre terre rare.

MONCEAU n.m. Élévation formée par un amoncellement d'objets : *Un monceau d'ordures.*

MÖNCHENGLADBACH, v. d'Allemagne (Rhénanie-du-Nord-Westphalie), dans le bassin de Cologne, à l'ouest de Düsseldorf ; 255 905 hab. Métallurgie. — Ancienne abbatiale St-Vitus, romano-gothique. Musée municipal Abteiberg (art moderne et contemporain, dans un édifice de l'architecte Hans Hollein, inauguré en 1982).

MONCTON, v. du Canada (Nouveau-Brunswick) ; 54 841 hab. Archevêché catholique.

MONDAIN, E adj. -1. Relatif à la vie sociale des classes riches des villes, à leur luxe, à leurs divertissements : *Dîner mondain.* -2. *Danseur mondain,* professionnel qui fait danser les clientes dans un dancing. DR. *Brigade mondaine,* anc. dénomination de la brigade des stupéfiants et du proxénétisme. RELIG. Relatif à la vie séculière. ◆ adj. et n. Qui adopte les manières en usage dans la société des gens en vue ; qui aime les mondanités.

MONDANITÉ n.f. -1. Caractère de ce qui est mondain, qui relève de la société des gens en vue. -2. Fréquentation du beau monde ; goût pour ce genre de vie. -3. En philosophie, fait d'être au monde, de lui appartenir. ◆ pl. Habitudes de vie propres aux gens du monde ; politesses conventionnelles : *Fuir les mondanités.*

MONDE n.m. -1. Ensemble de tout ce qui existe ; univers. -2. La Terre ; la surface terrestre ; le globe terrestre (510 millions de km² dont 149 millions de terres émergées). -3. La nature ; ce qui constitue l'environnement des êtres humains : *Enfant qui découvre le monde.* -4. Ensemble des êtres humains vivant sur la Terre (5 milliards 700 millions d'hab.). -5. Ensemble de personnes ; grand nombre de personnes ou nombre indéterminé de personnes : *Il y a du monde.* -6. Milieu, groupe social défini par une caractéristique, un type d'activité : *Le monde des affaires.* -7. Ensemble de choses abstraites, de concepts considérés comme formant un univers : *Le monde du rêve.* -8. Ensemble des personnes constituant les classes sociales les plus aisées, la haute société, qui se distingue par son luxe, ses divertissements : *Les gens du monde.* -9. *L'Ancien Monde,* l'Europe, l'Asie et l'Afrique. ‖ *Le Nouveau Monde,* l'Amérique.

(Voir carte p. suivante.)

Monde (le), quotidien fondé en 1944 par Hubert Beuve-Méry avec d'anciens rédacteurs du *Temps.* Après Jacques Fauvet (déc. 1969), André Laurens (juill. 1982), André Fontaine (janv. 1985), Jacques Lesourne (févr. 1991), c'est le journaliste Jean-Marie Colombani qui en assure la direction depuis 1994. *Le Monde* publie, outre son édition quotidienne, plusieurs suppléments.

MONDER v.t. (lat. *mundare,* purifier). -1. Débarrasser les grains de leurs enveloppes adhérentes. -2. Tailler, nettoyer les arbres, les bois. -3. Enlever la pellicule qui enrobe le noyau de certains fruits secs ou la peau des tomates en les plongeant dans l'eau bouillante.

MONDIAL, E, AUX adj. Qui concerne le monde entier. ◆ **mondialement** adv. Dans le monde entier.

MONDIALISATION n.f. Fait de devenir mondial, de se mondialiser.

MONDIALISER v.t. Donner à qqch un caractère mondial, une extension qui intéresse le monde entier.

MONDIALISME n.m. -1. Doctrine qui vise à réaliser l'unité politique du monde considéré comme une communauté humaine unique. -2. Prise en considération des problèmes politiques dans une optique mondiale.

MONDOR (Henri), chirurgien et écrivain français (Saint-Cernin, Cantal, 1885 - Neuilly-sur-Seine 1962). Professeur de clinique chirurgicale, il fut l'auteur de traités de chirurgie et d'ouvrages d'histoire de la médecine. On lui doit par ailleurs de nombreux livres d'histoire et de critique littéraire. (Acad. fr. 1946.)

Légende :
- Capitale d'État

Éléments de la carte :

RUSSIE

Mer de Beaufort

Yukon
Alaska (É.-U.)

Grand Lac de l'Ours

Groenland (Dan.)

Baie de Baffin

Mer du Groenland

Svalbard (Norv.)

Jan Mayen (Norv.)

Golfe de l'Alaska

Grand Lac des Esclaves

CANADA

Baie d'Hudson

Mer du Labrador

Cercle Polaire Arctique

ISLANDE
Reykjavik

Îles Féroé (Dan.)

SUÈDE

Saskatchewan

Nelson

L. Winnipeg

Missouri

NORVÈGE
Oslo Stockholm

GRANDE-BRETAGNE
Mer du Nord

EST
LETTO
LITUAN

DANEMARK
Copenhague

IRLANDE
Londres
P.-B.
Berlin
ALLEMAGNE
POLOGNE

ÉTATS-UNIS

L. Supérieur

L. Michigan
L. Huron
Montréal
Ottawa
St-Laurent
L. Érié
L. Ontario

Chicago

St-Pierre-et-Miquelon (Fr.)

BELG.
LUX.
TCH
SLOVA

Paris
FRANCE
SUISSE AUTR.
SL.
HONGR.

Colorado

New York

Los Angeles

Washington

ITALIE
Rome
(M.)
ALB.
GRÈC

Açores (Port.)

PORTUGAL
Madrid
ESPAGNE

Athènes
MALTE

Mississippi
Rio Grande

Bermudes (G.-B.)

Océan Atlantique

Madère (Port.)

Lisbonne

Rabat
MAROC

Alger
Tunis
TUNISIE

Tripoli

Tropique du Cancer

MEXIQUE

Golfe du Mexique

Nassau
BAHAMAS

La Havane
CUBA

Canaries (Esp.)

ALGÉRIE

LIBYE
ÉG

Mexico

JAMAÏQUE HAÏTI
RÉP. DOMINICAINE
Porto-Rico (É.-U.)

Sahara

GUATEMALA
Guatemala
San Salvador
SALVADOR
HONDURAS
BELIZE

Port-au-Prince
Saint-Domingue

ST-KITTS-ET-NEVIS
ANTIGUA-ET-BARBUDA
Guadeloupe (Fr.)
DOMINIQUE
Martinique (Fr.)

Nouakchott
MAURITANIE

MALI

NIGER

Sahel

Dakar
SÉNÉGAL
CAP-VERT

TCHAD

NICARAGUA
Managua

Mer des Antilles

STE-LUCIE
ST-VINCENT
GRENADE
BARBADE

GAMBIE
Bamako
BURKINA
Niamey

N'Djamena

San José
COSTA RICA
Panamá
PANAMÁ

TRINITÉ-ET-TOBAGO
Port of Spain

Caracas
VENEZUELA

GUINÉE-B.
Conakry
GUINÉE
CÔTE
D'IVOIRE

BÉNIN
TOGO
NIGERIA
Abuja
Porto-Novo

Clipperton (Fr.)

Georgetown
GUYANA
Paramaribo
SURINAME
Guyane (Fr.)

SIERRA LEONE

GHANA
CAMEROUN
RÉP.
CENTRAFRICAINE
Bangui

Bogotá
COLOMBIE

LIBERIA
Yamoussoukro
Accra
Lomé
Yaoundé
Zaïre

Équateur

Îles Galapagos (Éq.)

Quito
ÉQUATEUR

SÃO TOMÉ-ET-PRINCIPE
Libreville
GABON
G. ÉQ.
RÉP DU
CONGO
RWA
BUR

PÉROU

Amazone

Amazonie

Brazzaville
Kinshasa
RÉP. DÉM
DU CON

Océan Pacifique

BRÉSIL

Ascension (G.-B.)

Luanda

ANGOLA

ZA
Lusa
Ha

Lima

La Paz
BOLIVIE
Sucre

Brasília

Ste-Hélène (G.-B.)

NAMIBIE
Windhoek

BOTSWA
Gaborone
Pretor
SWAZ

PARAGUAY
Asunción

Rio de Janeiro
São Paulo

Tropique du Capricorne

Sala y Gomez (Chili)
Île de Pâques (Chili)

CHILI

Paraná

Océan Atlantique

LESC
AFRIQUE
DU SUD
Le Cap

Îles Juan Fernández (Chili)

Santiago

URUGUAY
Montevideo
Buenos Aires

ARGENTINE

Tristan da Cunha (G.-B.)

Falkland (G.-B.)

Géorgie du Sud (G.-B.)

Bouvet (Norv.)

Capitale d'État

Cercle Po

Coordonnées :
120° 60° 0° (haut)
120° 60° 0° (bas)

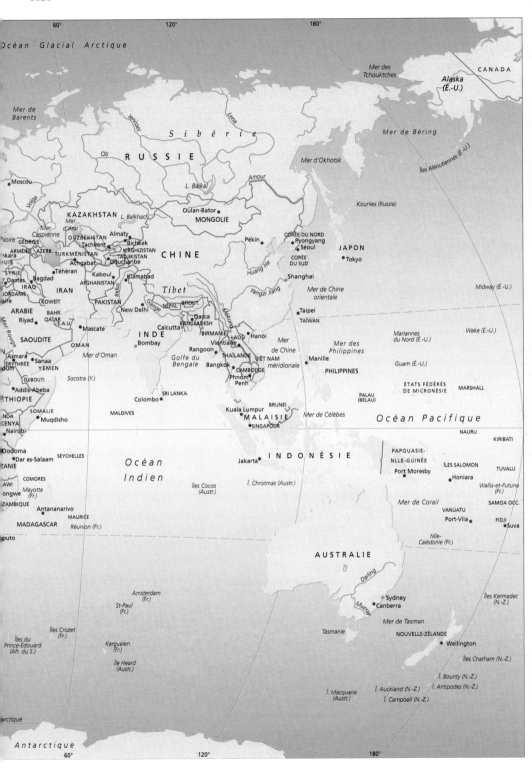

Océan Glacial Arctique

Mer des
Tchouktches

Alaska
(É.-U.)

CANADA

Mer de
Barents

Sibérie

Mer de Béring

Ob

R U S S I E

Iénisséi

Léna

Mer d'Okhotsk

Îles Aléoutiennes (É.-U.)

Moscou

L. Baïkal

Amour

Kouriles (Russie)

Volga

KAZAKHSTAN

Oulan-Bator

Mer
Caspienne

Mer
d'Aral

L. Balkhach

MONGOLIE

Almaty

CORÉE DU NORD

JAPON

Noire

GÉORGIE

OUZBÉKISTAN

Bichkek

Pékin

Pyongyang

ARMÉNIE

AZERB.

Tachkent

KIRGHIZISTAN

Séoul

Tokyo

kara

TURKMÉNISTAN

TADJIKISTAN

CHINE

CORÉE

UIE

Achgabat

Douchanbe

DU SUD

SYRIE

Téhéran

Kaboul

Islamabad

Shanghai

Damas

Bagdad

AFGHANISTAN

Huang He

Mer de Chine

Midway (É.-U.)

JORDANIE

IRAK

IRAN

PAKISTAN

Tibet

Yangzi Jiang

orientale

aire

KOWEÏT

New Delhi

Gange

NÉPAL

BHOUT.

Taipei

ARABIE

BAHR.

Indus

Dacca

Mascate

QATAR

Calcutta

BANGLADESH

TAIWAN

Riyad

É.A.U.

INDE

BIRMANIE

Wake (É.-U.)

SAOUDITE

Bombay

LAOS

Hanoi

Mariannes

OMAN

Rangoon

Mer

du Nord (É.-U.)

Asmara

Mer d'Oman

THAÏLANDE

de Chine

Mer des

ÉRYTHRÉE

Sanaa

Golfe du

Bangkok

VIÊT NAM

méridionale

Manille

Philippines

Guam (É.-U.)

oum

YÉMEN

Bengale

CAMBODGE

DJIBOUTI

Socotra (Y.)

Phnôm

PHILIPPINES

Addis-Abeba

SRI LANKA

Penh

ÉTATS FÉDÉRÉS

ÉTHIOPIE

Colombo

DE MICRONÉSIE

MARSHALL

NDA

SOMALIE

PALAU

KENYA

Muqdisho

MALDIVES

Kuala Lumpur

BRUNEI

(BELAU)

Nairobi

MALAISIE

Mer de Célèbes

Océan Pacifique

Dodoma

SINGAPOUR

NAURU

Dar es-Salaam

SEYCHELLES

KIRIBATI

ANIE

Océan

INDONÉSIE

PAPOUASIE-

Jakarta

NLLE-GUINÉE

ÎLES SALOMON

AWI

Indien

Îles Cocos

I. Christmas (Austr.)

Port Moresby

TUVALU

ongwe

Mayotte

(Austr.)

Honiara

Wallis-et-Futuna

(Fr.)

(Fr.)

ZAMBIQUE

Antananarivo

MAURICE

Mer de Corail

SAMOA OCC.

puto

MADAGASCAR

Réunion (Fr.)

VANUATU

Port-Vila

FIDJI

Suva

Nlle-

Calédonie (Fr.)

AUSTRALIE

Amsterdam

(Fr.)

Darling

Îles Kermadec

St-Paul

Sydney

(N.-Z.)

Îles Crozet

(Fr.)

Canberra

(Fr.)

Murray

Mer de Tasman

NOUVELLE-ZÉLANDE

Kerguelen

(Fr.)

Tasmanie

Wellington

Île Heard

Îles Chatham (N.-Z.)

(Austr.)

I. Bounty (N.-Z.)

I. Auckland (N.-Z.)

I. Antipodes (N.-Z.)

rctique

I. Macquarie

(Austr.)

I. Campbell (N.-Z.)

Antarctique

LES MOLLUSQUES

Ce groupe constitué d'animaux au corps mou est d'une grande diversité, puisqu'il réunit des êtres vivants aquatiques (de mer ou d'eau douce) ou terrestres, fixés à un rocher dans une coquille protectrice ou bien nageurs de pleine eau. La diversité se retrouve aussi au niveau physiologique et anatomique.

La forme générale.

Le corps d'un mollusque typique est composé d'une tête, d'une masse viscérale et d'un pied, le tout recouvert d'une membrane, le *manteau,* dont le rôle principal est de sécréter une coquille. La symétrie des mollusques est à peu près bilatérale, et le corps n'est pas segmenté, bien que des vestiges de segmentation se retrouvent dans certains organes. Le pied, généralement charnu, sert, chez beaucoup d'espèces, à ramper (gastéropodes), à fouir le sol (bivalves), à nager et à capturer des aliments ou des proies (céphalopodes). Le manteau sécrète une coquille qui peut être bivalve, en forme de cône, enroulée en spirale ou réduite à un tissu sous-cutané. Elle peut être divisée en plusieurs plaques (chitons), en chambres spiralées (nautiles). Elle peut être présente chez le jeune embryon et disparaître chez l'adulte.

La physiologie.

Le système nerveux. Il se compose de trois paires de ganglions réunis par des *commissures* et des *connectifs.* Les *ganglions cérébroïdes* sont logés dans la tête, le *ganglion pédieux* dans le voisinage du pied et les *ganglions viscéraux* près des viscères.

❶ Anatomie d'un céphalopode (calmar).

bras radula « cerveau » œsophage cœur glande digestive (hépato-pancréas)

œil estomac coquille («plume»)

bec de perroquet (mâchoires) glande salivaire entonnoir anus branchies poche du noir glande génitale

Mais ils peuvent également tous se regrouper en un amas central comme chez les céphalopodes, où ils constituent un véritable cerveau très perfectionné. L'œsophage traverse toujours un collier formé par les ganglions cérébraux et pédieux, et par les connectifs et commissures qui les relient. Les organes des sens, des yeux (très perfectionnés chez les céphalopodes), des otocystes auditifs, des papilles gustatives et tactiles, se remarquent chez beaucoup de mollusques.

L'appareil digestif. Chez les céphalopodes et les gastéropodes, la bouche, située dans la tête, contient une radula destinée à racler les aliments. Cet organe est absent chez les bivalves. La forme de l'intestin et de l'estomac varie selon le régime alimentaire de l'espèce. Ceux-ci sont associés à un hépato-pancréas et à des glandes salivaires. L'anus est terminal, mais des torsions compliquées du tube digestif peuvent le ramener dans le voisinage de la bouche.

Le système circulatoire. Il comprend un cœur à ventricules et à oreillettes, un système d'artères et de veines souvent très perfectionné mais qui, dans les types inférieurs, peut se réduire à des lacunes. Le sang est hématosé dans des branchies. Chez les gastéropodes pulmonés, celles-ci sont remplacées par un réseau capillaire tapissant la cavité palléale, dans laquelle l'air pénètre. Le sang est coloré en bleu par l'hémocyanine. Il contient les leucocytes et est très abondant.

L'appareil excréteur. Le rein est représenté par deux paires d'organes excréteurs qui s'ouvrent dans la cavité générale, dans la

DES MOLLUSQUES ÉVOLUÉS

Les céphalopodes comme le calmar ❶ sont des animaux marins prédateurs de mollusques, de crustacés et de poissons. La possibilité qu'ils ont de fermer à volonté la cavité palléale et d'en chasser l'eau sous pression par un orifice orientable (entonnoir) leur permet un déplacement rapide (nage par réaction). Ils ont atteint un haut degré d'évolution. Le mâle dépose ses gamètes directement dans la cavité palléale de la femelle, ce qui élimine les aléas de la reproduction auxquels sont soumis les lamellibranches ou bivalves (moules, huîtres, coques). Leur œil est presque aussi complexe et performant que celui des mammifères. Le nautile ❷ des côtes des océans Indien et Pacifique est un céphalopode archaïque, apparu au début de l'ère primaire. Sa coquille, enroulée dans le plan vertical, est cloisonnée en chambres successives, abandonnées à mesure que l'animal grandit car il n'occupe toujours que la dernière. Un tube charnu (siphon) traverse toutes les cloisons et s'attache à l'extrémité postérieure du corps. La coquille est remplie de gaz (azote) et ce dispositif permet de régler la profondeur de plongée de l'animal.

❷ Nautile
(Nautilus macromphalus).

LES MOLLUSQUES

cavité péricardiaque puis dans la cavité palléale, où, par quatre orifices, ils conduisent les produits génitaux et urinaires.

La reproduction et le mode de vie.

La reproduction. Les glandes hormonales ne sont pas toujours développées au même degré, ce qui provoque des asymétries anatomiques. Les sexes sont généralement séparés, sauf chez les gastéropodes, qui sont hermaphrodites. Le cœlome se réduit à deux cavités. L'une contient la glande génitale et l'autre, le péricarde. Les œufs des mollusques sont généralement assez gros, étant abondamment pourvus en vitellus. Ils peuvent être isolés ou réunis dans des organes spécialisés. La larve nageuse passe par un stade « véligère » (où elle porte un voile), qui manque chez les céphalopodes et est masqué par un gros vitellus chez les gastéropodes terrestres.

Le mode de vie. Beaucoup de mollusques sont carnassiers, mais d'autres sont herbivores. Quelques-uns vivent en commensaux ou même en parasites sur d'autres animaux. Les mollusques se rencontrent sur les continents (sur la terre et dans les eaux douces), jusque dans les zones d'altitude, et depuis la surface des mers jusque dans les grandes profondeurs, où certains céphalopodes produisent de la lumière au moyen d'appareils perfectionnés. Leur taille varie de moins d'un millimètre à plusieurs mètres, car certains céphalopodes peuvent dépasser 10 m de long. On les trouve fossilisés dans la plupart des terrains stratifiés depuis le cambrien.

L'ESCARGOT DE NOS JARDINS

Les gastéropodes, qui sont les plus nombreux des mollusques, possèdent généralement une coquille spiralée. Nombre d'entre eux sont des animaux aquatiques à la forte coquille et respirant par des branchies (troques, natices, murex, etc.). D'autres vivent sur terre, perdent leurs branchies au cours du développement et acquièrent un poumon unique, qui s'ouvre sur l'extérieur par un orifice, le pneumostome : ce sont les pulmonés, tels que l'escargot ❸. Ils portent sur la tête la paire de tentacules typique des gastéropodes, à la base ou au sommet desquelles se trouvent les yeux. Leur coquille est plus légère que celle des gastéropodes marins et peut même être atrophiée ou absente, comme chez la limace. Il existe aussi des gastéropodes pulmonés qui sont retournés secondairement à une vie aquatique, comme les limnées ou les planorbes.

❸ Escargot
(Helix hortensis).

MONDOVISION n.f. (de *monde* et [*télé*]*vision*). Transmission entre divers continents d'images de télévision par l'intermédiaire de satellites relais de télécommunications.

MONDRIAN (Pieter Cornelis Mondriaan, dit Piet), peintre néerlandais (Amersfoort 1872 - New York 1944). L'exemple du cubisme analytique le fait passer d'une figuration héritée de Van Gogh et des fauves à une abstraction géométrique qui, à travers l'ascèse spirituelle du *néoplasticisme* et la fondation de De Stijl (→ STIJL [De]), parvient à une extrême rigueur : jeu des trois couleurs primaires, du blanc et du gris sur une trame orthogonale de lignes noires. Il vit à Paris de 1919 à 1938, puis à New York, où son style évolue par la suppression du noir et la multiplication allègre de bandes ou tiretés jaunes, rouges, bleus (*New York City I*, 1942, M. N. A. M., Paris).

Piet **MONDRIAN** : *Composition avec rouge, jaune et bleu* (1929). [Stedelijk Museum, Amsterdam.]

MONÈME n.m. Morphème, dans la terminologie de la linguistique fonctionnelle.

Monep *(marché des options négociables de Paris).* Marché français où s'achètent et se vendent des options portant sur des produits financiers.

MONERGOL n.m. Propergol composé d'un seul ergol (eau oxygénée, hydrazine, etc.).

MONET (Claude), peintre français (Paris 1840 - Giverny, Eure, 1926). Le travail en plein air, révélé par Boudin et développé avec ses camarades de l'atelier Gleyre (Renoir, Sisley, Bazille) comme avec les peintres de l'académie Suisse (Guillaumin, Cézanne, Pissarro), le

porte, au-delà des influences reçues (Jongkind, Courbet, Manet...), à s'attacher au rendu de l'atmosphère et de la lumière, et à se fier à son seul sentiment instantané devant le « motif ». C'est du titre de son tableau *Impression, soleil levant* (1872, musée Marmottan, Paris) qu'est venu le nom de l'école « impressionniste », dont il est le représentant le plus exemplaire : *Femmes au jardin* (1867), *la Pie* (v. 1868), *le Déjeuner* (v. 1873), *les Dindons* (1877), deux *Femme à l'ombrelle* (1886), musée d'Orsay ; paysages d'Argenteuil et de Vétheuil, de Hollande, vues de Londres ou de Venise ; séries des « Gare Saint-Lazare », des « Meules », « Peupliers » et « Cathédrale de Rouen », observés aux différentes heures du jour ; « Nymphéas » de son jardin de Giverny (Eure), commencés vers 1898 et dont une suite de grands formats, réduits à une pure vibration de couleur-lumière, a été donnée par l'artiste à l'État (v. 1914-1926, Orangerie des Tuileries, Paris).

Essai de figure en plein air : femme à l'ombrelle tournée vers la gauche (1886), par Claude **MONET**. (Musée d'Orsay, Paris.)

MONÉTAIRE adj. Relatif à la monnaie, aux monnaies.

MONÉTARISME n.m. Courant de la pensée économique, représenté notamm. par Milton

Friedman, qui insiste sur l'importance de la politique monétaire dans la régulation de la vie économique.

MONÉTARISTE adj. et n. Relatif au monétarisme ; qui en est partisan.

MONÉTIQUE n.f. (nom déposé). Ensemble des dispositifs utilisant l'informatique et l'électronique dans les transactions bancaires (cartes de paiement, terminaux de points de vente, etc.).

MONÉTISATION n.f. Introduction de nouveaux signes monétaires dans le circuit économique.

MONFREID (Henri de), écrivain français (Leucate 1879 - Ingrandes 1974), fils du peintre et graveur Daniel de Monfreid, ami de Gauguin (Paris 1856 - Corneilla-de-Conflent 1929). Son œuvre est nourrie de ses aventures en Éthiopie et dans le golfe Persique (*les Secrets de la mer Rouge,* 1932 ; *Testament de pirate,* 1963).

MONGE (Gaspard), comte de Péluse, mathématicien français (Beaune 1746 - Paris 1818). Son œuvre est centrée sur l'étude des figures de l'espace, les aspects analytiques et géométriques y étant intimement liés. On lui doit les théories les plus importantes de la géométrie analytique de l'espace, la création de la géométrie différentielle des courbes de l'espace et des contributions à la théorie des surfaces. Par ailleurs, il prit une part active à la création et à l'organisation de l'École normale supérieure et de l'École polytechnique. Partisan enthousiaste de la Révolution, il se lia ensuite avec Bonaparte, participa à la campagne d'Égypte et fut comblé d'honneurs sous l'Empire, avant de tomber en disgrâce sous la Restauration. Ses cendres ont été transférées au Panthéon en 1989.

MONGKUT ou **RAMA IV** (Bangkok 1804 - *id.* 1868), roi de Siam (1851-1868). Il ouvrit son pays à l'influence étrangère et évita la colonisation en renonçant au Cambodge, au Laos et à la Malaisie.

MONGOL, E adj. et n. De Mongolie. ◆**mongol** n.m. Groupe de langues altaïques parlées en Mongolie. (→ KHALKHA.)

MONGOLIE, région de l'Asie centrale dont une partie forme aujourd'hui un État indépendant. Souvent aride, aux étés chauds mais aux hivers très rigoureux, elle correspond au désert de Gobi et à sa bordure montagneuse (Grand Khingan, Altaï, Tian Shan).

MONGOLIE, État continental de l'Asie centrale, situé entre la Russie au N. et la Chine au S.

NOM : Mongolie.
CAPITALE : Oulan-Bator.
SUPERFICIE : 1 565 000 km².
POPULATION : 2 460 000 hab. *(Mongols).*
LANGUE : khalkha.
RELIGION : bouddhisme.
MONNAIE : tugrik.
RÉGIME : parlementaire.

GÉOGRAPHIE

Le milieu naturel. Enclavé, le pays a un climat continental accusé : très faibles précipitations, amplitudes thermiques annuelles élevées et fortes variations quotidiennes. Les massifs de la moitié occidentale (Khangaï et surtout Altaï), séparés par des lacs, sont les parties les plus arrosées. Le Sud et l'Est, constitués de dépressions endoréiques, de plaines et de plateaux semi-désertiques ou désertiques, forment une partie du désert de Gobi.

La population et l'économie. L'élevage, autrefois nomade, se pratique sur les steppes (79 % du territoire). Ovins et caprins dominent, mais bovins, chevaux et chameaux sont également bien représentés. L'agriculture (céréales, légumes) est localisée à la périphérie des villes. Ces dernières regroupent plus de 50 % de la population mongole, peu nombreuse.

Les deux principaux centres urbains, Oulan-Bator et Darkhan, concentrent les activités industrielles (alimentation, notamment), autres que minières. Charbon, fer, cuivre, molybdène, fluor sont exploités. La désintégration de l'U. R. S. S. pose un problème commercial important.

HISTOIRE

Autonome en 1911, la Mongolie-Extérieure, aidée à partir de 1921 par la Russie soviétique, devient une République populaire en 1924. **1945** : elle accède à l'indépendance.

Organisée sur le modèle soviétique, la vie politique et économique se libéralise à partir de 1990 (fin du parti unique).

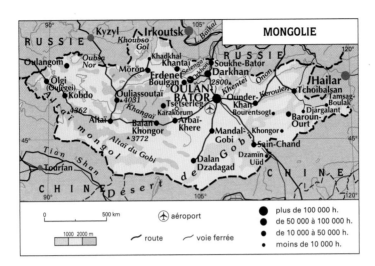

MONGOLIE

aéroport

0   500 km

1000   2000 m

↗ route   ↗ voie ferrée

● plus de 100 000 h.
● de 50 000 à 100 000 h.
● de 10 000 à 50 000 h.
• moins de 10 000 h.

1992 : adoption d'une Constitution démocratique.

1996 : aux élections législatives, les communistes perdent le pouvoir.

1997 : les élections présidentielles sont remportées par le candidat de l'ancien parti unique.

MONGOLIE-INTÉRIEURE, région autonome de la Chine septentrionale dont l'altitude moyenne varie entre 800 et 1 100 m ; 1 200 000 km² ; 19 560 000 hab. Cap. *Houhehot.*

MONGOLIEN, ENNE adj. et n. Atteint de trisomie 21, ou mongolisme. SYN. : **trisomique.**

MONGOLISME n.m. Trisomie 21.

MONGOLOÏDE adj. -1. Qui rappelle le type mongol. -2. Qui évoque le mongolisme.

MONGOLS, peuple de haute Asie vivant aujourd'hui principalement en Mongolie, en Chine et en Russie (Républiques de Bouriatie et de Kalmoukie).

→ ● **DOSSIER** LES MONGOLS *page 3632.*

MONG-TSEU → MENCIUS.

MONIALE n.f. Religieuse contemplative à vœux solennels.

MONICELLI (Mario), cinéaste italien (Viareggio 1915), auteur de comédies pleines de verve satirique : *le Pigeon* (1958), *la Grande Guerre* (1959), *Un bourgeois tout petit petit* (1977), *Pourvu que ce soit une fille* (1986).

MONILIA n.m. (du lat. *monile,* collier). Champignon se développant en automne sur les poires, les pommes et quelques autres fruits, et provoquant leur pourriture.

MONILIOSE n.f. Maladie des fruits due au monilia.

MONIQUE *(sainte)* [Thagaste v. 331 - Ostie 387]. Mère de saint Augustin, elle se consacra à la conversion de son fils ; celui-ci évoque dans les *Confessions* l'influence qu'elle eut sur lui.

MONISME n.m. (du gr. *monos,* seul). Système philosophique selon lequel le monde n'est constitué que d'une seule substance, par opp. à *dualisme,* à *pluralisme.*

MONISTE adj. et n. Relatif au monisme ; qui en est partisan.

1. **MONITEUR, TRICE** n. -1. Personne chargée d'enseigner ou de faire pratiquer certaines activités, certains sports. -2. Étudiant rémunéré pour participer à l'activité enseignante, dans l'enseignement supérieur. -3. Personne chargée de l'encadrement des enfants dans les activités collectives extrascolaires : *Moniteur de colonie de vacances.* - 4. AFRIQUE. Fonctionnaire de rang subalterne employé dans le développement agricole ; enseignant de rang inférieur à celui d'instituteur.

2. **MONITEUR** n.m. -1. Programme de contrôle permettant de surveiller l'exécution de plusieurs programmes informatiques n'ayant aucun lien entre eux. -2. Écran de visualisation associé à un micro-ordinateur. -3. Appareil électronique de surveillance automatique des malades, assurant l'enregistrement permanent des phénomènes physiologiques et déclenchant une alarme au moment des troubles, utilisé surtout en réanimation et dans les unités de soins intensifs.

Moniteur universel (le) ou **Gazette nationale,** journal lancé par Panckoucke en 1789 pour publier les débats de l'Assemblée constituante. En 1799, il publia les actes du gouvernement et devint, en 1848, le *Journal officiel de la République française.*

MONITION n.f. (lat. *monitio,* action d'avertir). Avertissement officiel de l'autorité ecclésiastique. SYN. : **admonition.**

MONITOIRE n.m. et adj. Monition publique qu'un juge ecclésiastique adresse à celui qui a connaissance d'un fait pour l'obliger à témoigner.

MONITOR n.m. -1. Cuirassé de moyen tonnage d'un type utilisé à la fin du XIXe et au début du XXe s. -2. Canon à eau sous pression, utilisé pour l'abattage et l'entraînement par l'eau des terrains tendres, ou pour la désagrégation des déblais.

MONITORAGE ou **MONITORING** [-riŋ] n.m. Surveillance médicale à l'aide d'un moniteur.

MONITORAT n.m. Formation donnée à qqn pour qu'il puisse exercer la fonction de moniteur ; cette fonction.

MONIZ (António Caetano **Egas**), médecin portugais (Avanca 1874 - Lisbonne 1955). En 1911, il fut titulaire de la première chaire de neurologie à l'université de Lisbonne ; il réalisa des travaux sur la radiographie et sur la chirurgie du cerveau. Jusqu'en 1920, il eut aussi des activités politiques et devint notamment député et ministre. (Prix Nobel 1949.)

MONK (George), *duc* d'Albemarle, général anglais (Potheridge 1608 - White Hall 1670). Lieutenant de Cromwell, il combattit les royalistes. Maître du pays après la mort du lord-protecteur, il prépara le retour de Charles II (1660).

MONK (Thelonious Sphere), pianiste et compositeur de jazz américain (Rocky Mount, Caroline du Nord, 1917 - Englewood, New Jersey, 1982). Après avoir participé, dès 1941, à la révolution du be-bop, il a organisé un univers musical d'une grande rigueur, aux confins de la dissonance, et développé une originalité qui en a fait un créateur de premier plan. Il a donné toute sa mesure dans ses improvisations au piano solo.

MÔN-KHMER, ÈRE adj. et n.m. Se dit d'un groupe de langues parlées en Asie du Sud-Est.

MONLUC ou **MONTLUC** (Blaise de Lasseran Massencome, *seigneur* de), maréchal de France

(Saint-Puy, Gers, v. 1502 - Estillac, Lot-et-Garonne, 1577). Il lutta contre les Habsbourg dans les armées de François Ier et d'Henri III, et combattit les huguenots (protestants) de Guyenne. Il est l'auteur de *Commentaires* (1592), dans lesquels il se présente comme le fidèle défenseur de la monarchie.

MONMOUTH (James Scott, *duc* de), fils naturel de Charles II Stuart (Rotterdam 1649 - Londres 1685). Chef de l'opposition protestante après l'accession au trône de Jacques II (1685), il tenta vainement de le renverser et fut exécuté.

MONNAIE n.f. (de *Juno Moneta,* Junon la Conseillère). -1. Pièce de métal frappée par l'autorité souveraine pour servir aux échanges. -2. Instrument légal des paiements : *Monnaie de papier.* -3. Unité monétaire adoptée par un État : *La monnaie du Chili est le peso.* -4. Pièces ou coupures de faible valeur que l'on porte sur soi. -5. Différence entre la valeur d'un billet, d'une pièce et le prix exact d'une marchandise : *Rendre la monnaie.* -6. Équivalent de la valeur d'un billet ou d'une pièce en billets ou pièces de moindre valeur : *La monnaie de 500 francs.* -7. *Battre monnaie,* fabriquer, émettre de la monnaie. ‖ *Fausse monnaie,* qui imite frauduleusement la monnaie légale. ‖ *Monnaie centrale,* monnaie émise par la banque centrale. ‖ *Monnaie de compte,* unité monétaire non représentée matériellement et utilisée uniquement pour les comptes. ‖ *Monnaie d'échange,* ce qui, dans une négociation, peut servir à obtenir qqch de la partie adverse. ‖ *Monnaie de réserve,* monnaie détenue par les banques d'émission et utilisée parallèlement à l'or dans les règlements internationaux. ‖ *Petite monnaie,* pièces de faible valeur.

ENCYCL. Instrument d'échange, mesure unique des valeurs des marchandises, la monnaie simplifie les transactions, facilite l'évaluation et la comparaison. Instrument de réserve de la valeur, elle permet aux agents économiques de ne pas utiliser immédiatement leurs avoirs monétaires et de reporter leur décision d'achat pour une période ultérieure. On attribue souvent à la monnaie une autre fonction, celle d'instrument de politique monétaire, ensemble des actions destinées à modifier la quantité et le coût de la monnaie, en vue d'ajuster les possibilités de création de monnaie et de permettre la réalisation d'objectifs plus généraux, tels le plein emploi, la stabilité des prix, l'équilibre extérieur et la défense de la monnaie.

L'histoire de la monnaie. Les premières monnaies tiraient leur valeur de leur emploi comme marchandises utilisées fréquemment et de valeur certaine. Le recours aux métaux précieux (or, argent) permit d'obtenir des monnaies de grande valeur sous un faible volume, de conservation aisée et de qualité homogène et divisible. Pour éviter les transports de fonds, des reçus circulèrent à la place des espèces métalliques. Ils seront à l'origine des billets de banque, qui, d'abord, resteront totalement convertibles en métaux à la demande des détenteurs. Au xixe siècle, le développement de l'activité économique et l'augmentation des biens offerts rendent plus intense le besoin de monnaie. Le nombre des billets de banque augmente proportionnellement plus vite que les dépôts métalliques reçus par les banques. Le risque de défaillance conduit chaque gouvernement à confier le privilège de l'émission à une seule banque, soumise à son contrôle. La monnaie se détache ainsi de sa base métallique pour devenir une *monnaie fiduciaire* reposant sur la confiance, le billet perd sa convertibilité pour passer en régime de cours forcé et légal (son acceptation comme moyen de paiement devient obligatoire). Simultanément, les règlements par écriture sous forme de créances se développent. La monnaie prend la forme de transferts de soldes créditeurs, entre comptes à vue ouverts dans les banques. Le détachement du dépôt métallique et de l'émission des billets conduit à la création de la *monnaie scripturale.* Sous toutes ses formes, la monnaie est désormais fiduciaire. Sa valeur résulte de plusieurs éléments : sa rareté relative, la confiance du public, la valeur des marchandises qu'elle permet d'acheter. Chaque instrument monétaire a une valeur nominale inscrite sur la pièce ou le billet. Autrefois, cette valeur nominale était garantie par la valeur commerciale d'un métal précieux. De nos jours, la valeur de l'unité résulte du prix (donc de la valeur) des autres biens. La valeur de l'unité monétaire est relative à la valeur des marchandises produites et échangées, et se traduit par son pouvoir d'achat.

Les caractéristiques de la monnaie. La monnaie est un actif liquide : elle peut être transformée en n'importe quelle marchandise, à plus ou moins long terme. Son rendement est nul. Elle se distingue en cela des autres actifs (obligations ou dépôts d'épargne) qui confèrent des revenus à leur porteur. C'est un actif qui ne comporte pas de risque, si ce n'est la perte de son pouvoir d'achat en période d'inflation. La monnaie peut se présenter sous des formes diverses :
— la *monnaie fiduciaire,* qui circule par le transfert effectif d'un instrument de paiement : pièces (ou monnaie divisionnaire) et billets ;
— la *monnaie scripturale,* qui est transférée par un jeu d'écriture entre comptes et qui a des supports variés : chèque, virement, titre interbancaire de paiement (T. I. P.), carte de crédit, etc.

Les *agrégats monétaires* mesurent les différentes composantes de la masse monétaire en fonction de leur degré de liquidité. (→ AGRÉGAT.)

La création monétaire. Elle s'effectue par l'intermédiaire d'opérations de crédit consistant à transformer des créances en moyens de paiement. La monnaie est donc créée pour répondre à une « demande de monnaie » des agents économiques. Elle aura pour contrepartie les créances que les agents créateurs de monnaie (les banques ou établissements de crédit, le Trésor, la Banque de France) détiendront sur les différentes catégories d'agents. Parmi les demandeurs de monnaie, on trouve d'abord les agents étrangers, qui apportent en échange des devises ; ensuite l'État, qui va obtenir des prêts et des avances de la part des banques pour financer ses dépenses ; enfin, les ménages et les entreprises qui empruntent pour financer leur activité économique. Globalement, le système est équilibré : la compensation entre les trésoreries des banques se réalise par l'intermédiaire du marché monétaire ; le taux d'intérêt est le prix pratiqué sur le marché, qui traduit les besoins du système bancaire en monnaie. La Banque centrale se réserve la possibilité d'intervenir sur le marché pour accroître la liquidité et faciliter la trésorerie des banques ou, au contraire, pour réduire le volume de la monnaie en circulation. Elle peut agir soit sur le niveau du taux d'intérêt, soit par la quantité de monnaie en circulation.

Monnaie *(hôtel de la),* à Paris, quai de Conti (VIe arrond.), siège de l'administration française des Monnaies et Médailles ainsi que du Musée monétaire. C'est le chef-d'œuvre, typique du style Louis XVI, de J. D. Antoine.

MONNAIE-DU-PAPE n.f. (pl. monnaies-du-pape). Lunaire (plante).

MONNAYABLE adj. -1. Qui peut être monnayé : *Métal monnayable.* -2. Dont on peut tirer un profit ; susceptible d'être rémunéré, payé.

MONNAYAGE n.m. Fabrication de la monnaie.

LES MONGOLS

Avant la fondation de l'Empire mongol par Gengis Khan (XIIIe s.), les peuples de langue mongole sont appelés « Proto-Mongols ». Parmi eux, les Xianbei (IIe-IIIe s.), les Ruanruan (Ve-VIe s.), les Kitan (Xe-XIIe s.) ont fondé des royaumes en Mandchourie ou en Chine.

Les fondements de la puissance mongole.

Au début du XIIIe siècle, plusieurs confédérations tribales se partagent les steppes de Mongolie. Contrairement à l'image que l'on a longtemps donnée d'eux, ces peuples ne sont ni pauvres – certains possèdent au contraire d'immenses troupeaux et, à la veille des invasions, la Mongolie connaît une grande prospérité – ni tous sauvages, puisqu'une partie d'entre eux pratique le christianisme de rite nestorien, le manichéisme ou le bouddhisme.

En 1206, le *grand kurultay* (assemblée générale des tribus mongoles) proclame Gengis Khan *khaghan* (empereur) de toutes les tribus nomades de Mongolie. Cette assemblée jette également ment les bases de l'empire : formation d'une chancellerie impériale, d'une Cour suprême, d'un système de postes et organisation de la grande armée impériale.

Se sentant investis par le ciel éternel d'une mission (l'instauration d'un empire universel pacifié où doit s'affirmer la supériorité du monde nomade sur la civilisation sédentaire), les Mongols entreprennent alors sous la conduite de Gengis Khan (m. en 1227), puis sous celle de ses lieutenants et successeurs, des conquêtes sauvages et destructrices.

Les conquêtes.

La rapidité de ces conquêtes s'explique en partie par les caractéristiques de l'armée mongole. Celle-ci conserve en effet l'armement, la tactique et la stratégie des cavaleries des anciens empires nomades tout en utilisant les services d'un corps de génie, doté de machines de siège et de balistes, qui lui permet de s'emparer des places fortes. Les principales étapes des conquêtes sont :

1211-1216 : conquête de la Chine du Nord.

1221-22 : conquête de l'Iran oriental et de l'Afghanistan.

1236-1242 : campagnes de Batu Khan en Russie et en Hongrie.

1256-1260 : soumission de l'Iran, de l'Iraq et de la Syrie par Hulagu.

UNE FÉDÉRATION D'ÉTATS

Unitaire à l'origine, bien qu'à la mort de Gengis Khan (1227) ses quatre fils aient reçu des apanages, l'Empire se transforme sous le règne de Kubilay Khan (1260-1294) en une fédération d'États. Le khanat de Djaghataï gouverne l'Asie centrale, où s'opère une symbiose ethnique et culturelle entre Turcs et Mongols. Les Ilkhans règnent sur l'Iran, tandis que la Horde d'Or gouverne la Crimée et les steppes entre mer Noire et lac Balkhach. Elle domine également les principautés russes, ses vassaux. Ces trois États adoptent l'islam entre 1295 et 1330, tout en se montrant tolérants, envers l'orthodoxie russe notamment. Enfin, Kubilay Khan fonde la dynastie impériale des Yuan, qui domine la Mongolie et la Chine jusqu'à la révolte des Ming. Les Mongols de ces régions adoptent le bouddhisme.

1258 : destruction de Bagdad.

1260 : défaite mongole par les Mamelouks d'Égypte.

1236-1279 : conquête de la Chine du Sud, achevée par Kubilay Khan.

L'organisation de l'empire.

L'empire a à sa tête le Clan d'Or, c'est-à-dire le clan de Gengis Khan, dont les membres reçoivent en apanage les provinces. Doté sous le grand khan Ogoday (1229-1241) d'une capitale (Karakorum) et d'une administration, l'empire se transforme avec Kubilay Khan (1260-1294) en une fédération d'États, dont les dirigeants assimilent la civilisation de leurs sujets. Ces États ont à leur tête la dynastie de la Horde d'Or (1236, 1240-1502), qui domine la Russie, la Crimée et la Sibérie, celle des Ilkhans d'Iran (1256-1335), celle des Djaghataïdes du Turkestan (1227-1365) et celle des Yuan de Chine (1279-1368).

L'organisation de l'empire repose sur une solide bureaucratie qui sert désormais d'intermédiaire entre les peuples soumis et

L'EMPIRE MONGOL
(XIIᵉ-XIVᵉ S.)

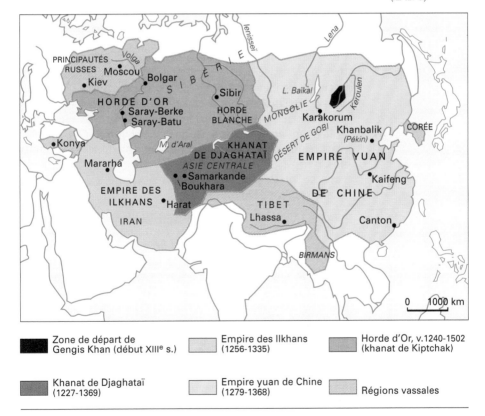

Zone de départ de Gengis Khan (début XIIIᵉ s.)

Empire des Ilkhans (1256-1335)

Horde d'Or, v.1240-1502 (khanat de Kiptchak)

Khanat de Djaghataï (1227-1369)

Empire yuan de Chine (1279-1368)

Régions vassales

LES MONGOLS

❶ Cavalier mongol.
Miniature du XVᵉ s.
(Musée de Topkapı.)

les dirigeants mongols et dont le personnel est composé en grande majorité d'hommes étrangers aux régions auxquelles ils sont affectés. La justice, l'administration des impôts et le service des postes restent cependant aux mains des seuls Mongols. Tout en se transformant, la société mongole conserve ses traits essentiellement guerriers.

Remarquable par son cosmopolitisme et sa tolérance religieuse, l'empire connaît la prospérité économique grâce au commerce, favorisé par la sécurité des frontières et la libre circulation des marchandises et des hommes à travers son immense territoire.

Le déclin de la puissance mongole.

En s'assimilant aux peuples chinois, turcs ou iraniens, dont ils adoptent la religion (islam, bouddhisme), les Mongols — qui ne représentent que 1 % de la population de l'empire — perdent progressivement le sentiment d'une identité commune, nécessaire à leur solidarité. Ainsi, encore unitaire au début du XIVᵉ siècle, l'Empire mongol est affaibli par des rivalités internes et se disloque peu à peu : extinction des Ilkhans en Iran (1335), avènement de la dynastie nationale des Ming en Chine (1368), réaction nationale des Russes (1480) et de leurs alliés, les Tatars de Crimée (1502). Cependant, des héritiers de Gengis Khan vont se maintenir à Astrakhan, à Kazan, en Crimée, au Kazakhstan et au Turkestan.

En Mongolie, les tribus retombent dans l'anarchie et n'en émergent que sous les règnes de quelques grands khans. L'aristocratie mongole adopte à la fin du XVIᵉ siècle le lamaïsme tibétain, et une puissante Église lamaïque se constitue en Mongolie. Les Mongols orientaux (Khalkhas) se soumettent entre 1627 et 1691 aux Mandchous, fondateurs de la dynastie chinoise des Qing. Celle-ci écrase l'empire mongol de Dzoungarie (région située entre l'Altaï et le Tian Shan) entre 1754 et 1756.

Le sud-est de la Mongolie (Mongolie-Intérieure) reste chinois après l'avènement de la république en Chine (1911). La Mongolie-Extérieure devient autonome la même année (→ MONGOLIE).

MONNAYER v.t. [11]. -**1.** Convertir un métal en monnaie. -**2.** Faire argent de qqch, en tirer profit. -**3.** AFRIQUE. Rendre la monnaie sur une somme.

MONNAYEUR n.m. -**1.** Ouvrier qui effectue la frappe de la monnaie. -**2.** Appareil qui fait automatiquement la monnaie.

MONNERVILLE (Gaston), homme politique français (Cayenne 1897 - Paris 1991), président du Conseil de la République de 1947 à 1958, puis du Sénat jusqu'en 1968.

MONNET (Jean), administrateur français (Cognac 1888 - Bazoches-sur-Guyonne, Yvelines, 1979). Négociateur financier et politique international (1915-1944), ministre du Commerce du Gouvernement provisoire en 1944, il proposa l'adoption d'un « plan de modernisation et d'équipement » de l'économie française (1945) et devint premier commissaire général au Plan. L'un des promoteurs de l'idée européenne (on le surnomme le « père de l'Europe »), il présida, de 1952 à 1955, la Haute Autorité de la Communauté européenne du charbon et de l'acier. Ses cendres ont été transférées au Panthéon en 1988.

MONNIER (Henri), écrivain et caricaturiste français (Paris 1799 - *id.* 1877), créateur de Joseph Prudhomme, type de bourgeois inepte et sentencieux.

MONOACIDE adj. et n.m. Se dit d'un acide qui ne libère qu'un seul ion H^+ par molécule.

MONOAMINE n.f. Amine ne possédant qu'un radical $- NH_2$. (Les catécholamines, la sérotonine sont des monoamines.)

MONOAMINE-OXYDASE n.f. (pl. monoamines-oxydases). Enzyme qui détruit par oxydation les monoamines en excès dans l'organisme. Abrév. : *M.A.O.* (Les inhibiteurs de la monoamine-oxydase [I.M.A.O.], médicaments antidépresseurs, agissent sur l'humeur en faisant remonter le taux sanguin des catécholamines.)

MONOATOMIQUE adj. Se dit d'un corps simple constitué d'atomes isolés.

MONOBASE n.f. Base qui ne libère qu'un seul ion OH^- par molécule.

MONOBASIQUE adj. Qui est de même nature que les monobases, qui constitue une monobase.

MONOBLOC adj. et n.m. Qui est fait d'une seule pièce, d'un seul bloc : *Châssis monobloc.*

MONOCÂBLE adj. Qui ne comporte, n'utilise qu'un seul câble. ◆ n.m. Transporteur aérien fait d'un seul câble sans fin, à la fois porteur et tracteur.

MONOCAMÉRAL, E, AUX adj. Qui ne comporte qu'une seule chambre, qu'une seule assemblée parlementaire : *Système monocaméral.*

MONOCAMÉRISME ou **MONOCAMÉRA-LISME** n.m. Système politique dans lequel le Parlement est composé d'une seule chambre.

MONOCHROMATIQUE adj. Se dit d'un rayonnement électromagnétique ayant une fréquence unique.

MONOCHROME [-kro-] adj. Qui est d'une seule couleur.

MONOCHROMIE [-kro-] n.f. Caractère de ce qui est monochrome.

MONOCINÉTIQUE adj. Se dit de particules ayant toutes la même vitesse.

MONOCLE n.m. (du gr. *monos,* seul, et du lat. *oculus,* œil). Verre correcteur unique que l'on fait tenir dans l'arcade sourcilière.

MONOCLINAL, E, AUX adj. Se dit d'un relief structural (cuesta, crêt, barre) ou d'une série sédimentaire affectés par un pendage identique dans une direction donnée.

MONOCLINIQUE adj. Se dit d'un système cristallin dont la symétrie est celle d'un prisme oblique à base losange. SYN. : **clinorhombique.**

MONOCLONAL, E, AUX adj. -**1.** Qui appartient à un même clone cellulaire. -**2.** *Anticorps monoclonal,* anticorps spécifique sécrété par des lymphocytes dérivant d'une cellule unique *(clone)* sélectionnée. (La fabrication des anticorps monoclonaux a permis d'importants progrès diagnostiques et thérapeutiques en immunologie et en cancérologie.)

MONOCOLORE adj. -**1.** Qui ne présente qu'une seule couleur. -**2.** Se dit d'un gouvernement qui est l'émanation d'un seul des partis représentés au Parlement.

MONOCOQUE adj. Se dit d'une structure de véhicule automobile combinant carrosserie et châssis, et composée d'éléments en tôle soudés, formant un ensemble qui résiste à la flexion et à la torsion. ◆ n.m. Bateau, voilier à une seule coque, par opp. à *multicoque.*

MONOCORDE adj. Qui est émis sur une seule note et ne varie pas ; monotone : *Chant monocorde.* ◆ adj. et n.m. Se dit d'un instrument de musique à une seule corde.

MONOCOTYLÉDONE n.f. (du gr. *monos,* seul, et *kotûledôn,* cavité). *Monocotylédones,* classe de plantes angiospermes dont la graine contient une plantule à un seul cotylédon, présentant des feuilles aux nervures parallèles et des fleurs dont la symétrie est souvent d'ordre 3. (Les principales familles de monocotylédones sont les graminées, les liliacées, les orchidacées et les palmiers.)

MONOCRISTAL n.m. Domaine d'un milieu cristallin possédant une périodicité parfaite. (En général, un cristal est formé d'agrégats de monocristaux. Un monocristal de grandes dimensions possède des propriétés particulières.)

MONOCULAIRE adj. Relatif à un seul œil : *Microscope monoculaire.*

MONOCULTURE n.f. Culture unique ou largement dominante d'une espèce végétale (vigne, café, etc.) dans une région ou une exploitation.

MONOCYCLE n.m. Vélocipède à une roue, utilisé par les acrobates.

MONOCYCLIQUE adj. -**1.** Se dit d'un composé chimique dont la formule renferme une chaîne fermée. -**2.** Se dit d'espèces animales ne présentant qu'un cycle sexuel par an.

MONOCYLINDRE ou **MONOCYLINDRIQUE** adj. Qui possède un seul cylindre. ➜ **monocylindre** n.m. Moteur monocylindre.

MONOCYTE n.m. (du gr. *kutos,* creux). Leucocyte mononucléaire de grande taille, qui assure essentiellement la phagocytose.

MONOD (Jacques), biochimiste français (Paris 1910 - Cannes 1976). Il étudia, avec ses collaborateurs, la synthèse cellulaire des protéines et sa régulation. Il devint directeur de l'Institut Pasteur en 1971. On lui doit des réflexions sur l'homme et la société, inspirées par la biologie. (Prix Nobel 1965.)

MONOD (Théodore), naturaliste français (Rouen 1902). Il a décrit la géologie, la faune et la flore de la partie la plus désertique du Sahara. Humaniste, protestant, défenseur de la nature, militant pacifiste, c'est aussi un écrivain scientifique, dans la lignée des encyclopédistes.

MONODÉPARTEMENTAL, E, AUX adj. ADMIN. *Région monodépartementale,* Région qui ne compte qu'un seul département (Guadeloupe, Guyane, Martinique, Réunion).

MONODIE n.f. Chant à une voix.

MONODIQUE adj. Se dit d'un chant à une seule voix.

MONŒCIE [mɔnesi] n.f. Caractère d'une plante monoïque.

MONOGAME adj. -**1.** Qui n'a qu'un seul conjoint légitime. -**2.** Qui se conforme au système de la monogamie : *Société monogame.*

MONOGAMIE n.f. (du gr. *monos,* seul, et *gamos,* mariage). Système dans lequel l'homme ne peut être simultanément l'époux de plus d'une femme et la femme l'épouse de plus d'un homme. (La monogamie s'oppose à la polyandrie et à la polygynie, les deux formes de la polygamie.)

MONOGAMIQUE adj. Relatif à la monogamie.

MONOGATARI n.m. Genre littéraire japonais qui regroupe à la fois des contes très courts, parfois mêlés de vers, génér. réunis en recueils, et des œuvres romanesques d'une grande étendue.

MONOGÉNISME n.m. Doctrine anthropologique ancienne d'après laquelle toutes les races humaines dériveraient d'un type unique.

MONOGRAMME n.m. -**1.** Chiffre composé des lettres ou des principales lettres d'un nom. -**2.** Marque ou signature abrégée.

MONOGRAPHIE n.f. Étude détaillée sur un point précis d'histoire, de science, de littérature, sur une personne, sa vie, etc.

MONOGRAPHIQUE adj. Qui a le caractère d'une monographie.

MONOÏ [mɔnɔj] n.m. inv. Huile parfumée d'origine tahitienne, tirée de la noix de coco et des fleurs de tiaré.

MONOÏDÉISME n.m. Concentration pathologique de la pensée et des activités intellectuelles sur un seul thème.

MONOÏQUE adj. (du gr. *monos,* seul, et *oïkos,* demeure). Se dit d'une plante à fleurs unisexuées mais où chaque pied porte des fleurs mâles et des fleurs femelles (comme le maïs, le noisetier, etc.). CONTR. : **dioïque.**

MONOKINI n.m. Maillot de bain féminin ne comportant qu'un slip et pas de soutien-gorge.

MONOLINGUE adj. et n. -**1.** Qui ne parle qu'une langue. -**2.** Rédigé en une seule langue : *Dictionnaire monolingue.* SYN. : **unilingue.**

MONOLINGUISME [-lɛ̃gɥism] n.m. État d'une personne, d'une région, d'un pays monolingues.

MONOLITHE n.m. et adj. (du gr. *monos,* seul, et *lithos,* pierre). -**1.** Se dit d'un ouvrage formé d'un seul bloc de pierre. -**2.** Se dit d'un monument taillé dans le roc.

MONOLITHIQUE adj. -**1.** Formé d'un seul bloc de pierre. -**2.** Qui présente l'aspect d'un bloc homogène ; rigide : *Parti monolithique.*

MONOLITHISME n.m. Caractère de ce qui est monolithique.

MONOLOGUE n.m. -1. Au théâtre, discours qu'un personnage se tient à lui-même pour évoquer le passé, exprimer un sentiment, présenter une situation, etc. -2. Histoire, souvent humoristique, destinée à être interprétée par un seul acteur. -3. Discours de qqn qui se parle tout haut à lui-même ou qui, dans la conversation, ne laisse pas parler les autres. -4. *Monologue comique,* pièce médiévale à un seul personnage, qui fait la satire d'un type social ou psychologique.

MONOLOGUER v.i. Tenir un monologue.

MONOMANIE n.f. -1. Toute affection psychique qui n'affecte que partiellement l'esprit. -2. COUR. Idée fixe.

MONÔME n.m. (du gr. *monos,* seul, et *nomos,* portion). Expression algébrique formée d'un seul terme où figurent une ou plusieurs variables.

MONOMÈRE adj. et n.m. Se dit d'un composé constitué de molécules simples pouvant réagir avec d'autres molécules pour donner des polymères.

MONOMÉTALLISME n.m. Système monétaire qui n'admet qu'un étalon monétaire, l'or ou l'argent, par opp. à *bimétallisme.*

MONOMÉTALLISTE adj. et n. Partisan du monométallisme.

MONOMOTAPA *(empire du),* ancien État de la région du Zambèze qui s'est constitué au XVe siècle. Il avait Zimbabwe pour capitale et éclata en quatre territoires au XVIe siècle.

MONOMOTEUR adj.m. et n.m. Se dit d'un avion équipé d'un seul moteur.

MONONUCLÉAIRE n.m. et adj. Globule blanc possédant un seul noyau.

MONONUCLÉOSE n.f. -1. Augmentation du nombre des mononucléaires dans le sang. -2. *Mononucléose infectieuse,* maladie bénigne du système hématopoïétique, due au virus d'Epstein-Barr, qui se manifeste par une angine, une augmentation de volume des ganglions lymphatiques et de la rate, une très grande asthénie et une augmentation du nombre des monocytes avec apparition de grands mononucléaires.

MONOPARENTAL, E, AUX adj. D'un seul des deux parents ; où il n'y a que le père ou la mère pour élever l'enfant ou les enfants : *Autorité, famille monoparentale.*

MONOPARTISME n.m. Système politique fondé sur l'existence d'un parti unique.

MONOPHASÉ, E adj. Se dit des tensions ou des courants alternatifs simples ainsi que des installations correspondantes, par opp. à *polyphasé.*

MONOPHONIE n.f. Technique permettant la transmission d'un signal musical au moyen d'une seule voie (disque, amplificateur, radiorécepteur classique, etc.), par opp. à *stéréophonie.*

MONOPHONIQUE adj. Qui concerne la monophonie. SYN. : monaural.

MONOPHYSISME n.m. Doctrine du Ve s. affirmant l'union du divin et de l'humain dans le Christ en une seule nature. (Condamné par le concile de Chalcédoine en 451, le monophysisme survit dans quelques Églises orientales.)

MONOPHYSITE adj. et n. Relatif au monophysisme ; qui en est partisan.

MONOPLACE adj. et n.m. Se dit d'un véhicule à une seule place. ◆ n.f. Automobile à une place, conçue pour les compétitions.

MONOPLAN adj. et n.m. Se dit d'un avion à un seul plan de sustentation.

MONOPLÉGIE n.f. Paralysie d'un seul membre.

MONOPOLE n.m. (du gr. *monos,* seul, et *pôlein,* vendre). -1. Privilège exclusif, de droit ou de fait, que possèdent un individu, une entreprise ou un organisme public de fabriquer, de vendre ou d'exploiter certains biens ou services. -2. Possession exclusive de qqch.

MONOPOLISATION n.f. Action de monopoliser.

MONOPOLISER v.t. -1. Exercer son monopole sur une production, un secteur d'activité. -2. Accaparer qqch : *Monopoliser la parole.*

MONOPOLISTE adj. et n. Qui exerce, détient, impose un monopole.

MONOPOLISTIQUE adj. Qui a la forme d'un monopole ; qui tend vers le monopole ou s'y apparente : *Pratiques monopolistiques.*

MONOPOLY n.m. (nom déposé). Jeu de société dans lequel les joueurs doivent acquérir des terrains et des immeubles, figurés sur un tableau, jusqu'à en obtenir le monopole.

MONOPROCESSEUR adj.m. et n.m. Se dit d'un système informatique possédant une seule unité de traitement.

MONOPSONE n.m. (du gr. *opsônein,* s'approvisionner). Marché caractérisé par la présence d'un acheteur et d'une multitude de vendeurs.

MONOPTÈRE adj. et n.m. (du gr. *pteron,* aile). Se dit d'un temple circulaire à coupole reposant sur une seule rangée de colonnes.

MONORAIL adj. et n.m. -1. Se dit d'un chemin de fer n'utilisant qu'un seul rail de roulement. -2. Se dit d'un dispositif de manutention comportant un rail unique, génér. suspendu.

MONORIME adj. et n.m. Se dit d'un poème dont tous les vers ont la même rime.

MONORY (Jacques), peintre français (Paris 1934). Ses compositions ont pris pour matériau, depuis 1965, des images photographiques qu'il interprète d'une touche neutre, soit en monochromie bleue, soit dans une bichromie ou trichromie artificielle : esthétique froide ou clinquante qui dissimule la passion (séries telles que « Meurtres », 1968 ; « Opéras glacés », 1974-75 ; « la Voleuse », 1985-86).

MONORY (René), homme politique français (Loudun 1923). Centriste, ministre de l'Économie (1977-78), ministre de l'Éducation nationale (1986-1988), il est élu à la présidence du Sénat en 1992.

MONOSACCHARIDE n.m. Ose.

MONOSÉMIQUE adj. Qui n'a qu'un seul sens : *Mot monosémique.* CONTR. : polysémique.

MONOSÉPALE adj. Se dit d'une fleur dont le calice est d'une seule pièce.

MONOSKI n.m. -1. Ski sur lequel on pose les deux pieds pour glisser sur l'eau ou sur la neige. -2. Sport ainsi pratiqué.

MONOSPERME adj. Se dit des fruits et des divisions de fruits qui ne contiennent qu'une seule graine.

MONOSYLLABE adj. et n.m. Qui n'a qu'une seule syllabe.

MONOSYLLABIQUE adj. -1. Monosyllabe. -2. Qui ne contient que des monosyllabes.

MONOTHÉISME n.m. Religion qui n'admet qu'un seul Dieu.

MONOTHÉISTE adj. et n. Qui concerne ou professe le monothéisme. (Le judaïsme, le christianisme et l'islam sont des religions monothéistes.)

MONOTHÉLISME n.m. (du gr. *thelein,* vouloir). Doctrine du VIIe s. selon laquelle il n'y aurait eu dans le Christ qu'une seule volonté, la volonté divine. (Il fut condamné en 681 par le troisième concile de Constantinople.)

MONOTONE adj. -1. Qui est toujours sur le même ton : *Chant monotone.* -2. Qui lasse par son rythme, ses intonations sans variété : *Acteur monotone.* -3. Qui est uniforme, sans imprévu : *Soirée monotone.* -4. *Fonction monotone (sur un intervalle),* fonction mathématique croissante ou décroissante sur tout l'intervalle.

Jacques **MONORY** : *Toxique n°1, Melancolia* (1982). [Galerie Lelong, Paris.]

MONOTONIE n.f. Caractère, état de ce qui est monotone : *Monotonie d'une voix, d'un paysage.*

MONOTRÈME n.m. (du gr. *trêma,* trou). *Monotrèmes,* sous-classe de mammifères primitifs d'Australie, de Tasmanie et de Nouvelle-Guinée qui ont le corps couvert de poils ou de piquants, un bec sans dents, pondent des œufs mais allaitent leurs petits, tels que les ornithorynques et les échidnés. SYN. : protothérien.

MONOTROPE n.m. Plante sans chlorophylle, aux feuilles réduites, parasite du pin. (Famille des pirolacées.) SYN. : **sucepin.**

1. **MONOTYPE** n.m. -**1.** Yacht à voile faisant partie d'une série de bateaux identiques, tous construits sur le même plan. -**2.** Estampe obtenue à partir d'une planche sur laquelle le motif a été peint, et non gravé.

2. **MONOTYPE** n.f. (nom déposé). Machine à composer produisant des lignes justifiées en caractères mobiles.

MONOVALENT, E adj. Univalent.

MONOXYDE n.m. Oxyde qui contient un seul atome d'oxygène dans sa molécule : *Le monoxyde de carbone (CO) est un gaz très toxique.*

MONOZYGOTE adj. Se dit de vrais jumeaux issus d'un même œuf. SYN. : **univitellin.** CONTR. : bivitellin, dizygote.

MONREALE, v. d'Italie, en Sicile, au S.-O. de Palerme ; 25 537 hab. — Imposante cathédrale de l'époque normande (v. 1180), remarquable par son revêtement intérieur de mosaïques byzantines ; cloître à colonnes géminées, chef-d'œuvre de la sculpture romane dans l'île.

MONROE (James), homme d'État américain (Monroe's Creek, Virginie, 1758 - New York 1831). Président républicain des États-Unis de 1817 à 1825, il établit un consensus politique (« ère des bons sentiments »). Son nom est resté attaché à la doctrine qu'il énonça en 1823 et qui condamne toute intervention européenne dans les affaires de l'Amérique comme de l'Amérique dans les affaires européennes.

MONROE (Norma Jean Baker ou Mortenson, dite Marilyn), actrice américaine (Los Angeles 1926 - *id.* 1962). Elle incarna le mythe de la star hollywoodienne dans toute sa beauté et sa vulnérabilité : *Les hommes préfèrent les blondes* (H. Hawks, 1953), *Sept Ans de réflexion* (B. Wilder, 1955), *Certains l'aiment chaud* (B. Wilder, 1959), *The Misfits* (J. Huston, 1961).

MONROVIA, cap. et principal port du Liberia, sur l'Atlantique ; 465 000 hab. Centre administratif et commercial. Port franc.

MONS, en néerl. Bergen, v. de Belgique, ch.-l. du Hainaut ; 91 726 hab. *(Montois).* Centre administratif et commercial. Université. — Siège DU SHAPE. — Nombreux monuments, dont la collégiale Ste-Waudru, de style gothique brabançon (XVe-XVIIe s. ; sculptures du Montois Jacques Dubrœucq, objets d'art), et l'hôtel de ville, en partie du XVe siècle. Ensemble de musées consacrés aux beaux-arts, aux arts appliqués, à l'histoire.

MONSEIGNEUR n.m. (pl. messeigneurs, nosseigneurs). -**1.** Titre donné aux princes d'une famille souveraine, aux prélats. Abrév. : *Mgr.* -**2.** (Avec une majusc.). Titre du Grand Dauphin, fils de Louis XIV, et, après lui, des Dauphins de France.

MONS-EN-BARŒUL, comm. du Nord, dans la banlieue est de Lille ; 23 626 hab. Textile.

MONSIEUR [məsjø] n.m. (pl. messieurs). -**1.** Titre donné, par civilité, à un homme à qui l'on s'adresse, oralement ou par écrit. Abrév. : *M.* -**2.** Titre précédant la fonction d'un homme quand elle lui confère une certaine autorité : *Monsieur le Professeur.* -**3.** Appellation respectueuse utilisée par un serveur, un employé, etc., pour s'adresser à un client, au maître de maison. -**4.** (Avec une majusc.). Titre du frère puîné du roi de France, à partir de la seconde moitié du XVIe s.

Marilyn **MONROE** dans *Comment épouser un millionnaire* (1953), film de J. Negulesco.

Monsieur *(paix de),* dite aussi **paix de Beaulieu** ou **paix de Loches** (1576), paix signée au château de Beaulieu, par l'intermédiaire du duc d'Alençon, chef du parti catholique (les « politiques »). Henri III y accordait certains avantages aux protestants.

Monsieur Verdoux → CHAPLIN.

MONSIGNORE [-ɲɔre] n.m. (pl. monsignors ou monsignori). Prélat de la cour pontificale.

MONSIGNY (Pierre Alexandre), compositeur français (Fauquembergues 1729 - Paris 1817), un des fondateurs de l'opéra-comique (*le Déserteur,* 1769).

MONSTERA n.m. Plante grimpante et rameuse originaire de l'Amérique tropicale, aux grandes feuilles profondément découpées, aux racines pendantes, appréciée comme plante d'appartement. (Famille des aracées.)

MONSTRANCE n.f. Pièce d'orfèvrerie ancienne destinée à montrer ou à exposer aux fidèles l'hostie consacrée et qui préfigure l'ostensoir.

MONSTRE n.m. -1. Être vivant présentant une importante malformation. -2. Être fantastique de la mythologie, des légendes. -3. Animal, objet effrayant par sa taille, son aspect : *Monstres marins.* - 4. Personne qui suscite l'horreur par sa cruauté, sa perversité. -5. Personne qui suscite une profonde antipathie par un défaut, un vice qu'elle présente à un degré extrême : *Un monstre d'égoïsme.* - 6. *Monstre sacré,* comédien très célèbre.

MONSTRILLIDÉ n.m. *Monstrillidés,* famille de crustacés copépodes dont la larve vit en parasite.

MONSTRUEUX, EUSE adj. -1. Atteint de graves malformations. -2. Excessivement laid, horrible : *Un masque monstrueux.* -3. D'une dimension, d'une force, d'une intensité extraordinaire : *Un potiron monstrueux.* - 4. Qui dépasse les limites de ce que l'on peut imaginer, tolérer ; horrible, abominable : *Crime monstrueux.* ◆ **monstrueusement** adv.

MONSTRUOSITÉ n.f. -1. Caractère de ce qui est monstrueux. -2. Chose monstrueuse.

MONSU DESIDERIO → NOMÉ.

MONT n.m. Grande élévation naturelle au-dessus d'un terrain environnant. ANAT. *Mont de Vénus,* pénil. GÉOMORPH. Forme structurale d'une région plissée, correspondant à la couche dure d'un anticlinal.

MONTAGE n.m. -1. Action de porter qqch du bas vers le haut. -2. Action d'assembler les différents éléments d'un ensemble complexe : *Montage d'une armoire.* AUDIOVIS., CIN. Choix et assemblage des divers plans d'un film, des bandes enregistrées pour une émission de radio, etc. BANQUE. *Montage financier,* ensemble de procédés permettant à une entreprise de se procurer des ressources sur le marché des capitaux bancaires ou financiers. ÉLECTRON. *Montage symétrique,* circuit amplificateur à deux tubes ou deux transistors, l'un amplifiant les alternances positives, l'autre les alternances négatives du signal. SYN. : push-pull. IMPR. Assemblage des films portant les textes et les illustrations qui sont copiés ensemble sur la forme d'impression. TECHN. Assemblage des différentes pièces d'un appareil, d'un ensemble mécanique, d'un meuble.

MONTAGNAIS, Indiens Algonquins d'Amérique du Nord qui occupaient la zone de forêt subarctique située entre le Labrador et les montagnes Rocheuses. La plupart de leurs réserves se situent sur la rive gauche du Saint-Laurent.

MONTAGNARD, E adj. et n. Qui est de la montagne, habite les montagnes.

Montagnards, députés de la Convention, membres du groupe de « la Montagne », qui siégeaient sur les gradins les plus élevés. Partisans d'un régime centralisateur et de réformes sociales, ils s'appuyaient tout à la fois sur la Commune de Paris, le club des Jacobins et le peuple des sans-culottes. Leurs principaux chefs furent Marat, Danton et Robespierre. Maîtres du pouvoir en 1793, ils imposèrent une politique de salut public (→ TERREUR).

MONTAGNE n.f. -1. Élévation naturelle du sol, caractérisée par une forte dénivellation entre les sommets et le fond des vallées. (V. ENCYCL.) -2. Région de forte altitude, lieu de villégiature. -3. Amoncellement important d'objets. HIST. (Avec une majusc.). *La Montagne,* les députés montagnards. JEUX. *Montagnes russes,* attraction foraine constituée de montées et de descentes abruptes sur lesquelles roulent très rapidement, sous l'effet de leur propre poids, des rames de petites voitures.

ENCYCL. GÉOLOGIE

Les montagnes résultent d'une intense déformation de la croûte terrestre engendrée par la convergence de plaques (ou fragments de plaques) lithosphériques, animées de mouvements horizontaux.

L'origine des reliefs. Plusieurs phénomènes interviennent. Tout d'abord, les portions de croûte coincées entre deux plaques qui se rapprochent sont, selon les matériaux et la nature des plaques en présence, comprimées et plissées (Atlas, Zagros) ou débitées en larges écailles, qui se superposent pour donner de grands chevauchements ou des nappes de charriage (Alpes, Himalaya). Par ailleurs, l'épaississement de croûte induit par le plissement entraîne une fusion partielle en profondeur et la montée de magmas qui, en cristallisant, augmentent encore l'épaisseur de la croûte (Andes du Pérou, Sierra Nevada aux États-Unis) et engendrent des mouvements verticaux de rééquilibrage (poussée d'Archi-

mède) à l'origine des hauts reliefs. Enfin, la remontée de laves volcaniques en surface peut également accroître l'altitude des sommets (Cascades, Andes de Colombie).

Les massifs anciens comme le Massif central ou les Vosges ont dû connaître un mode de formation similaire à celui des chaînes récentes du type Himalaya, bien qu'aujourd'hui largement effacé par des centaines de millions d'années d'érosion. Leur structure actuelle correspond à des blocs faillés soulevés, interrompus par les compartiments affaissés de la Limagne ou du fossé d'Alsace. L'étirement de

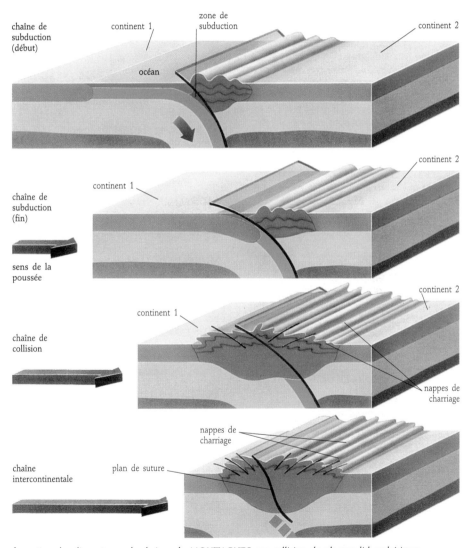

formation des divers types de chaînes de **MONTAGNES** par collision de plaques lithosphériques

la croûte a permis aussi la remontée locale de laves et le développement de formes volcaniques typiques (chaîne des Puys, volcans du Rift africain).

Les types de chaînes. En fait, les grandes chaînes de montagnes actuelles sont toujours le résultat d'une succession de phases associant dans l'espace un ou plusieurs des mécanismes précédents. Il est néanmoins possible de distinguer trois types morphologiques majeurs.

Les Andes sont le type même de la *chaîne de subduction,* formée au contact d'une plaque océanique qui plonge sous un continent. L'épaisseur de la croûte est maximale (70 km). La montagne est bordée par une série de gradins de failles culminant à plus de 5 000 m au niveau de l'Altiplano.

Dans les *chaînes de collision* comme l'Himalaya, deux continents s'affrontent : le continent mobile ne pouvant plonger sous l'autre (sa croûte est trop légère), il est affecté par de grands cisaillements qui sont déplacés sur des distances horizontales considérables (plusieurs centaines de kilomètres) et sont à l'origine de reliefs dissymétriques imposants. L'avant-pays est affecté de plis ou plis-failles, donnant une morphologie de crêtes, monts et vaux si l'érosion est peu avancée (Siwalik de l'Himalaya), ou de reliefs contraires de combes et vaux perchés en cas de dissection poussée (Préalpes).

Les *chaînes intracontinentales* (à l'intérieur d'un continent) résultent du contrecoup de collisions plus lointaines. De type plissé, elles se forment au niveau de zones de faiblesse, par serrage de bassins sédimentaires (Haut Atlas marocain) ou par coulissage et compression le long de failles décrochantes (Tian Shan). [→ ROCHE, TECTONIQUE, TERRE.]

Montagne, groupe politique, né de la Révolution française (→ MONTAGNARDS).

Montagne (la), quotidien régional français créé à Clermont-Ferrand en 1919.

Montagne Blanche *(bataille de la)* [8 nov. 1620], défaite infligée, près de Prague, à l'armée des États de Bohême par l'empereur germanique Ferdinand II lors de la guerre de Trente Ans.

MONTAGNE NOIRE, massif montagneux de la bordure méridionale du Massif central aux confins du Tarn et de l'Aude, culminant au pic de Nore (1 210 m). Elle est englobée dans le parc naturel régional du Haut-Languedoc.

MONTAGNEUX, EUSE adj. Où il y a beaucoup de montagnes.

MONTAGNIER (Luc), médecin français (Chabris, Indre, 1932). Il a découvert en 1983, avec son équipe de l'Institut Pasteur, la première variété (V. I. H. 1) du virus du sida puis, en 1986, la deuxième variété (V. I. H. 2).

Luc **MONTAGNIER,** médecin français.

MONTAIGNE (Michel **Eyquem de**), écrivain français (château de Montaigne, auj. comm. de Saint-Michel-de-Montaigne, Dordogne, 1533 - *id.* 1592).

→ ● DOSSIER MONTAIGNE *page suivante.*

MONTAIGUS (les), famille de Vérone célèbre au XVe siècle par sa rivalité avec les Capulets et popularisée par l'œuvre de Shakespeare, *Roméo et Juliette.*

MONTAISON n.f. -1. Montée en graine d'une plante. -2. Migration par laquelle certains poissons (notamm. les saumons) quittent l'eau salée pour remonter les fleuves et s'y reproduire ; saison de cette migration.

MONTALE (Eugenio), poète italien (Gênes 1896 - Milan 1981). Son œuvre, à l'origine de l'« hermétisme », est une longue résistance à l'égard des conventions de la rhétorique et de la vie (*Os de seiche,* 1925 ; *les Occasions,* 1939 ; *Satura,* 1971). [Prix Nobel 1975.]

MONTALEMBERT (Charles Forbes, *comte* de), publiciste et homme politique français (Londres 1810 - Paris 1870). Devenu le chef des catholiques libéraux, il siège à partir de 1835 à la Chambre des pairs et y défend la liberté de l'enseignement secondaire. Député sous la IIe République, il soutient l'adoption de la loi Falloux (1850). Favorable au coup d'État du 2 décembre 1851, membre de la Chambre des députés (le Corps législatif) de 1852 à 1857, il s'oppose rapidement au despotisme impérial.

D O S S I E R

MONTAIGNE

Issu d'un siècle politiquement et intellectuellement troublé, Montaigne, qui n'a pas l'enthousiasme encyclopédique d'un Rabelais, s'attache seulement à démontrer la faiblesse de la raison humaine. D'où sa devise, en forme de perpétuelle remise en question : « Que sais-je ? »

L'honnête homme.

Michel Eyquem naît en 1533 dans une famille récemment anoblie et installée au château de Montaigne. Il reçoit une éducation humaniste, versée notamment dans la connaissance des Latins. Conseiller à Périgueux, puis intégré au parlement de Bordeaux en 1557, il y rencontre Étienne de La Boétie, dont il a déjà lu et admiré le *Discours sur la servitude volontaire*. Ils deviennent inséparables. Mais la mort de son ami en 1563, ainsi que celle de son père en 1568, le vouent à l'écriture : du premier, il sera l'éditeur consciencieux ; en hommage à son père, il publie en 1569 une traduction de la *Théologie naturelle* de Raymond Sebond, qui s'interrogeait sur la faiblesse maladive de la raison humaine. Après avoir vendu sa charge parlementaire, il se retire dans la bibliothèque de son château (sa « librairie ») et commence à dicter ses *Essais*. Huit ans de travail, sur fond de guerres de Religion, sont nécessaires avant la première édition, en 1580, qui comprend les deux premiers livres. Il entreprend alors un voyage à Paris pour présenter son œuvre au roi puis, peu après, il se rend en Allemagne et en Italie pour soigner, dans les villes d'eau, la maladie de la pierre dont il souffre. Ses impressions sont consignées dans son *Journal de voyage*, retrouvé et publié en 1774. Son élection à la mairie de Bordeaux en 1581 l'oblige à revenir. Son deuxième mandat, marqué par les guerres civiles et religieuses, s'achève, en 1585, alors que règne une épidémie de peste. Montaigne consacre ses dernières années à la rédaction du troisième livre des *Essais* et à l'annotation des précédents, pour l'édition de 1588, ne cessant de reprendre l'ensemble jusqu'à sa mort, en 1592. Son copiste Pierre de Brach, aidé par une admiratrice deve-

LE DIPLOMATE ET LE VOYAGEUR

Il faut tempérer l'image de l'homme de plume, retiré dans sa « librairie». Montaigne, maire de Bordeaux, parvint à protéger sa ville des ravages des guerres de Religion et fut un habile diplomate entre le roi de Navarre (le futur Henri IV) et le gouverneur de Guyenne, rallié à Henri III. Il voyagea à travers l'Europe et aima séjourner à Rome.

❶ Michel Eyquem, seigneur de Montaigne. École française du XVIᵉ siècle. (Musée du Château de Versailles.)

MONTAIGNE

nue sa fille spirituelle, Mlle de Gournay, en établiront une édition posthume en 1595.

Les « Essais » :
un genre nouveau.

L'Antiquité et le Moyen Âge pratiquaient déjà les recueils d'*exempla,* courtes leçons de morale inspirées du modèle des Anciens. Tel est le dessein des *Essais* dans leur première édition, marquée par le goût pour la citation et la pose stoïcienne. Mais le projet évolue à mesure que le genre d'appartenance devient lui-même objet de la réflexion. Toute pédanterie et tout dogmatisme sont désormais bannis : l'ouvrage doit révéler une nature et non une éducation. Au milieu des rajouts et des digressions, les citations elles-mêmes s'intègrent au fil du texte comme des collages dans une peinture moderne. Malgré l'intention affichée dans l'avertissement au lecteur (« Je suis moi-même la matière de mon livre »), l'œuvre n'est pas autobiographique, au sens où souvenirs et interprétations s'organiseraient en une subjectivité unique et cohérente. Il s'agit plutôt d'un autoportrait, que l'auteur nuance et surcharge sans cesse.

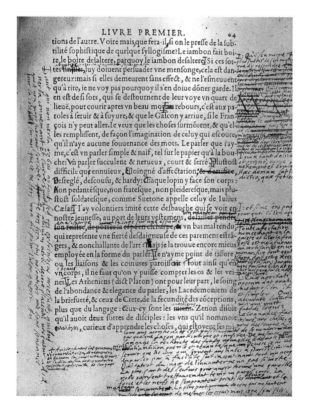

❷ Exemplaire des *Essais* annoté de la main de Montaigne. (Bibliothèque de Bordeaux.)

DE L'INSTABILITÉ DU RÉEL

Les *Essais* ne se présentent pas comme un ouvrage au plan préétabli. S'ils passent en revue, « à sauts et à gambades », tout un ensemble de questions disparates, ils voudraient cependant renfermer « la forme entière de l'humaine condition ». Les notes de Montaigne sur ses lectures, expériences et introspections cherchent à dépeindre non pas le monde des êtres ou des essences, mais celui des « passages », des perpétuelles métamorphoses. Ni stoïcien, ni épicurien, ni même sceptique pur, Montaigne ne se réfère aux grandes doctrines de l'Antiquité que pour jouer des unes contre les autres en une forme ouverte et dialogique, qui rend possible l'émergence d'une libre parole d'auteur. La modernité des *Essais* réside dans cette interrogation explicite sur les conditions de possibilité de toute écriture et de tout discours.

MONTALEMBERT (Marc René, *marquis* **de**), général français (Angoulême 1714 - Paris 1800). Précurseur de la fortification du XIXe siècle, il inaugura le tracé polygonal.

MONTANA, État du nord-ouest des États-Unis ; 381 086 km² ; 799 065 hab. Cap. *Helena*. V. princ. *Billings, Great Falls*. Les Rocheuses, grand site touristique, occupent le tiers ouest de l'État et les Grandes Plaines (vers 1 000 m d'alt.) la partie est. Les ressources sont agricoles (céréales, élevage) et minières (pétrole, charbon, cuivre).

MONTAND (Ivo Livi, dit Yves), chanteur et acteur français (Monsummano, Toscane, 1921 - Senlis 1991). Il a partagé sa carrière entre la chanson, le théâtre et le cinéma : *le Salaire de la peur* (1953), *le Milliardaire* (1960), *Z* (1969), *l'Aveu* (1970), *César et Rosalie* (1972), *Jean de Florette* (1986), *I. P. 5* (1992). Il a épousé l'actrice Simone Signoret en 1951.

MONTANISME n.m. Doctrine hérétique du IIe s. professée par Montanus (ou *Montan*), prêtre phrygien.

MONTANISTE adj. et n. Relatif au montanisme ; qui en est partisan.

1. **MONTANT** n.m. -1. Élément vertical d'un ensemble, destiné à servir de support ou de renfort. -2. Élément vertical, central ou latéral du cadre d'un vantail ou d'un châssis de fenêtre, de porte. -3. Chacune des deux pièces latérales auxquelles sont fixés les échelons d'une échelle.

2. **MONTANT** n.m. -1. Total d'un compte. -2. *Montants compensatoires monétaires,* taxes et subventions destinées à neutraliser, dans la C. E. E., les perturbations introduites dans les échanges de produits agricoles par les variations monétaires. (Instauré en 1969, le système a été démantelé à la fin des années 1980.)

3. **MONTANT, E** adj. -1. Qui monte. -2. *Garde montante,* celle qui va prendre son service.

MONTANUS ou **MONTAN**, prêtre phrygien de Cybèle converti au christianisme (IIe s.). Se présentant comme la voix de l'Esprit saint, il prêchait un ascétisme rigoureux pour préparer l'humanité à la venue imminente du royaume de Dieu. Le montanisme, qu'on appelle aussi l'« hérésie phrygienne » et auquel adhéra Tertullien (v. 207), se répandit en Orient et en Occident. Il survécut jusqu'au IVe siècle.

MONTARGIS, ch.-l. d'arr. du Loiret, sur le Loing ; 16 570 hab. *(Montargois) ;* plus de 50 000 hab. dans l'agglomération, industria-

lisée. — Église des XIIe-XVIe siècles. Musée d'archéologie et musée « Girodet ».

MONTAUBAN, ch.-l. du dép. de Tarn-et-Garonne, sur le Tarn, à 629 km au sud de Paris ; 53 278 hab. *(Montalbanais).* Évêché. Centre administratif et commercial. Agroalimentaire. — Place de sûreté protestante en 1570, Montauban résista héroïquement aux troupes royales du duc de Luynes en 1621. — Pont et église du XIVe siècle, en brique. Place Nationale et cathédrale des XVIIe-XVIIIe siècles. Musée Ingres (souvenirs et œuvres du peintre, dont 4 000 dessins ; salle Bourdelle ; histoire ; etc.).

MONTAUSIER (Charles de Sainte-Maure, *marquis,* puis *duc* **de**), général français (1610 - Paris 1690), gouverneur du Dauphin, fils de Louis XIV. Pour sa future femme, **Julie d'Angennes** (Paris 1607 - id. 1671), il fit composer le recueil de madrigaux *la Guirlande de Julie.*

MONTBARD, ch.-l. d'arr. de la Côte-d'Or, au N. de l'Auxois ; 7 397 hab. *(Montbardois).* Métallurgie. — Petits musées, dont celui consacré à Buffon dans les restes du château ducal.

MONTBÉLIARD, ch.-l. d'arr. du nord du Doubs, dans la région de la porte d'Alsace ; 30 639 hab. *(Montbéliardais) ;* 130 000 hab. dans l'agglomération. Centre d'une importante agglomération industrielle (métallurgie). — Musée municipal du château, des XVe-XVIIIe siècles ; musée du Vieux-Montbéliard, dans un hôtel du XVIIIe siècle.

MONTBÉLIARDE adj.f. et n.f. Se dit d'une race française de bovins à robe pie rouge, surtout exploitée pour la production de lait.

MONT-BLANC n.m. (pl. monts-blancs). Entremets froid fait d'un dôme de crème Chantilly entouré d'une bordure de purée de marrons.

MONT-BLANC *(massif du)* → BLANC (mont).

MONTBRISON, ch.-l. d'arr. de la Loire, au contact des monts et de la plaine du Forez ; 30 639 hab. *(Montbrisonnais).* Jouets. Constructions mécaniques. — Collégiale gothique (XIIIe-XVIe s.) ; salle de la Diana (XIIIe s.). Musées.

MONTCALM *(pic de),* sommet des Pyrénées ariégeoises, près de l'Espagne ; 3 078 m.

MONTCALM DE SAINT-VÉRAN (Louis Joseph, *marquis* **de**), général français (Candiac, près de Nîmes, 1712 - Québec 1759). Commandant des troupes françaises du Canada, lors de la guerre de Sept Ans, il fut tué au combat.

(Voir illustration p. suivante.)

Louis Joseph, marquis de **Montcalm de Saint-Véran**, général français. (Archives publiques du Canada, Ottawa.)

Montceau-les-Mines, ch.-l. de c. de Saône-et-Loire, sur la Bourbince ; 23 308 hab. *(Montcelliens)*. Caoutchouc. Constructions mécaniques. Bonneterie.

Montchrestien (Antoine de), auteur dramatique et économiste français (Falaise v. 1575 - les Tourailles, près de Domfront, 1621). Auteur de tragédies *(l'Écossaise,* 1601), il a donné également un *Traité de l'économie politique* (1615), tableau de l'état économique de la France vers 1610, où il semble avoir créé l'expression d'« économie politique ».

Mont-de-Marsan, ch.-l. du dép. des Landes, au confl. du Midou et de la Douze, à 687 km au sud-ouest de Paris ; 31 864 hab. *(Montois)*. Centre administratif et commercial. — Musée Despiau-Wlérick dans le donjon Lacataye (sculpture de la 1re moitié du xxe s.). — Base aérienne militaire.

Mont-de-piété n.m. (pl. monts-de-piété). ANC. Caisse de crédit municipal, établissement public de prêt sur gage à taux modéré.

Montdidier, ch.-l. d'arr. de la Somme, sur une colline ; 6 506 hab. *(Montdidériens)*. Articles de voyages.

Montdidier *(bataille de)* [1918], nom donné à l'offensive allemande du 21 mars (qui enfonça le front franco-anglais, créant la « poche de Montdidier ») et à la contre-offensive de Foch du 8 août qui amorça le repli général de l'armée allemande.

Mont-d'or n.m. (pl. monts-d'or). Fromage voisin du vacherin, fabriqué dans le Doubs.

Mont-Dore *(massif du)* → DORE (monts).

Monte n.f. -1. Accouplement, dans les espèces équine, bovine, caprine et porcine ; époque de cet accouplement. -2. Action, manière de monter à cheval.

Monte (Philippus de), compositeur flamand (Malines 1521 - Prague 1603). Sa carrière dé-

buta en Italie, puis il fut pendant trente-cinq ans maître de chapelle de l'empereur Maximilien II. Son œuvre très abondante (madrigaux, motets, messes) et d'une grande tenue technique et expressive en fait l'un des maîtres de la musique polyphonique.

Monté, e adj. -1. Pourvu d'une monture, d'un cheval. -2. Assemblé, ajusté. -3. *Être bien, mal monté,* avoir un bon, un mauvais cheval. ‖ VX. *Troupes montées,* armes qui utilisaient le cheval (cavalerie, artillerie, train).

Monte Albán, cité préhispanique de la vallée d'Oaxaca (Mexique). Occupée depuis le préclassique moyen (1000-300 av. J.-C.) jusqu'au postclassique (950-1500 apr. J.-C.), elle a été bâtie sur une colline arasée formant une esplanade où se dresse le centre cérémoniel (pyramides, palais et jeu de balle). Vers le début du xe siècle, la ville, abandonnée, reste un lieu de sépulture pour les Zapotèques et les Mixtèques.

Monte-Carlo, quartier de la principauté de Monaco, au nord du vieux Monaco, où se trouvent le casino et les principaux hôtels. Il donne son nom à un célèbre rallye automobile annuel.

Monte-Carlo *(Radio-* et *Télé-),* société et stations de radiodiffusion et de télévision créées en 1942, dont les studios sont à Monaco et à Paris.

Monte-charge n.m. (pl. monte-charges ou inv.). Appareil servant à monter des fardeaux d'un étage à l'autre.

Montecristo, îlot italien, situé au sud de l'île d'Elbe, rendu célèbre par le roman d'Alexandre Dumas père : *le Comte de Monte-Cristo.*

Montecuccoli ou **Montecuculi** (Raimondo, *prince*), maréchal italien au service de l'Empire (près de Modène 1609 - Linz 1680). Il commanda les forces catholiques contre les Turcs (Saint-Gotthard, 1664) puis les impériaux lors de la guerre de Hollande.

Montée n.f. -1. Action de monter sur un lieu élevé. -2. Fait d'être porté à un niveau plus élevé : *La montée des eaux.* -3. Chemin par lequel on monte au sommet d'une éminence ; pente raide. -4. Élévation en quantité, en valeur, en intensité : *La montée des prix.* -5. AFRIQUE. Début de la demi-journée de travail. AÉRON. Trajectoire d'un aéronef, d'une fusée qui s'élèvent. ARCHIT. Chacune des deux parties comprises entre le faîte et les supports latéraux d'un arc, d'une voûte. ‖ Flèche d'un arc, d'une voûte. PHYSIOL. *Montée de lait,* installation de la sécrétion lactée, après l'accouchement.

MONTEGO BAY, station balnéaire de la Jamaïque ; 43 000 hab. Aéroport.

MONTÉLIMAR, ch.-l. de c. de la Drôme, près du Rhône ; 31 386 hab. *(Montiliens)*. Nougats. — Château fort.

MONTEMAYOR (Jorge de), poète espagnol d'origine portugaise (Montemor-o-Velho, Portugal, v. 1520 - au Piémont 1561), auteur de *la Diane* (1559), roman pastoral.

MONTÉNÉGRO, République fédérée de la Yougoslavie sur l'Adriatique ; 13 812 km² ; 616 000 hab. *(Monténégrins)*. Cap. *Podgorica* (anc. *Titograd*). **HIST**. La région, appelée Dioclée puis Zeta, devient le centre d'un État au XIe siècle. Elle est incluse dans le royaume serbe au XIIIe-XIVe siècle, avant de redevenir indépendante. En 1479, le Monténégro passe sous domination ottomane et le reste jusqu'en 1878, tout en se transformant en un État moderne. En 1918, il vote la déchéance de son roi et son rattachement à la Serbie. En 1945, il devient une des six Républiques fédérées de la Yougoslavie. Lors de l'éclatement de celle-ci, le Monténégro s'unit à la Serbie pour former (1992) la nouvelle République fédérale de Yougoslavie.

MONTE-PLATS n.m. Petit monte-charge assurant la circulation des plats entre la cuisine et la salle à manger.

MONTER v.i. -**1.** (Auxil. *être*). Se transporter en un lieu plus élevé. -**2.** Se placer sur un animal, sur ou dans un véhicule. -**3.** (Auxil. *être*). Suivre une pente ; s'élever en pente. -**4.** (Auxil. *être* ou *avoir*). Atteindre un niveau plus élevé : *La rivière est montée, a monté après l'orage.* -**5.** (Auxil. *être*). Croître en hauteur : *Une construction qui monte rapidement.* -**6.** (Auxil. *avoir*). Atteindre un degré, un prix plus élevé : *Les prix ont monté.* -**7.** (Auxil. *avoir*). Former un total de : *La dépense monte à mille francs.* -**8.** (Auxil. *avoir*). Passer du grave à l'aigu. -**9.** Avoir de l'avancement : *Monter en grade.* ◆ v.t. (Auxil. *avoir*). -**1.** Gravir ; parcourir un lieu de bas en haut : *Monter un escalier.* -**2.** Transporter qqch dans un lieu plus élevé. -**3.** Accroître la valeur, la force, l'intensité de qqch, en hausser le niveau : *Cet hôtel a monté ses prix.* -**4.** Se placer sur une bête pour se faire porter. -**5.** Assembler les différentes parties de ; mettre en état de fonctionner : *Monter une tente.* -**6.** Préparer, organiser : *Monter une entreprise.* -**7.** Exciter qqn contre qqn d'autre. -**8.** *Monter un spectacle, une pièce de théâtre,* en organiser la représentation, la mise en scène. **BIJOUT.** Enchâsser une pierre dans une monture. **CIN.** Effectuer le montage d'un film, d'une bande magnétique. **CUIS.** Battre les ingrédients d'une préparation culinaire (blancs d'œufs, crème,

mayonnaise, etc.) pour en augmenter la consistance et le volume. ◆ **se monter** v.pr. -**1.** Se pourvoir de qqch : *Se monter en linge.* -**2.** S'élever à un total de tant, à tel niveau.

MONTEREAU-FAULT-YONNE, ch.-l. de c. de Seine-et-Marne, au confluent de la Seine et de l'Yonne ; 18 936 hab. *(Monterelais)*. Centrale thermique sur la Seine. — Église des XIVe-XVIe siècles. Ancien prieuré St-Martin, avec parties romanes. Musée de la Faïence.

MONTERREY, v. du Mexique septentrional, au pied de la sierra Madre orientale ; 2 521 679 hab. Sidérurgie. Chimie.

MONTES → MONTEZ.

MONTE-SAC(S) n.m. (pl. monte-sacs). Appareil servant à monter des sacs de graines, de farine.

MONTESPAN (Françoise Athénaïs de Rochechouart, *marquise* de) [Lussac-les-Châteaux, Vienne, 1640 - Bourbon-l'Archambault 1707], maîtresse (1667-1679) de Louis XIV, dont elle eut huit enfants.

Charles de Secondat, baron de La Brède et de **MONTESQUIEU**, écrivain français. (Château de Versailles.)

MONTESQUIEU (Charles de Secondat, *baron de La Brède* et de), écrivain français (château de La Brède, près de Bordeaux, 1689 - Paris 1755). Il est l'auteur des *Lettres persanes* (1721) [→ LETTRES], des *Considérations sur les causes de la grandeur des Romains et de leur décadence* (1734) et de *De l'esprit des lois* (1748) dans lequel il montre les rapports qu'entretiennent les lois politiques avec la Constitution des États, les mœurs, la religion, le commerce, le climat et la nature des sols des pays. Ce dernier ouvrage inspira la Constitution de 1791 et fut à l'origine des doctrines constitutionnelles libérales, qui reposent sur la séparation des pouvoirs législatif, exécutif et judiciaire. (Acad. fr. 1727.)

MONTESSORI (Maria), médecin et pédagogue italienne (Chiaravalle, près d'Ancône,

1870 - Noordwijk, Pays-Bas, 1952). Elle est l'auteur d'une méthode destinée à favoriser le développement des enfants par la manipulation d'objets, de matériels et par le jeu et la maîtrise de soi (*Pédagogie scientifique,* 1909).

MONTEUR, EUSE n. -1. Ouvrier qui assemble les diverses pièces constitutives d'un ensemble. -2. Spécialiste chargé du montage des films.

MONTEUX (Pierre), chef d'orchestre et violoniste français naturalisé américain (Paris 1875 - Hancock, Maine, 1964). Il dirigea l'Orchestre symphonique de Paris. Il a créé *le Sacre du printemps* (1913) de Stravinski.

MONTEVERDI (Claudio), compositeur italien (Crémone 1567 - Venise 1643).

→ ● DOSSIER MONTEVERDI *page 3650.*

MONTEVIDEO, cap. de l'Uruguay, sur le río de la Plata ; 1 346 000 hab. (presque la moitié de la pop. du pays). Exportation de viandes, laines, peaux. Industries alimentaires et textiles. — Musées nationaux et municipaux (d'histoire, des beaux-arts, etc.).

MONTEZ ou **MONTES** (Maria Dolores Eliza Gilbert, dite Lola), aventurière irlandaise (Limerick 1818 - New York 1861). Elle séduisit le roi Louis Ier de Bavière, dont elle provoqua l'abdication (1848). Sa vie a inspiré à Max Ophuls le film *Lola Montes.*

MONTFAUCON, localité située jadis hors de Paris, entre La Villette et les Buttes-Chaumont, où s'élevait un gibet construit au XIIIe siècle.

MONTFAUCON (Bernard de), bénédictin (Soulage, Languedoc, 1655 - Paris 1741). Membre de la congrégation bénédictine de Saint-Maur, qui se consacrait à des travaux d'érudition, il fut le fondateur de la paléographie.

MONTFAUCON-D'ARGONNE, anc. Montfaucon, ch.-l. de c. de la Meuse ; 320 hab. — Victoire franco-américaine (sept. 1918). Mémorial militaire américain.

Montferrat (*maison de*), famille lombarde, issue d'Aleran, premier marquis de Montferrat (m. v. 991) et qui joua un rôle important dans les croisades, avec **Boniface Ier de Montferrat** (m. en Anatolie en 1207), roi de Thessalonique (1204-1207), l'un des chefs de la 4e croisade.

MONTFORT (Jean de Bretagne, *comte* de) → JEAN DE MONTFORT.

MONTFORT (Simon IV le Fort, *sire* de), seigneur français (v. 1150 - Toulouse 1218), chef de la croisade contre les albigeois, tué au combat. **Simon de Montfort,** *comte* de Leicester (v. 1208 - Evesham 1265), 3e fils de Si-

mon IV, fut le chef de la révolte des barons contre Henri III d'Angleterre (1258).

MONTGOLFIER (les frères de), industriels et inventeurs français. **Joseph** (Vidalon-lès-Annonay, Ardèche, 1740 - Balaruc-les-Bains, Hérault, 1810) et **Étienne** (Vidalon-lès-Annonay 1745 - Serrières, Ardèche, 1799) inventèrent le ballon à air chaud, ou *montgolfière* (1783), et une machine servant à élever l'eau, dite « bélier hydraulique » (1792). Étienne rénova la technique française de la papeterie, introduisant en France les procédés hollandais ainsi que la fabrication du papier vélin.

MONTGOLFIÈRE n.f. Aérostat dont la sustentation est assurée par de l'air chauffé par un foyer situé sous le ballon.

MONTGOMERY, v. des États-Unis, cap. de l'Alabama ; 187 106 hab.

MONTGOMERY (Gabriel, *seigneur* de Lorges, *comte* de), homme de guerre français (v. 1530 - Paris 1574). Chef de la garde d'Henri II, il blessa mortellement le roi dans un tournoi (1559), devint un des chefs protestants et fut décapité.

MONTGOMERY OF ALAMEIN (Bernard Law Montgomery, 1er *vicomte*), maréchal britannique (Londres 1887 - Isington Mill, Hampshire, 1976). À la tête de la VIIIe armée britannique en Égypte, il vainquit Rommel à El-Alamein (1942) et repoussa les forces de l'Axe jusqu'à Tunis (1943). Il commanda un groupe d'armées en Normandie, en Belgique et en Allemagne (1944-45). Il fut l'adjoint au commandant suprême des forces atlantiques en Europe de 1951 à 1958.

Bernard Law
Montgomery,
1er vicomte
**MONTGOMERY
OF ALAMEIN,**
maréchal
britannique.

MONTHERLANT (Henry Millon de), écrivain français (Paris 1895 - *id.* 1972). Auteur de romans qui exaltent la vigueur physique et morale (*les Bestiaires,* 1926) ou expriment une vision de moraliste désabusé (*les Célibataires,*

1934 ; *les Jeunes Filles,* 1936-1939), il a tenté dans son théâtre de retrouver l'austérité de la tragédie classique (*la Reine morte,* 1942 [→ REINE] ; *le Maître de Santiago,* 1948 ; *Port-Royal,* 1954). [Acad. fr. 1960.]

MONTHOLON (Charles Tristan, *comte* de), général français (Paris 1783 - *id.* 1853). Chambellan du palais, il accompagna Napoléon Ier à Sainte-Hélène (1815-1821). Il publia des *Mémoires* (1822-1825) et, en 1847, des *Récits sur la captivité de Napoléon.*

MONTI (Vincenzo), poète italien (Alfonsine 1754 - Milan 1828). Principal représentant de l'esthétique néoclassique, il donna aussi de nombreuses traductions des poètes latins et grecs (dont *l'Iliade*).

MONTICELLI (Adolphe), peintre français (Marseille 1824 - *id.* 1886), auteur de compositions d'une imagination souvent féerique, à la matière triturée et au riche coloris (*Don Quichotte et Sancho Pança,* v. 1865, musée d'Orsay), ainsi que de natures mortes et de portraits.

MONTICOLE n.m. Passereau voisin du merle.

MONTICULE n.m. Petit mont ; petite élévation du sol.

MONTIGNY-LE-BRETONNEUX, comm. des Yvelines, partie de la ville nouvelle de Saint-Quentin-en-Yvelines ; 31 744 hab. Agroalimentaire. Électronique.

Montjoie !, cri de ralliement des troupes du roi de France, apparu au XIIe siècle.

MONTLHÉRY, ch.-l. de c. de l'Essonne, 5 545 hab. L'autodrome dit « de Montlhéry » est situé sur la commune de Linas. — Bataille indécise entre Louis XI et la ligue du Bien public (1465). — Tour de l'ancien château fort.

MONTLUC → MONLUC.

MONTLUÇON, ch.-l. d'arr. de l'Allier, sur le Cher ; 46 660 hab. (*Montluçonnais*). Pneumatiques. Constructions mécaniques et électriques. Confection. — Château (musée) et deux églises du Moyen Âge.

MONTMARTRE (*butte*), anc. comm. de la Seine, annexée à Paris en 1860, l'un des pôles touristiques de la capitale. — La *colline de Montmartre,* ou *butte Montmartre,* porte l'église St-Pierre (fondée en 1134) et la basilique du Sacré-Cœur (fin XIXe s.). Musée du Vieux-Montmartre.

MONTMAURIN, comm. de la Haute-Garonne ; 225 hab. La grotte de la Terrasse a livré en 1949 une mandibule datée de la glaciation de Mindel. Ce vestige humain, attribué à un archanthropien, serait, avec l'homme de Tautavel, l'un des plus anciens de France. — Vestiges d'une importante villa gallo-romaine dans la vallée de la Save, au nord de Saint-Gaudens.

MONTMIRAIL, ch.-l. de c. de la Marne ; 3 826 hab. — Victoire de Napoléon sur les Prussiens (11 févr. 1814).

MONTMORENCY n.f. Cerise d'une variété acidulée, à courte queue.

MONTMORENCY, ch.-l. d'arr. du Val-d'Oise, en bordure de la *forêt de Montmorency* (3 500 ha), au nord de Paris ; 21 003 hab. (*Montmorencéens*). — Église du XVIe siècle (vitraux). Maison qui fut habitée par J.-J. Rousseau (musée).

MONTMORENCY, famille française dont les membres les plus célèbres furent : **Anne,** duc de Montmorency (Chantilly 1493 - Paris 1567), connétable (1537), conseiller des rois François Ier et Henri II. Il fut mortellement blessé dans un combat contre les calvinistes ; **Henri Ier,** duc de Montmorency (Chantilly 1534 - Agde 1614), fils du précédent. Gouverneur du Languedoc allié aux protestants, il fut nommé connétable par Henri IV en 1593 ; **Henri II,** duc de Montmorency (1595 - Toulouse 1632), fils du précédent. Gouverneur du Languedoc, il se révolta avec Gaston d'Orléans contre Richelieu et fut décapité.

MONTMORENCY-BOUTEVILLE (François de), gentilhomme français (1600 - Paris 1627), père du maréchal de Luxembourg. Il se battit en duel en plein midi, place Royale, malgré les édits de Richelieu, et fut décapité.

MONTMORILLON, ch.-l. d'arr. de la Vienne, sur la Gartempe ; 7 276 hab. (*Montmorillonnais*). — Ancienne maison-Dieu des Augustins (musée ; chapelle funéraire octogonale à deux étages). Église des XIIe-XVIIe siècles (peintures du XIIe s. dans la crypte).

MONTMORILLONITE n.f. Silicate hydraté naturel d'aluminium, avec un peu de magnésie.

MONTOIR n.m. *Côté du montoir* ou *montoir,* côté gauche du cheval (celui où l'on se met en selle).

Montoire (*entrevue de*) [24 oct. 1940], entrevue entre Pétain et Hitler, au cours de laquelle les deux hommes tentèrent de définir la politique de collaboration franco-allemande, et qui eut lieu à Montoire-sur-le-Loir.

MONTOIRE-SUR-LE-LOIR, ch.-l. de c. de Loir-et-Cher ; 4 315 hab. (*Montoiriens*). — Chapelle St-Gilles, aux remarquables peintures murales romanes. Maisons Renaissance.

CLAUDIO MONTEVERDI

Maître du madrigal, créateur de l'opéra, Monteverdi inaugure en musique l'ère baroque, dont il est l'un des plus grands représentants avec Schütz, Purcell et Bach.

Les années de formation à Mantoue.

Né à Crémone en mai 1567, fils de médecin, Claudio Monteverdi reçoit dès son plus jeune âge, ainsi que son frère cadet Giulio Cesare, l'enseignement d'un maître réputé, Marcantonio Ingegneri. Il publie dès 1582 son premier opus, puis en 1587 le *Premier Livre de madrigaux à cinq voix*, qui marque le début de sa carrière publique. En 1590, son *Deuxième Livre de madrigaux* le rend célèbre. La même année, il entre comme joueur de viole au service du duc Vincenzo de Gonzague à Mantoue, où il trouve un maître exigeant mais un milieu favorable. Il connaît de nouveau le succès, en 1592, avec le *Troisième Livre de madrigaux*. Il entre en contact avec le mouvement des *Cameratas* florentines, d'où naîtra l'opéra, et, en 1600, assiste à la création de l'*Euridice* de Peri. Nommé maître de chapelle à Mantoue (1601), il publie en 1603 son *Quatrième Livre de madrigaux*, dans lequel, pour la première fois, est prévue une basse continue, et en 1605 son *Cinquième Livre*, où il répond aux critiques qui lui ont été adressées pour « moder-

UNE VIE MARQUÉE PAR LES ÉPREUVES

Les soucis matériels et les deuils éprouvèrent Monteverdi ❶. Il perdit jeune sa femme et dut tirer son fils Massimiliano, compromis dans une affaire de sciences occultes, des prisons du Saint-Office. La légende veut qu'il ait aussi vu mourir de la peste son fils Francesco, membre de la chapelle Saint-Marc de Venise. D'où, sans doute, son entrée dans les ordres, en 1632.

❶ Portrait par B. Strozzi (1581-1644). (Ferdinandeum, Innsbruck.)

nisme ». En février 1607 est créé à Mantoue son opéra *Orfeo,* qui va bien au-delà des réalisations des créateurs du genre. Le succès retentissant de son opéra fait de lui le premier musicien dramatique de son temps. En 1608 suit *Arianna* (perdu, sauf une pièce soliste, le célèbre *Lamento*), qui confirme Monteverdi comme un maître du *stile nuovo* (récitatif et déclamation accompagnée).

Les années à Venise.

Le déclin de Mantoue, amorcé vers 1610, s'affirme avec la mort du duc Vincenzo de Gonzague, en 1612. Monteverdi demande son congé. En 1613, il est nommé à la tête de la chapelle de Saint-Marc de Venise, où il va vivre désormais. Il a déjà fait ses preuves en matière de musique religieuse avec les *Vêpres de la Sainte Vierge* (1610), important recueil dédié au pape Paul V. Paraissent alors le *Sixième Livre de madrigaux* (1614) et le *Septième* (1619), triomphe de la monodie expressive *(La Lettera amorosa)* et du style concertant. L'année 1624 voit la naissance d'un nouveau chef-d'œuvre, *le Combat de Tancrède et Clorinde,* œuvre destinée à la représentation, et l'année 1632 – celle où Monteverdi entre dans les ordres –, la parution d'un recueil de *Scherzi musicali.* Le *Huitième Livre de madrigaux* est publié en 1638 sous le titre de *Madrigaux guerriers et amoureux.* Si la musique religieuse continue à occuper Monteverdi (*Selva morale e spirituale*, 1641), c'est le théâtre lyrique qui reste la grande préoccupation du vieux maître. *Le Retour d'Ulysse dans sa patrie* (1640) et *le Couronnement de Poppée* (1642), même au cas où ces œuvres ne seraient pas entièrement de lui, témoignent génialement de cet intérêt persistant, *le Couronnement de Poppée* surtout, modèle d'opéra historique et réaliste où drame et humour interfèrent dans une ambiance quasi shakespearienne.

Monteverdi meurt à Venise, à l'âge de soixante-seize ans, le 29 novembre 1643 et, en 1650, la *Messa a quatro voci e Salmi* fait l'objet d'une publication posthume.

« Ariane m'émouvait parce que c'était une femme, et Orphée m'incitait à pleurer parce que c'était un homme et non pas le vent. » Cet aveu du compositeur résume sa poétique musicale et indique que, chez lui, l'émotion commande toujours à l'imagination (à ceci près qu'elle ne cesse d'être contrôlée par une esthétique exigeante). Tout autant que la monodie expressive *(seconda prattica)*, Monteverdi maîtrisa la polyphonie de ses prédécesseurs *(prima prattica)* et son influence fut déterminante non seulement en Italie mais aussi en Allemagne, où son plus grand disciple fut Schütz.

MODERNITÉ DE MONTEVERDI
Les opéras sont inséparables de la production religieuse de Monteverdi (c'est un des aspects de sa modernité et de son génie baroque), qui ne cesse de parler à l'homme tout en s'adressant à Dieu. « Le compositeur moderne bâtit ses œuvres en se fondant sur le vrai », déclara-t-il lui-même dans sa fameuse réponse au chanoine Artusi, qui avait violemment attaqué les « modernismes » de son style de madrigaliste.

Détail d'une partie de l'ensemble Antigone à **MONTPELLIER.** (Architecte : R. Bofill ; 1982.)

MONTPARNASSE, quartier du sud de Paris (essentiellement sur le XIVᵉ arr.). Gare. Centre commercial et de services (tour Montparnasse).

MONTPELLIER, ch.-l. de la Région Languedoc-Roussillon et du dép. de l'Hérault, sur le Lez, près de la Méditerranée, à 753 km au S. de Paris ; 210 866 hab. *(Montpelliérains)* [plus de 220 000 hab. avec les banlieues]. **GÉOGR.** Principale ville entre la vallée du Rhône et la Catalogne, bien desservie par l'autoroute, Montpellier est un traditionnel centre administratif, commercial et universitaire, où l'industrie (produits pharmaceutiques et surtout électronique) s'est plus récemment développée. Technopole de Montpellier Languedoc-Roussillon créée en 1985 sur une dizaine de sites de l'agglomération. **HIST.** Possession du roi d'Aragon puis du roi de Majorque, elle devint française en 1349. **ARTS.** Bel ensemble urbain des XVIIᵉ-XVIIIᵉ siècles : hôtels particuliers, promenade et porte du Peyrou par Daviler et Jean Antoine Giral. Faculté de médecine ayant pour noyau les bâtiments de l'ancienne abbaye St-Benoît, fondée en 1564. Ensemble Antigone par R. Bofill. Musée archéologique dans un hôtel du XVIIᵉ siècle. Riche musée Fabre (peintures des écoles française et européennes) ; musée Atger (dessins).

MONTPENSIER (Anne Marie Louise d'Orléans, *duchesse* de), dite la Grande Mademoiselle, princesse française (Paris 1627 - *id.* 1693). Elle prit part aux troubles de la Fronde

et, lors de la bataille du faubourg Saint-Antoine, fit tirer le canon de la Bastille sur les troupes royales pour protéger la retraite de Condé (1652).

MONTRACHET [mɔ̃raʃɛ] n.m. Vin blanc sec issu du cépage chardonnay, grand cru de la côte de Beaune.

MONTRE n.f. **-1.** Petit appareil portatif servant à donner l'heure et d'autres indications (date, etc.). **-2.** *Course contre la montre,* épreuve cycliste sur route dans laquelle les concurrents, partant à intervalles réguliers, sont chronométrés individuellement ; action ou entreprise qui doit être réalisée en un temps limité, très bref. ‖*Montre marine,* chronomètre utilisé à bord des bateaux pour les calculs de navigation astronomique. ‖*Montre mécanique,* montre dont l'énergie est fournie par un ressort. ‖*Montre à quartz,* montre électronique dont le résonateur est un cristal de quartz entretenu électroniquement et qui est dotée soit d'un affichage à aiguilles *(montre analogique),* soit d'un affichage à cristaux liquides par chiffres et lettres *(montre numérique).*

MONTRÉAL, v. du Canada (Québec) ; 1 017 666 hab. (2 905 695 hab. dans l'agglomération). [*Montréalais*]. **HIST. ET GÉOGR.** Fondée par des Français en 1642, sous le nom de Ville-Marie, à un endroit où le Saint-Laurent était aisément franchissable, la ville s'est développée comme carrefour et centre commercial (port). Au XIXᵉ siècle, elle devint le principal centre commercial, puis industriel, de l'E. du

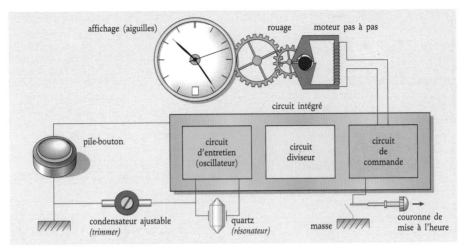

affichage (aiguilles)   rouage   moteur pas à pas

circuit intégré

pile-bouton   circuit   circuit   circuit
                     d'entretien   diviseur   de
                     (oscillateur)   commande

condensateur ajustable   quartz   masse   couronne de
(trimmer)   (résonateur)   mise à l'heure

schéma de principe d'une **MONTRE** à quartz à aiguilles

Canada. Au xxᵉ siècle, l'exode rural des Québécois, l'afflux d'immigrants, le commerce avec les provinces des Prairies ont stimulé la croissance de l'agglomération (600 000 hab. en 1921, 1 million en 1945, 2 millions en 1970), qui déborde alors sur la rive droite du Saint-Laurent et au-delà de la rivière des Mille-Îles. Deuxième agglomération canadienne après Toronto, Montréal regroupe plus de 40 % de la population québécoise et environ les deux tiers de l'activité industrielle de la province (métallurgie de transformation, raffinage de pétrole, matériel ferroviaire et aéronautique, construction électrique, chimie, alimentation, textile). L'agglomération dispose de deux aéroports (Mirabel et Dorval) et son port est le troisième du Canada. Place financière, centre commercial, Montréal, deuxième ville francophone du monde, est aussi une métropole culturelle (universités, centres de recherches, théâtres). **ARTS.** Musées des Beaux-Arts, du château Ramezay (histoire), McCord (ethnographie), d'Art contemporain, etc. ; Centre canadien d'Architecture.

MONTRE-BRACELET n.f. (pl. montres-bracelets). Bracelet-montre.

Quartiers à proximité du mont Royal, à **MONTRÉAL.**

MONTRER v.t. -1. Faire voir qqch, l'exposer aux regards. -2. Indiquer qqch, qqn, le désigner par un geste, un signe. -3. Prouver qqch, le démontrer ; enseigner : *Montrer qu'on a raison.* -4. Témoigner un sentiment ; manifester une qualité, un état, etc. : *Montrer du courage.* ◆ **se montrer** v.pr. -1. Apparaître à la vue. -2. Se révéler, s'avérer être tel : *Se montrer intransigeant.*

MONTREUR, EUSE n. Personne qui présente un spectacle, une attraction : *Montreur d'ours.*

MONTREUX, v. de Suisse (Vaud), sur le lac Léman ; 22 917 hab. Centre touristique (Riviera vaudoise) et culturel (festivals). — Une Convention internationale sur le régime juridique international du Bosphore et des Dardanelles y fut signée le 20 juillet 1936. — Église St-Vincent, du XVe siècle.

MONTROSE (James Graham, *marquis* de), général écossais (Montrose 1612 - Édimbourg 1650), partisan de Charles Ier, puis de Charles II. Il fut exécuté.

MONTROUGE, ch.-l. de c. des Hauts-de-Seine, au sud de Paris ; 38 333 hab. *(Montrougiens).*

MONTS (Pierre du Gua, *sieur* de), colonisateur français (en Saintonge v. 1568 - v. 1630), créateur avec Champlain du premier établissement français en Acadie (Port-Royal, 1604).

MONT-SAINT-MICHEL (Le), comm. de la Manche ; 80 hab. C'est un îlot rocheux granitique, situé au fond de la *baie du Mont-Saint-Michel,* à l'embouchure du Couesnon, et relié à la côte par une digue depuis 1879. C'est l'un des grands sites touristiques de France. **ARTS.** Antique lieu druidique, l'îlot fut consacré à l'archange Michel en 709 et occupé par des moines bénédictins en 966. Les bâtiments de l'ancienne abbaye s'échelonnent et se superposent de l'époque de la fondation (N.-D.-Sous-Terre) au XVIIIe siècle (nouvelle façade de l'église abbatiale amputée), avec de remarquables parties romanes (nef de l'église) et gothiques (puissantes salles internes, réfectoire et cloître de la « Merveille » [XIIIe s.] ; nouveau chœur de style flamboyant de l'église). Le village est ceint de fortifications des XIIIe-XVe siècles.

→ ● **DOSSIER** LE MONT-SAINT-MICHEL *page 3656.*

MONTSÉGUR, comm. de l'Ariège ; 125 hab. Sur un piton, ruines du château qui fut la dernière place forte des albigeois (tombée en 1244).

MONTSERRAT, une des Petites Antilles britanniques ; 106 km² ; 12 000 hab. Ch.-l. *Plymouth.*

MONTSERRAT, petit massif montagneux de la Catalogne. Monastère bénédictin ; pèlerinage de la Vierge noire.

MONTT (Manuel), homme d'État chilien (Petorca 1809 - Santiago 1880). Président de la République de 1851 à 1861, il modernisa le pays.

MONTURE n.f. -1. Bête sur laquelle on monte pour se faire porter ; bête de selle. -2. Partie d'un objet qui sert à fixer, à assembler l'élé-

Le **MONT-SAINT-MICHEL.**

Reclining Figure, bronze monumental (1969-70) de Henry **MOORE.** (Jardins de Bagatelle, Paris.)

ment principal : *La monture d'une paire de lunettes.*

MONUMENT n.m. **-1.** Ouvrage d'architecture ou de sculpture destiné à perpétuer le souvenir d'un personnage ou d'un événement. **-2.**Édifice remarquable par sa beauté ou son ancienneté. **-3.** Toute œuvre considérable, digne de durer. **-4.** Tout ce qui est propre à attester qqch, à en transmettre le souvenir (vestige, document, œuvre d'art, objet quelconque). **-5.** *Monument funéraire,* construction élevée sur une sépulture. ‖ *Monument historique,* édifice, objet mobilier ou autre vestige du passé qu'il importe de conserver dans le patrimoine national pour les souvenirs qui s'y rattachent ou pour sa valeur artistique. ‖ *Monument public,* ouvrage d'architecture ou de sculpture appartenant à l'État, à un département, à une commune.

MONUMENTAL, E, AUX adj. **-1.** Qui a les qualités de proportions, de style, de force propres à un monument : *Une porte monumentale.* **-2.** *Carte monumentale, plan monumental,* carte, plan qui comportent les monuments d'une ville, d'un pays.

MONUMENTALITÉ n.f. Caractère puissant ou grandiose d'une œuvre d'art, apporté par ses dimensions, ses proportions, son style.

Monuments français *(musée des),* musée national, au palais de Chaillot, à Paris (XVIe arr.). Remontant à 1937 sous sa forme actuelle, il comprend de nombreux moulages de sculpture monumentale (notamm. du Moyen Âge), des copies de peintures murales (Saint-Savin,

etc.), ainsi que des maquettes révélant la structure d'édifices anciens.

MONZA, v. d'Italie (Lombardie) ; centre industriel satellite de Milan. Circuit automobile. 121 151 hab. — Cathédrale des XIIe-XVIIIe siècles (trésor). Villa Royale, néoclassique (parc).

MOORE (Henry), sculpteur et graveur britannique (Castleford, Yorkshire, 1898 - Much Hadham, Hertfordshire, 1986). À partir des années 30, son style, biomorphique et monumental, s'est distingué par le jeu des creux et des vides (*Composition en quatre éléments : Figure étendue,* albâtre, 1934, Tate Gallery ; *Groupe de famille,* bronze, 1946, Phillips Coll., New York).

MOORE (Thomas), poète irlandais (Dublin 1779 - Sloperton, Wiltshire, 1852). Chantre de son pays natal (*Mélodies irlandaises,* 1807-1834), il composa un grand poème oriental, *Lalla Rookh* (1817).

MOOREA, île de la Polynésie française, à 15 km à l'ouest de Tahiti ; 9 032 hab.

MOOSE JAW, v. du Canada (Saskatchewan), à l'ouest de Regina ; 33 593 hab.

MOPTI, v. du Mali, sur le Niger ; 54 000 hab. — Mosquée ancienne au cœur de la pittoresque ville indigène.

1. **MOQUE** n.f. Bloc de bois lenticulaire, cannelé sur son pourtour pour recevoir une estrope et percé intérieurement d'un trou par où passe un cordage.

2. **MOQUE** n.f. SUISSE. Morve.

Le Mont-Saint-Michel

France

Une merveille de la nature et de l'art

À la frontière entre la Bretagne et la Normandie, isolé de la côte, l'îlot du Mont-Saint-Michel menace d'être repris par le continent, car le fond de la baie s'ensable. Le Mont est soumis à un jeu extraordinaire d'éléments naturels : air, sable, lumière, amples mouvements de l'eau soumise aux marées. C'est là qu'en 708 l'archange saint Michel apparaît à l'évêque d'Avranches. Les hommes viennent alors, religieux, bâtisseurs, pèlerins, créant ainsi un lieu d'art et de spiritualité. Il y a aujourd'hui dans ce site minéral une belle alliance entre le décor sauvage et la splendeur des œuvres humaines : aux affleurements de roches granitiques répondent les ouvrages de l'architecture et de la sculpture, exploitant les ressources infinies du travail de la pierre.

La côte et le Couesnon canalisé, ▶
vus des pinacles de l'abbatiale.

▲ Vue générale, depuis la côte, du Mont-Saint-Michel qu'une ceinture
de remparts rend imprenable.

Le réfectoire de la Merveille, ensemble de bâtiments gothiques
▼ au nord de l'abbaye, qui étaient destinés à la vie des moines et à l'accueil des pèlerins.

▼ La salle des Hôtes de la Merveille, où étaient accueillis les visiteurs de marque.

▲ Chevet de l'église abbatiale avec ses arcs-boutants.

◀ Frise du cloître
de la Merveille,
dont les éléments,
finement sculptés,
représentent
des motifs végétaux
et des scènes
de la vie quotidienne.

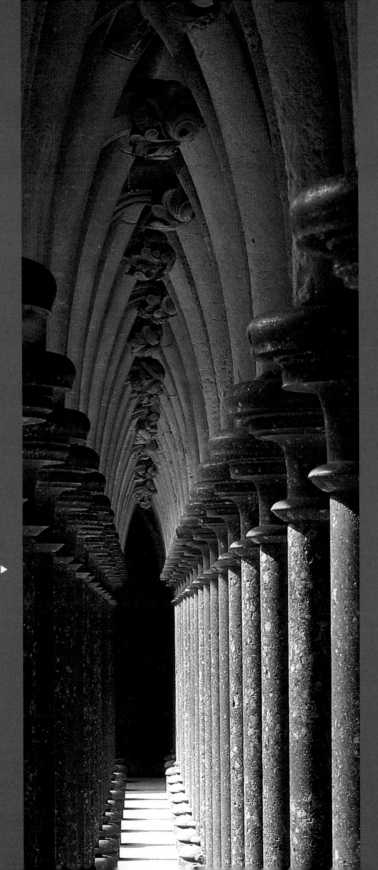

Le cloître ▶
de la Merveille
à la double
rangée
de colonnettes
en quinconce.

MOQUER v.t. LITT. Railler qqn, qqch, le tourner en ridicule. ◆ **se moquer** v.pr. **(de).** -1. Faire un objet de plaisanterie de qqn ou de qqch ; railler. -2. Ne faire nul cas de qqch, de qqn ; mépriser.

MOQUERIE n.f. -1. Action ou habitude de se moquer. -2. Action, parole par lesquelles on se moque ; raillerie.

MOQUETTE n.f. Tapis à velours bouclé ou à bouclettes, souvent d'une seule couleur, recouvrant génér. tout le sol d'une pièce.

MOQUEUR, EUSE adj. et n. Qui se moque ; qui aime à se moquer. ◆ adj. Inspiré par la raillerie ; qui manifeste de la raillerie : *Sourire moqueur.* ◆ **moqueur** n.m. -1. Oiseau des savanes africaines, voisin de la huppe. -2. Oiseau passereau des États-Unis.

MORACÉE n.f. (lat. *morus*, mûrier). *Moracées,* famille de l'ordre des urticales comprenant des plantes dicotylédones apétales des régions chaudes, telles que le mûrier ou le figuier.

MORADABAD, v. de l'Inde (Uttar Pradesh) ; 432 434 hab. Métallurgie. — Mosquée du XVIIe siècle.

MORAILLES n.f. pl. (provenç. *moralha,* pièce de fer). Tenailles pour maintenir par les naseaux un cheval rétif que l'on veut ferrer, soigner, etc.

MORAILLON n.m. Pièce métallique mobile qui vient s'encastrer dans une pièce fixe sur le côté d'une malle ou d'un coffre et servant à leur fermeture.

MORAINE n.f. Amas de débris arrachés à la montagne, transporté ou déposé par un glacier.

MORAINIQUE adj. Relatif aux moraines.

MORAIS (Francisco de), écrivain portugais (Lisbonne v. 1500 - Évora 1572), auteur du roman de chevalerie *Palmerin d'Angleterre,* composé en 1544.

1. **MORAL, E, AUX** adj. -1. Qui concerne les règles de conduite en usage dans une société. -2. Conforme à ces règles ; admis comme honnête, juste. -3. Relatif à l'esprit, à la pensée : *Avoir la force morale de lutter.*

2. **MORAL** n.m. sing. -1. Ensemble des facultés mentales, de la vie psychique : *Le physique influe sur le moral.* -2. État d'esprit qui permet de supporter qqch : *Le malade a bon moral.*

MORALE n.f. -1. Ensemble des règles d'action et des valeurs qui fonctionnent comme normes dans une société. -2. Théorie des fins des actions de l'homme. -3. Enseignement, précepte que l'on veut tirer d'une histoire.

MORALEMENT adv. -1. Conformément à la morale. -2. Du point de vue de la morale : *Être moralement responsable.* -3. Quant au moral : *Moralement, le malade va mieux.*

MORALES (Cristóbal de), compositeur espagnol (Séville v. 1500 - Málaga ou Marchena 1553). Maître de chapelle à Salamanque puis à Tolède, il résida longtemps à Rome et devint le polyphoniste religieux le plus représentatif de l'école andalouse. Il est l'auteur de 25 messes (*Missarum Liber I* et *II,* Rome 1544), de 18 magnificat, de 91 motets.

MORALISATEUR, TRICE adj. et n. Qui donne des leçons de morale.

MORALISATION n.f. Action de moraliser, de rendre moral.

MORALISER v.t. Rendre qqch conforme à la morale : *Moraliser la vie politique.* ◆ v.i. Faire des réflexions morales.

MORALISME n.m. Attachement formaliste et étroit à une morale.

MORALISTE n. Auteur qui écrit sur les mœurs, la nature humaine. ◆ adj. Empreint de moralisme.

MORALITÉ n.f. -1. Adéquation d'une action, d'un fait, etc., à une morale : *Geste d'une moralité exemplaire.* -2. Attitude, conduite morale. -3. Conclusion morale que suggère une histoire. -4. Œuvre théâtrale en vers, du Moyen Âge. (Elle met en scène des personnages allégoriques et a pour objet l'édification morale.)

MORAND (Paul), écrivain français (Paris 1888 - *id.* 1976). Grand voyageur (*l'Homme pressé,* 1941), peintre de la société moderne dans ses romans et ses récits (*Ouvert la nuit,* 1922 ; *Papiers d'identité,* 1931 ; *Hécate et ses chiens,* 1954), il sait également évoquer le passé (*le Flagellant de Séville,* 1951 ; *Venises,* 1971). [Acad. fr. 1968.]

MORANDI (Giorgio), peintre et graveur italien (Bologne 1890 - *id.* 1964). Prenant la nature morte (et parfois le paysage) comme prétexte dans sa période « métaphysique » (1918-19) puis dans tout le reste de sa discrète carrière, il a donné à ses œuvres un ton très personnel de contemplation silencieuse.

MORANE (les frères), industriels et aviateurs français. **Léon** (Paris 1885 - *id.* 1918) et **Robert** (Paris 1886 - *id.* 1968) fondèrent en 1911, avec l'ingénieur Raymond Saulnier, la firme de construction aéronautique Morane-Saulnier. Léon Morane fut le premier aviateur à dépasser la vitesse de 100 km/h et à atteindre une altitude supérieure à 2 500 m (1910).

MORANTE (Elsa), femme de lettres italienne (Rome 1912 - *id.* 1985). Ses romans, qui font d'elle une des figures majeures de l'après-guerre, évoquent un univers cruel, voilé par des zones d'ombre où la violence impose sa fatalité (*Mensonge et Sortilèges*, 1948 ; *l'Île d'Arturo*, 1957 ; *la Storia*, 1974 ; *Aracoeli*, 1982).

MORASSE n.f. Dernière épreuve d'une page de journal, tirée avant le clichage des formes pour une révision générale.

MORAT, en all. **Murten**, v. de Suisse (cant. de Fribourg), sur le *lac de Morat ;* 4 000 hab. — Victoire des Suisses au service de Louis XI sur Charles le Téméraire (22 juin 1476). — Remparts, maisons et monuments anciens ; petit musée historique.

MORATÍN (Nicolás Fernández de), poète dramatique espagnol (Madrid 1737 - *id.* 1780). Son fils **Leandro** (Madrid 1760 - Paris 1828), dit Moratín le Jeune, admirateur de Molière, fut le fondateur, dans son pays, de la comédie moderne (*le Oui des jeunes filles*, 1806).

MORATOIRE adj. (du lat. *morari*, s'attarder). -1. Qui accorde un délai. -2. *Intérêts moratoires*, intérêts dus en raison du retard apporté au paiement d'une créance. ◆ n.m. -1. Délai légal accordé à certains débiteurs éprouvant des difficultés à s'acquitter de leurs dettes en raison des circonstances (guerre ou crise économique notamm.). -2. Suspension volontaire d'une action ; délai que l'on s'accorde avant de poursuivre une activité dans un domaine donné : *Moratoire nucléaire.*

MORAVA (la), nom de plusieurs rivières d'Europe centrale : l'une (République tchèque, Slovaquie et Autriche), affl. de g. du Danube (365 km) ; l'autre en Yougoslavie, affl. de dr. du Danube (220 km).

MORAVE adj. et n. -1. De Moravie. -2. *Frères moraves,* mouvement religieux chrétien né au xvᵉ s., en Bohême, parmi les hussites. (Les frères moraves, dispersés après la défaite de la Montagne Blanche [1620], forment en Allemagne, en Angleterre, aux États-Unis, en Amérique du Sud et en Bohême des groupes missionnaires importants.)

MORAVIA (Alberto Pincherle, dit Alberto), écrivain italien (Rome 1907 - *id.* 1990). Il use des techniques de la philosophie et de la psychologie modernes pour faire de ses ro-

mans des « raisonnements narratifs » à propos des problèmes intellectuels et sociaux contemporains (*les Indifférents*, 1929 ; *le Mépris*, 1954 ; *l'Ennui*, 1960 ; *l'Homme qui regarde*, 1985).

MORAVIE, région de la République tchèque, à l'est de la Bohême, traversée par la Morava, 26 085 km² ; 3 980 000 hab. *(Moraves).* V. princ. *Brno.* **HIST.** Habitée par des Celtes, refoulés au Iᵉʳ s. av. J.-C. par le peuple germain des Quades, la Moravie est occupée au vᵉ s. apr. J.-C. par les Slaves. Au ixᵉ siècle, elle est le centre de l'empire de Grande-Moravie, fondé par Mojmir Iᵉʳ (m. en 846), et qui s'étend sur la Slovaquie occidentale, la Pannonie, la Bohême, la Silésie et une partie de la Lusace. Il est détruit en 902-908 par les Hongrois. En 1029, la Moravie est rattachée à la Bohême. Érigée en margraviat d'Empire en 1182, colonisée dans le Nord et dans les villes par les Allemands à partir du milieu du xiiᵉ siècle, elle passe en 1411 sous le gouvernement direct des rois de Bohême.

MORAX (René), écrivain suisse d'expression française (Morges 1873 - *id.* 1963), créateur du théâtre populaire suisse.

MORAY *(golfe de),* golfe du nord-est de l'Écosse.

MORAY ou **MURRAY** (Jacques Stuart, *comte de*), prince écossais (v. 1531 - Linlithgow 1570). Fils naturel du roi Jacques V, il fut conseiller de sa demi-sœur Marie Stuart, puis régent d'Écosse (1567-1570).

MORBIDE adj. -1. Propre à la maladie ; pathologique : *État morbide.* -2. Qui dénote un déséquilibre moral, mental : *Goûts morbides.*

MORBIDESSE n.f. En peinture, caractère moelleux et suave du modelé des chairs.

MORBIDITÉ n.f. -1. Caractère de ce qui est morbide. -2. Rapport entre le nombre des malades et celui d'une population.

MORBIER n.m. -1. SUISSE. Horloge comtoise d'appartement. -2. Fromage cylindrique pesant de 5 à 12 kg, au lait de vache, à pâte pressée, fabriqué dans le Jura.

MORBIHAN [56], dép. de la Région Bretagne ; ch.-l. de dép. *Vannes ;* ch.-l. d'arr. *Lorient, Pontivy ;* 3 arr., 42 cant., 261 comm. ; 6 823 km² ; 619 838 hab. *(Morbihannais).* Il est rattaché à l'académie et à la cour d'appel de Rennes, à la région militaire Atlantique.

MORBIHAN *(golfe du),* golfe de la côte du dép. du Morbihan barré par la presqu'île de Rhuys. Large de 15 km et profond de 12 km, il renferme de nombreuses îles.

MORBILLEUX, EUSE adj. Propre à la rougeole.

MORCEAU n.m. -1. Partie d'un tout, d'une matière, d'un aliment, d'un corps. -2. Fragment d'une œuvre écrite : *Morceaux choisis.* -3. Œuvre ou fragment d'œuvre musicale : *Interpréter un morceau de Couperin.*

MORCELER v.t. [24]. Diviser qqch en morceaux, en parties : *Morceler un héritage.*

MORCELLEMENT n.m. Action de morceler ; fait d'être morcelé.

MORDACHE n.f. -1. Morceau de métal mou (ou de matière plastique, etc.) qu'on place entre les mâchoires d'un étau pour serrer une pièce sans l'endommager. -2. SUISSE. FAM. Faconde, bagou.

MORDANÇAGE n.m. -1. Application d'un mordant sur une étoffe, les poils d'une fourrure. -2. Décapage aux acides d'une surface métallique. -3. Opération fixant un colorant sur une surface réceptrice.

MORDANCER v.t. [16]. Soumettre à l'opération du mordançage.

MORDANT, E adj. -1. Qui entame en rongeant : *Acide mordant.* -2. Incisif, piquant : *Ironie mordante.* ◆ **mordant** n.m. -1. Vivacité, énergie, entrain dans l'attaque. -2. Caractère vif, agressif d'une réplique, d'une manière de s'exprimer ; causticité. ARTS DÉCOR. Vernis pour fixer l'or en feuille sur le cuivre, le bronze, etc. GRAV. Substance corrosive tel l'acide nitrique en solution (eau-forte), avec laquelle on attaque la planche de métal. MÉTALL. Agent corrosif employé pour attaquer la surface des métaux. MUS. Ornement, surtout en usage dans la musique ancienne, formé de la note écrite, de sa seconde inférieure et du retour à la note écrite. TEXT., PELLET. Substance dont on imprègne les étoffes et les poils de fourrure pour leur faire prendre la teinture.

MORDILLAGE ou **MORDILLEMENT** n.m. Action de mordiller.

MORDILLER v.t. Mordre légèrement et à de nombreuses reprises.

MORDORÉ, E adj. D'un brun chaud avec des reflets dorés.

MORDRE v.t. et t. ind. [76]. -1. Serrer, saisir fortement qqn, qqch, une partie du corps avec les dents en l'entamant, en le blessant. -2. Ronger qqch, pénétrer dedans, l'entamer : *La lime mord le métal.* -3. Attaquer la planche à graver, en parlant de l'eau-forte, d'un mordant. -4. S'accrocher ; trouver prise : *L'ancre n'a pas mordu le fond.* -5. Aller au-delà de la limite fixée ;

empiéter sur : *La balle a mordu la ligne, sur la ligne.* -6. *Ça mord,* le poisson mord à l'appât.

MORDU, E adj. *Saut mordu,* en athlétisme, saut amorcé au-delà de la limite permise. ◆ adj. et n. FAM. Passionné.

MORDVES, peuple finno-ougrien habitant, sur la Volga moyenne, la *République de Mordovie* (Russie) [964 000 hab. Cap. *Saransk*].

MORE adj. et n. → MAURE.

MORE (Thomas) → THOMAS MORE.

MORÉAS (Ioánnis Papadiamandopoúlos, dit Jean), poète français (Athènes 1856 - Paris 1910). D'abord symboliste (*Cantilènes,* 1886), il fonda l'école romane et revint à un art classique (*Stances,* 1899-1901).

MOREAU, ELLE adj. et n. D'un noir luisant, en parlant d'un cheval, d'une jument.

Gustave **MOREAU** : *Enlèvement d'Europe.* Aquarelle, v. 1868. (Musée Gustave-Moreau, Paris.)

MOREAU (Gustave), peintre français (Paris 1826 - id. 1898). Créateur d'une mythologie symboliste méticuleuse (*Jupiter et Sémélé,* 1895, musée Gustave-Moreau, Paris), beaucoup plus spontané et techniquement libre dans ses aquarelles, il fut le maître de Matisse, de Marquet, de Rouault à l'E. N. S. B. A.

MOREAU (Jeanne), actrice française (Paris 1928). Comédienne de théâtre, elle s'est imposée au cinéma par sa présence et le modernisme de son jeu : *la Nuit* (M. Antonioni, 1961), *Jules et Jim* (F. Truffaut, 1962), *La mariée était en noir* (F. Truffaut, 1968), *la Vieille qui marchait dans la mer* (L. Heynemann, 1991).

MOREAU (Jean Victor), général français (Morlaix 1763 - Laun, auj. Louny, Bohême, 1813). Il commanda l'armée de Rhin-et-Moselle (1796) et l'armée du Rhin (1800), avec laquelle il vainquit les Autrichiens à Hohenlinden. Ses intrigues avec les royalistes, sa rivalité avec Bonaparte amenèrent son arrestation en 1804 puis son exil aux États-Unis. Conseiller du tsar en 1813, il fut mortellement blessé à Dresde dans les rangs de l'armée russe.

MORÉE, nom donné au Péloponnèse après la 4e croisade.

MORELIA, v. du Mexique, cap. de l'État de Michoacán, sur le plateau central ; 489 758 hab. — Bel ensemble urbain d'époque coloniale, en pierre rose (cathédrale des xviie-xviiie s., etc.). Musée du Michoacán.

MORELLE n.f. (lat. pop. *morellus,* brun). Genre de plante de la famille des solanacées (nom sc. *Solanacée*), représentée par des espèces comestibles (pomme de terre, tomate, aubergine) et des formes sauvages toxiques (douce-amère, tue-chien).

MORELLET (François), artiste français (Cholet 1926). Dissidente du constructivisme, son œuvre fonctionne selon les principes de juxtaposition, de superposition, d'interférence, de hasard et de fragmentation, appliqués à des jeux systématiques de la ligne dans le plan ou dans l'espace. (Au M. N. A. M., Paris : *Hexagones à côtés bleus et verts,* 1953 ; *Une seule droite traversant deux carrés dans deux plans différents,* 1978 ; etc.).

MORELOS Y PAVÓN (José María), patriote mexicain (Valladolid, auj. Morelia, 1765 - San Cristóbal Ecatepec, auj. Ecatepec Morelos, 1815). Curé métis, il fit proclamer l'indépendance du pays (1813). Iturbide le fit fusiller.

MORENA (*sierra),* chaîne de l'Espagne méridionale ; 1 323 m. Rebord sud de la Meseta, dominant la plaine du Guadalquivir et formant un immense maquis pauvre.

MORÈNE n.f. Plante des eaux stagnantes, à feuilles flottantes et à fleurs blanches. (Famille des hydrocharidacées.)

MORENO (Jacob Levy), psychosociologue américain d'origine roumaine (Bucarest 1892 - Beacon, État de New York, 1974). Il a inventé le psychodrame et mis au point les techniques de la sociométrie (*Fondements de la sociométrie,* 1934).

MORENO (Roland), industriel français (Le Caire 1945). Il est l'inventeur de la carte à microcircuit (carte à puce) [1975].

MORESQUE adj. → MAURESQUE.

MORETO Y CABAÑA (Agustín), poète dramatique espagnol (Madrid 1618 - Tolède 1669). Continuateur de Calderón, il est l'auteur de comédies (*Dédain pour dédain,* 1652 ; *le Beau Don Diègue,* 1654) et de pièces historiques.

MORFIL n.m. (de *mort* et *fil*). Petit filament de métal, petite barbe qui restent attachés au tranchant d'une lame fraîchement affûtée.

MORFONDRE (SE) v.pr. [75]. S'ennuyer à attendre trop longtemps.

MORGAGNI (Giambattista), anatomiste italien (Forli 1682 - Padoue 1771). Ses recherches d'anatomiste, au cours d'autopsies, le conduisirent à fonder l'anatomie pathologique. De plus, il compara ces lésions aux signes du malade avant le décès et ébaucha ainsi la méthode anatomo-clinique, qui allait être mise au point par Laennec.

MORGAN, famille de financiers américains. **John Pierpont,** industriel américain (Hartford, Connecticut, 1837 - Rome 1913), créa un gigantesque trust de la métallurgie et fonda de nombreuses œuvres philanthropiques. Son fils **John Pierpont** (Irvington, État de New York, 1867 - Boca Grande, Floride, 1943) soutint pendant la Première Guerre mondiale l'effort financier des Alliés. En 1924, il légua à la ville de New York la bibliothèque-musée de son père (Pierpont Morgan Library). **Anne Tracy** (New York 1873 - *id.* 1952), sœur du précédent, consacra sa fortune à des œuvres, notamment au profit des combattants français des deux guerres mondiales.

MORGAN (Lewis Henry), anthropologue américain (près d'Aurora, État de New York, 1818 - Rochester 1881). Auteur d'une conception évolutionniste de l'anthropologie sociale, il s'est d'abord penché sur les systèmes de parenté. Il s'est ensuite intéressé à l'histoire de la famille, du mariage, de la propriété et de l'État (*la Société archaïque,* 1877).

MORGAN (Simone Roussel, dite Michèle), actrice française (Neuilly-sur-Seine 1920). Sa beauté limpide et son jeu émouvant lui ont valu une grande popularité au cinéma : *le Quai des brumes* (M. Carné, 1938), *Remorques* (J. Grémillon, 1941), *la Symphonie pastorale* (J. Delannoy, 1946) *les Orgueilleux* (Y. Allégret, 1953).

MORGAN (Thomas Hunt), biologiste américain (Lexington, Kentucky, 1866 - Pasadena

1945). Par ses expériences sur la drosophile, il fut le créateur de la théorie chromosomique de l'hérédité. (Prix Nobel 1933.)

MORGANATIQUE adj. -1. Se dit du mariage d'un prince avec une personne de rang inférieur, qui reste exclue des dignités nobiliaires. -2. Se dit de la femme ainsi épousée et des enfants nés de ce mariage.

MORGANITE n.f. Pierre fine, béryl de couleur rose.

Morgarten *(bataille du)* [15 nov. 1315], bataille qui se déroula au N. de Schwyz (Suisse) et au cours de laquelle les Suisses des Trois-Cantons résistèrent à Léopold Ier d'Autriche, assurant ainsi leur indépendance.

MORGELINE n.f. (de *mordre* et *geline,* poule). Mouron des oiseaux, ou mouron blanc.

MORGENSTERN (Oskar), économiste américain d'origine autrichienne (Görlitz 1902 - Princeton 1977). Il est l'auteur, avec J. von Neumann, d'une théorie mathématique du comportement économique.

MORGON n.m. Vin d'un cru renommé du Beaujolais.

1. **MORGUE** n.f. Attitude hautaine, méprisante.

2. **MORGUE** n.f. -1. Lieu où sont déposés les cadavres non identifiés ou justiciables d'une expertise médico-légale (à Paris, l'Institut médico-légal). -2. Salle où, dans un hôpital, une clinique, on garde momentanément les morts.

MORIBOND, E adj. et n. Qui est près de mourir.

MORICAUD, E adj. et n. (de *More*). FAM. (Parfois péj. et raciste). Qui a la peau très brune.

MÓRICZ (Zsigmond), écrivain hongrois (Tiszacsécse 1879 - Budapest 1942), romancier et dramaturge réaliste (*Fange et Or,* 1910 ; *le Sanglier,* 1925), peintre de la vie paysanne.

MORIGÉNER v.t. [18]. Réprimander qqn, le gronder, le sermonner.

MÖRIKE (Eduard), écrivain allemand (Ludwigsburg 1804 - Stuttgart 1875), auteur de poèmes et de romans d'inspiration populaire et romantique (*le Peintre Nolten,* 1832).

MORILLE n.f. Champignon des bois, comestible, à chapeau alvéolé. (Classe des ascomycètes.)

MORILLON n.m. Canard sauvage, à plumage noir et blanc chez le mâle, assez commun sur les côtes d'Europe occidentale en hiver.

MORIN (Edgar), sociologue français (Paris 1921). Observateur des médias (*l'Esprit du temps,* 1962), il a aussi enquêté sur la réalité quotidienne (*la Rumeur d'Orléans,* 1970). Dans *le Paradigme perdu : la nature humaine* (1973) se profile la recherche d'une sociologie « événementielle », approfondie dans *la Méthode* (1977-1991). Il réfléchit sur la crise de la morale dans les rapports de l'individu avec la société (*Science avec conscience,* 1982 ; *le Rose et le Noir,* 1984), notamment la société totalitaire. Il a publié également *Introduction à la pensée complexe* (1990), *Un nouveau commencement* (1991), *Terre-Patrie* (1993).

MORIN (Paul), poète canadien d'expression française (Montréal 1889 - id. 1963), d'inspiration symboliste (*Poèmes de cendre et d'or,* 1922).

MORINS, peuple celtique établi dans le Boulonnais, soumis par César (56-55 et 52 av. J.-C.).

MORIO n.m. Papillon du genre *vanesse,* à ailes brunes bordées de jaune.

MORI OGAI (Mori Rintaro, dit), écrivain japonais (Tsuwano 1862 - Tokyo 1922). Son œuvre romanesque (*l'Oie sauvage,* 1911-1913) est une réaction contre l'école naturaliste.

MORIOKA, v. du Japon (Honshu) ; 235 434 hab.

MORION n.m. Casque léger de fantassin, d'origine espagnole, caractérisé par ses bords relevés en nacelle et par une crête en croissant (XVIᵉ et XVIIᵉ s.).

MORISOT (Berthe), peintre français (Bourges 1841 - Paris 1895). Belle-sœur de Manet, elle prit une part importante au mouvement impressionniste (*le Berceau,* 1873, musée d'Orsay ; *Cousant dans le jardin,* 1881, Pau).

MORISQUE adj. et n. Musulman d'Espagne converti, souvent par la contrainte, au catholicisme, à partir de 1499.

ENCYCL. La monarchie espagnole, craignant que les nouveaux convertis, n'ayant abjuré l'islam qu'en apparence, ne s'entendent avec les musulmans d'Afrique, prit le parti de la persécution (1566). Cela provoqua une révolte des morisques de Grenade, difficilement réprimée (1568-1571). L'assimilation et la conversion ayant échoué, Philippe III décida de chasser les morisques hors d'Espagne (1609-1611) ; 275 000 personnes (sur 8 millions d'Espagnols) durent quitter le royaume. La plupart se réfugièrent au Maghreb.

MORITZ (Karl Philipp), écrivain allemand (Hameln 1756 - Berlin 1793). Ses essais critiques influencèrent le Sturm und Drang.

MORLAIX, ch.-l. d'arr. du Finistère, sur la *rivière de Morlaix ;* 17 607 hab. *(Morlaisiens).* Constructions électriques. Cigares. — Églises médiévales, dont celle des Jacobins, aujourd'hui musée. Vieilles maisons.

MORLEY (Thomas), compositeur anglais (Norwich 1557 ou 1558 - *id.* 1602). Maître de la musique vocale, il introduisit le style italien en Angleterre et composa des madrigaux et des ballets.

MORMON, E n. et adj. Membre d'un mouvement religieux, dit aussi *Église de Jésus-Christ des saints des derniers jours,* fondé aux États-Unis en 1830 par Joseph Smith.

ENCYCL. La communauté de Joseph Smith s'établit d'abord dans l'Ohio et dans le Missouri, où le fondateur voulait faire de la ville d'Independence la nouvelle Jérusalem. Après son lynchage (1844), son successeur, Brigham Young, conduisit les mormons dans l'Utah. Ils y fondèrent la ville de Salt Lake City, à laquelle ils devaient donner un essor remarquable. Leur doctrine est contenue principalement dans le *Livre de Mormon* (1830), du nom d'un ancêtre mythique. L'Église mormone, qui compte environ 3 millions de membres, est très hiérarchisée. Elle est connue pour son influence économique et sociale, spécialement en Utah, ainsi que par sa pratique consistant à baptiser par procuration les ancêtres défunts. Dans ce dessein, les mormons se livrent à de vastes recherches généalogiques qui font d'eux les détenteurs des plus imposantes archives en ce domaine.

1. **MORNE** adj. **-1.** Empreint de tristesse. **-2.** Qui, par sa monotonie, inspire la tristesse : *Une morne plaine.* **-3.** Terne, sans éclat : *Style morne.*

2. **MORNE** n.m. ANTILLES. Colline.

3. **MORNE** n.f. Anneau épais, sorte de frette dont on habillait le fer de la lance de joute.

MORNÉ, E adj. Se dit en héraldique des animaux représentés sans langue, sans dents et sans ongles et, pour les oiseaux, sans bec ni pattes.

MORNE-À-L'EAU, comm. de la Guadeloupe, dans l'intérieur de la Grande-Terre ; 16 058 hab. Sucrerie.

MORNY (Charles, *duc* **de**), homme politique français (Paris 1811 - *id.* 1865). Fils naturel de la reine Hortense et du général de Flahaut, et donc frère utérin de Napoléon III, il fut le principal instrument du coup d'État du 2 décembre 1851. Ministre de l'Intérieur jusqu'en 1852, puis président du Corps législatif (1854-

1865), il participa à toutes les grandes opérations industrielles et financières du second Empire, et lança la station balnéaire de Deauville. Il poussa l'empereur à libéraliser le régime.

MORO, peuple des Philippines (Mindanao et Sulu), de religion musulmane.

MORO (Aldo), homme politique italien (Maglie 1916 - Rome 1978). Chef de la Démocratie chrétienne, il présida deux fois le gouvernement (1963-1968, 1974-1976) et fut deux fois ministre des Affaires étrangères (1969-70, 1973-74). Il fut enlevé et assassiné par un commando terroriste des « Brigades rouges ».

MORO (Antoon Mor Van Dashorst, dit **Antonio**), peintre néerlandais (Utrecht v. 1519 - Anvers 1576). Il fut un remarquable portraitiste de cour en Espagne ainsi qu'à Bruxelles, au Portugal, à Londres.

MORO-GIAFFERI (Vincent **de**), avocat et homme politique français (Paris 1878 - Le Mans 1956). Il plaida des affaires célèbres (Caillaux, Landru, etc.).

MORÓN, banlieue industrielle de Buenos Aires ; 641 541 hab.

MORONI, cap. des Comores, sur l'île de Ngazidja (anc. Grande Comore) ; 20 000 hab.

MORONOBU (Hishikawa Moronobu, dit), peintre japonais (Hota, préfecture de Chiba, v. 1618 - Edo, auj. Tokyo, 1694). Formé dans les ateliers Kano et Tosa de Kyoto, il s'installa à Edo et devint l'un des créateurs les plus féconds de l'estampe japonaise.

1. **MOROSE** adj. **-1.** Qui est d'une humeur sombre et chagrine. **-2.** Se dit d'un secteur économique peu actif.

2. **MOROSE** adj. *Délectation morose,* en théologie, complaisance avec laquelle l'esprit s'attarde à une pensée qu'il devrait repousser.

MOROSINI (Francesco), noble vénitien (Venise 1619 - Nauplie 1694), célèbre par sa défense de Candie contre les Turcs (1667-1669), doge en 1688.

MOROSITÉ n.f. Caractère de qqn, de qqch qui est morose.

MORPHÉE, l'un des mille enfants du Sommeil dans la mythologie grecque. Cette divinité des Songes se montre aux humains endormis sous des formes (son nom en grec signifie « forme ») représentant les êtres les plus variés.

MORPHÈME n.m. (du gr. *morphê,* forme). Unité minimale de signification dans un énoncé. (On distingue les *morphèmes grammati-*

caux [par ex. *-ent,* marque de la 3ᵉ personne du pluriel des verbes] et les *morphèmes lexicaux* [par ex. *prudent* dans *imprudemment, voi-* dans *voient*].)

MORPHINE n.f. (de *Morphée,* dieu du Sommeil). Puissant psychodysleptique et analgésique, principal alcaloïde de l'opium.

ENCYCL. L'usage prolongé de la morphine entraîne une tolérance et une dépendance physique et psychique sévères. Le sevrage est insupportable et susceptible d'entraîner des troubles cardio-vasculaires pouvant aboutir à la mort. Le danger de toxicomanie grave réduit l'usage thérapeutique de la morphine aux états douloureux aigus, aux douleurs néoplasiques et aux œdèmes pulmonaires.

MORPHING [mɔrfiŋ] n.m. (mot anglo-amér., du gr.). CIN. Transformation continue, animée, d'une image en une autre.

MORPHINIQUE adj. Relatif à la morphine.

MORPHINOMANE adj. et n. Qui souffre de morphinomanie.

MORPHINOMANIE n.f. Toxicomanie à la morphine.

MORPHISME n.m. Homomorphisme.

MORPHOGENÈSE n.f. -1. Développement embryonnaire. -2. Création et évolution des formes du relief terrestre.

MORPHOLOGIE n.f. (du gr. *morphê,* forme, et *logos,* science). -1. Étude de la forme et de la structure externe des êtres vivants. -2. Aspect général du corps humain : *La morphologie d'un athlète.* -3. Partie de la grammaire qui étudie la forme des mots (racines, préfixes, suffixes) et les variations de leurs désinences, notamm. la formation des pluriels. - 4. *Morphologie de la Terre,* géomorphologie.

MORPHOLOGIQUE adj. Relatif à la morphologie. ◆ **morphologiquement** adv. Du point de vue de la morphologie.

MORRICONE (Ennio), compositeur italien (Rome 1928), célèbre pour ses musiques de film de S. Leone (*Pour une poignée de dollars,* 1964 ; *le Bon, la Brute et le Truand,* 1966).

MORRIS (Robert), artiste américain (Kansas City 1931). Pionnier de l'art minimal, utilisant des matériaux non esthétiques (séries de « Feutres », depuis 1967), il a, non sans un certain lyrisme, porté son attention sur les processus qui constituent l'œuvre ainsi que sur une poétique de l'espace (« Observatoires », 1971, « Labyrinthes », 1974) et sur l'écologie (*Restless Sleepers/Atomic Shroud,* 1981).

MORRIS (William), artiste et écrivain britannique (Walthamstow, Essex, 1834 - Hammersmith, près de Londres, 1896). Il a œuvré pour la renaissance des arts décoratifs (papiers de tenture, etc.) et du livre illustré. Militant pour le socialisme, il en a propagé l'idéal par des romans (*Nouvelles de nulle part,* 1890).

MORRISON (Toni), écrivain américain (Lorain, Ohio, 1931). Ses romans (*Sula,* 1973 ; *Beloved,* 1987 ; *Jazz,* 1992) font entendre la voix d'une femme noire dans la société américaine et réservent une grande place aux relations mère-fille. Son écriture réaliste et onirique opère une reconstruction mythique de la mémoire culturelle afro-américaine. (Prix Nobel de littérature 1993.)

MORS [mɔr] n.m. -1. Pièce métallique fixée à la bride, passée dans la bouche du cheval sur les barres et qui permet de le conduire. (Le mors de filet agit sur les commissures des lèvres ; le mors de bride, plus puissant, agit sur les barres.) -2. Chacune des mâchoires d'un étau, d'une pince, de tenailles, etc. ◆ pl. Saillies formées par les cartons, le long du dos d'un livre à relier, et jouant le rôle de charnière entre le dos et les plats.

1. **MORSE** n.m. Mammifère marin des régions arctiques, au corps épais, aux canines supérieures transformées en défenses. (Long. 5 m env. ; poids 1 t env. ; ordre des pinnipèdes.)

2. **MORSE** n.m. *Cône morse,* emmanchement conique de dimensions normalisées, d'une conicité de l'ordre de 5 %, permettant le centrage et l'entraînement d'un arbre, d'un mandrin, d'un outil de coupe, etc.

3. **MORSE** n.m. *Code Morse* ou *morse,* code télégraphique utilisant un alphabet conventionnel fait de traits et de points.

MORSE (Samuel), peintre et inventeur américain (Charlestown, Massachusetts, 1791 - New York 1872). On lui doit l'invention du télégraphe électrique qui porte son nom, conçu en 1832 et breveté en 1840.

MORSURE n.f. -1. Action de mordre ; plaie faite en mordant. -2. Action d'entamer une matière : *La morsure de la lime.* -3. En gravure, attaque du métal par l'acide.

1. **MORT** n.f. -1. Cessation complète et définitive de la vie : *Périr de mort violente.* -2. Cessation complète d'activité : *La mort du petit commerce.* DR. *Mort civile,* peine entraînant la privation de tous les droits civils, abolie en 1854. ‖ *Peine de mort,* peine criminelle suprême, peine capitale

(supprimée en France par la loi du 9 octobre 1981). **MÉD.** *Mort apparente,* état de ralentissement extrême des fonctions vitales, donnant à l'individu l'aspect extérieur de la mort. ‖*Mort subite du nourrisson,* arrêt prolongé de la ventilation pulmonaire, pouvant survenir pendant le sommeil du nourrisson de 1 à 12 mois. (Totalement inexpliquée, la mort subite du nourrisson touche env. 1 enfant sur mille.) **PSYCHAN.** *Pulsion de mort,* force qui pousse l'être humain à l'autodestruction et qui est constamment en lutte avec la « pulsion de vie ». **RELIG.** *Mort éternelle, mort de l'âme,* perte de la grâce, damnation aux peines de l'enfer.

2. **MORT, E** adj. -1. Qui a cessé de vivre : *Mort de froid.* -2. Hors d'usage : *Ces piles sont mortes.* -3. Privé d'animation, d'activité : *Ville morte.* -4. Qui semble sans vie : *Un regard mort.* -5. *Angle mort,* partie de la route dont l'observation dans le rétroviseur est inaccessible au conducteur. -6. *Temps mort,* moment où il n'y a pas d'activité, d'action ; au basket-ball et au volley-ball, minute de repos accordée à la demande d'une équipe. **GÉOGR.** *Vallée morte,* vallée qui n'est plus drainée par un cours d'eau. **HYDROL.** *Bras mort d'un cours d'eau,* bras où le courant est très faible, où l'eau stagne. **LING.** *Langue morte,* langue qui n'est plus parlée. **MIL.** *Angle mort,* zone de terrain dérobée à la vue par un obstacle ou non battue par le feu. ◆ n. -1. Personne décédée : *Honorer la mémoire des morts.* -2. Dépouille mortelle : *Porter un mort en terre.* -3. *Aux morts !,* sonnerie et batterie pour honorer le souvenir de ceux qui sont morts pour la patrie. ◆ **mort** n.m. Au bridge, celui des quatre joueurs qui étale son jeu sur la table.

MORT *(vallée de la),* en angl. Death Valley, profonde dépression aride de Californie, entre les chaînes Panamint et Amargosa. Elle s'enfonce au-dessous du niveau de la mer jusqu'à − 85 m et connaît des températures très élevées en été.

MORTADELLE n.f. Gros saucisson cuit fait d'un mélange de viande et de gras. (Spécialité italienne.)

MORTAGNE-AU-PERCHE, ch.-l. d'arr. de l'Orne ; 4 943 hab. *(Mortagnais).* − Église de style gothique flamboyant. Musée percheron et musée Alain.

MORTAISE n.f. -1. Cavité de section génér. rectangulaire, pratiquée dans une pièce de bois ou de métal pour recevoir le tenon d'une autre pièce assemblée. -2. Rainure pratiquée dans un alésage et destinée à recevoir une clavette.

MORTAISER v.t. Pratiquer une mortaise.

MORTAISEUSE n.f. Machine-outil pour creuser les mortaises.

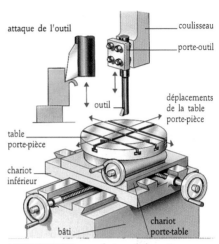

attaque de l'outil — coulisseau — porte-outil — outil — déplacements de la table porte-pièce — table porte-pièce — chariot inférieur — bâti — chariot porte-table

MORTAISEUSE pour le travail des métaux

MORTALITÉ n.f. -1. Phénomène de la mort, considéré du point de vue du nombre : *La mortalité due aux épidémies.* -2. Rapport des décès dans une population à l'effectif moyen de cette population durant une période donnée. SYN. : létalité. -3. *Tables de mortalité,* tables statistiques permettant d'établir l'espérance de vie d'une population, d'un groupe déterminé. -4. *Crise de mortalité,* sous l'Ancien Régime, période où le nombre des morts s'élève brutalement sous l'effet d'une famine ou/et d'une épidémie.

ENCYCL. HISTOIRE

L'existence de crises de mortalité caractérise la démographie de l'Europe jusqu'au XVIIIᵉ siècle. Dans la France d'Ancien Régime, les pénuries alimentaires ont lieu au moins tous les dix ans, et la dernière grande famine date de 1739-1743. Si l'épidémie la plus meurtrière reste la peste, d'autres maladies menacent toute la population et tout particulièrement les jeunes (variole, typhus, tuberculose, grippe). La mortalité par les guerres, directement ou indirectement (destruction des récoltes), s'ajoute encore à ces calamités. Ces crises perturbent d'autant plus fortement l'évolution de la population que leurs effets se font sentir par écho, la mort des enfants, groupe exposé, provoquant une vingtaine d'années plus tard un déficit des naissances.

MORT-AUX-RATS n.f. inv. Préparation empoisonnée, le plus souvent à base d'arsenic, destinée à détruire les rats, les rongeurs.

Mort aux trousses (la), film américain d'A. Hitchcock (1959). Cette course-poursuite, rythmée par l'humour et le suspense, est devenue l'un des classiques du genre.

Mort à Venise (la), nouvelle de Thomas Mann, (1912). Un écrivain célèbre se laisse prendre au piège de la beauté d'un adolescent et de l'atmosphère envoûtante et délétère de Venise. Cette nouvelle a été adaptée à l'écran par L. Visconti (1971).

MORT-BOIS n.m. (pl. morts-bois). Bois sans valeur que forment les arbustes, les broussailles, les ronces, etc.

MORTE *(mer)*, lac de Palestine, entre Israël et la Jordanie, où débouche le Jourdain ; 1 015 km² ; 390 m environ au-dessous du niveau de la mer. Salure exceptionnellement forte (de l'ordre de 30 %), peu compatible avec la vie animale (d'où son nom).

Morte *(manuscrits de la mer)*, manuscrits rédigés en hébreu et en araméen, découverts entre 1946 et 1956 dans des grottes des rives de la mer Morte, près du site de Qumran. Ces documents, dont la rédaction s'échelonne entre le IIᵉ s. av. J.-C. et le Iᵉʳ siècle de notre ère, comprennent des textes bibliques et apocryphes juifs et des écrits propres à une secte religieuse juive vivant à Qumran et qui serait celle des esséniens. Ces manuscrits sont d'une grande importance pour l'histoire du judaïsme et des origines chrétiennes.

MORTE-EAU n.f. (pl. mortes-eaux). *Marée de morte-eau* ou *morte-eau*, marée de faible amplitude, qui se produit lorsque la Lune est en quadrature, par opp. à *vive-eau*.

MORTEL, ELLE adj. -1. Sujet à la mort : *Tous les hommes sont mortels.* -2. Qui cause la mort : *Maladie mortelle.* -3. Très pénible ou très ennuyeux : *Une soirée mortelle.* -4. *Péché mortel,* celui qui a pour conséquence la perte de la grâce sanctifiante et la damnation éternelle. ◆ n. Être humain : *Un heureux mortel.* ◆**mortellement** adv. -1. De manière telle qu'elle cause la mort : *Être blessé mortellement.* -2. Extrêmement : *Discours mortellement ennuyeux.*

MORTE-SAISON n.f. (pl. mortes-saisons). Période où l'activité est très faible pour un commerce, une industrie, etc.

MORT-GAGE n.m. (pl. morts-gages). Gage dont les fruits ne venaient pas en déduction du capital de la créance.

MORT-HOMME (le), hauteurs dominant la rive gauche de la Meuse, au nord de Verdun. Violents combats en 1916 et 1917.

MORTIER n.m. -1. Récipient en matière dure, à fond demi-sphérique, où l'on broie, avec un pilon, des aliments, certaines substances (pharmaceutiques, partic.), etc. -2. Bouche à feu à âme lisse, pour le tir courbe, notamm. sur des objectifs défilés. -3. Mélange constitué de sable, d'eau, d'un liant (chaux ou ciment) et éventuellement d'adjuvants, utilisé pour liaisonner les éléments d'une construction, pour exécuter des chapes et des enduits. -4. Bonnet des magistrats de la Cour de cassation et de la Cour des comptes. -5. *Mortier industriel,* mortier sec, prêt à l'emploi.

MORTIER (Adolphe), *duc* de Trévise, maréchal de France (Le Cateau-Cambrésis 1768 - Paris 1835). Il servit en Espagne (1808-1811), commanda la Jeune Garde en Russie (1812) et défendit Paris (1814). Ministre de la Guerre (1834-35), il périt dans l'attentat de Fieschi.

MORTIFIANT, E adj. Qui mortifie, humilie.

MORTIFICATION n.f. -1. Action de mortifier son corps. -2. Blessure d'amour-propre. -3. Faisandage. -4. Nécrose.

MORTIFIER v.t. -1. Soumettre le corps, la chair à une privation ; infliger une souffrance dans un but d'ascèse. -2. Humilier qqn, le blesser dans son amour-propre. -3. Faisander : *Mortifier du gibier.* -4. Nécroser.

MORTILLET (Gabriel de), archéologue français (Meylan, Isère, 1821 - Saint-Germain-en-Laye 1898). Il fut l'un des premiers à établir un cadre chronologique de la préhistoire et de sa terminologie.

MORTIMER de Wigmore, importante famille galloise, dont le principal représentant fut **Roger,** *comte* de La Marche (1286 ou 1287 - Tyburn, Londres, 1330). Amant de la reine Isabelle, il prit la tête de l'insurrection qui aboutit à l'abdication et au meurtre du roi Édouard II (1327). Maître de l'Angleterre, il fut exécuté sous Édouard III.

MORTINATALITÉ n.f. Rapport du nombre des enfants mort-nés à celui des naissances au cours d'une même période.

MORT-NÉ, E adj. et n. (pl. mort-nés, mort-nées). Mort en venant au monde. ◆ adj. Qui échoue dès son commencement : *Projet mort-né.*

MORTON (James Douglas, *comte* de) [v. 1516 - Édimbourg 1581]. Ayant obligé Marie Stuart à abdiquer, il fut régent du jeune

Jacques VI d'Écosse (1572-1578). Accusé de complicité dans le meurtre de Darnley, il fut décapité.

MORTUAIRE adj. -1. Relatif aux morts, aux cérémonies, aux formalités qui concernent un décès : *Chambre mortuaire.* -2.*Maison mortuaire,* maison où une personne est décédée. (En Belgique, on dit *la mortuaire,* n.f.). ‖ *Registre, extrait mortuaire,* registre des décès d'une localité ; copie d'un acte extrait de ce registre.

MORUE n.f. Gros poisson des mers froides, consommé frais sous le nom de *cabillaud,* salé sous le nom de *morue verte,* séché sous le nom de *merluche* et du foie duquel on tire une huile riche en vitamines A et D. (Long. jusqu'à 1,50 m ; famille des gadidés.)

MORULA n.f. Premier stade du développement de l'embryon, qui se présente sous la forme d'une sphère dont la surface a l'aspect d'une mûre.

MORUS → THOMAS MORE (saint).

MORUTIER, ÈRE adj. Relatif à la morue, à sa pêche. ◆*morutier* n.m. -1.Bateau équipé pour la pêche à la morue. -2. Pêcheur de morue.

MORVAN, massif montagneux formant l'extrémité nord-est du Massif central ; 901 m au Haut-Folin. Il est partagé entre les quatre départements (Côte-d'Or, Nièvre, Saône-et-Loire, Yonne) de la Région Bourgogne. *(Morvandiaux).* Grandes forêts exploitées (sapins de Noël). Parc naturel régional (174 000 ha).

MORVE n.f. -1. Sécrétion des muqueuses du nez. -2. Maladie contagieuse des équidés (cheval, âne), souvent mortelle, transmissible à l'homme et due à un bacille produisant des ulcérations des fosses nasales. (Les animaux atteints de morve doivent être abattus.)

MORVEUX, EUSE adj. -1. Qui est atteint de la morve. -2. Qui a la morve au nez : *Enfant morveux.* ◆ n. -1. FAM. Petit garçon, petite fille. -2. Personne jeune qui prend des airs d'importance.

MORZINE, comm. de la Haute-Savoie ; 3 014 hab. Station de sports d'hiver (alt. 960-2 460 m).

MOS n.m. (sigle de *metal oxide semi-conductor*). Transistor à effet de champ, à grille isolée par une couche d'oxyde de silicium, utilisé dans les circuits intégrés.

1. **MOSAÏQUE** n.f. -1. Assemblage de petits fragments multicolores (marbre, pâte de verre, etc.), dits *tesselles,* juxtaposés pour former un dessin et liés par un ciment : *Mosaïque murale.*

(V. ENCYCL.) -2. Ensemble d'éléments juxtaposés et disparates : *Une mosaïque d'États.* **AGRIC.** Maladie à virus qui attaque certaines plantes en déterminant sur leurs feuilles des taches de diverses couleurs. **BIOL.** Ensemble de cellules juxtaposées chez le même être vivant et qui n'ont pas le même génome. **GÉNÉT.** Mode d'hérédité où les caractères parentaux sont répartis par plaques sur le corps de l'hybride. **REL.** Incrustation de peau amincie sur les plats ou le dos d'une reliure, d'une autre teinte que ceux-ci. ◆ adj. *Pavage mosaïque,* revêtement de chaussée constitué par des pavés de petites dimensions et assemblés suivant des courbes qui s'entrecroisent.

ENCYCL.

Origines et technique. Les colonnes du temple d'Ourouk (fin du IVe millénaire) attestent l'ancienneté de la mosaïque. En Grèce, elle est en usage dès le Ve s. av. J.-C. et est encore tributaire de la peinture de vase (Olynthe), alors qu'à Pella l'adaptation au cadre architectural est parfaite et qu'à Délos la polychromie est chatoyante. La mosaïque est courante dans le monde romain, où parfois elle recouvre parois et voûtes. La mosaïque s'exécute soit par la méthode directe, soit par la méthode au carton. Le carton sert de support au dessin et aux cubes apposés légèrement encollés selon le tracé ; on retourne le carton sur le mur préalablement enduit de ciment et on retire le carton.

Les principales écoles. Le répertoire décoratif romain évolue depuis les pavements géométriques noir et blanc du Ier s. av. J.-C. jusqu'aux

détail de *la Chasse au lion* de Pella (Grèce), **MOSAÏQUE** de galets de la fin du IVe s. av. J.-C. (musée de Pella)

Zeus enlevant Ganymède, **MOSAÏQUE** romaine à tesselles (marbre, calcaire et pâte de verre) du IIIe s. av. J.-C. (musée de Sousse)

mosaïques du IIe s. apr. J.-C., où l'*emblema* (motif central) prend toute la place du panneau central. La mosaïque gagne alors les murs des nymphées, les voûtes et les plafonds (Herculanum, Pompéi, Piazza Armerina, etc.). Apparue à l'époque d'Hadrien, l'une des plus brillantes écoles est celle d'Afrique (Acholla, el-Djem, etc.) ; citons encore l'école rhodanienne (Saint-Romain-en-Gal) et l'école rhénane, dont le centre est à Trèves.

Héritiers des Grecs et des Romains, les Byzantins créent des œuvres empreintes de spiritualité et obtiennent des effets de scintillement en ajoutant de petits cubes de verre argentés ou dorés (Ravenne, Constantinople). L'âge d'or se situe entre le Xe et le XIIe siècle avec des chefs-d'œuvre comme Dháfni, St-Marc de Venise, Torcello, Palerme. Au XIVe siècle, le style se renouvelle encore avec des personnages campés dans de véritables paysages qui se substituent au fond d'or.

La mosaïque est supplantée au Moyen Âge par la fresque ; des ateliers subsistent néanmoins à Rome et à Venise, se limitant à la Renaissance à des copies de peintures.

2. **MOSAÏQUE** adj. Relatif à Moïse, au mosaïsme : *La loi mosaïque.* (→ TORAH.)

MOSAÏQUÉ, E adj. Qui offre l'aspect d'une mosaïque ou qui est orné d'une mosaïque.

MOSAÏSME n.m. Ensemble des doctrines et des institutions que le peuple d'Israël reçut de Dieu par l'intermédiaire de Moïse.

MOSAÏSTE n. Artiste ou artisan qui fait des mosaïques.

MOSAN, E adj. *Art mosan,* art qui s'est développé à l'époque romane dans la région de la Meuse moyenne et inférieure, illustré notamm. par la dinanderie, l'orfèvrerie et l'émaillerie.

MOSCHELES (Ignaz), pianiste et compositeur tchèque (Prague 1794 - Leipzig 1870). Auteur d'une œuvre didactique *(Méthode des méthodes),* il a composé 7 concertos et 24 études.

MOSCOU, en russe Moskva, cap. de la Russie ; 8 967 000 hab. *(Moscovites).*

GÉOGRAPHIE

Moscou s'est développée, au cœur de la plaine russe, sur la Moskova, en position de carrefour par rapport aux grandes voies fluviales de la Russie d'Europe : Volga, Dvina, Dniepr, Don. La situation géographique reste privilégiée, valorisée par le rail et l'air (plusieurs aéroports). La ville a une structure urbaine de type radioconcentrique. Le noyau historique, autour du Kremlin et de la place Rouge, est entouré d'une première couronne mêlant quartiers industriels et résidentiels, parcs de loisirs et stades. Une deuxième couronne est composée surtout de grands ensembles résidentiels. L'ensemble, ceinturé par une zone forestière de loisirs, maintenant parsemée d'ensembles urbains et industriels, couvre 886 km². Métropole, Moscou détient toutes les fonctions. La centralisation politique a entraîné le développement économique. La ville est un grand centre culturel (universités, musées, théâtres) et commercial. L'industrie est caractérisée par l'essor des industries à forte valeur ajoutée (constructions mécaniques et électriques, chimie s'ajoutant au textile et à l'agroalimentaire).

HISTOIRE

Mentionnée pour la première fois en 1147, Moscou fut au début du XIIIe siècle le centre d'une principauté apanagée du grand-prince de Vladimir. Elle devint la capitale religieuse de la Russie en 1326, lorsque le métropolite s'y établit. Ses princes, devenus grands-princes au XIVe siècle, puis tsars de Russie en 1547, dirigèrent le rassemblement de la terre russe et jetèrent les bases d'un État centralisé. Moscou prétendit prendre la relève de Rome et de Constantinople, tombée aux mains des Turcs en 1453, et devenir la « troisième Rome ». Abandonnée par Pierre le Grand comme capitale au profit de Saint-Pétersbourg en 1712, elle fut incendiée lors de l'entrée des Français, en

Vue de la Moskova et du Kremlin, à **MOSCOU**.

1812. Après la victoire d'octobre 1917 à Petrograd, les bolcheviques en firent en 1918 le siège du gouvernement soviétique et le centre d'organisation de la révolution mondiale avec la création du Komintern, en 1919. Elle fut la capitale de l'U. R. S. S. de 1922 à 1991. En 1941, les Allemands échouèrent dans leur tentative de s'en emparer.

ARTS

Le centre de la capitale est marqué par l'ensemble monumental du Kremlin (→ KREMLIN). Tout près se dresse l'église Basile-le-Bienheureux (1555), à pyramide centrale *(chater)* entourée de huit chapelles à pittoresques coupoles bulbeuses polychromes. Églises typiques du XVIIe siècle, à chater et à cinq coupoles, très élancées, comme St-Nicolas-des-Tisserands. Église de l'Intercession-de-la-Vierge de Fili (1693), prototype du baroque moscovite, ou « style Narychkine », au riche décor, qui se retrouve par exemple aux monastères Novodevitchi et Donskoï, vastes ensembles pourvus d'une enceinte et de nombreuses églises (XVIe-XVIIIe s.). Hôtels urbains, châteaux et édifices civils classiques de la fin du XVIIIe siècle et du début du XIXe, à péristyle et à fronton, peints de couleurs pastel. Après l'incendie de 1812, aménagements du centre par Ossip Ivanovitch Bove, architecte du théâtre Bolchoï (1821). Bâtiments en style « vieux russe » à partir du milieu du siècle : Musée historique (1883), Galeries marchandes (1888), galerie Tretiakov, aujourd'hui vaste musée de la peinture russe. Nombreux autres musées : des Beaux-Arts Pouchkine (peinture occidentale ; égyptologie...), du palais des Armures (arts décoratifs),

Andreï Roublev (dans l'anc. monastère St-Antoine), de Kolomenskoïe, etc.

MOSCOVIE, région historique de la Russie où s'est développée la grande-principauté de Moscou, dont les souverains devinrent les tsars de Russie (1547). On parle de Moscovie ou d'État moscovite jusqu'à la fondation de l'Empire russe (1721).
(Voir carte p. suivante.)

MOSELEY (Henry Gwyn Jeffreys), physicien britannique (Weymouth, Dorset, 1887 - Gallipoli, Turquie, 1915). En mesurant dans le domaine des rayons X la fréquence des raies d'émission des divers éléments, il montra en 1913 que la racine carrée de cette fréquence varie linéairement avec le nombre atomique Z de l'élément *(loi de Moseley)*. Cette découverte a permis d'assimiler le nombre atomique à la charge du noyau.

MOSELLE (la), riv. de l'Europe occidentale ; 550 km. Née dans les Vosges, elle coule vers le nord, passant à Épinal et à Metz avant de former la frontière entre l'Allemagne fédérale et le Luxembourg. En aval de Trèves, elle s'encaisse dans le Massif schisteux rhénan et rejoint le Rhin (r. g.) à Coblence. La Meurthe et la Sarre sont ses principaux affluents. Aménagée jusqu'à Neuves-Maisons en amont, la Moselle facilite la liaison entre la Lorraine industrielle et les pays rhénans.

MOSELLE [57], dép. de la Région Lorraine ; ch.-l. de dép. *Metz ;* ch.-l. d'arr. *Boulay-Moselle, Château-Salins, Forbach, Sarrebourg, Sarreguemines, Thionville ;* 9 arr. (Metz et Thionville sont le ch.-l. de deux arr.), 51 cant., 727 comm. ;

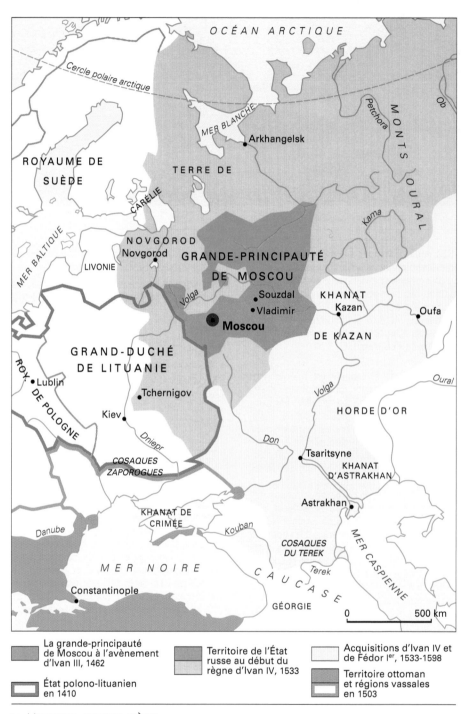

OCÉAN ARCTIQUE

Cercle polaire arctique

MER BLANCHE

Arkhangelsk

ROYAUME DE
SUÈDE

TERRE DE

CARÉLIE

MONTS OURAL

Petchora

Ob

MER BALTIQUE

NOVGOROD
Novgorod

LIVONIE

GRANDE-PRINCIPAUTÉ
DE MOSCOU

Volga

Souzdal

Vladimir

Moscou

Kama

KHANAT
Kazan

DE KAZAN

Oufa

GRAND-DUCHÉ
DE LITUANIE

ROY. DE POLOGNE

Lublin

Tchernigov

Kiev

Dniepr

COSAQUES
ZAPOROGUES

Don

Volga

Oural

HORDE D'OR

Tsaritsyne

KHANAT
D'ASTRAKHAN

Astrakhan

KHANAT DE
CRIMÉE

Danube

MER NOIRE

Kouban

COSAQUES
DU TEREK

Terek

CAUCASE

MER CASPIENNE

Constantinople

GÉORGIE

0   500 km

La grande-principauté
de Moscou à l'avènement
d'Ivan III, 1462

État polono-lituanien
en 1410

Territoire de l'État
russe au début du
règne d'Ivan IV, 1533

Acquisitions d'Ivan IV et
de Fédor Ier, 1533-1598

Territoire ottoman
et régions vassales
en 1503

LA MOSCOVIE, XIVe-XVIe SIÈCLE

6 216 km² ; 1 011 302 hab. *(Mosellans)*. Le dép. est rattaché à l'académie de Nancy-Metz, à la cour d'appel de Metz et à la région militaire Nord-Est.

MOSETTE ou **MOZETTE** n.f. (it. *mozetta*). Camail des ecclésiastiques italiens.

MOSKOVA (la), riv. de Russie, qui passe à Moscou (à laquelle elle a donné son nom), affl. de l'Oka (r. dr.) ; 502 km. Elle est reliée par un canal à la haute Volga.

Moskova *(bataille de la)* [7 sept. 1812], bataille indécise livrée devant Moscou par l'armée de Napoléon et les troupes russes de Koutouzov. Les Russes lui donnent le nom de « **bataille de Borodino** ».

MOSQUÉE n.f. Édifice cultuel de l'islam.

ENCYCL. La mosquée est essentiellement lieu de prière. Selon son importance, elle est dite *djami* (« mosquée-cathédrale ») ou *masdjid* (« mosquée de quartier »). Malgré une sacralisation accentuée au cours des siècles, les mosquées ont conservé leur rôle de centre de la vie sociale et même politique de la cité ; peu à peu, certaines ont été associées au mausolée (mosquée funéraire) ou à l'université (mosquée-madrasa avec salle de cours et cellules). Les prototypes ont dû être, outre la mosquée de Médine, celle de Damas et celle de Kufa, disparue. De leur rencontre est née la mosquée hypostyle, à nefs multiples dirigées dans le sens de la longueur ou dans celui de la profondeur, que l'on nomme « mosquée arabe » (Cordoue, Kairouan...). À l'intérieur de la salle de prière *(haram)*, dans le mur du fond, une niche vide (le *mihrab*) indique la direction *(qibla)* de La Mecque. À gauche du mihrab se situe le *minbar* (chaire à prêcher). La salle de prière est précédée d'une vaste cour centrale bordée de portiques et ornée d'une fontaine.

En Iran, l'usage de l'iwan et de la coupole puis l'introduction des plans cruciformes ont profondément transformé la mosquée primitive (mosquée du Vendredi, Ispahan).

Ces types principaux suscitent quantité de variantes. Précédée de portes monumentales, la cour devient l'organe essentiel dans l'Inde moghole (Delhi, Grande Mosquée), alors que chez les Ottomans prévaut le jeu de coupoles, comme en témoignent les chefs-d'œuvre de Sinan (Süleymaniye d'Istanbul). Tour cylindrique ou flèche extrêmement fine, le *minaret* sous ses diverses formes est l'un des compléments de la mosquée.

MOSQUITO ou **MISKITO,** Indiens d'Amérique centrale parlant une langue chibcha et

établis sur l'actuelle frontière Honduras-Nicaragua.

MOSSADEGH (Mohammad **Hedayat**, dit), homme politique iranien (Téhéran 1881 - *id.* 1967). Fondateur du Front national (1949), il milita pour la nationalisation du pétrole. Premier ministre (1951), il s'opposa au chah, qui le fit arrêter (1953).

MÖSSBAUER (Rudolf), physicien allemand (Munich 1929). Il a découvert un effet de résonance nucléaire qui a permis de préciser la structure des transitions nucléaires. (Prix Nobel 1961.)

MOSSI, peuple du Burkina, habitant aussi la Côte d'Ivoire et le Ghana, parlant une langue nigéro-congolaise, le *mossi*.

MOSSOUL ou **MOSUL,** v. du nord de l'Iraq, sur le Tigre ; 600 000 hab. Capitale des régions d'agriculture pluviale du nord de la Mésopotamie, contrôlant le passage du fleuve. — Musée. Mosquées et monuments anciens.

MOSTAGANEM → MESTGHANEM.

MOSTAR, v. de Bosnie-Herzégovine ; 63 000 hab. — Monuments très endommagés par les combats du début des années 1990.

MOT n.m. -**1.** Élément de la langue constitué d'un ou de plusieurs phonèmes et susceptible d'une transcription graphique comprise entre deux blancs : *Mot mal orthographié.* -**2.** Petit nombre de paroles, de phrases : *Dire un mot à l'oreille de qqn.* -**3.** Parole historique ou mémorable. -**4.** Parole remarquable par la drôlerie, le bonheur de l'expression, l'invention verbale : *C'est un mot que l'on attribue à plusieurs humoristes.* -**5.** Élément d'information stocké ou traité d'un seul tenant dans un ordinateur.

MOTARD, E n. Motocycliste. ◆ **motard** n.m. Motocycliste de la police, de la gendarmerie ou de l'armée.

MOT-CLEF n.m. (pl. mots-clefs). Mot qui, une fois indexé, permet d'identifier un article dans un fichier.

MOTEL n.m. Hôtel à proximité des grands itinéraires routiers, spécial. aménagé pour accueillir les automobilistes.

MOTET n.m. Composition à une ou plusieurs voix, religieuse ou non, avec ou sans accompagnement, apparue au XIIIe s. et destinée à l'origine à embellir la monodie liturgique.

ENCYCL. Le motet constitue un genre de musique dont la définition a beaucoup évolué. Le motet médiéval est exclusivement polyphonique et s'applique indifféremment à la musique religieuse ou profane. À partir du XVIᵉ siècle, au contraire, il devient principalement religieux et fait appel aux formes les plus diverses, sans autre spécificité que la liberté de ses paroles, généralement latines dans l'usage catholique, latines ou vernaculaires dans l'usage protestant (J.-S. Bach). Il s'oppose ainsi à la messe, dont les paroles sont fixées d'avance. Au XVIIᵉ siècle, le genre prend un grand essor à la cour de Versailles (*petit motet* et *grand motet, ou motet à grand chœur,* dans lequel M. R. Delalande s'est particulièrement illustré).

MOTEUR, TRICE adj. -1. Qui produit un mouvement, qui le transmet. -2. Se dit d'un nerf ou d'un muscle qui assure la motricité d'un organe. ◆ **moteur** n.m. -1. Appareil qui transforme en énergie mécanique d'autres formes d'énergie. -2. Personne qui dirige : *Il est le moteur de l'entreprise.* -3. Cause, motif déterminants : *Le moteur de l'expansion.*
→ ● DOSSIER LES MOTEURS *page 3680.*

MOTEUR-FUSÉE n.m. (pl. moteurs-fusées). Propulseur à réaction utilisé en aviation et en astronautique, dont le comburant n'est pas fourni par l'air extérieur.

MOTHERWELL (Robert), peintre américain (Aberdeen, Washington, 1915 - Provincetown, Massachusetts, 1991), un des principaux expressionnistes abstraits, également théoricien. (Série des « Élégies » dédiées à la République espagnole, commencée en 1948.)

MOTIF n.m. -1. Raison d'ordre intellectuel qui pousse à faire qqch, à agir : *Un motif louable, honnête.* -2. Thème, structure ornementale qui, le plus souvent, se répètent. BX-ARTS. Modèle, thème plastique d'une œuvre (partic. d'une peinture de paysage) ou partie de ce thème. || *Aller sur le motif,* aller peindre en plein air, d'après nature. DR. Partie du jugement où le juge indique les raisons de sa décision ; ces raisons elles-mêmes. MUS. Dessin mélodique ou rythmique, plus ou moins long et pouvant, dans le développement de l'œuvre, subir des modifications ou des transpositions. PHYS. *Motif cristallin,* arrangement, disposition des atomes d'une maille cristalline les uns par rapport aux autres.

MOTILITÉ n.f. Aptitude à effectuer des mouvements spontanés ou réactionnels, chez l'être vivant.

MOTION n.f. -1. Texte soumis à l'approbation d'une assemblée par un de ses membres ou une partie de ses membres : *Voter une motion.* -2. Un tel texte, soumis au vote d'une assemblée parlementaire.

MOTIVANT, E adj. Qui motive.

MOTIVATION n.f. Raisons, intérêts qui poussent qqn dans son action et déterminent chez lui un certain comportement. ÉCON. *Étude de motivation,* étude visant à déterminer les facteurs psychologiques qui expliquent soit l'achat d'un produit, soit sa prescription, soit son rejet. LING. Relation entre la forme et le contenu d'un signe. PSYCHOL. Processus physiologique et psychologique responsable du déclenchement, de la poursuite et de la cessation d'un comportement.

MOTIVER v.t. -1. Fournir des motifs pour justifier un acte : *Refus motivé.* -2. Provoquer qqch en le justifiant : *La méfiance motive son attitude.* -3. Donner une motivation à qqn : *Être très motivé.*

MOTO n.f. (abrév.). Motocyclette.

MOTOCISTE n. Vendeur et réparateur de motocycles.

MOTOCROSS n.m. Épreuve motocycliste sur un circuit fermé et très accidenté.

MOTOCULTEUR n.m. Machine automotrice d'usage agricole, conduite à l'aide de mancherons et utilisée pour le travail de parcelles de petites dimensions.

MOTOCULTURE n.f. Utilisation de machines motorisées dans l'agriculture.

MOTOCYCLE n.m. Cycle mû par un moteur. (Il existe trois types de motocycles : le *cyclomoteur,* qui comporte obligatoirement un pédalier et dont la cylindrée maximale est de 49,9 cm³, le *vélomoteur,* dont la cylindrée n'excède pas 125 cm³, et la *motocyclette.*)

MOTOCYCLETTE n.f. Véhicule à deux roues, actionné par un moteur à explosion de plus de 125 cm³.

ENCYCL. Une motocyclette comprend un cadre terminé à l'avant par une fourche et à l'arrière par un ou deux bras auxquels sont fixées les roues, et muni d'une suspension. Ce cadre supporte à l'avant un guidon de direction ainsi que le moteur. Il est le plus souvent à double berceau en acier, parfois en aluminium (compétition). Le moteur est généralement à 4 temps pour les cylindrées supérieures à 250 cm³ et à 2 temps pour les cylindrées inférieures. Il peut comporter 1 cylindre (vertical ou incliné) ou 2 cylindres (transversaux en V en long ou en travers), 4 cylindres transversaux ou 6 cylindres à double arbre à cames en tête. Les cylindrées peuvent dépasser 1 000 cm³. L'alimentation se fait par carburateur ou par injection. L'allumage électronique

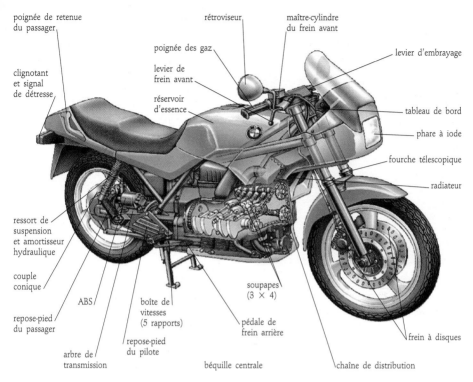

poignée de retenue du passager

rétroviseur

maître-cylindre du frein avant

poignée des gaz

levier d'embrayage

clignotant et signal de détresse

levier de frein avant

réservoir d'essence

tableau de bord

phare à iode

fourche télescopique

radiateur

ressort de suspension et amortisseur hydraulique

couple conique

ABS

boîte de vitesses (5 rapports)

soupapes (3 × 4)

pédale de frein arrière

frein à disques

repose-pied du passager

repose-pied du pilote

arbre de transmission

béquille centrale

chaîne de distribution

MOTOCYCLETTE BMW K 75, à moteur 4 temps, 3 cylindres en ligne (750 cm³)

se généralise. L'embrayage est à disques multiples fonctionnant dans l'huile du moteur et commandé par une manette au guidon. La boîte de vitesses renferme de 4 à 6 rapports commandés par un sélecteur au pied. À côté des engrenages, la chaîne est utilisée couramment pour la transmission primaire (du moteur à la boîte de vitesses) aussi bien que pour la distribution par arbres à cames en tête. Elle est aussi utilisée, concurremment au cardan, pour la transmission secondaire (à la roue arrière). La suspension avant est assurée par une fourche télescopique, la suspension arrière par des amortisseurs à ressort. Le frein à disque s'est généralisé sur la roue avant ; il est commandé depuis le guidon. Le frein à tambour simple suffit généralement pour la roue arrière, même si de nombreux modèles proposent un frein à disque ; il est commandé par une pédale. Le système antiblocage est proposé en option sur quelques modèles de grosse cylindrée. Le tableau de bord voit apparaître, sur les modèles haut de gamme, l'électronique et l'ordinateur (affichage de la température, du niveau d'essence, etc., ou réglage de certaines fonctions [pression dans la suspension]). Il existe des types de moto propres à des usages spécialisés : route, endurance, motocross, circuit, trial, compétition sur circuit.

MOTOCYCLISME n.m. Ensemble des activités sportives disputées sur motocyclettes et side-cars.
(Voir illustration p. suivante.)

MOTOCYCLISTE n. Personne qui conduit une motocyclette. ◆ adj. Relatif à la moto : *Sport motocycliste.*

MOTONAUTISME n.m. Sport de la navigation sur des embarcations rapides à moteur.

MOTONEIGE n.f. CANADA. Petit véhicule à une ou deux places, muni de skis à l'avant et tracté par des chenilles. SYN. : **motoski.**

MOTONEIGISME n.m. CANADA. Pratique de la motoneige.

MOTONEIGISTE n. CANADA. Personne qui pratique la motoneige.

MOTOPAVER [-pavœr] n.m. Engin malaxant un mélange granuleux et sableux avec un bitume, qu'il dépose en couche régulière.

MOTOCYCLISME : épreuve de motocross

MOTOPOMPE n.f. Pompe actionnée par un moteur.

MOTOR-HOME n.m. (pl. motor-homes). AN-GLIC. DÉCONSEILLÉ. Véhicule automobile aménagé pour servir d'habitation. SYN. (recomm. off.) : **auto-caravane.**

MOTORISATION n.f. -1. Action de motoriser. -2. Équipement d'un véhicule automobile en un type déterminé de moteur (moteur à essence ou moteur Diesel, partic.).

MOTORISÉ, E adj. Doté de moyens de transport automobiles : *Troupes motorisées.*

MOTORISER v.t. -1. Doter de véhicules, de machines à moteur : *Motoriser l'agriculture.* -2. Munir qqch d'un moteur.

MOTORISTE n. -1. Spécialiste de la réparation et de l'entretien des automobiles et des moteurs. -2. Industriel qui fabrique des moteurs.

MOTORSHIP [mɔtɔrʃip] n.m. Navire de commerce propulsé par un moteur Diesel. Abrév. : *M/S.*

MOTOSKI n.f. Motoneige.

MOTRICE n.f. Automotrice incluse dans un convoi constitué de plusieurs voitures : *Motrice de métro.*

MOTRICITÉ n.f. Ensemble des fonctions biologiques qui assurent le maintien de la posture et le mouvement chez l'homme et les animaux.

MOTS CROISÉS n.m. pl. -1. Mots disposés horizontalement et verticalement, de telle sorte que certaines de leurs lettres coïncident. -2. Jeu qui consiste à trouver ces mots d'après les définitions plus ou moins énigmatiques qui en sont données : *Faire des mots croisés* ou, sing., *un mots croisés.*

Mots et les Choses (les) → FOUCAULT (Michel).

MOTTA (Giuseppe), homme politique suisse (Airolo 1871 - Berne 1940). Plusieurs fois président de la Confédération entre 1915 et 1937, responsable des Affaires étrangères au sein du Conseil fédéral (1920-1940), il maintint la neutralité de la Suisse.

MOTTE n.f. -1. Morceau de terre compacte comme on en détache avec la charrue. -2. Butte servant d'assise au château féodal. -3. Masse de beurre pour la vente au détail. -4. Moule en sable séparé de son châssis avant la coulée du métal ; saillie de sable sur le moule.

MOTTEUX n.m. Oiseau passereau du groupe des traquets, qui se pose sur les mottes de terre,

MOTOCYCLISME : Grand Prix de France 1991 (catégorie des 500 cm³)

appelé aussi *traquet motteur* ou *cul-blanc*. (Long. 16 cm.)

MOTU PROPRIO [mɔtyprɔprijo] loc. adv. Spontanément, sans y être incité. ◆ n.m. inv. Acte législatif promulgué par le pape de sa propre initiative.

MOTUS interj. Engage à garder le silence : *Motus et bouche cousue !*

MOT-VALISE n.m. (pl. mots-valises). Mot constitué par l'amalgame de la partie initiale d'un mot et de la partie finale d'un autre (par ex. *franglais,* formé de *français* et de *anglais*).

MOU ou **MOL** (devant un mot commençant par une voyelle), **MOLLE** adj. -1. Qui manque de dureté : *Pâte molle.* -2. Qui manque de vigueur, d'énergie, de vivacité : *Avoir les jambes molles.* **MAR.** Se dit d'un voilier qui, sous l'action du vent, a tendance à abattre, par opp. à *ardent.* **PHYS.** Se dit des rayons X les moins pénétrants. ◆ n. **FAM.** Personne sans énergie. ◆ **mou** n.m. -1. Ce qui est mou : *Le mou et le dur.* -2. Poumon de certains animaux de boucherie, souvent donné comme aliment aux animaux de compagnie, au chat partic.

MOUASKAR, anc. Mascara, v. de l'ouest de l'Algérie, ch.-l. de wilaya ; 62 000 hab.

MOUBARAK (Hosni), homme d'État égyptien (Kafr al-Musilha 1928). Vice-président de la République (1975), il a été élu à la tête de l'État égyptien après l'assassinat de Sadate (1981).

MOUCHARABIEH [muʃarabje] n.m. Grillage fait de petits bois tournés, permettant de voir sans être vu, dans l'architecture arabe traditionnelle.

MOUCHARD, E adj. et n. **FAM., PÉJ.** Dénonciateur, délateur. ◆ **mouchard** n.m. -1. Appareil de contrôle et de surveillance. -2. **FAM.** Judas d'une porte.

MOUCHARDER v.t. **FAM.** Dénoncer. ◆ v.i. **FAM.** Pratiquer le mouchardage.

MOUCHE n.f. -1. Insecte diptère aux formes trapues, aux antennes courtes, au vol bourdonnant et zigzaguant. (Sous-ordre des brachycères.) [V. ENCYCL.] -2. Point noir au centre d'une cible. **COIFF.** Petite touffe de poils au-dessous de la lèvre inférieure. **COST.** Petite rondelle de taffetas noir que les femmes, aux XVIIᵉ et XVIIIᵉ s., se collaient sur le visage ou sur la gorge pour mettre en valeur la blancheur de leur peau. **ENTOMOL.** *Mouche du vinaigre,* drosophile. **PÊCHE.** Leurre imitant un insecte. **SPORTS.** En escrime, bouton qui garnit la pointe

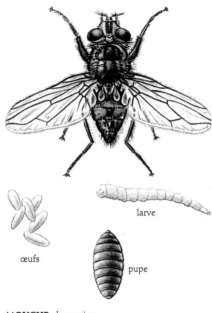

MOUCHE domestique

d'un fleuret pour la rendre inoffensive. ‖ *Poids mouche,* en boxe, catégorie de poids ; boxeur appartenant à cette catégorie.

ENCYCL. Les mouches appartiennent au groupe des diptères, insectes possédant deux ailes membraneuses, deux balanciers, des tarses composés de cinq articles et des pièces buccales spécialisées pour piquer et sucer. Elles appartiennent donc au même groupe que les moustiques et les taons. Les mouches subissent une métamorphose complète pour passer du stade larvaire au stade adulte. La nymphe est libre, bien protégée dans une enveloppe dure et lisse, la *pupe.* En vol, chez la mouche domestique, la vitesse de battement des ailes est de 190 battements par seconde. Les grands rassemblements d'individus ne témoignent jamais d'une vie sociale organisée mais d'une simple attirance commune pour une source de nourriture ou un lieu propre à la reproduction, qui est sexuée. Certaines mouches hématophages (qui se nourrissent de sang), comme la glossine, ou mouche tsé-tsé, peuvent transmettre de graves infections.

MOUCHER v.t. -1. Débarrasser les narines des sécrétions nasales. -2. Enlever la partie carbonisée d'une mèche. -3. **FAM.** Réprimander qqn, le remettre à sa place. ◆ **se moucher** v.pr. Moucher son nez.

LES MOTEURS

Les moteurs peuvent être classés selon l'agent qui produit le mouvement. Il peut s'agir d'un fluide gazeux non chauffé, vent atmosphérique (éolienne) ou air comprimé (moteur pneumatique) ; d'un gaz chauffé (moteurs thermiques) ; d'un liquide, comme l'eau tombant d'une certaine hauteur (turbines hydrauliques) ou l'huile sous pression (moteurs hydrauliques). Un dernier type, très important, est constitué par les moteurs électriques, qui mettent en jeu les phénomènes électromagnétiques.

Les moteurs thermiques.

Ils convertissent l'énergie calorifique en énergie mécanique. La première peut avoir des origines diverses (nucléaire, solaire), la plus fréquente étant la combustion d'un mélange d'air et de combustible. Dans les *moteurs à combustion externe*, un fluide, différent des gaz de combustion, suit un cycle thermodyna-

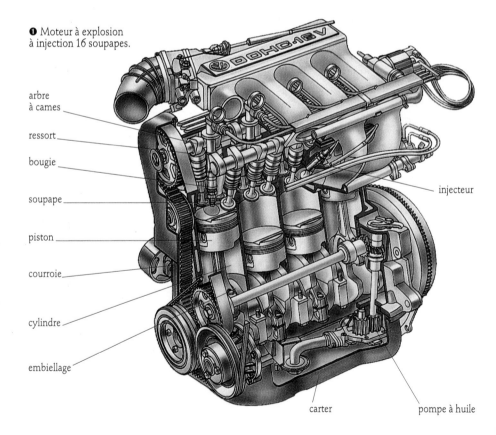

❶ Moteur à explosion à injection 16 soupapes.

arbre à cames

ressort

bougie

soupape

piston

courroie

cylindre

embiellage

injecteur

carter

pompe à huile

mique générateur de travail ; dans les *moteurs à combustion interne,* le fluide de travail est constitué par les gaz de combustion eux-mêmes.

Les moteurs à combustion externe. Dans la *machine à vapeur,* une chaudière entraîne la vaporisation de l'eau circulant dans un réseau de tubes. La pression de la vapeur est utilisée soit directement, dans les *moteurs à piston à mouvement alternatif* (locomotive), soit indirectement, par transformation en énergie cinétique, dans les *turbines à vapeur* (centrales électriques thermiques). Dans le *moteur Stirling,* un volume de gaz évolue en cycle fermé dans un ou plusieurs cylindres étanches. Ce gaz subit d'abord une compression isotherme ; puis il est chauffé, à volume constant, au contact d'une chambre de combustion externe ; il se détend ensuite de manière isotherme en repoussant le piston, auquel il fournit le travail moteur.

Les moteurs à combustion interne. Dans le moteur à allumage commandé, ou *moteur à explosion,* l'inflammation du mélange d'air et de combustible est assurée par une étincelle électrique produite par une bougie d'allumage. Le cycle des gaz peut être à quatre temps ou à deux temps. Le *moteur Diesel* se distingue du moteur à essence par l'absence de carburateur et de système d'allumage. Le mélange gazeux s'enflamme de lui-même, par suite de l'élévation de température de l'air, sous l'influence de la compression. Les *moteurs à réaction* (turboréacteurs, sta-

LE PRINCIPE DES MOTEURS

Les moteurs sont des machines qui *convertissent* diverses formes d'énergie en énergie *mécanique* susceptible d'accomplir un *travail.* L'énergie utilisée peut être l'énergie *thermique,* dégagée par la combustion de fioul, d'essence ❶, de gaz ou de charbon, c'est-à-dire, à l'origine, de l'énergie *chimique ;* ce peut être aussi l'énergie *mécanique* d'un flux de liquide ❺ ou de gaz, éventuellement couplée à l'utilisation de l'énergie *chimique* d'un carburant ❸ et ❹. Enfin, il peut s'agir également d'énergie *électrique* ❻. Le travail produit a des applications infiniment variées : entraînement de machines, propulsion de véhicules, production d'électricité, pompage ou turbinage de l'eau, etc.

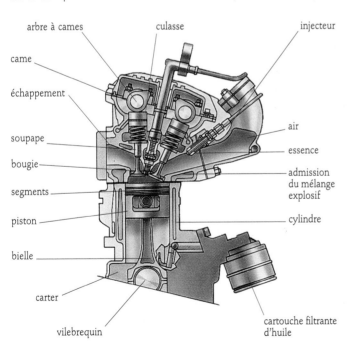

arbre à cames — culasse — injecteur
came
échappement
soupape
bougie
segments
piston
bielle
carter
vilebrequin
air
essence
admission du mélange explosif
cylindre
cartouche filtrante d'huile

❷ Détail des soupapes et de l'injection.

toréacteurs) aspirent de l'air à l'avant et l'éjectent vers l'arrière à une vitesse plus élevée. Dans l'espace, l'absence d'air oblige à employer des moteurs-fusées fonctionnant grâce à l'énergie libérée par la combustion d'un carburant et d'un comburant (propergols) et transformée en énergie cinétique. Dans un *turboréacteur,* un compresseur, constitué de plusieurs roues munies d'ailettes (aubes), élève la pression et la température de l'air. L'air chaud passe dans une chambre de combustion alimentée en carburant dont il provoque la combustion. Les gaz brûlés rencontrent les aubes d'une turbine, sur lesquelles une partie de leur énergie est utilisée pour entraîner le compresseur. Le *statoréacteur* ne comporte aucun élément mobile, la compression étant assurée par la transformation, dans l'entrée d'air, de l'énergie cinétique de l'air absorbé. Malgré une consommation spécifique élevée, il offre une poussée beaucoup plus importante qu'un turboréacteur. Cependant, il ne

❸ Coupe
d'un turboréacteur.

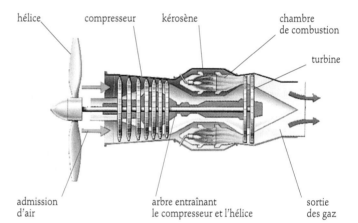

hélice compresseur kérosène chambre de combustion

turbine

admission d'air   arbre entraînant le compresseur et l'hélice   sortie des gaz

❹ Coupe
d'un turbopropulseur.

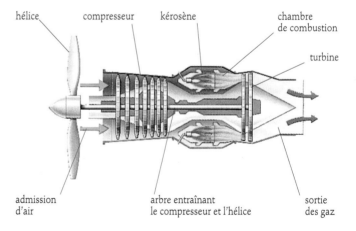

hélice compresseur kérosène chambre de combustion

turbine

admission d'air   arbre entraînant le compresseur et l'hélice   sortie des gaz

LES MOTEURS

peut permettre à un avion de décoller car son amorçage nécessite une vitesse élevée.

Les turbines.

Une turbine est composée de deux organes essentiels : un distributeur fixe, dont le rôle principal est de donner une orientation convenable aux filets fluides qui pénètrent dans la roue ; une ou plusieurs roues mobiles, munies d'ailettes ou d'augets et dont le rôle est de transformer l'énergie du fluide en énergie mécanique.

Les *turbines hydrauliques* sont utilisées dans les centrales hydroélectriques. Selon la hauteur de chute, c'est-à-dire la dénivellation entre la prise d'eau et l'arrivée sur la turbine, différents types de turbines s'imposent, pouvant être à axe vertical ou horizontal, à passage axial ou radial.

Dans les *turbines à vapeur,* la vapeur agit par son énergie cinétique sur une roue mobile ; à cela peut s'ajouter un effet de détente dans les aubes de la roue. Les turbines à vapeur comportent plusieurs roues à aubes. Elles équipent la majorité des centrales électriques. Elles servent également à la propulsion navale.

Les *turbines à gaz* utilisent des combustibles variés tels que mazout, charbon pulvérisé ou gaz naturel. Plus simples que celles à vapeur, elles démarrent et délivrent leur pleine puissance de façon presque instantanée. Elles sont employées pour la production d'électricité dans des centrales d'appoint de quelques dizaines à quelques centaines de milliers de kilowatts. Les turbines à gaz sont aussi utilisées pour la propulsion des hélicoptères *(turbomoteur)* ou pour celle des avions *(turbopropulseur).*

Les moteurs électriques.

La plupart d'entre eux sont des dispositifs rotatifs qui comportent, comme les générateurs électriques, deux armatures ferromagnétiques cylindriques coaxiales, l'une fixe *(stator),* l'autre mobile *(rotor),* séparées par un *entrefer.*

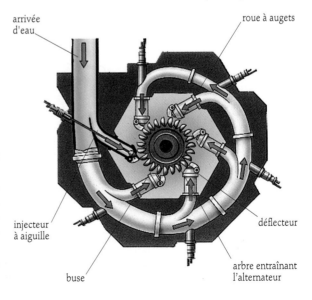

❺ Turbine hydraulique Pelton.

arrivée d'eau

roue à augets

injecteur à aiguille

déflecteur

buse

arbre entraînant l'alternateur

LES MOTEURS

Les moteurs à courant alternatif. Leur fonctionnement s'appuie sur la notion de champ électromagnétique tournant. Celui-ci est créé par des bobines qui jouent le rôle d'aimants, enroulées dans des encoches à la périphérie du stator et alimentées en courant alternatif. Dans un *moteur asynchrone,* le rotor comporte un bobinage polyphasé qui n'est lié à aucune source d'énergie. Sous l'effet du champ magnétique du stator, des courants induits et des forces de rotation apparaissent dans le rotor. Dans un *moteur synchrone,* le champ magnétique est créé au niveau du rotor par un électroaimant alimenté en courant continu.

Les moteurs à courant continu. Ils comportent, au stator, soit un bobinage inducteur alimenté en courant continu, soit des aimants permanents. Le champ magnétique engendré est donc fixe et le moteur ne peut fournir un couple que si le champ créé par le courant continu dans les enroulements du rotor est également fixe. On réalise cela en équipant le rotor de contacts glissants, constitués de *balais* fixes frottant sur les lames conductrices d'un *collecteur* mobile.

Les moteurs électriques spéciaux. Il en existe de très nombreux types : *moteurs à hystérésis, moteurs pas à pas, à aimants permanents,* etc. Parmi tous ces dispositifs, le *moteur linéaire à induction* occupe une place particulière. On l'utilise déjà dans certains organes d'asservissement et dans les chaînes de montage, et on envisage son emploi dans des installations de traction électrique.

❻ Moteur électrique universel.

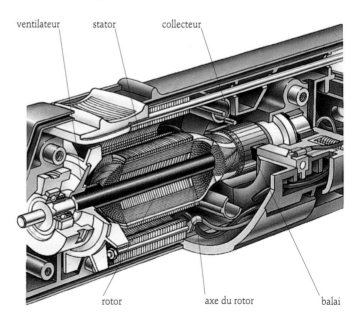

ventilateur   stator   collecteur

rotor   axe du rotor   balai

MOUCHERON n.m. Petit insecte voisin de la mouche, comme la simulie, le chironome, etc.

MOUCHERONNER v.i. Saisir des insectes à la surface de l'eau, en parlant des poissons.

MOUCHET *(mont),* sommet de la partie nord de la Margeride (Haute-Loire) ; 1 465 m. — Combat entre les Forces françaises de l'intérieur et les Allemands (juin 1944).

MOUCHETÉ, E adj. -1. Tacheté, en parlant du pelage de certains animaux, d'une étoffe, d'un bois, etc. -2. Se dit des céréales atteintes de certaines maladies causées par des champignons qui forment sur les grains une poussière noire.

MOUCHETER v.t. [27]. -1. Marquer qqch, une surface de petits points disposés plus ou moins régulièrement. -2. Garnir d'une mouche un fleuret, sa pointe.

MOUCHETIS n.m. Crépi à aspect granuleux exécuté par projection de mortier sur la surface extérieure d'un mur.

MOUCHETTE n.f. -1. Partie saillante du larmier d'une corniche. -2. Soufflet aux contours en courbe et contre-courbe, l'un des éléments des remplages de fenêtres dans le style gothique flamboyant. -3. Rabot pour faire les baguettes et les moulures.

MOUCHETURE n.f. -1. Tache naturelle sur le pelage de certains animaux : *Les mouchetures de la panthère.* -2. Ornement donné à une étoffe en la mouchetant.

MOUCHEZ (Ernest), officier de marine et astronome français (Madrid 1821 - Wissous, Essonne, 1892). Hydrographe, il établit plus de cent cartes côtières ou marines en Asie, en Afrique et en Amérique. Directeur de l'Observatoire de Paris (1878), il fut à l'origine de la réalisation de la Carte photographique du ciel (1887).

MOUCHOIR n.m. -1. Petit carré de tissu fin servant à se moucher. -2. VX OU AFRIQUE. Étoffe dont les femmes se servaient pour se couvrir la tête. (On dit aussi *mouchoir de tête.*)

MOUCHOTTE (René), officier aviateur français (Saint-Mandé 1914 - en combat aérien 1943), commandant un groupe de chasse dans la Royal Air Force. Ses *Carnets* ont été publiés en 1949-50.

MOUCLADE n.f. Plat de moules au vin blanc et à la crème.

MOUDJAHID n.m. (de l'ar. *djihād,* guerre sainte) [pl. moudjahidine ou moudjahidin].

Combattant d'un mouvement de libération nationale du monde musulman.

MOUDRE v.t. [85]. Réduire une substance en poudre avec un moulin, une meule.

MOUE n.f. Grimace faite, par mécontentement, en allongeant les lèvres.

MOUETTE n.f. Oiseau palmipède plus petit que le goéland, bon voilier mais ne plongeant pas, se nourrissant surtout de mollusques, vivant sur les côtes et remontant parfois les grands fleuves. (Long. de 30 à 40 cm ; famille des laridés.)

Mouette (la), pièce en 4 actes de A. Tchekhov (1896). Un jeune propriétaire, Treplev, compose un drame pour Nina, la jeune voisine qu'il aime et qui rêve de théâtre ; mais celle-ci s'éprend d'un écrivain de passage, Trigorine, homme mûr, célèbre et désœuvré, qu'elle suit à Moscou. Nina, abandonnée, devenue comédienne obscure, revient sur les lieux de son enfance et retrouve Treplev avant qu'il ne se donne la mort.

MOUFETTE ou **MOFETTE** n.f. Mammifère carnivore d'Amérique, capable de projeter derrière lui à plusieurs mètres de distance un liquide infect, sécrété par ses glandes anales, qui éloigne les prédateurs. (Long. 30 cm sans la queue.) SYN. : sconse.

1. MOUFLE n.f. -1. Gant, génér. fourré, où il n'y a de séparation que pour le pouce. -2. Assemblage de poulies dans une même chape, qui permet de soulever de très lourdes charges. (La réunion de deux moufles par une même corde constitue un palan.)

2. MOUFLE n.m. Partie réfractaire d'un four dans laquelle sont disposés les produits à traiter pour les protéger soit de l'action directe du chauffage, soit de l'action oxydante de l'air.

MOUFLON n.m. Ruminant sauvage des montagnes de l'Europe et de l'Amérique du Nord, voisin du mouton.

MOUILLABILITÉ n.f. Propriété d'un solide mouillable.

MOUILLABLE adj. Qui peut se laisser mouiller par un liquide.

MOUILLAGE n.m. -1. Action de mouiller, d'imbiber d'eau. -2. Action d'ajouter de l'eau au lait, au vin, etc., dans une intention frauduleuse. -3. Emplacement favorable à l'ancrage d'un bâtiment de navigation. - 4. Manœuvre pour jeter l'ancre. -5. Mise à l'eau de mines sous-marines.

MOUILLANCE n.f. Propriété qu'a un mouillant d'augmenter l'aptitude du liquide dans lequel il est dissous à mouiller une surface.

MOUILLANT, E adj. -1. Se dit d'un liquide qui a la propriété de s'étendre sur une surface entrant en contact avec lui. -2. *Agent mouillant* ou *mouillant,* n.m., se dit d'un corps qui, mélangé à un liquide, lui permet de mouiller un solide plus facilement que s'il était pur.

MOUILLARD (Louis), ingénieur français (Lyon 1834 - Le Caire 1897). Il fut l'un des précurseurs de l'aviation, se basant sur l'observation du vol plané des oiseaux pour construire plusieurs planeurs, dont l'un parcourut une quarantaine de mètres en rasant le sol (1865).

MOUILLE n.f. -1. Creux entre les bancs d'alluvions du lit d'une rivière. -2. Avarie causée à une cargaison par l'humidité ou par une rentrée d'eau.

MOUILLÉ, E adj. *Consonne mouillée,* consonne articulée avec le son [j]. (En français, l'*n* est mouillé dans *manière.*)

MOUILLER v.t. -1. Rendre humide ; imbiber d'eau : *Mouiller du linge.* -2. Étendre d'eau une boisson : *Mouiller du vin.* -3. Ajouter à un mets du liquide pour composer une sauce : *Mouiller un ragoût.* -4. Pour un liquide en contact avec une surface, présenter une interface de raccordement faisant un angle aigu avec la surface. -5. Immerger : *Mouiller l'ancre.* ◆ v.i. -1. POP. Avoir peur. -2. Jeter l'ancre. ◆ **se mouiller** v.pr. -1. Être touché par la pluie, par l'eau. -2. FAM. Prendre des responsabilités, des risques dans une affaire.

MOUILLÈRE n.f. Partie de champ ou de pré ordinairement humide.

MOUILLETTE n.f. Morceau de pain long et mince qu'on trempe dans les œufs à la coque.

MOUILLEUR n.m. -1. Appareil pour mouiller, humecter. SYN. : **mouilloir.** -2. Appareil qui permet le mouillage des ancres, des mines. -3. *Mouilleur de mines,* petit bâtiment aménagé pour immerger des mines.

MOUILLOIR n.m. Mouilleur.

MOUILLURE n.f. -1. Action de mouiller. -2. État de ce qui est humide. -3. Caractère d'une consonne mouillée.

MOUJIK n.m. Paysan, dans la Russie d'ancien régime.

Moukden *(bataille de)* [20 févr.-11 mars 1905], victoire remportée par le Japon sur la Russie, pendant la guerre russo-japonaise.

1. **MOULAGE** n.m. -1. Action de prendre d'un objet une empreinte destinée à servir de moule. -2. Reproduction d'un objet faite au moyen d'un moule. -3. Action de verser, de disposer dans des moules des métaux, des plastiques, des pâtes céramiques, etc.

ENCYCL. Le moulage s'applique à des matériaux fluides ou fluidifiés (par chauffage), ou encore en poudre ou en grain. Il concerne aussi

1 - moulage
(châssis du dessus avant serrage du sable)

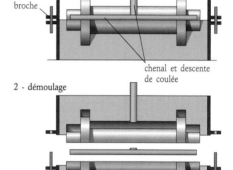

broche

chenal et descente
de coulée

2 - démoulage

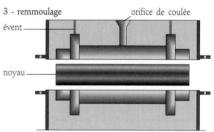

3 - remmoulage — orifice de coulée
évent —
noyau —

4 - coulée du métal — métal en fusion — air
poids de — charge

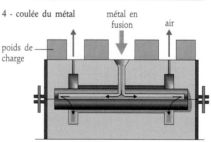

principe du **MOULAGE** au sable

bien les métaux (en fusion ou en poudre) que les plastiques et les élastomères, les verres, les céramiques, voire certains matériaux de construction (argile, béton).

Les métaux. Le *moulage au sable* (moulage en châssis ou moulage sur modèle) est la méthode la plus répandue. Il est pratiqué en particulier pour les grosses pièces ou les pièces de forme irrégulière. Le *moulage en coquille,* utilisé pour de petites pièces, permet la réutilisation du moule. Il permet, par exemple, de fabriquer en grand nombre des pièces en métaux non ferreux. Il faut également citer la technique ancienne du *moulage à la cire perdue.*

Les matières plastiques. Les procédés sont l'*injection,* l'*extrusion* et le *rotomoulage* (gélification au contact des parois chaudes d'un moule en rotation continue) ; ils nécessitent tous une plastification préalable, autrement dit une fusion complète. On peut y rattacher un autre type de transformation : l'*expansion* dans le moule. Ainsi, lors de la fabrication de mousses de polyuréthannes, les composants de base liquides, une fois mélangés, polymérisent en remplissant complètement l'espace du moule fermé. (→ FORMAGE, MATÉRIAU, USINAGE.)

2. **MOULAGE** n.m. Action de moudre.

MOULANT, E adj. Se dit d'un vêtement qui moule le corps.

1. **MOULE** n.m. -1. Objet présentant une empreinte creuse, dans laquelle on introduit une matière pulvérulente, pâteuse ou liquide, qui prend, en se solidifiant, la forme de l'empreinte. -2. Récipient pouvant affecter des formes diverses et servant au moulage de certains mets, en cuisine : *Moule à gaufre.* -3. Modèle imposé, type selon lesquels on construit qqch, on façonne qqn : *Esprits sortant du même moule.*

2. **MOULE** n.f. -1. Mollusque lamellibranche comestible, à coquille bivalve sombre, vivant fixé sur les rochers battus par la mer ou dans les estuaires. (L'élevage des moules est la *mytiliculture.*) -2. FAM. Personne sans énergie, maladroite ; mollasson. -3. *Moule d'étang,* anodonte. ‖ *Moule de rivière,* mulette.

MOULÉ, E adj. *Écriture moulée,* écriture dont les lettres sont bien formées. ‖ *Lettre moulée,* lettre tracée à la main et imitant une lettre d'imprimerie.

MOULER v.t. -1. Exécuter le moulage d'un objet : *Mouler une statue.* -2. Prendre l'empreinte

de qqch. -3. Accuser les contours du corps, d'une partie du corps en en épousant la forme.

MOULEUR n.m. Ouvrier qui exécute des moulages.

MOULIÈRE n.f. Établissement, au bord de la mer, où l'on pratique l'élevage des moules.

MOULIN n.m. (bas lat. *molinum,* de *mola,* meule). -1. Machine à moudre les grains de céréales ; bâtiment où elle est installée. -2. Appareil servant à moudre, à broyer du grain, des aliments : *Moulin à café, à légumes.* -3. FAM. Moteur d'avion, de voiture, de moto. -4. *Moulin à eau, à vent,* moulin mû par l'énergie hydraulique, éolienne. ‖ ANC. *Moulin à huile,* pressoir à huile. ‖ CANADA. *Moulin à scie,* scierie. RELIG. *Moulin à prières,* cylindre que les bouddhistes font tourner au moyen d'une poignée pour accumuler ainsi les mérites de la récitation des formules sacrées qu'il contient. TEXT. Appareil servant à mouliner des fils textiles.

MOULIN (Jean), administrateur et résistant français (Béziers 1899 - en déportation 1943). Préfet d'Eure-et-Loir (1940), il refusa de se plier aux exigences des Allemands lorsque ceux-ci occupèrent Chartres. Ayant gagné Londres, il favorisa l'union des différents mouvements de résistance et devint, en 1943, le premier président du Conseil national de la Résistance. Après son retour en France, trahi, il fut arrêté par la Gestapo (juin 1943), torturé et mourut au cours de son transfert en Allemagne. En 1964, ses cendres ont été transférées au Panthéon.

Jean **MOULIN,**
administrateur
et résistant
français.

MOULINAGE n.m. Action de mouliner.

MOULIN-À-VENT n.m. inv. Vin d'un cru réputé du Beaujolais.

Moulin de la Galette (le) → RENOIR (Auguste).

MOULINER v.t. -1. Écraser un aliment avec un moulin : *Mouliner du poivre.* -2. Réunir et tordre ensemble plusieurs fils textiles de façon à les consolider.

MOULINET n.m. -1. Tourniquet placé à l'entrée d'un accès réservé aux piétons. -2. Appareil fixé au manche d'une canne à pêche et dont l'élément essentiel est une bobine sur laquelle est enroulée la ligne. -3. Appareil à hélice pour mesurer la vitesse d'un courant d'eau.

MOULINETTE n.f. (nom déposé). Petit moulin électrique à couteaux pour broyer les aliments.

MOULINS, ch.-l. du dép. de l'Allier, dans le Bourbonnais, sur l'Allier, à 292 km au sud de Paris ; 23 353 hab. *(Moulinois).* Évêché. Constructions mécaniques et électriques. Chaussures. — Cathédrale des xve et xixe siècles (vitraux, œuvres d'art). Musées : d'Art et d'Archéologie ; de Folklore et du Vieux-Moulins.

MOULINS *(le Maître de),* nom de commodité donné à un peintre actif dans le centre de la France à la fin du xve siècle, auteur du célèbre triptyque de la *Vierge en gloire* à la cathédrale de Moulins, au style d'une élégante pureté, à la fois ferme et détendu (v. 1500). On rapproche de cette œuvre la *Nativité* du musée d'Autun (v. 1480) et divers portraits de donateurs (volets de triptyque avec les Bourbons, 1492, Louvre). Le Maître de Moulins pourrait être le Néerlandais Jean Hey, cité comme travaillant en France par des textes de l'époque et dont les Musées royaux de Bruxelles possèdent un *Ecce homo* signé et daté de 1494.

MOULMEIN, port de Birmanie, sur la Salouen ; 322 000 hab.

MOULOUD ou **MULUD** [mulud] n.m. (de l'ar. *Mūlūd al-Nabī,* anniversaire du Prophète). Fête religieuse musulmane qui célèbre l'anniversaire de la naissance du Prophète.

MOULOUYA (la), fl. du Maroc oriental, tributaire de la Méditerranée, près de la frontière algérienne, 450 km.

MOULU, E adj. -1. Rompu, brisé de fatigue, de coups : *Avoir le corps moulu.* -2. *Or moulu,* or réduit en poudre, employé au xviiie s. pour la dorure des métaux.

MOULURATION n.f. Ensemble des moulures d'un ouvrage d'architecture, d'un meuble.

MOULURE n.f. Ornement linéaire, en relief ou en creux, présentant un profil constant et servant à souligner une forme architecturale, à mettre en valeur un objet : *Les moulures d'une corniche.*

MOULURER v.t. -1. Exécuter une moulure sur une pièce de bois, une maçonnerie, etc. -2. Orner de moulures.

MOULURIÈRE n.f. Machine travaillant le bois à grande vitesse, destinée à la fabrication des moulures.

MOUM ou **BAMOUM,** peuple bantou du Cameroun.

MOUND [mawnd] n.m. → BURIAL-MOUND.

MOUNDA n.m. → MUNDA.

MOUNET-SULLY (Jean Sully Mounet, dit), acteur français (Bergerac 1841 - Paris 1916). Il interpréta à la Comédie-Française les grands rôles du répertoire tragique.

MOUNIER (Emmanuel), philosophe français (Grenoble 1905 - Châtenay-Malabry 1950). Son aspiration à la justice et sa foi chrétienne sont à l'origine du personnalisme. Fondateur de la revue *Esprit,* il a écrit notamment *Révolution personnaliste et communautaire* (1935) et *Traité du caractère* (1948).

MOUNIER (Jean-Joseph), homme politique français (Grenoble 1758 - Paris 1806). Il provoqua la réunion à Vizille des états du Dauphiné (1788), prélude à la Révolution. Député du tiers aux États généraux, il proposa le serment du Jeu de paume (20 juin 1789) et fut un des créateurs du groupe des *monarchiens,* partisans d'une monarchie à l'anglaise. Découragé par l'évolution de la Révolution, il démissionna dès novembre 1789 et s'exila jusqu'en 1801.

MOUNTBATTEN OF BURMA (Louis, 1er comte), amiral britannique (Windsor 1900 - en mer 1979). Commandant à Ceylan les forces alliées du Sud-Est asiatique (1943), il conquit la Birmanie et reçut la capitulation des Japonais à Saigon en 1945. Dernier vice-roi des Indes en 1947, il fut le premier chef d'état-major de la défense (1959-1965). Il périt sur son yacht, victime d'un attentat de l'IRA.

MOUNT VERNON, lieu-dit des États-Unis (Virginie), sur le Potomac. Ancien domaine et tombeau de Washington.

MOURAD → MURAD.

MOURANT, E adj. et n. Qui va mourir. ◆ adj. Près de disparaître ; qui s'affaiblit : *Voix mourante.*

MOURIR v.i. [42] (auxil. *être).* -1. Cesser de vivre, d'exister : *Mourir de vieillesse.* -2. Cesser de

vivre ; dépérir : *Plante qui meurt faute d'eau.*
-3. S'affaiblir progressivement : *Laisser le feu mourir.* **-4.** Disparaître : *Entreprise, civilisation qui meurt.* ◆ **se mourir** v.pr. LITT. Être près de s'éteindre ; être en passe de disparaître.

MOURMANSK, port de Russie, sur la mer de Barents ; 468 000 hab. Sur un profond fjord, c'est un grand port de pêche. Exportation du minerai de fer de la presqu'île de Kola.

MOURMELON-LE-GRAND, comm. de la Marne ; 6 460 hab. Camp militaire (11 836 ha).

MOUROIR n.m. PÉJ. Maison de retraite, service hospitalier, etc., où les personnes âgées ou malades ne reçoivent que peu de soins en attendant leur mort.

MOURON n.m. **-1.** Petite plante commune dans les cultures et les chemins, à fleurs rouges ou bleues, toxique pour les animaux. (Famille des primulacées.) **-2.** *Mouron des oiseaux* ou *mouron blanc,* stellaire à petites fleurs. (Famille des caryophyllacées.) SYN. : **morgeline.**

MOURRE n.f. Jeu dans lequel deux joueurs étendent la main simultanément, en montrant un ou plusieurs doigts et en annonçant la somme présumée des doigts montrés.

MOUSCRON, v. de Belgique (Hainaut), à la frontière française, face à Tourcoing ; 53 513 hab. Textile. − Château comtal du XIIIᵉ siècle.

MOUSMÉ n.f. VX. Jeune fille, jeune femme, au Japon.

MOUSQUET n.m. Arme à feu portative employée aux XVIᵉ et XVIIᵉ s. (Introduit en France après la bataille de Pavie [1525], le mousquet était jusqu'en 1650 appuyé sur une fourche pour le tir.)

MOUSQUETAIRE n.m. (de *mousquet*). **-1.** Gentilhomme d'une des deux compagnies à cheval de la maison du roi (XVIIᵉ-XVIIIᵉ s.). **-2.** *Bottes à la mousquetaire,* bottes à revers. ‖ *Gants à la mousquetaire,* gants à large crispin. ‖ *Poignet mousquetaire,* manchette.

MOUSQUETERIE n.f. VX. ou LITT. Décharge de plusieurs mousquets qui tirent en même temps.

1. MOUSQUETON n.m. Fusil court et léger en usage jusqu'à la Seconde Guerre mondiale.

2. MOUSQUETON n.m. Boucle métallique qu'une lame élastique ou un ergot articulé maintient fermée, constituant un système d'accrochage susceptible d'être engagé ou dégagé rapidement.

MOUSSAGE n.m. Introduction dans un latex naturel ou synthétique d'un courant d'air finement atomisé, permettant d'obtenir une texture cellulaire ou spongieuse.

MOUSSAILLON n.m. FAM. Petit mousse, jeune mousse.

MOUSSAKA n.f. Plat grec ou turc, composé d'aubergines, de viande, de tomates et d'œufs cuits au four.

MOUSSANT, E adj. Qui produit de la mousse.

1. MOUSSE n.m. Marin de moins de 17 ans.

2. MOUSSE n.f. Plante formée d'un tapis de courtes tiges feuillues serrées les unes contre les autres, vivant sur le sol, les arbres, les murs, les toits. (Embranchement des bryophytes ; classe des muscinées.)
→ ● DOSSIER LES MOUSSES *page suivante.*

3. MOUSSE n.f. **-1.** Couche liquide contenant des bulles d'air, à la surface de certains liquides ; écume. **-2.** Préparation culinaire dont les ingrédients ont été battus et présentant une consistance onctueuse : *Mousse de foie.* **-3.** Matière plastique cellulaire. **-4.** *Mousse au chocolat,* crème à base de chocolat et de blanc d'œuf battu. ‖ *Point mousse,* point de tricot qui ne comporte que des mailles à l'endroit.

4. MOUSSE adj. Qui n'est pas aigu, pas tranchant : *Lame mousse.*

MOUSSELINE n.f. (it. *mussolina,* tissu de Mossoul). Tissu peu serré, léger, souple et transparent. ◆ adj. inv. *Pommes mousseline,* purée de pommes de terre très légère. ‖ *Sauce mousseline,* sauce hollandaise additionnée de crème fouettée. ‖ *Verre mousseline,* verre très fin, dépoli, orné de dessins transparents.

MOUSSER v.i. Produire de la mousse : *Le champagne mousse.*

MOUSSERON n.m. Petit champignon comestible délicat, poussant en cercle dans les prés, les clairières. (Famille des agaricacées ; genre tricholome.) SYN. : **meunier.**

MOUSSEUX, EUSE adj. **-1.** Qui mousse. **-2.** Se dit d'un vin ou d'un cidre contenant du gaz carbonique sous pression et qui, fraîchement débouché, produit une légère mousse. ◆ **mousseux** n.m. Vin mousseux autre que le champagne.

MOUSSON n.f. (néerl. *moeçon,* ar. *mausim,* saison). Vent saisonnier qui souffle, surtout dans l'Asie méridionale, alternativement vers la mer (en hiver : *mousson sèche*) et vers la terre (en été : *mousson humide*) pendant plusieurs mois.

LES MOUSSES

Les mousses sont des végétaux de petite taille de structure relativement simple. Leur abondance les range parmi les plantes les plus souvent rencontrées par les promeneurs.

L'habitat.

Les mousses et les hépatiques forment l'embranchement des bryophytes. Les mousses comptent plus de 13 000 espèces. Leur habitat habituel est généralement celui des zones humides, sur le sol des forêts, sur les troncs d'arbres ou dans les anfractuosités des rochers. Mais il existe aussi des espèces, dites « saxicoles », qui supportent plusieurs mois de sécheresse. Elles vivent alors de façon ralentie (anhydrobiose) tout comme les petits animaux (anguillules, rotifères, tardigrades) qu'elles hébergent. La tourbe est produite par l'accumulation des restes d'une mousse vivant dans les marécages.

La forme générale.

Une mousse typique est le polytric : mesurant quelques centimètres de hauteur, celui-ci vit sur la terre des forêts en constituant souvent des coussins très fournis.

Les mousses sont de petits végétaux, surtout terrestres, sans fleurs, et dont l'appareil végétatif est ordinairement formé de tiges feuillées, le *cormus*. La structure cellulaire des tiges montre deux zones. La zone externe est formée de cellules parenchymateuses ne possédant pas toutes les caractéristiques d'un épiderme. La zone centrale est composée de petites cellules très allongées et à parois minces. Quoique très différent des structures vasculaires des plantes supérieures, ce tissu joue un rôle dans la conduction de la sève. Il intervient aussi comme organe de soutien de la plante. Les feuilles des mousses, à la différence de celles des hépatiques, sont pourvues d'une seule nervure centrale. Elles sont épaisses de plusieurs assises cellulaires (couches de cellules) en leur centre, pour devenir plus minces en périphérie et ne comporter qu'une seule assise. Enfin, ces feuilles sont richement pourvues en chlorophylle et pratiquent la photosynthèse, qui assure la synthèse des éléments carbonés.

Ces plantes feuillées correspondent au gamétophyte, structure dont le patrimoine génétique ne contient que *n* chromosomes (soit la moitié du stock génétique total). Par comparaison, chez les plantes supérieures, la plante feuillée possède 2 *n* chromosomes.

❶ Mousses :
tiges et sporogones.

La reproduction.

Le cycle de reproduction est relativement homogène chez les mousses et les bryophytes. Les tiges, aux cellules haploïdes (*n* chromosomes seulement), portent soit à leur apex (mousses acrocarpes), soit latéralement (mousses pleurocarpes) des organes mâles (anthéridies) ou femelles (archégones). À maturité, les anthéridies laissent échapper des anthérozoïdes, qui nagent dans l'eau de pluie ou de rosée et rejoignent les oosphères contenues dans les archégones. Après la fécondation, l'œuf est à l'origine d'un sporophyte (ou *sporogone*) qui vit en parasite sur la plante. Ce sporophyte est formé d'une petite tige nue (soie) surmontée d'une capsule à l'intérieur de laquelle se développent les spores. Cette capsule, protégée par une coiffe, est fermée par un opercule et, ordinairement, par un péristome denté. Un jour sec, la coiffe s'envole, les dents du péristome font sauter l'opercule et les spores se dispersent. Après cette libération, elles tombent sur le sol et donnent, après germination, un *protonéma*, filament vert allongé, ramifié, pourvu de rhizoïdes, et d'où partent les tiges feuillées. Sans vraies racines, les mousses absorbent par leurs feuilles les eaux de pluie.

ÉCOLOGIE DES MOUSSES

Dans la plupart des régions où elles poussent, les mousses ont un rôle de protection et de stabilisation des sols nus. La couche de mousse permet, en cas de sécheresse par exemple, de sauvegarder une certaine humidité dans les premiers centimètres du sol aussi bien que dans l'air ambiant. De plus, le feutrage dense formé par leurs organes (filaments, poils, tiges feuillées, etc.) offre un lieu idéal pour la germination des autres plantes, tout en fournissant de l'humus.

❷ Grimmia
(*Grimmia crinita*).

❸ Bryum
(*Bryum argenteum*).

MOUSSORGSKI (Modest Petrovitch), compositeur russe (Karevo 1839 - Saint-Pétersbourg 1881). Il fut membre du groupe des Cinq et son nom est resté attaché à une centaine de mélodies – dont plusieurs constituent des cycles réalistes ou dramatiques (*les Enfantines,* 1868-1872 ; *Sans soleil,* 1874 ; *Chants et danses de la mort,* 1875-1877) –, à un grand ensemble pour piano (*Tableaux d'une exposition,* 1874) et à un célèbre poème symphonique (*Une nuit sur le mont Chauve,* 1867). Moussorgski a aussi donné toute sa mesure dans ses opéras *Boris Godounov* (1868-1872), *la Khovanchtchina* (1872-1880, terminé par Rimski-Korsakov), *la Foire de Sorotchintsy* (1874-1880). Chacune de ses fresques oppose au récitatif pathétique de grands chœurs colorés, qui entendent évoquer le peuple prenant part à une action historique.

MOUSSU, E adj. Couvert de mousse : *Un banc moussu.*

MOUSTACHE n.f. -**1.** Poils qu'on laisse pousser au-dessus de la lèvre supérieure. -**2.** Poils latéraux, longs et raides, de la gueule de certains animaux. SYN. : vibrisses.

MOUSTACHU, E adj. Qui a une moustache, de la moustache.

MOUSTÉRIEN, ENNE adj. et n.m. (du *Moustier*). Se dit d'un faciès culturel du paléolithique moyen caractérisé par des pointes triangulaires et des racloirs obtenus par des retouches d'éclats sur une seule face (70000-35000 av. J.-C.).

ENCYCL. Le moustérien débute au cours de la glaciation riss et s'éteint au paléolithique supérieur. Il doit son nom à la commune de Peyzac-le-Moustier (Dordogne), où l'on découvrit en 1908 un squelette du type de Neandertal. Largement répandue en Europe, au Moyen-Orient, en Asie et en Afrique du Nord, cette industrie est associée aux activités de l'homme de Neandertal.

MOUSTIER (le), écart de la comm. de *Peyzac-le-Moustier* (Dordogne), sur la Vézère (r. dr.). Site préhistorique, éponyme du faciès moustérien.

MOUSTIQUAIRE n.f. -**1.** Rideau de tulle, de mousseline dont on entoure les lits pour se préserver des moustiques. -**2.** Châssis en toile métallique placé aux fenêtres et ayant le même usage.

MOUSTIQUE n.m. -**1.** Insecte diptère à abdomen allongé et à longues pattes fragiles, dont la femelle pique la peau de l'homme et des animaux pour se nourrir de leur sang. (Le mâle se nourrit du nectar des fleurs. Le moustique de France est le *cousin ;* le moustique qui transmet le protozoaire responsable du paludisme est l'*anophèle.*) -**2.** FAM. Enfant.

MOÛT n.m. -**1.** Jus de raisin non fermenté. -**2.** Jus de fruits ou de végétaux que l'on fait fermenter pour préparer des boissons alcooliques.

MOUTARDE n.f. -**1.** Crucifère annuelle très commune en Europe et en Asie, à fleurs jaunes, et dont les fruits fournissent le condiment du même nom : *Moutarde blanche.* -**2.** Graine de cette plante : *Pulvérisée, la moutarde sert à préparer les sinapismes.* -**3.** Condiment préparé avec ces graines broyées et du vinaigre. ◆ adj. inv. D'une couleur jaune verdâtre.

MOUTARDIER n.m. -**1.** Fabricant de moutarde. -**2.** Petit pot dans lequel on sert la moutarde sur la table.

MOUTIER n.m. vx (ou dans des noms de villes). Monastère.

MOUTON n.m. -**1.** Mammifère ruminant porteur d'une épaisse toison bouclée (laine), dont seul le mâle adulte *(bélier),* chez certaines races, porte des cornes annelées et spiralées, et que l'on élève pour sa chair, sa laine et, dans certains cas, pour son lait. (Long. 1,50 m ; poids 150 kg ; longévité env. 10 ans.) *Le mouton femelle est la brebis, le jeune, l'agneau. Le mouton bêle, pousse son cri.* (V. ENCYCL.) -**2.** Viande, cuir ou fourrure de cet animal. -**3.** Homme crédule ou d'humeur douce. -**4.** ARG. Compagnon de cellule d'un prisonnier chargé d'obtenir de lui des aveux. MÉTALL. Appareil d'essai de choc. ‖ Machine à forger ou à estamper agissant par le choc d'une masse frappante sur la pièce à former. TECHN. Grosse pièce de bois dans laquelle sont engagées les anses d'une cloche. TRAV. PUBL. Dispositif utilisé pour enfoncer dans le sol des pieux servant d'appui aux fondations de construction. ◆ pl. -**1.** Petites lames couvertes d'écume, apparaissant sur la mer par brise de force moyenne. -**2.** Petits nuages floconneux. -**3.** Amas de poussière d'aspect laineux.

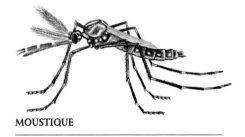

MOUSTIQUE

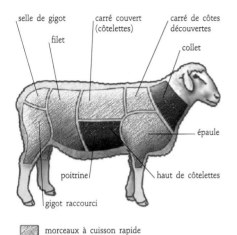

selle de gigot
filet
carré couvert (côtelettes)
carré de côtes découvertes
collet
épaule
poitrine
haut de côtelettes
gigot raccourci

morceaux à cuisson rapide
morceaux à cuisson lente

MOUTON :
désignation des morceaux de boucherie

ENCYCL. Le mouton *(Ovis dries)* a comme ancêtre le mouflon proche-oriental. Il a été domestiqué il y a environ 7 000 ans, sans doute en Iran et dans le nord de l'Inde. Il existe un grand nombre de races, composées d'animaux dont le poids adulte varie de 30 à 120 kg et dont la toison peut être constituée de laine (races *mérinos*), d'un mélange de laine et de poils en proportion variable ou uniquement de poils (races des zones tropicales). L'activité sexuelle des ovins dépend du rythme nycthéméral : les chaleurs des femelles se manifestent naturellement en période de jours décroissants. La durée de gestation est en moyenne de 145 jours et les mises bas ont lieu en général une fois par an, habituellement en hiver ou au début du printemps. Comme leurs besoins alimentaires ne sont élevés qu'en fin de gestation et en début de lactation (soit environ 3 à 4 mois par an), ces animaux sont capables de tirer parti des zones à faible productivité agronomique (parcours, landes et friches en zones montagneuses ou arides).

La viande. La production de viande ovine, sous forme d'agneaux (mâles et femelles de moins d'un an) ou de moutons (mâles castrés de plus d'un an), donne lieu à un important commerce international (17 % de la production mondiale), depuis les pays excédentaires de l'hémisphère Sud (Nouvelle-Zélande, Australie) vers les zones déficitaires (Moyen-Orient, C. E., Japon).

Les autres productions. Le lait obtenu par la traite des brebis de races laitières est le plus souvent transformé en fromages à longue conservation et de très bonne qualité (roquefort en France). Quant à la production de laine, elle se concentre dans l'hémisphère Sud (Australie, Nouvelle-Zélande, Argentine, Afrique du Sud).

MOUTON (Georges), *comte* de Lobau, maréchal français (Phalsbourg 1770 - Paris 1838). Aide de camp de Napoléon (1805), il s'illustra à Friedland (1807) et dans l'île Lobau (1809). Commandant de la Garde nationale de Paris (1830), il fut fait maréchal par Louis-Philippe.

MOUTON-DUVERNET (Régis Barthélemy, *baron*), général français (Le Puy 1769 - Lyon 1816). Il servit en Espagne (1808-1812) et en Allemagne (1809). Rallié à Louis XVIII en 1814, il se joignit à Napoléon durant les Cent-Jours et fut fusillé.

MOUTONNÉ, E adj. *Ciel moutonné,* ciel couvert de petits nuages blancs (cirrocumulus). ‖ *Roches moutonnées,* roches dures, façonnées en bosses et en creux, et polies par les glaciers.

MOUTONNEMENT n.m. Fait de moutonner ; aspect de la mer, du ciel qui moutonnent.

MOUTONNER v.i. **-1.** Se briser en produisant une écume blanche, en parlant de la mer : *Les vagues moutonnent.* **-2.** Se couvrir de petits nuages blancs et pommelés, en parlant du ciel.

MOUTONNEUX, EUSE adj. Qui moutonne ; qui se couvre de vagues ou de nuages.

MOUTONNIER, ÈRE adj. **-1.** Relatif au mouton : *Élevage moutonnier.* **-2.** Qui suit aveuglément et stupidement l'exemple des autres.

MOUTURE n.f. (lat. pop. *molitura,* de *molere,* moudre). **-1.** Action ou manière de moudre les céréales, le café ; produit résultant de cette opération. **-2.** Nouvelle présentation d'un thème, d'un sujet déjà traité auparavant : *C'est le même livre, dans une nouvelle mouture.*

MOUVANCE n.f. **-1.** État de dépendance d'un fief par rapport au domaine éminent dont il relevait. **-2.** Secteur d'activité dans lequel qqn ou qqch exerce son influence. **-3.** LITT. Caractère de ce qui est mouvant.

MOUVANT, E adj. **-1.** Qui bouge sans cesse, qui n'est pas stable : *Foule, situation mouvante.* **-2.** Qui a peu de consistance ; qui s'affaisse : *Sables mouvants.*

MOUVEMENT n.m. **-1.** Déplacement, changement de position d'un corps dans l'espace : *Mouvement d'un astre.* **-2.** Action ou manière de se mouvoir, de déplacer le corps, une partie du corps ; ensemble des gestes, des déplacements du corps : *Mouvement de tête.* **-3.** Ensemble des déplacements d'un groupe : *Mouvements de foule.* **-4.** Animation, agitation : *Quartier plein de mouvement.* **-5.** Animation, vivacité, rythme d'une œuvre littéraire, artistique ; partie d'une œuvre considérée dans sa dynamique : *Mouvement d'une phrase.* **-6.** Impulsion, élan qui portent à manifester un sentiment : *Mouvement de colère.* **-7.** Action collective visant à un changement : *Mouvement insurrectionnel.* **-8.** Organisation politique, syndicale, culturelle, etc. **HORLOG.** *Mouvement (d'horlogerie),* ensemble des pièces d'un appareil horaire assemblées pour en assurer le fonctionnement. **MÉCAN.** Ensemble de mécanismes engendrant le déplacement régulier d'une machine, d'un de ses organes. ‖ *Mouvement perpétuel,* mouvement qui serait capable de fonctionner indéfiniment sans dépense d'énergie. (L'impossibilité de son existence découle des lois de la thermodynamique.) **MIL.** Déplacement d'une formation militaire dans un but tactique. **MUS.** Degré de vitesse de la mesure (indiqué par des termes génér. italiens ou par un nombre correspondant à une graduation du métronome). ‖ Partie d'une œuvre musicale (d'une symphonie, notamm.). **PHYS.** *Mouvement absolu d'un corps,* mouvement envisagé par rapport à des repères fixes. ‖ *Mouvement ondulatoire,* propagation d'une vibration périodique avec transport d'énergie. ‖ *Mouvement uniforme,* mouvement dont la vitesse est constante. ‖ *Quantité de mouvement d'un point matériel,* vecteur égal au produit de la masse de ce point par son vecteur vitesse. **TOPOGR.** *Mouvement de terrain,* portion de terrain présentant une forme particulière qui la distingue du terrain avoisinant. **TRAV. PUBL.** *Mouvement des terres,* exécution de remblais ou de déblais avec des engins appropriés.

ENCYCL. PHYSIQUE

L'étude des mouvements, en relation avec leurs causes, constitue l'ensemble de la mécanique. La *cinématique* est la description des mouvements sans référence à leurs causes, celles-ci relevant de la *dynamique.* Mais il est probable que la « pure » description cinématique n'est pas antérieure à l'élaboration des notions dynamiques : elles vont de pair.

La cinématique. En même temps que devenait moins floue la notion de force, la cinématique s'occupait d'objets définis avec une précision et une abstraction croissantes. Ainsi est apparu le *solide,* corps indéformable, c'est-à-dire dont 2 points quelconques gardent une distance invariable. Pour dépouiller le solide de la possibilité de tourner sur lui-même, la cinématique a défini le *point matériel,* décrit par sa trajectoire et sa vitesse : dans l'espace à 3 dimensions, la situation du point matériel est définie à chaque instant par ses 3 coordonnées dans un système de 3 axes, ou *repère.* Il en résulte que la description du mouvement d'un point matériel dépend du repère choisi pour définir sa position. En particulier, sa trajectoire et sa vitesse sont différentes dans des repères en mouvement relatif.

Galilée, au début du XVIIe siècle, a mis en évidence le premier ce rôle essentiel du repère et commencé l'étude des repères en mouvement relatif, étude liée aux problèmes posés en astronomie par le modèle de Copernic (déplacements de la Lune par rapport à la Terre tandis que celle-ci tourne autour du Soleil, par ex.). Cinquante ans plus tard, en unifiant les lois des mouvements des planètes avec celles de la chute des corps, Newton complétera l'édification de la mécanique classique. (→ MÉCANIQUE.)

Mouvement *(parti du),* tendance politique libérale qui, au début de la monarchie de Juillet, s'opposa au parti de la Résistance. Ses principaux chefs en étaient La Fayette, Laffitte et Odilon Barrot.

Mouvement de libération des femmes → M. L. F.

MOUVEMENTÉ, E adj. Agité, troublé par des événements subits : *Séance mouvementée.*

MOUVEMENTER v.t. Modifier le montant d'un compte bancaire ou postal.

Mouvement républicain populaire → M. R. P.

MOUVOIR v.t. [54]. **-1.** Mettre qqch en mouvement, le remuer, le faire changer de place. **-2.** Pousser qqn, le faire agir : *Être mû par l'intérêt.* ◆ **se mouvoir** v.pr. Être en mouvement.

MOXA n.m. **-1.** Pratique thérapeutique de la médecine extrême-orientale traditionnelle consistant à mettre la peau en contact avec un corps incandescent (souvent bâtonnet d'armoise ou petite quantité de poudre de cette plante). **-2.** Cautère utilisé pour le moxa.

MOYE ou **MOIE** [mwa] n.f. (bas lat. *mediare,* de *medius,* qui est au milieu). Couche tendre dans une pierre dure.

MOYÉ, E [mwaje] adj. Qui contient des moyes : *Roche moyée.*

1. MOYEN, ENNE adj. -1. Qui se situe entre deux extrêmes : *Homme de taille moyenne.* -2. Qui n'est ni bon ni mauvais : *Élève moyen.* -3. Qui est obtenu en calculant une moyenne : *Prix moyen.* -4. *Français moyen,* celui que l'on juge représentatif de la masse des Français. ‖ *Vitesse moyenne,* quotient de la distance parcourue par la durée du parcours. ENSEIGN. *Cours moyen,* classes (cours moyen 1ʳᵉ année, cours moyen 2ᵉ année) où l'on reçoit les enfants de neuf à onze ans dans l'enseignement du premier degré en France. LING. *Moyen français,* stade intermédiaire du français (entre l'ancien français et le français classique), parlé entre le XIVᵉ et le XVIᵉ s. ‖ *Voix moyenne* ou *moyen,* n.m., voix de la conjugaison grecque qui exprime un retour de l'action sur le sujet (pronominal réfléchi ou réciproque en français). LOG. *Moyen terme,* élément d'un syllogisme commun à la majeure et à la mineure. MATH. *Termes moyens d'une proportion* ou *moyens,* n.m. pl., termes B et C de l'égalité $\frac{A}{B} = \frac{C}{D}$. SPORTS. *Poids moyen,* catégorie de poids en boxe et dans certains autres sports ; sportif appartenant à cette catégorie.

2. MOYEN n.m. -1. Ce qui sert d'intermédiaire, ce qui permet de faire qqch : *La fin justifie les moyens.* -2. Arguments présentés par une partie à un procès. -3. Voix moyenne. ◆ pl. -1. Ressources pécuniaires : *Vivre selon ses moyens.* -2. Capacités, aptitudes physiques ou intellectuelles : *Perdre tous ses moyens.* -3. Termes moyens d'une proportion mathématique.

MOYEN ÂGE n.m. -1. Période de l'histoire du monde située entre l'Antiquité et l'époque moderne. -2. En Europe, période qui s'étend de la disparition de l'Empire romain en Occident (476) à la chute de Constantinople (1453) et qui se caractérise notamm. par le morcellement politique et une société agricole divisée en une classe noble et une classe paysanne asservie. (→ EUROPE.) -3. *Haut Moyen Âge,* du Vᵉ s. à l'an mille env.

MOYENÂGEUX, EUSE adj. -1. Médiéval. -2. FAM., PÉJ. Qui évoque le Moyen Âge ; suranné : *Idées moyenâgeuses.*

MOYEN-COURRIER n.m. et adj. (pl. moyen-courriers). Avion de transport destiné à voler sur des distances moyennes (génér. inférieures à 2 000 km).

MOYEN EMPIRE → ÉGYPTE.

MOYEN(-)MÉTRAGE n.m. (pl. moyens[-]métrages). Film dont la durée (de 30 à 60 minutes) se situe entre celle du court-métrage et celle du long-métrage.

MOYENNANT prép. Au moyen de ; à la condition de : *Moyennant cette somme.*

MOYENNE n.f. -1. Quantité, chose, état qui tiennent le milieu entre plusieurs autres, qui sont éloignés des extrêmes et correspondent au type le plus répandu : *Une intelligence au-dessus de la moyenne.* -2. Note égale à la moitié de la note maximale qui peut être attribuée à un devoir ou à une copie d'examen : *Il a obtenu la moyenne en mathématiques.* -3. Quantité obtenue en additionnant toutes les quantités données et en divisant ce total par le nombre de quantités. -4. Vitesse moyenne : *Rouler à 80 km/h de moyenne.* MATH. *Moyenne arithmétique (de plusieurs nombres),* somme de ces nombres divisée par le nombre de termes. ‖ *Moyenne géométrique de* n *nombres,* racine $n^{ième}$ de leur produit. ‖ *Moyenne quadratique (de plusieurs nombres),* racine carrée de la moyenne arithmétique de leur carré. POLIT. *Moyenne de liste* ou *plus forte moyenne,* moyenne du nombre de voix obtenues par les candidats d'une liste, dans un mode de scrutin à la proportionnelle.

MOYENNEMENT adv. De façon moyenne ; ni peu ni beaucoup.

MOYEN-ORIENT, en angl. Middle East, ensemble formé par l'Égypte et par les États d'Asie occidentale. Le concept géographique de Moyen-Orient recouvre partiellement celui de Proche-Orient. Quant au concept géopolitique, il s'oppose, d'une part, à celui d'Extrême-Orient et, d'autre part, à celui d'Occident.
→ ● DOSSIER LE MOYEN-ORIENT *page 3696.*

MOYEN-ORIENTAL, E, AUX adj. Qui se rapporte au Moyen-Orient.

MOYEN-PAYS → PLATEAU.

MOYETTE [mwajɛt] n.f. Petit tas de gerbes dressées dans un champ pour permettre au grain de sécher.

MOYEU [mwajø] n.m. -1. Pièce centrale sur laquelle sont assemblées les pièces qui doivent tourner autour d'un axe. -2. Pièce centrale traversée par l'essieu, dans la roue d'un véhicule.

MOYNIER (Gustave), juriste et philanthrope suisse (Genève 1826 - *id.* 1910), l'un des fondateurs de la Croix-Rouge (1863).

MOZABITE ou **MZABITE** adj. et n. Du Mzab.

LE MOYEN-ORIENT

Le concept géographique de « Moyen-Orient » recouvre largement celui de Proche-Orient, qui est plus ou moins utilisé
concurremment pour les mêmes pays, et son contenu n'est pas
nettement défini. Ainsi, le Moyen-Orient comprend toujours les
pays riverains de la Méditerranée orientale (Turquie, Syrie,
Liban, Israël, Égypte), la Jordanie et l'Iraq, la péninsule arabique,
l'Iran et, souvent, l'Afghanistan. Mais il est parfois étendu à la
Libye, au Soudan et même à des pays du subcontinent indien
(Pakistan notamment).

■ GÉOGRAPHIE

Entre l'Extrême-Orient et l'Occident, le Moyen-Orient s'est
défini traditionnellement comme une zone de passage,
comme un isthme entre les grandes masses continentales
eurasiatique et africaine d'une part, entre la Méditerranée et
l'océan Indien d'autre part. Cette fonction de transit, jadis
exprimée par le commerce caravanier qui avait favorisé la prospérité de grands centres urbains à rôle d'entrepôt, avait décliné
aux Temps modernes au profit des routes maritimes, avant de
connaître un renouveau spectaculaire depuis l'ouverture du
canal de Suez (1869). Plus récemment, le Moyen-Orient est surtout apparu comme la principale région productrice de pétrole
du monde. Il le demeure, malgré un déclin relatif, mais constitue surtout aujourd'hui une zone d'instabilité politique, que le
renouveau islamique ne contribue pas à atténuer.

■ HISTOIRE

Dès le Xe millénaire, les premières communautés paysannes
apparaissent au Moyen-Orient, dans le « Croissant fertile », zone
comprenant les territoires actuels de la Syrie, du Liban, d'Israël
et de l'Iraq.

Le Moyen-Orient ancien.

Cités et royaumes en Mésopotamie. La Mésopotamie est, avec
l'Égypte, le premier lieu de développement d'une civilisation
historique. Dès la fin du IVe millénaire, les peuples de
Mésopotamie élaborent une écriture, dite « cunéiforme », qui
sera utilisée jusqu'au Ier siècle de notre ère. Du IVe au IIIe millénaire, une brillante civilisation se développe en basse
Mésopotamie. Sumer est constitué d'un ensemble de cités-
États (Lagash, Our, Ourouk) que dirigent des princes, vicaires
(ensi) du dieu de la cité. Alors que les rois de Babylone donnent

à leur empire (XXIVᵉ-VIᵉ s. av. J.-C.) une structure hiérarchisée, les Assyriens (XXᵉ-VIIᵉ s. av. J.-C.) construisent successivement plusieurs capitales (Assour, Ninive). Contrairement à l'Égypte, la Mésopotamie est un lieu de passage et son histoire est rythmée par des invasions brutales ou par le lent changement qu'entraîne l'arrivée continue de nomades sémites (Akkadiens, Amorrites, Araméens) venus des steppes arabes et syriennes. (→ Mésopotamie.)

De la civilisation pastorale à la vie maritime. Le domaine des Sémites dits « de l'Ouest » s'étend de la Cilicie à la mer Rouge et de la Méditerranée à la steppe de Syrie. On peut appeler « proto-Cananéens » les Sémites établis dans ces régions avant l'arrivée des Amorrites, à la fin du IIIᵉ millénaire. Les Cananéens occupent les terres proches de la mer, dans un espace limité par les fleuves Oronte et Jourdain et par la Méditerranée, les Amorrites vivant dans la Syrie du Nord. À partir du XIIIᵉ s. av. J.-C., aux incursions séculaires des Sémites nomades, les Araméens, s'ajoutent les effets d'une invasion massive et violente, celle des Peuples de la Mer, venus du monde égéen. Au siècle suivant, les Cananéens survivants se fixent sur le littoral : ce sont les Phéniciens, dont les cités (Byblos, Tyr, Sidon) envoient leurs navires jusque sur les bords de l'Atlantique. Au sud, les Philistins (rameau des Peuples de la Mer) s'installent sur le rivage d'un pays auquel ils donnent leur nom, la Palestine. À l'est, jusqu'aux massifs montagneux du Liban, les Araméens nomades (Hébreux) vont s'organiser au XIIIᵉ siècle en 12 tribus, à l'origine des royaumes d'Israël et de Juda.

Les civilisations des plateaux et des steppes. À partir de 2000 av. J.-C., de nouveaux peuples apparaissent au Moyen-Orient, les Indo-Européens. Ils connaissent le fer, ont domestiqué le cheval et leurs chefs se déplacent sur des chars de guerre. Les Hittites occupent l'Asie Mineure, tandis que les Iraniens occupent tout le plateau de l'Iran, et leurs peuples atteignent les montagnes qui bordent la plaine mésopotamienne. Les Hittites (du XVIIIᵉ au XIIᵉ s.), les Iraniens, Mèdes et Perses (du VIIᵉ au VIᵉ s.), fondent de grands et durables empires. L'ouest de l'Asie Mineure, au contraire, est le lieu de brutales invasions de peuples cavaliers venus de la steppe aux VIIIᵉ et VIIᵉ siècles, les Cimmériens et les Scythes. En 550, l'Empire perse achéménide remplace l'Empire mède et étend pendant plus de deux siècles sa domination à tout le Proche-Orient. Après sa conquête par Alexandre le Grand (336-323), cet empire entre dans le monde hellénistique.

Des Parthes aux Sassanides. À la mort d'Alexandre, son empire est partagé entre ses lieutenants, les *diadoques,* qui fondent des dynasties, les Séleucides au Moyen-Orient et les Lagides en

LE MOYEN-ORIENT

Égypte. Cependant, si la partie occidentale du Proche-Orient suit avec des fortunes diverses le sort des provinces romaines puis byzantines, les Parthes (IIe s. av. J.-C.-IIe s. apr. J.-C.) puis les Sassanides (224-651) dominent l'Iran et une partie de la Mésopotamie.

Depuis la conquête arabe.

La conquête arabe. Mahomet et le Coran donnent aux Arabes, jusque-là essentiellement nomades et divisés en tribus ou en cités-États rivales, un code de valeurs morales, sociales, juridiques et, dans une certaine mesure, politiques. Après sa mort (632), les quatre premiers califes parachèvent l'unification de l'Arabie et dirigent la première grande vague de conquêtes. Ils enlèvent aux Perses Sassanides la Mésopotamie puis l'Iran (633-642), aux Byzantins la Palestine et la Syrie (633-640) ainsi que l'Égypte (640-642). Sous les Omeyyades (661-750), le centre de l'empire devient Damas. Les populations soumises, progressivement arabisées et islamisées, fournissent les cadres de l'administration. Leur culture s'intègre à la civilisation de synthèse qui s'élabore alors et s'étendra ensuite à l'ensemble du monde musulman.

L'apogée médiéval (VIIIe-XVe s.). Bagdad, résidence des califes abbassides (750-1258) est la nouvelle capitale du monde musulman. Les vieux pays d'oasis et de terres irriguées développent leurs productions agricoles et leurs activités artisanales (ateliers textiles, frappe de monnaie). Le Moyen-Orient assure le transit, caravanier ou maritime, entre l'Extrême-Orient, l'océan Indien et l'Occident. Il dispose de deux vastes ensembles maritimes : d'une part, le golfe Persique et la mer Rouge, à partir desquels les marins arabes et persans gagnent l'océan Indien et établissent des comptoirs le long des côtes de l'Inde, de l'Asie du Sud-Est et de l'Afrique orientale ; d'autre part, la Méditerranée orientale, aux populations commerçantes qui ont pris la relève des Phéniciens.

Le déclin (XIe-XVe s.). Dans la seconde moitié du XIe siècle surviennent les troubles et les invasions qui provoquent le déclin des villes et des échanges commerciaux. L'hégémonie, jusqu'alors détenue par les Arabes, passe aux Turcs. Les Seldjoukides se rendent maîtres de l'Iran, de l'Iraq, de la Syrie et enlèvent aux Byzantins une grande partie de l'Asie Mineure après leur victoire de 1071. Devenus les protecteurs du califat et du sunnisme, les nouveaux maîtres ne peuvent cependant résister aux croisés. L'Europe occidentale a en effet pris son essor économique et démographique, et domine le littoral de la Syrie et de la Palestine de 1099 à 1291. Par ailleurs, le monde musulman est pris à revers par les Mongols, qui conquièrent l'Iran et

---

LES OCCIDENTAUX ET LES ASPIRATIONS NATIONALES

Sorti vaincu de la Première Guerre mondiale, l'Empire ottoman est démembré. Les Occidentaux se font confier des mandats de la S. D. N. sur ses anciennes possessions arabes : la France sur le Liban et la Syrie, la Grande-Bretagne sur l'Égypte, la Palestine, la Transjordanie et l'Iraq. Face aux revendications nationalistes, les puissances mandataires font alterner la répression et les concessions, et avivent les antagonismes entre les communautés ethniques et religieuses de la région. Tandis que la côte de la mer Rouge et les Lieux saints passent sous le contrôle des Saoudiens, les Britanniques maintiennent leur influence sur les principautés du golfe Persique. Grâce à Aden, ils contrôlent le passage de la mer Rouge à l'océan Indien. La Turquie reconquiert des territoires que le traité de Sèvres (1920) ne lui avait pas attribués : l'Arménie orientale et une partie du Kurdistan. Si les Arméniens conservent un État au territoire réduit et sous contrôle soviétique, les Kurdes revendiquent en vain la création d'un Kurdistan indépendant.

LE MOYEN-ORIENT

détruisent Bagdad en 1258. Après les ravages de la conquête mongole, le Moyen-Orient se réorganise en de nombreuses principautés, souvent dominées par des dynasties locales d'origine turque. L'Arabie vit dans l'isolement.

L'essor puis la stagnation des Ottomans. Les Ottomans parviennent à créer un nouvel empire musulman, à la fois héritier de Byzance et de Bagdad. Ils conquièrent Constantinople (1453) puis atteignent leur apogée au XVIe siècle. Selim Ier remporte sur les Séfévides d'Iran la bataille de Tchaldiran (1514) qui permet aux Ottomans de contrôler toute l'Anatolie, y compris le Kurdistan. Maîtres de la Syrie et de l'Égypte (depuis 1516-17), de l'Iraq (depuis 1534), d'une partie du Yémen (depuis 1538), les Ottomans s'érigent en défenseurs de l'orthodoxie sunnite et en protecteurs des lieux saints d'Arabie, alors que les Séfévides ont imposé le chiisme à tout l'Iran. Disposant de l'armée la plus puissante d'Europe au XVIe siècle, d'une activité artisanale et commerciale développée (notamment à Istanbul), les Ottomans assistent, impuissants, à l'essor de l'Atlantique et au déclin de la Méditerranée orientale à partir de la fin du XVIe siècle.

La domination occidentale. À la fin du XIXe et au début du XXe siècle, l'Empire ottoman est en fait une semi-colonie de l'Europe. Quant à l'Iran, il tente de résister aux prétentions de la

LE MOYEN-ORIENT
APRÈS LA PREMIÈRE
GUERRE MONDIALE

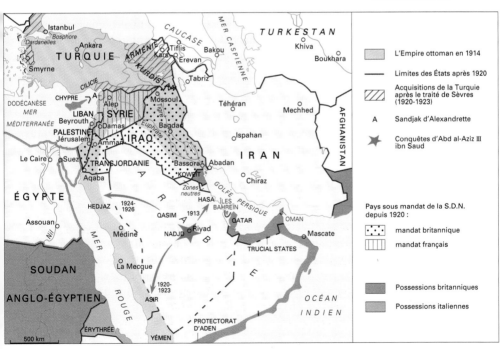

LE MOYEN-ORIENT

UNE ZONE DE CONFLITS

Le Moyen-Orient est, dans les années 1980, une des régions les plus conflictuelles du monde. À cela plusieurs raisons : les écarts de revenus moyens entre les États pétroliers et les autres sont énormes ; les frontières tracées à l'époque coloniale sont contestées. Le conflit entre Israël et les pays arabes a certes perdu son caractère global après le traité de Washington (1979) entre l'Égypte et Israël. Mais les dirigeants israéliens ont estimé que la sécurité de leur pays passait par le contrôle du Sud-Liban (envahi en 1982), par le maintien de l'occupation du Golan syrien et par la colonisation des territoires arabes occupés. L'invasion israélienne de 1982 a abouti au départ de l'O.L.P., mais elle a favorisé par contrecoup le développement de l'extrémisme islamiste, notamment chez les chiites du Sud-Liban et chez les Palestiniens des territoires occupés. Depuis 1991, la poursuite de la colonisation juive en Cisjordanie et à Jérusalem-Est, du côté israélien, la poursuite de la violence, du côté palestinien, sont des facteurs de blocage du processus de paix. Le Liban, aujourd'hui réconcilié, reste sous protection syrienne dans un état intermédiaire entre la guerre et la paix. Neutralisé par un embargo international, l'Iraq vit, depuis sa défaite totale en mars 1991, dans l'isolement. La guerre civile yéménite de 1994 a montré la fragilité de la réunification de 1990.

Russie et de la Grande-Bretagne. L'Empire ottoman s'allie à l'Allemagne et sort vaincu de la Première Guerre mondiale. Il est démembré au profit de la France, de la Grande-Bretagne, de la Grèce et de l'Italie. La France se voit confier en 1920 un mandat de la S. D. N. sur la Syrie et le Liban, tandis que la Grande-Bretagne (qui domine déjà l'Égypte depuis 1881) se fait attribuer la Palestine, la Jordanie et l'Iraq. Les Britanniques favorisent le développement d'un foyer national juif en Palestine. Cependant, le sursaut national des Turcs leur permet de constituer sous l'égide de Mustafa Kemal Atatürk le premier État-nation du Moyen-Orient, la Turquie, dont les frontières sont reconnues au traité de Lausanne (1923). L'Iran, à l'instar de la Turquie, s'engage dans des réformes modernistes menées par Reza Chah (1925-1941). Enfin, dans la péninsule arabique, divers États princiers forment l'Arabie saoudite en 1932.

Le Moyen-Orient contemporain.

Au temps de la guerre froide. À peine achevée la Seconde Guerre mondiale, les pays arabes du Moyen-Orient accèdent à l'indépendance dans un contexte profondément conflictuel, du fait de la colonisation juive en Palestine puis de la création de l'État d'Israël en 1948 et du développement de la guerre froide. La Syrie et le Liban, pleinement indépendants depuis 1946, sont suivis par l'Égypte, en 1952-1954, et par l'Iraq, en 1958. Les défaites arabes dans les deux premières guerres contre Israël (1948, 1967) amènent la radicalisation du nationalisme arabe. Les pays arabes du Moyen-Orient se partagent entre pays « progressistes », regroupés autour de Nasser, soutenus par l'U. R. S. S. et qui luttent pour la prise en compte des droits des Palestiniens, et pays « conservateurs » (Jordanie, Liban, Arabie saoudite) soutenus par les Occidentaux. La Turquie, membre de l'O. T. A. N., et l'Iran sont les alliés des États-Unis. Après la troisième guerre israélo-arabe, en 1973, les pays pro-occidentaux, et notamment l'Arabie saoudite, détenteurs d'un atout majeur avec les revenus pétroliers, jouent un rôle prépondérant.

De la guerre à la négociation. Le déclin des idéologies socialistes dans la région ouvre la voie aux mouvements islamistes contestataires, encouragés par le succès de la révolution iranienne (1979). De graves conflits régionaux éclatent : guerre civile libanaise (1975), guerre Iran-Iraq (1980-1988), soulèvement palestinien dans les territoires occupés par Israël *(intifada)* à partir de 1987. Enfin, les ambitions régionales de Saddam Husayn et l'occupation du Koweït par l'Iraq provoquent la guerre du Golfe (1990-91). Au lendemain de la guerre du Golfe qui coïncide avec la fin de la rivalité Est-Ouest, le temps de la négociation semble venu. Le Liban est enfin sorti

LE MOYEN-ORIENT

de la guerre civile. Sous la pression des États-Unis, un dialogue israélo-arabe s'amorce à la conférence de Madrid (1991), mais bientôt il s'enlise. Relancé à Oslo, il aboutit à l'accord de Washington entre Israël et l'O. L. P. (1993), qui prévoit l'accession progressive des Palestiniens des territoires occupés à l'autonomie. Cet accord est suivi de la signature d'un traité de paix israélo-jordanien (1994) et de l'ouverture de négociations israélo-syriennes. Mais le difficile processus de paix semble, depuis 1996, entré dans une impasse. L'avenir des Palestiniens, comme celui des Kurdes, autre peuple sans État, déchiré de surcroît par des dissensions internes, demeure incertain. Après la période d'optimisme qui a suivi la fin de la guerre du Golfe, le climat est redevenu lourd au Moyen-Orient et la menace d'un nouveau conflit régional n'a pas disparu. Par ailleurs, sous des formes très différentes – tantôt institutionnelles (en Iran ou, de manière plus éphémère, en Turquie), tantôt violentes –, l'islamisme s'impose comme une force politique durable dans tous les États de la région.

LE MOYEN-ORIENT
1981-1991

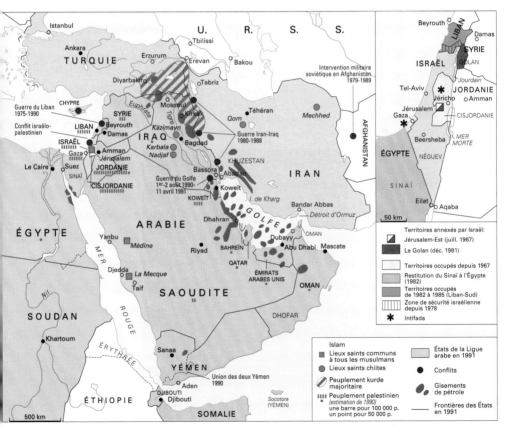

MOZART

Mozart est sans doute, actuellement, le compositeur le plus généralement aimé et admiré, mais ce ne fut pas toujours le cas. Il importe de ne pas se laisser hypnotiser par le mythe de l'enfant prodige. Les premières années de Mozart virent naître de nombreux chefs-d'œuvre, mais sa personnalité ne s'affirma vraiment que lors du voyage à Mannheim et à Paris (1777-1778), et le « grand » Mozart est celui des années viennoises (à partir de 1781).

MOZART, MUSICIEN EUROPÉEN

Salzbourg, où naquit Mozart, était une cité provinciale, gouvernée par un prince-archevêque « éclairé », mais sans tradition d'opéra, ce qui explique qu'il ait tout fait pour s'en échapper. Trois voyages accomplis en Italie avec son père lui ont permis d'approfondir sa connaissance de l'opéra et du style vocal italiens. Mais il connaissait aussi de près la culture musicale française.

L'enfant prodige et les voyages.

Wolfgang Amadeus Mozart naît le 27 janvier 1756 à Salzbourg, alors principauté indépendante. Son père Leopold (1719-1787), musicien de profession, auteur d'une célèbre méthode de violon, reconnaît très tôt son génie. En juin 1763, ayant obtenu un congé de son employeur, le prince-archevêque de Salzbourg, Leopold part avec sa femme, son fils et sa fille pour une grande tournée européenne (Allemagne, Bruxelles, Paris, Londres, Hollande, Paris) qui durera jusqu'en novembre 1766. L'année 1768 est passée pour l'essentiel à Vienne, où Mozart compose l'opéra bouffe *La Finta semplice* et le singspiel *Bastien et Bastienne*. De 1769 à 1773, Mozart et son père effectuent trois séjours en Italie, patrie de l'opéra, où est composé *Lucio Silla* (Milan, 1772). Mozart se forge ainsi un style international qui le marquera toute sa vie.

❶ Portrait de Mozart par son beau-frère J. Lange (1789-90). [Musée Mozart, Salzbourg.]

La période salzbourgeoise et le voyage à Paris.

En 1773, Mozart compose à Vienne 6 quatuors à cordes influencés par Haydn et, en 1773-74, à Salzbourg, 4 symphonies importantes. Exception faite d'un court séjour à Munich pour la création de l'opéra *La Finta Giardiniera* (janv. 1775), il ne quittera plus Salzbourg avant septembre 1777 et passe ces quatre années au service du prince-archevêque Colloredo. Puis il démissionne et part avec sa mère pour un voyage qui le mènera à Mannheim et à Paris. Il revient à Salzbourg dans les premiers jours de janvier 1779 pour rentrer au service de Colloredo. Matériellement, son voyage s'est soldé par un échec, mais il en est revenu très mûri sur le plan artistique et humain.

La période viennoise.

En janvier 1781, Mozart est à Munich pour la création de son opéra *Idomeneo*. De là, il rejoint Colloredo à Vienne, mais c'est pour rompre avec lui et mener dans la capitale autrichienne une carrière de musicien indépendant. Mozart est reçu par plusieurs familles de la haute société, donne des leçons et se taille de francs succès comme pianiste. Grâce au baron Van Swieten, il découvre Bach et Händel. Son opéra allemand *l'Enlèvement au sérail* est créé en 1782, tandis qu'il mène à bien les trois premiers des 17 grands concertos pour piano de ses années viennoises. De juillet à octobre 1783, il séjourne pour la dernière fois à Salzbourg, où est entendue sa solennelle et inachevée *Messe en ut mineur*.

Débute ensuite une période d'environ deux ans et demi qui est sans doute la plus active et la plus heureuse de la carrière viennoise de Mozart. Il mène alors, avec Haydn, le « style classique viennois » à son apogée. Le 14 décembre 1784, il est reçu dans la franc-maçonnerie et, en janvier 1785, termine les deux derniers des 6 *Quatuors à Haydn*. Le 1er mai 1786 sont créés *Le Nozze di Figaro* (→ Noces), premier de ses trois grands opéras italiens sur des livrets de Lorenzo Da Ponte, et, en 1787, *Don Giovanni* (livret de Da Ponte, création à Prague le 29 oct.) [→ Don Juan]. De la même année datent 2 grands quintettes à cordes et durant l'été de 1788 naissent les dernières symphonies, en *mi bémol*, en *sol mineur* et en *ut (Jupiter)*.

D'avril à juin 1789, Mozart effectue un voyage à Dresde, à Leipzig et à Berlin. Le 26 janvier 1790 est créé l'opéra *Cosi fan tutte* (livret de Da Ponte). L'année 1790 est presque stérile, avec de pressants soucis d'argent tandis que la suivante se révèle au contraire extrêmement féconde : dernier quintette à cordes, dernier concerto pour piano, concerto pour clarinette, opéras

MOZART

La Clemenza di Tito (Prague, 6 sept.) et *la Flûte enchantée* (Vienne, 30 sept.) [→ FLÛTE], le *Requiem,* inachevé. Mozart meurt à Vienne le 5 décembre 1791, de maladie et non pas de faim. Malgré les critiques dont il a fait l'objet, la réputation de Mozart est des plus enviables. En une dizaine d'années, elle deviendra européenne.

Les autres œuvres principales.

Une cinquantaine de symphonies, dont n° 35 *Haffner* (1782), n° 36 *Linz* (1783), n° 38 *Prague* (1786), n° 39, n° 40 et n° 41 *Jupiter* (1788). Cassations, sérénades, danses et marches, et divertissements, dont *Petite Musique de nuit* (1787). 23 concertos pour piano entièrement originaux (1773-1791), 5 pour violon (1773-1775), 2 pour flûte (1778), 1 pour flûte et harpe (1778), 1 pour basson (1774), 1 pour clarinette (1791), 4 pour cor (1783-1791). 6 quintettes à cordes (1773-1791), 23 quatuors à cordes (1770-1790), 1 trio à cordes (1788). Un quintette pour clarinette et cordes (1789). 18 sonates pour piano (1775-1789), de la musique de chambre (sonates, 2 quatuors, un quintette, trios) avec piano. Des messes, dont la *Messe du couronnement* (1779), de la musique religieuse diverse, dont *Ave verum* (1791). Des airs de concert, des lieder et des canons.

❷ *Les Noces de Figaro,* au théâtre du Châtelet (Paris, 1992).

MOZAMBIQUE, État de l'Afrique australe, entre 10 et 27º de latitude S., sur l'océan Indien.

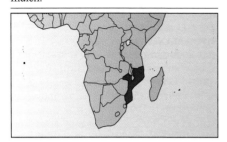

NOM OFFICIEL : République du Mozambique.
CAPITALE : Maputo.
SUPERFICIE : 785 000 km².
POPULATION : 16 500 000 hab. *(Mozambicains)*.
LANGUE OFFICIELLE : portugais.
RELIGIONS : croyances traditionnelles animistes, catholicisme.
MONNAIE : metical.
RÉGIME : institutionnellement parlementaire, de tendance présidentielle.

GÉOGRAPHIE

Grand comme une fois et demie la France, disposant d'une vaste plaine côtière et généralement bien arrosé, le pays est devenu l'un des plus pauvres du monde. Le départ de 500 000 Portugais en 1975, la réforme agraire qui lui a succédé, puis la sécheresse et la guerre civile (dans les années 1980 surtout) ont désorganisé une économie presque exclusivement rurale. Le maïs, le manioc et le sorgho sont les principales cultures vivrières et, bien que la pêche fournisse un important apport alimentaire, le Mozambique est aujourd'hui importateur de denrées alimentaires. La canne à sucre, le coton, les noix de cajou, le thé assurent la majeure partie d'exportations bien inférieures aux importations. Au déficit commercial s'ajoute encore le poids de l'endettement extérieur. Le sous-sol est riche mais peu exploité. La production d'hydroélectricité du barrage de Cabora Bassa (sur le Zambèze) reprend très lentement. La population, plus dense au N. et au S. que dans la région centrale, s'accroît à un rythme rapide, qui ne

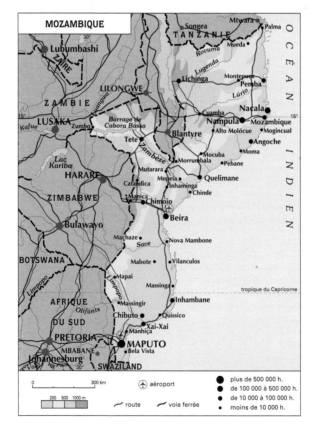

MOZAMBIQUE

aéroport

● plus de 500 000 h.
● de 100 000 à 500 000 h.
● de 10 000 à 100 000 h.
· moins de 10 000 h.

route   voie ferrée

favorise pas la solution du problème alimentaire. Les villes principales (sauf Nampula) sont des ports (Maputo, Beira, Quelimane).

HISTOIRE

Avant l'arrivée des Européens, la région, peuplée de Bantous, connaît déjà une certaine prospérité ; la côte est en relation avec l'Asie, notamment la péninsule Arabique, par l'intermédiaire des marchands arabes, persans et, au XVe siècle, chinois.

1490 : les Portugais s'installent sur la côte.

Ils supplantent les Arabes et se livrent essentiellement à la traite des esclaves. Menacés par les Britanniques, ils entreprennent la conquête du pays (1895-1913).

1964 : le Front de libération du Mozambique (Frelimo), fondé deux ans auparavant, entame la guérilla contre la domination portugaise.

1975 : indépendance du Mozambique.

Après le départ de la plupart des Portugais, Samora Machel, président de la République populaire, doit faire face, en plus de graves difficultés économiques, à une rébellion armée anticommuniste, soutenue par l'Afrique du Sud.

1986 : Joaquim Chissano succède à S. Machel.

1990 : une nouvelle Constitution met fin à quinze ans de régime de parti unique.

1992 : J. Chissano signe un accord de paix avec le chef de la rébellion.

1994 : la première élection présidentielle pluraliste confirme J. Chissano à la tête de l'État.

MOZAMBIQUE (canal de ou du), bras de mer de l'océan Indien, entre l'Afrique (Mozambique) et Madagascar.

MOZARABE adj. et n. Se dit des chrétiens d'Espagne qui conservèrent leur religion sous la domination musulmane mais adoptèrent la langue et les coutumes arabes. ◆ adj. Se dit d'un art chrétien d'Espagne dans lequel s'est manifestée une influence du décor islamique (Xe s. et début du XIe, surtout dans les régions restées indépendantes de l'Espagne du Nord).

MOZART (Wolfgang Amadeus), compositeur autrichien (Salzbourg 1756 - Vienne 1791).

→ ● **DOSSIER** MOZART page 3702.

MOZETTE n.f. → MOSETTE.

MOZI ou **MO-TSEU**, philosophe chinois (v. 479 - v. 381 av. J.-C.). Il s'opposa à Confucius dont il critiqua la philosophie égoïste et les conséquences qu'elle engendre : guerres, richesses, goût du faste. Mozi prêcha l'amour universel, l'aide aux pauvres ; il s'efforça de mettre en garde ses disciples contre la guerre. En vertu de son idéal égalitaire et de son respect

du travail manuel, il organisa ses disciples en groupes paramilitaires, qu'il appliqua à rendre ouverts aux aspirations populaires.

MOZZARELLE n.f. Fromage italien au lait de vache ou, parfois, de bufflonne, à pâte molle.

MPUMALANGA, prov. d'Afrique du Sud, limitrophe du Swaziland et du Mozambique ; 81 816 km² ; 2 838 500 hab. Ch.-l. Nelspruit.

MRBM n.m. (sigle de l'angl. medium range ballistic missile). Missile de portée moyenne, comprise entre 800 et 2 800 km.

MROŻEK (Sławomir), écrivain polonais (Borzęcin 1930). Nouvelliste satirique (l'Éléphant, 1957), il use, dans son théâtre, du grotesque pour montrer le tragique de la condition humaine (les Émigrés, 1974).

M. R. P. (Mouvement républicain populaire), parti politique français créé en 1944 et qui regroupa les démocrates-chrétiens. Après avoir connu, dès 1945, un grand succès électoral au point de devenir le premier parti français, le M. R. P. fut abandonné par une partie de ses électeurs lors de la formation du R. P. F. (1947). Au cours de la IVe République, il participa à la plupart des gouvernements. Rallié en 1958 au général de Gaulle, il s'effaça, à partir de 1967, devant le Centre démocrate.

M. S. B. S. n.m. (sigle de mer-sol balistique stratégique). Missile stratégique français lancé par les sous-marins à propulsion nucléaire lanceurs d'engins. (→ MISSILE.)

M6 (Métropole 6), chaîne de télévision française. Créée en 1986, elle appartient depuis 1987 à un groupe piloté par la Compagnie luxembourgeoise de télédiffusion.

M.S.T. n.f. (Maladie sexuellement transmissible), maladie pouvant être transmise au cours d'un rapport sexuel.

ENCYCL. De nombreux microbes peuvent provoquer des M. S. T. La personne malade risque de transmettre l'affection au cours d'un rapport sexuel. Mais on distingue deux cas. Dans le premier, la personne a été elle-même contaminée au cours d'un rapport (il s'agit des classiques « maladies vénériennes ») : syphilis, chancre mou, blennoragie, maladie de Nicolas-Favre. Dans le second, le malade n'a pas été contaminé obligatoirement au cours d'un rapport : infections à candida, chlamydia, mycoplasme, ou trichomonas ; condylome ; hépatite virale ; sida. (→ SIDA, SYPHILIS.)

Mt, symbole chimique du meitnerium.

M.T.S. (sigle). Ancien système d'unités dont les trois unités fondamentales sont le mètre (longueur), la tonne (masse), la seconde (temps).

PHOTOGRAPHIES

Dans la table ci-après, le numéro de la page
où figure toute photographie référencée
est suivi du nom du photographe et/ou de l'organisme
(agence photographique, musée, entreprise, etc.)
ayant fourni le document.
S'il existe plusieurs photographies référencées
dans la même page, celles-ci sont distinguées
soit par un numéro d'ordre, qui est celui qui figure
dans la légende, soit par une lettre indiquant leur position
(h : haut ; b : bas ; d : droite ; g : gauche).
Le lieu de conservation des œuvres reproduites est mentionné
dans la légende de l'illustration.

3333 : Josse H.   **3337** : *1,* D.R.   **3337** : *2,* D.R.   **3339** : M.N.A.M.-Centre G.-Pompidou, Paris.   **3340** : Held S.   **3341** : *g,* Lessing E. - Magnum   **3341** : *d,* D.R.   **3342** : APN.   **3344** : Brassaï.   **3349** : Grosset S. - Gamma.   **3350** : Burnett - Gamma.   **3352** : Valdin - Diaf.   **3356** : Stedelijk Museum, Amsterdam.   **3359** : Agraci - Artephot.   **3360** : Freund G.   **3361** : Lénars C.   **3362** : Giraudon.   **3365** : Varin J.-P. - Jacana.   **3366** : Cordier S. - Jacana.   **3367** : *4,* Ferrero/Labat - Jacana.   **3467** : *5,* Layer W. - Jacana.   **3468** : *6,* Varin/Visage - Jacana.   **3368** : *7,* Davis T./PHR-Jacana.   **3374** : Josse H.   **3375** : Réunion des Musées Nationaux, Paris.   **3377** : Scala.   **3378** : Mangin G.   **3379** : Deichmann G. - ANA.   **3381** : *h,* Coll. Christophe L.   **3381** : *g,* Coll. Larousse.   **3381** : *d,* Coll. Larousse.   **3383** : Langeland J.P. - Diaf.   **3384** : *h,* Coll. Larousse.   **3384** : *g,* Wysocki P. - Explorer.   **3385** : Scala.   **3387** : *g,* Hinz H.   **3387** : *d,* Loirat L.Y. -Explorer.   **3393** : Lauros - Giraudon.   **3390** : Burri R. - Magnum.   **3391** : Roger-Viollet.   **3394** : Loustalot L. - TempSport.   **3395** : *g,* Dagli Orti G.   **3395** : *d,* Musée de l'Armée, Paris.

3403 : Dagli Orti G.   **3404** : *g,* Giraudon.   **3404** : *d,* Oronoz -Artephot.   **3405** : *g,* Oronoz -Artephot.   **3405** : *d,* Josse H.   **3408** : Bibliothèque nationale, Paris. **3409** : Josse H.   **3412** : Leimdorfer - REA.   **3413** : *2,* Siccoli P. - Gamma.   **3413** : *3,* Le Bot A. - Gamma.   **3417** : *7,* Sirpa ECPA.   **3417** : *8,* Sirpa ECPA.   **3423** : Josse H.   **3424-3425** : Enguerand.   **3426** : Dagli Orti G.   **3427** : Loirat L.-Explorer.   **3429** : Thibault N. - Explorer.   **3430** : Giraudon.   **3439** : Coll. Larousse.   **3442** : Coll. Marinie A.   **3443** : Scala.   **3346** : Lauros - Giraudon.   **3348** : Gal. Louise Leiris, Paris. **3349** : Coll. Christophe L.   **3452** : *h,* Philippe J.M.   **3452** : *b,* Philippe J.M.   **3454** : Tweedy E. - Larbor.   **3455** : Akademische Druck-und Verlagsanstalt-Artephot.   **3462** : Giraudon.   **3463** : Gift of M. and Mrs. Samuel A. Marx - Museum of Modern Art, New-York.   **3466** : Josse H. **3470** : Nimatallah - Artephot.   **3471** : Hulton Deutsch Collection. **3472** : Dagli Orti G. - Éditions Gallimard.   **3473** : Dagli Orti G.   **3474** : Dagli Orti G.   **3476** : Lauros-Giraudon.   **3477** : Dagli Orti G.   **3482** : Lounes M. - Gamma. **3488** : Tapabor.   **3491** : Lessing E. -Magnum.   **3493** : Lauros -Giraudon.

3500 : Black Star - Eiserman D. - Rapho.   **3503** : *g,* Coll. Larousse.   **3503** : *d,* Bildarchiv Preussischer Kulturbesitz.   **3507** : Coll. Marinie A.   **3515** : Gohier F. - Explorer.   **3516** : Dagli Orti G.   **3517** : Gerster G. - Rapho.   **3519** : *3,* Dagli Orti G.   **3519** : *4,* Josse H.   **3519** : *5,* Dagli Orti G.   **3521** : Lochon F. - Gamma.   **3524** : *h,* Favier J.J. - Camel D. - C.E.A.   **3524** : *b,* Favier J.J. - Camel D. - C.E.A.   **3526** : *h,* Mével G.   **3526** : *b,* IGAL.   **3529** : *g,* SNECMA.   **3529** : *d,* SNECMA.   **3531** : *g,* Sioen G. - Cedri.   **3531** : *d,* Muséum national d'Histoire naturelle, Paris.   **3535** : Météo-France.   **3537** : Studio photo - Conservatoire nat. des Arts et Métiers, Paris.   **3539** : Alpenland.   **3540** : Pix.   **3541** : Boutin G. - Explorer.   **3542** : Dagli Orti G.   **3544** : De Wilde P. - Hoa-Qui.   **3546** : Dannemiller - Saba - REA.   **3548** : Dagli Orti G.   **3549** : *4,* L'Illustration - Keystone.   **3549** : *5,* Dagli Orti G.   **3551** : Freund G.   **3552** : Lauros - Giraudon.   **3554** : Allard - REA.   **3557** : Scala.   **3558** : Nippon Television Network Co., Tokyo. **3559** : Scala. **3561** : Scharf D./SPL - Cosmos.   **3566** : Couturier S. - Archipress.   **3568** : *h,* Jaeghere de L.-Diaf.   **3568** : *b,* Coll. Christophe L.   **3573** : Lessing E. - Magnum.   **3574** : Goetgheluck P.   **3575** : Michaud R. et S. - Rapho.   **3580** : *1,* Berthoule H. - Jacana.   **3580** : *2,* Berthoule H. - Jacana.   **3580** : *3,*

Berthoule H. - Jacana. **3581** : Lauros - Giraudon. **3582** : *h,* Österreichische Nationalbibliothek, Vienne. **3582** : *b,* Bibliothèque nationale, Paris. **3583** : Migeat P. - M.N.A.M.-Centre G.-Pompidou, Paris. **3584** : Coll. Marinie A. **3585** : *h,* Dagli Orti G. **3585** : *h,* Dagli Orti G. **3585** : *b,* Dagli Orti G. **3586** : Joker - Sipa Press. **3587** : Lauros - Giraudon. **3589** : Kunst Museum, Berne. **3592** : Paireault-ANA. **3596** : *3,* George P. - Ernoult Features. **3596** : *4,* Ernoult Features. **3598** : Lacroix - Imapress. **3599** : Coll. Christophe L.

3604 : Donation G. et J. Masurel - Musée d'Art moderne, Villeneuved'Asq. **3606** : Musées royaux d'Art et d'Histoire, Bruxelles. **3608** : Dagli Orti G. **3610** : Geopress - Explorer. **3612** : C.N.R.S. **3613** : Giraudon. **3615** : Bernand. **3617** : Bildarchiv Preussischer Kulturbesitz. **3618** : Barde J.L. - Scope. **3625** : Starosta P. **3626** : Laboute P. - Jacana. **3627** : *g,* Stedelijk Museum, Amsterdam. **3627** : *d,* Réunion des Musées Nationaux, Paris. **3633** : Michaud R. et S. - Rapho. **3638** : Gal. Lelong, Paris. **3639** : Coll. Christophe L. **3642** : Andanson J. - Sygma. **3643** : Josse H. **3644** : Archives Larbor. **3646** : Archives publiques du Canada. **3647** : Lauros - Giraudon. **3648** : Popperfoto. **3650** : Lessing E. - Magnum. **3652** : Faure D. - Scope. **3653** : Jourdan F. - Explorer. **3654** : Pratt-Pries - Diaf. **3655** : Bouchart F.X. - Archipress. **3657** : Sudres J.D. - Diaf. **3658-3659** : *h,* Sudres J.D. - Scope. **3658** : *b,* Faure D. - Scope. **3659** : *b,* Sudres J.-D. - Scope. **3660** : *h,* Sudres J.D. - Scope. **3660** : *b,* Sudres J.-D. - Scope. **3661** : Sudres J.D. - Scope. **3664** : Réunion des Musées Nationaux, Paris. **3671** : Dagli Orti G. **3672** : Dagli Orti G. **3673** : Armand D. - Fotogram-Stone. **3678** : *h,* Prevost J. - TempSport. **3678** : *b,* Bemak P. - TempSport. **3687** : Keystone. **3691** : *2,* Nuridsany et Pérennou. **3691** : *3,* Starosta P.

3702 : Musée Mozart, Salzbourg. **3704** : Coqueux P.

CARTOGRAPHIE

CARTES GÉOGRAPHIQUES

Réalisées par :

Bartholomew :
Mali
Maroc
Martinique
Mauritanie
Mexique
Mongolie
Mozambique.

A.F.D.E.C. :
Moldavie.

K. Mazoyer :
Malaisie
Midi-Pyrénées
monde politique.

CARTES HISTORIQUES

Réalisées par :

M. Bézille et K. Mazoyer :
Mésopotamie (XVIIIᵉ-VIIᵉ s.av. J.-C.)
Moghols (Empire des Grands)
mongol (Empire) [XIIIᵉ-XIVᵉ s.]
Moscovie (XIVᵉ-XVIᵉ s.)
Moyen-Orient après la Première Guerre mondiale
Moyen-Orient (1981-1991).